JEAN CHALON

CHÈRE
MARIE-ANTOINETTE

© Librairie Académique Perrin, 1988.

ISBN 2-266-03122-8

Il n'y a de nouveau que ce qui est oublié.
ROSE BERTIN.

Un petit perroquet viennois
(1755-1770)

La vie de Marie-Antoinette commence comme un rêve, dans un palais, à Vienne, et se termine comme un cauchemar, dans une prison, à Paris. Entre ce début de rêve et cette fin de cauchemar, que d'enchantements, de bals, de fêtes, de feux, de jeux ! Bref, tout ce qui composait cette légendaire « douceur de vivre ». Dans ce conte de fées qui s'achève en tragédie, aucun personnage ne manque : une mère despotique (Marie-Thérèse), un prince endormi (Louis XVI), un prince charmant (Fersen), une nymphe au cœur fidèle (Lamballe), un mauvais génie (la Polignac), une servante dévouée (Mme Campan), une Carabosse (Madame Adélaïde), un monstre (Philippe Egalité), une duègne grincheuse (Mme de Noailles), un sage protecteur (Mercy-Argenteau), deux beaux-frères perfides (Provence et Artois) et une belle-sœur presque parfaite (Madame Élisabeth). Tout ce monde est là, avec, pour décor, le château de Versailles et sa galerie des Glaces. Galerie de miroirs magiques puisque Marie-Antoinette s'y reflète éternellement jeune. Assassinée une quinzaine de jours avant son trente-huitième anniversaire, Marie-Antoinette, que ses meurtriers comparaient injustement à une Jézabel, n'aura pas eu, comme la Jézabel de Racine, à « réparer des ans l'irréparable outrage »... Sa courte existence constitue la preuve même de cette inéluctable Fatalité dont les peuples gardent, dans leur mémoire commune, tant d'exemples.

En son personnage, Marie-Antoinette incarne les victimes passées, présentes et futures. Elle est LA victime. Quand elle traite son mari de « pauvre homme », elle ne peut pas imaginer qu'on la désignera, un jour, à son tour, comme une « pauvre femme ». Pauvre femme qui a tout reçu, tout perdu et qui, à l'instant même de cette perte, quand elle quitte le Temple où elle abandonne ce qu'elle a de plus cher au monde, son fils, prononce son sublime « rien à présent ne peut me faire du mal ». Constatation qui suffit à changer en un sommet l'abîme où Marie-Antoinette est tombée.

Fille de François de Lorraine et de Marie-Thérèse d'Autriche, Marie-Antoinette naît à Vienne le 2 novembre 1755. C'est le jour des morts. Les cloches qui saluent sa naissance ne sonneront pas le jour de sa mort. Les cloches seront alors muettes dans ces églises parisiennes où l'on ne célébrera plus que le culte de Sainte Raison, et cela, en pleine démence révolutionnaire, en pleine Terreur.

Quatre frères (Joseph, l'héritier du trône, Léopold, Charles, Ferdinand) et sept sœurs (Marie-Anne, Marie-Christine, Marie-Élisabeth, Marie-Amélie, Marie-Jeanne, Marie-Josèphe, Marie-Caroline) se penchent sur le berceau de cette nouveau-née que les fées, ou les astres déguisés en fées, dotent du plus redoutable des dons : la séduction. Habituée à tout obtenir par la seule force de son sourire et de ses grâces que célèbrent, à l'unanimité, ses contemporains, Marie-Antoinette se change en une véritable machine à plaire. De Louis XV à Barnave, de Louis XVI à Mirabeau, tous les hommes en sont fous et succombent à ses charmes. « Comment résister à son pouvoir d'attraction, avec une Vénus conjointe au Soleil dans la Maison V qui est la maison de l'amour, renforcée par la présence de la Lune dans le signe vénusien de la Balance ? Mais son ciel astral est barré par une terrible, une redoutable opposition des planètes maléfiques Mars et Saturne, qui la mettent sous l'emprise de la fatalité[1]. »

---

1. Explications fournies par l'astrologue Olenka de Veer.

En attendant que s'accomplisse ce destin prévu par les astres, Marie-Antoinette ouvre les yeux sur un monde que vient de bouleverser la veille, le 1er novembre 1755, le tremblement de terre de Lisbonne immortalisé par Voltaire et autres penseurs de l'époque. Le roi et la reine de Portugal qui contemplent les ruines de leur palais et le saccage de leur capitale sont les parrain et marraine de Marie-Antoinette. Fâcheuse coïncidence, présage d'autres ruines et d'autres saccages qui accableront leur filleule.

Le 3 novembre, Marie-Antoinette-Joséphine-Jeanne de Lorraine d'Autriche[1] est baptisée par l'archevêque de Vienne aux sons d'un *Te Deum*. À la cérémonie, le roi et la reine de Portugal sont représentés par le frère aîné de Marie-Antoinette, Joseph, et par l'une de ses sœurs, Marie-Anne. Sitôt le baptême terminé, celle que l'on appelle désormais à la cour de Vienne Madame Antoine est confiée, selon l'usage, à une nourrice. Elle aura un frère de lait, Weber, qui écrira ses Mémoires. De Weber à Mme Campan, elle est longue la liste des familiers de la reine qui écriront leurs Mémoires, comme s'ils voulaient perpétuer le privilège d'avoir rencontré un être inoubliable.

En novembre 1755, Marie-Thérèse, impératrice d'Autriche, reine de Bohême et de Hongrie, se remet lentement de ses couches. Elle n'a pas encore quarante ans. Elle fait des enfants comme d'autres font de la tapisserie, avec application et ponctualité. En chacun de ses enfants, et elle en a eu seize dont six sont morts en bas âge, Marie-Thérèse voit l'espoir d'un superbe mariage qui, en plus de sa magnificence, assurera une paix définitive avec de redoutables voisins.

Montée sur le trône à vingt-trois ans, Marie-Thérèse a dû affronter les trahisons, les coalitions, les guerres.

---

1. Baptisée en fait sous les prénoms de Marie, Antoine, Josèphe, Jeanne.

Elle a levé des armées, renversé des alliances. De cette lutte incessante, elle est sortie victorieuse, conservant son trône tant menacé et ne perdant de ses royaumes tant convoités que la Silésie. Elle a conscience d'être l'un des plus importants monuments vivants de l'Europe et sacrifie tout aux devoirs de ses innombrables États.

L'impératrice n'a pas de temps à perdre en futilités. La vie à la Cour de Vienne est très simple. On y ignore l'étiquette. Goethe compare la famille impériale à une famille de grands bourgeois allemands. Bourgeoise besogneuse, Marie-Thérèse se lève à quatre heures du matin en été, à six heures en hiver. Elle travaille, elle travaille, elle travaille. Elle se couche immuablement à dix heures du soir. Dans un horaire aussi strict, les enfants n'ont guère de place et passent des mains des nourrices à celles des gouvernantes. De temps en temps, Marie-Thérèse se souvient qu'elle a des fils et des filles. Elle les convoque, les interroge et, selon leurs réponses, elle les embrasse ou elle les gronde. Ce tyran politique se double d'un despote domestique. Tout doit plier à la volonté de Marie-Thérèse, sa famille comme ses sujets. Aucun de ses enfants ne s'en remettra et chacun aurait pu faire graver sur sa tombe l'épitaphe choisie par Joseph : « Ci-gît Joseph II qui fut malheureux dans toutes ses entreprises. »

Avoir pour mère une Marie-Thérèse, c'est accablant. C'est la mère absolue, la mère-massue, celle qui écrase et qui broie, l'ogresse qui dévore ses propres enfants. Comme la plupart des mères abusives, elle passe « avec aisance de l'état de plus heureuse des mères à celui de mère martyre ». Face à Marie-Thérèse, Marie-Antoinette restera une petite fille éperdue. Cette crainte de déplaire à sa déesse-mère ne la quittera pas, même quand elle sera reine de France et accentuera sa nature profonde de femme-enfant. Autant que sa mère, Marie-Antoinette redoute l'ennui. On verra à quelles extrémités ces deux peurs l'emporteront...

Marie-Thérèse est l'une des rares personnes qui se

veut, en apparence[1], insensible à la précoce séduction de la petite archiduchesse. Madame Antoine a beau multiplier les mines et les mots qui amusent ses gouvernantes et les rendent indulgentes, Marie-Thérèse sait à quoi s'en tenir sur les défauts de sa neuvième fille : c'est une moqueuse, une enjôleuse et, pire que tout, une paresseuse. Marie-Thérèse, ce bourreau de travail, a mis au monde une paresseuse qui fuit, dès qu'elle peut, la salle d'études pour courir dans le parc de Schönbrunn, en compagnie de ses sœurs, de ses amies, Louise et Charlotte de Hesse, et de leurs chiens, des carlins couleur de feu. Mais, de toutes les filles de l'impératrice d'Autriche, Madame Antoine est celle qui pratique le mieux, de façon innée, cet art de plaire, essentiel pour vivre, voire survivre, à la Cour de Versailles.

Faire de Madame Antoine la reine de France est l'un des rêves les plus chers de Marie-Thérèse, son grand projet. Elle ne ménage rien pour mener à bien un mariage qui mettrait fin à deux siècles d'hostilité entre les deux pays. Grâce à cette union, la Maison de France et la Maison d'Autriche cesseraient de se regarder comme des ennemis héréditaires. Il est temps qu'une telle attitude change. Il faut s'allier pour affronter ces deux ennemies que la France et l'Autriche ont désormais en commun : la Prusse et l'Angleterre.

Dès 1761, au moment de la signature du traité de Paris, alors que Madame Antoine n'avait que six ans et que Louis-Auguste, le futur Louis XVI, n'en avait que sept, des négociations s'étaient engagées qui aboutirent, en 1766, à un accord qui devait beaucoup aux « bons offices » de l'un des ministres de Louis XV, le duc de Choiseul. Marie-Thérèse n'était pas une ingrate et sut transmettre à sa fille ses sentiments de gratitude envers Choiseul.

En attendant de débuter à la Cour de Versailles, Madame Antoine fait, à quatre ans, ses débuts artisti-

---

1. Devant quelques intimes, l'impératrice reconnaissait pourtant que Madame Antoine, malgré ses défauts, faisait « ses délices ».

ques dans une revue familiale. Elle chante quelques couplets pendant que Joseph joue du violoncelle, Charles du violon, Ferdinand, du tambour, Marie-Anne et Marie-Christine, du piano. Les raisons d'un tel tintamarre ? Il s'agit d'un spectacle organisé par l'impératrice en l'honneur de son mari, François de Lorraine.

François de Lorraine comptait parmi ses ancêtres le roi René qui, au quinzième siècle, en Provence, mérita, l'épithète de « bon ». De ce roi René, François et sa fille Marie-Antoinette ont reçu, en héritage, une bonté naturelle. Tous deux ignorent le mal. François a la passion de la musique, de la danse, des fêtes et du cheval. Marie-Antoinette ne partagera que trop les goûts de son père. Dans les graves moments de sa vie, elle sait être la digne fille de Marie-Thérèse. Dans la vie quotidienne, elle n'est que la fille de François de Lorraine, se tenant, comme lui, à l'écart des choses sérieuses et ne se préoccupant que de musiques, de danses, de fêtes et de promenades à cheval...

François de Lorraine semble avoir une préférence pour Marie-Antoinette. Quand, en août 1765, François s'en va assister aux noces de son fils Léopold, grand-duc de Toscane, il embrasse sa neuvième fille plus longuement, plus tendrement, que les autres. Quelques jours après ces effusions, le 18 août, François de Lorraine meurt, frappé d'apoplexie. Marie-Thérèse partage alors le pouvoir avec son fils aîné qui devient empereur sous le nom de Joseph II. Le défunt laisse, en guise de consolation, une *Instruction pour mes enfants tant pour la vie spirituelle que pour la temporelle* dans laquelle Marie-Antoinette peut, entre autres, lire :

« Nous ne sommes pas en ce monde pour nous divertir seulement, et Dieu n'a donné tous ces amuse-ments que comme un délassement de l'esprit. [...] Une chose que je crois aussi bien nécessaire de vous recom-mander, c'est d'éviter d'être jamais oisifs. Les compa-gnies que l'on fréquente sont aussi une matière déli-cate ; car souvent elles nous entraînent malgré nous dans bien des choses, dans lesquelles nous ne tomberions pas comme elles [...]. Je vous recommande de prendre sur vous deux jours tous les ans pour vous préparer à la mort comme si vous étiez sûrs que ce sont là les deux derniers jours de votre vie, [...]. »

Si elle avait suivi ces sages avis, le destin de Madame Antoine en aurait été changé. On pourrait écrire une biographie de Marie-Antoinette avec des « si »... Qu'est-ce qu'une enfant qui n'a pas encore dix ans pouvait retenir de cette *Instruction* qui prêchait l'économie, l'horreur du jeu et du favoritisme, la charité ? Marie-Antoinette aimera les dépenses, le jeu, les faveurs qu'elle a le tort de confondre avec la charité. Elle aime donner jusqu'à la prodigalité. Un soir d'hiver, alors qu'elle entend parler de la misère qui règne dans certains quartiers de Vienne, Madame Antoine remet à sa mère une boîte qui contient cinquante ducats :

— Voilà cinquante ducats, dit-elle, c'est tout ce que j'ai ; permettez qu'on les distribue à ces malheureux.

Marie-Antoinette sait déjà qu'il faut donner, et que, même en donnant tout, on ne donne jamais assez ! À cette charité du don matériel, s'en ajoute une autre, plus délicate, la charité du geste et de la parole qu'illustre sa rencontre avec Mozart.

Mozart, enfant prodige, invité à la cour de Vienne en 1763, glisse sur les parquets. Rires et moqueries fusent. Seule, Marie-Antoinette, elle a sept ans, se précipite pour aider le petit musicien à se relever.

— Vous êtes bonne, je veux vous épouser, aurait dit Mozart.

Le mariage de Mozart et de Marie-Antoinette, voilà de quoi rêver et bâtir, une fois de plus, et ce n'est pas la dernière, sur de fragiles « si » un autre destin... De cette déclaration, on ne retiendra que l'essentiel : « Vous êtes bonne. » Marie-Antoinette est mieux que bonne : elle est compatissante. Elle est incapable d'avoir prononcé cette atrocité qu'on lui attribue encore de nos jours : « S'ils n'ont pas de pain, qu'ils mangent de la brioche ! » Il est vrai que l'une des tantes de Louis XVI, Madame Victoire, formula quelque chose d'approchant. Apprenant que des Parisiens manquaient de pain, elle s'exclama : « Mon Dieu, s'ils pouvaient se résigner à manger de la croûte de pâté ! » parce qu'elle jugeait cette croûte excessivement bourrative, et indigeste. De ce pâté transformé en brioche, on a fait, si j'ose écrire, des montagnes de haine et de méchanceté. Certains mots, surtout quand ils n'ont pas été prononcés, ont la vie dure.

Enfant, Marie-Antoinette est rebelle à tout enseignement. Elle réussit à imposer silence à ses professeurs par ses incessants, ses amusants bavardages. Elle parle, comme sa mère travaille, sans arrêt. C'est un petit perroquet viennois. Elle s'enivre de mots, elle en grise son entourage. Sa conversation, plus tard, éblouira ses proches, et les étrangers de passage à Versailles rapporteront les mots de la reine.

En 1766, à onze ans, Marie-Antoinette parvient à séduire par son gazouillis et par ses grâces Mme Geoffrin, de passage à Vienne, qui tenait l'un des salons les plus cotés de Paris et qui avait haussé la conversation à un art de vivre.

— Voilà une enfant que j'aimerais bien emporter, dit Mme Geoffrin, conquise.

Marie-Antoinette, pour exercer ses talents au bavardage, a une partenaire de choix en sa sœur, Marie-Caroline. Dès que ces deux-là sont ensemble, ce ne sont plus que chuchotements suivis de fous rires. Ces deux gamines ont en commun un travers qui aura, pour l'une comme pour l'autre, de graves conséquences : elles adorent se moquer des gens. Le temps d'une moquerie, Marie-Antoinette fait taire son très bon cœur au profit de son esprit pointu. Cela peut se tolérer chez une bourgeoise. Cela est insupportable quand on est au sommet de la pyramide sociale, que l'on doit donner le spectacle d'une dignité inattaquable, et ne pas s'abaisser à des commérages qui, colportés de bouche à oreille, blessent ceux qui en sont l'objet.

Quand elle apprend le passe-temps favori de Marie-Antoinette et de Marie-Caroline, Marie-Thérèse ne perd pas une minute et décide immédiatement de séparer les deux coupables. Le 19 août 1767, Marie-Thérèse écrit à Marie-Caroline le billet suivant :

« Je vous avertis que vous serez totalement séparée de votre sœur. Je vous défends tout secret, intelligence ou discours avec elle ; si la petite recommençait, vous n'avez qu'à ne pas y faire attention [...]. Tout ce tripot finira ainsi tout de suite ; ces secrets ne consistent d'ailleurs que dans des remarques contre votre prochain ou votre famille ou vos dames. »

La « petite » a douze ans. Elle aime, comme n'importe quelle fille de son âge, les secrets, les gâteaux à la crème, les chiens, les fleurs, les arbres, et, par-dessus tout, la musique. Contrairement à ce que pense son frère Joseph qui la traitera de « tête à vent », ce n'est pas le vent qui emplit la tête de Marie-Antoinette, mais les ouvertures d'opéras, les mouvements des symphonies, les airs de ces sonates qu'elle s'efforce de jouer sur son clavecin. Elle a pour professeur de musique Gluck et, jusqu'à l'âge de douze ans, sa gouvernante est Mme de Brandeiss avec qui elle ne s'entend que trop bien et qui n'a pas réussi à apprendre grand-chose à son élève. Mme de Brandeiss écrit au crayon les devoirs de Marie-Antoinette qui n'a plus qu'à les repasser à l'encre. Consternation de Marie-Thérèse quand elle apprend cette complaisance !

Mme de Brandeiss est remplacée par la comtesse de Lerchenfled, plus énergique, et avec laquelle Marie-Antoinette ne s'entend pas. Le résultat de cette incompréhension, et de cette absence d'instruction, tourne au désastre. A douze ans, Marie-Antoinette sait, à peine, écrire. Son orthographe est hasardeuse. Elle ignore la littérature, l'histoire. Elle parle un peu l'italien et prononce, tant bien que mal, quelques mots de français. Elle danse à ravir, seulement les danses allemandes.

C'est alors que le projet de mariage entre Marie-

Antoinette et Louis-Auguste se précisant de plus en plus, Louis XV fait savoir au comte Mercy-Argenteau, ambassadeur d'Autriche à Paris, qu'il chérit particulièrement la pureté de la langue française et que la future épouse de son petit-fils devra s'y appliquer. Avertie du désir du roi de France, l'impératrice d'Autriche lève les yeux au ciel : son « Antoinette » n'est « capable d'application que dans ses yeux ». Qu'à cela ne tienne, on essaiera de changer l'étude du français en un jeu, grâce à deux comédiens en tournée à Vienne, Aufresne et Sainville.

Aufresne enseigne à Marie-Antoinette la prononciation et la déclamation, et Sainville, le chant. Ce choix ne plaît pas à Choiseul qui préfère pour l'archiduchesse des guides plus sérieux, capables de l'initier aux usages et aux goûts du pays où elle régnera. Marie-Thérèse, qui sait s'incliner quand il le faut, renvoie les deux comédiens et demande à Choiseul de désigner lui-même un précepteur. Voilà Choiseul, à son tour, dans l'embarras. Il en parle à l'archevêque de Toulouse, Loménie de Brienne qui recommande avec tant de vivacité l'abbé de Vermond, « docteur de Sorbonne » et bibliothécaire du collège des Quatre-Nations, qu'il est engagé aussitôt.

Vermond se met immédiatement en route pour Vienne où l'attend le treizième travail d'Hercule : apprendre à Marie-Antoinette le français dans ses subtilités tant prisées par Louis XV et, aussi, l'histoire de France, la connaissance des grandes familles, surtout de celles qui ont des charges à la Cour, quelques notions de littérature utiles au pays de Rabelais, de Ronsard, de Racine, de Rousseau, et nécessaires en ce royaume où les écrivains prennent de l'importance et manient une nouveau-née : l'opinion publique.

S'il n'est pas Hercule, l'abbé de Vermond n'est pas non plus le ténébreux personnage dépeint par Mme Campan dans ses *Mémoires* et qui aurait « par un calcul adroit mais coupable, laissé son élève dans l'ignorance ». On ne voit pas ce que l'ignorance, immense, de Marie-Antoinette pouvait rapporter à son précepteur. Devant l'imminence, et l'enjeu, du mariage, Marie-Thérèse surveille, personnellement, les progrès de sa fille. À l'automne 1769, Marie-Thérèse interroge Marie-Antoinette pendant plus de deux heures et se déclare « satisfaite » de son entretien. Elle daigne féliciter l'abbé de Vermond pour avoir trouvé son élève « fort capable de raisonnement et de jugement, surtout dans les choses de la conduite ». Vermond partage l'opinion de l'impératrice. Lui aussi estime que le jugement de Marie-Antoinette est « presque toujours juste ». Il déplore également « un peu de paresse et beaucoup de légèreté ». Ah ! cette légèreté dont Marie-Antoinette ne se corrigera jamais, ce qui en fait l'un des êtres les plus aériens de son siècle !

Très laid, « traitant les gens les plus élevés comme ses égaux », très fin, aussi bavard que son élève, Vermond a vite compris qu'il ne peut instruire Marie-Antoinette qu'en donnant à ses leçons des allures de conversation. Il ne dispose que d'une heure par jour, une heure qui passe comme un éclair avec cette archiduchesse trop facilement distraite. « Je ne pouvais l'accoutumer à approfondir un sujet quoique je sentisse qu'elle en était très capable », remarque l'abbé, qui essaie de poursuivre ses enseignements, le soir, au cercle de la famille impériale.

« Marie-Thérèse, autant pour lui donner du crédit sur l'esprit de l'archiduchesse que pour s'emparer du sien, lui avait permis de se rendre tous les soirs au cercle intime de sa famille où depuis quelque temps la future Dauphine était elle-même admise [1]. »

On y parle du monde, des princes, des cours et de la France. À Vienne, en cet automne 1769, la France est à l'ordre du jour. L'archiduchesse apprend à être coiffée et à s'habiller « à la française ». Pour cela, elle abandonnera sa paresse et montrera beaucoup de sérieux.

L'abbé de Vermond ne se mêle pas seulement de cultiver l'esprit de son élève. Il s'occupe aussi de son

1. Mme Campan.

apparence. Il signale à Mercy-Argenteau deux défauts de la future Dauphine : un front trop bombé et des dents mal plantées. On remédie à l'un comme à l'autre. Un coiffeur, Larseneur, crée une coiffure spéciale afin de dissimuler le front de l'archiduchesse. Un spécialiste, Laveran, obtient, après trois mois de traitement, « des dents très belles et très bien rangées ». Vermond peut envoyer à Mercy-Argenteau ce bulletin de victoire :

« J'espère que Votre Excellence sera enchantée de Mme l'Archiduchesse. Sa physionomie acquiert tous les jours de nouveaux agréments. On peut trouver des figures plus régulièrement belles ; je ne crois pas qu'on puisse en trouver de plus agréables. »

Dans une autre lettre à Mercy-Argenteau, Vermond célèbre « le ton de bonté, d'affabilité, de gaieté qui était peint sur cette charmante figure ».

Les enseignements de l'abbé, les soins du coiffeur et du spécialiste, l'usage de « quelques modes françaises » ont suffi à donner à Marie-Antoinette un « vernis ». Ce « vernis » que l'on admire à la Cour de Vienne, combien de temps tiendra-t-il à la Cour de Versailles ?

Mercy[1] vient en personne à Vienne au commencement de 1770 se rendre compte des progrès de Marie-Antoinette qui,

« exactement depuis le jeudi 7 février à cinq heures un quart du soir, n'est plus une enfant... précision intime qui a fait un "plaisir infini" à l'impératrice et qu'un courrier de l'ambassade de France s'est hâté de porter à bride abattue à Versailles au roi Louis XV dont le plaisir, paraît-il, n'a pas été moins vif[2] ».

---

1. Mercy-Argenteau. Il va jouer, comme on le verra, un rôle capital dans les relations de Marie-Antoinette et de Marie-Thérèse. Pour plus de commodité, nous l'appellerons, dès à présent, Mercy. Né en 1727, il a alors quarante-trois ans.
2. André Castelot, *Marie-Antoinette*, Perrin, p. 11.

Marie-Antoinette est initiée à la vie publique qui sera désormais la sienne, c'est-à-dire, se donner sans cesse en représentation, transformer chacun de ses actes en une cérémonie immuable. Il n'est plus question, par exemple, de courir dans le parc de Schönbrunn : l'archiduchesse doit y marcher avec cette grave lenteur que l'on est en droit d'attendre d'une future reine de France. Elle n'a que quatorze ans et demi...

Marie-Antoinette apprend, en compagnie de Marie-Thérèse, à recevoir princes et ambassadeurs. « Cette grande compagnie lui donnait le meilleur maintien et le meilleur ton possible ; tout le monde en était enchanté, et l'impératrice plus que tout autre », s'extasie Vermond.

Autre sujet de satisfaction pour l'abbé qui est, en même temps, le confesseur de son élève : Marie-Antoinette accomplit une retraite de trois jours pendant la semaine sainte. « Il me faudrait peut-être plus de temps pour vous exposer toutes mes idées », dit-elle à Vermond, après ces trois jours. Trop tard. Le temps presse. Le 14 avril 1770, Marie-Thérèse annonce solennellement à ses ministres le mariage de sa fille avec le Dauphin de France.

« Le 16, peut-on lire dans la *Gazette de France,* vers les six heures du soir, la Cour étant en grand gala, l'ambassadeur de France a eu de Leurs Majestés Impériales et Royales une audience solennelle dans laquelle il a fait, au nom du roi son maître, la demande de Mme l'Archiduchesse Antoinette pour future épouse de Monseigneur le Dauphin. »

Le 17, « suivant l'usage observé en pareille occurrence par la Maison d'Autriche », Marie-Antoinette jure sur l'Évangile de renoncer à la succession héréditaire, tant paternelle que maternelle.

Le 19, c'est, à l'église des Augustins, le mariage par procuration, l'un des frères de Marie-Antoinette, l'archiduc Ferdinand, représentant le Dauphin.

Marie-Thérèse conduit sa fille « magnifiquement revêtue d'une robe de drap d'argent ».

Ces diverses cérémonies s'accompagnent de spectacles (on représente *la Mère confidente* de Marivaux, des ballets de Noverre), de soupers de quinze cents personnes, de bals masqués et de feux d'artifice qui, tous, ont pour thème le Temple de l'Hymen. La musique des ballets et celle des *Te Deum* se mêlent aux salves d'artillerie. Même les canons qui tonnent ont l'air d'applaudir au mariage, par procuration, de Madame l'Archiduchesse et de Monseigneur le Dauphin.

Les fêtes terminées, Marie-Antoinette regagne la chambre de Marie-Thérèse qu'elle partage depuis quelque temps. Que se disent la mère et la fille en ces dernières nuits ? Ce qu'une mère dit à sa fille en de semblables circonstances ! À ces conseils oraux, s'ajoute un « règlement de vie » que Marie-Thérèse remet, sous forme de lettre et comme un ultime cadeau, à Marie-Antoinette quand cette dernière quitte Vienne, le 21 avril 1770 :

« Ne vous chargez d'aucune recommandation, n'écoutez personne si vous voulez être tranquille. [...] Il faut aussi savoir refuser [...] N'ayez point de honte de demander conseil à tout le monde et ne faites rien de votre propre tête. »

C'est la première des lettres que Marie-Thérèse adresse à Marie-Antoinette. Celles qui suivront contiendront, et avec plus de véhémence parce qu'ils ne sont pas suivis, les mêmes conseils. Selon Weber, l'archiduchesse ne conservera qu'un seul des enseignements de l'impératrice : « Ma fille, dans le malheur, souvenez-vous de moi. »

Cela, Marie-Antoinette ne l'oubliera jamais. Pas plus qu'elle n'oubliera un autre malheur causé par l'autoritarisme de Marie-Thérèse, au mois d'avril 1767. La femme de Joseph II meurt d'une petite vérole « de la plus mauvaise qualité ». Son cercueil est déposé dans le caveau familial. L'une des sœurs de Marie-Antoinette, Marie-Josèphe, doit quitter l'Autriche pour rejoindre en Italie son futur époux, le roi de Naples. Marie-Thérèse « recommande » à Marie-Josèphe d'aller se recueillir, avant son départ, sur le tombeau de sa belle-sœur. Recommandation qui est un ordre. Ordre qui équivaut à un arrêt de mort que Marie-Josèphe n'ose enfreindre, comme elle l'avoue en pleurant à Marie-Antoinette. On ne désobéit pas à Marie-Thérèse. Marie-Josèphe descend dans la crypte et meurt, deux semaines plus tard, emportée par la petite vérole. C'est Marie-Caroline qui épousera, à sa place, le roi de Naples.

On peut présumer que, instruite par le déplorable exemple de Marie-Josèphe, Marie-Thérèse ne demanda pas à Marie-Caroline d'aller se recueillir sur les cercueils de sa belle-sœur et de sa sœur ! Marie-Antoinette, qui avait alors onze ans, se souvint toujours de la fin de Marie-Josèphe qui, confia-t-elle plus tard à Mme Campan, « lui avait fait une impression si forte que le temps n'avait pu l'effacer ».

Terrible Marie-Thérèse qui ne se prodigue pas en sentimentalités et que la santé de ses enfants ne préoccupe pas excessivement. « L'Antoinette a des convulsions ; elle est sans connaissance depuis une heure », écrit-elle, tranquillement, le 10 novembre 1763, au comte Sylva Tarouca, l'un de ses hommes de confiance. L'Antoinette est sans connaissance, et Marie-Thérèse continue, imperturbable, son courrier.

Terrible Marie-Thérèse que, ce 21 avril 1770, Marie-Antoinette quitte pourtant avec des pleurs qui ne tardent pas à sécher, à se transformer en larmes de joie puisqu'elle s'en va vers ce qu'elle croit être « le plus beau royaume du monde ». Comment pourrait-elle en douter ? On lui a tant vanté cette terre de France comme une Terre promise où le vin et le lait coulent à flots... Elle imagine ce pays comme un inépuisable palais de Dame Tartine. Elle ne peut pas savoir que « le plus beau royaume du monde » a cessé de l'être et que sa déchéance a commencé. Le désordre règne dans les finances épuisées par des guerres successives parmi lesquelles figure la désastreuse guerre de Sept Ans. Pendant sept ans, on s'est battu pour le roi de Prusse, autrement dit, pour enrichir la langue française d'une expression, « se battre pour le roi de Prusse », ce qui signifie, se battre pour rien. Cela fait cher le mot !

Marie-Antoinette croit aussi que tout se passe encore à Versailles alors que c'est à Paris que le siècle prend ses lumières. « Le foyer de l'esprit et des lumières était à Paris[1]. » La ville l'emporte sur la Cour et Marie-Antoinette, quand elle l'aura compris, ne contribuera pas peu à assurer le triomphe des lumières de la ville sur les ténèbres de la Cour. Cela, c'est l'avenir.

Pour le moment, en quittant sa mère et en réprimant ses derniers sanglots, Marie-Antoinette se contente d'écouter les louanges qui naissent sur son passage et qui, de Vienne à Versailles, transformeront son voyage en un voyage enchanté. Comment résister à tant de compliments ? Le petit perroquet viennois se sent de taille à se métamorphoser en un parfait cygne parisien...

1. Mme Campan.

Un voyage enchanté
(21 avril-13 mai 1770)

Insouciante, Marie-Antoinette va de couvent en château, d'aubade donnée par des moines musiciens en sérénade chantée par des jeunes filles en fleurs. Elle reçoit des bouquets, préside à des distributions de victuailles et, peu à peu, avec sa suite de 132 personnes et 376 chevaux, s'approche du royaume de France. N'ignorant rien de la détérioration de ce royaume et sachant qu'elle jette son Antoinette dans le bourbier de Versailles, alliance franco-autrichienne oblige, Marie-Thérèse, cédant à une légitime inquiétude, renouvelle, le 4 mai, les objurgations qu'elle avait écrites le 21 avril : « Je vous recommande, ma chère fille, tous les 21, de relire mon papier. » Dans cette même lettre du 4 mai, elle ne peut s'empêcher de tracer un portrait trop flatteur de Louis XV : « Vous trouverez un père tendre qui sera en même temps votre ami, si vous le méritez. » Un « père tendre », un « ami », on dirait que Marie-Thérèse cherche à se convaincre elle-même et à apaiser ses remords de conscience en confiant sa fille à un homme notoirement asservi à une ancienne courtisane, Mme du Barry. Elle, Marie-Thérèse qui n'hésite pas à faire fouetter les filles publiques...

De Louis XV, l'impératrice passe au Dauphin :

« Du Dauphin, je ne vous dis rien ; vous connaissez ma délicatesse sur ce point. La femme est soumise en

27

tout à son mari et ne doit avoir aucune occupation que de lui plaire et de faire ses volontés. Le seul vrai bonheur en ce monde est un heureux mariage, j'en peux parler. Tout dépend de la femme si elle est complaisante, douce et amusante. »

C'est vrai que le mariage de Marie-Thérèse d'Autriche et de François de Lorraine a été, à sa façon, un heureux mariage, même si Marie-Thérèse n'a pas toujours été aussi « complaisante, douce et amusante » qu'elle recommande de l'être à sa fille.

Marie-Thérèse est une infatigable épistolière. Mercy aussi. Tous deux vont, de 1770 à 1780, échanger d'innombrables lettres. Cette *Correspondance*[1] restera secrète. Marie-Antoinette s'étonne, et même s'irrite parfois de voir sa mère informée de ses moindres faits et gestes. Elle ne soupçonnera jamais Mercy. Elle attribuait ces informations aux « maudits espions de Frédéric II[2] ».

Une partie passionnante s'engage entre l'impératrice et son ambassadeur à Paris, avec, pour enjeu, la conduite que doit tenir la Dauphine. Même lointaine, Marie-Thérèse sait être omniprésente en obsédant sa fille par d'incessantes missives.

Ni Marie-Thérèse ni Mercy ne se trouvent, hélas, à Strasbourg pour nous décrire les fêtes données en l'honneur de Marie-Antoinette confortée dans son illusion d'arriver au pays de Cocagne puisque, sur la place de l'Hôtel-de-Ville, des fontaines de vin coulent et que, dans les rues, des bœufs entiers rôtissent.

C'est sur une île, au milieu du Rhin, dans un pavillon construit pour la circonstance que s'est effectuée la cérémonie de la *remise*. Marie-Antoinette a été « remise » par sa suite autrichienne à sa suite fran-

1. Réunie pour la première fois, en 1875, par Firmin Didot, en trois épais volumes d'où sont extraits les passages que l'on lira dans le présent volume.
2. Le roi de Prusse, Frédéric II, était, on s'en doute, contrarié au plus haut point par le mariage de Marie-Antoinette et du Dauphin. Il ne sera pas étranger à la campagne de calomnies destinées à abattre Marie-Antoinette, et à travers elle, son époux.

çaise selon une antique coutume qui n'est plus complètement respectée. Marie-Antoinette aurait dû quitter jusqu'à ses bas, et nue, recevoir ses « habits à la française ». Mais c'est déjà vêtue « à la française » qu'elle prend congé de ses suivantes viennoises et s'en va vers sa dame d'honneur, la comtesse de Noailles, qu'entourent la duchesse de Villars, dame d'atours, et quatre dames du palais, la duchesse de Picquigny, la marquise de Duras, la comtesse de Mailly, la comtesse de Saulx-Tavannes. Ces dames ont appartenu à la maison de la défunte épouse de Louis XV, Marie Leszczynska. Pour excuser les infidélités de son gendre, et les siennes, Stanislas Leszczynski disait :

— Que voulez-vous, ma femme et ma fille sont les deux reines les plus ennuyeuses qu'il m'ait été donné de rencontrer !

À cet ennui, s'ajoutait la passion de Marie Leszczynska pour l'étiquette, passion contagieuse qu'elle avait communiquée à la comtesse de Noailles que Marie-Antoinette, moqueuse, surnommera vite Madame l'Étiquette, puisque l'« étiquette était pour elle une sorte d'atmosphère : au moindre dérangement de l'ordre consacré, on eût dit qu'elle allait étouffer [1] ». Mais rien, en ces jours de liesse strasbourgeoise, pas même les entraves fatigantes de l'étiquette, ne parvient à ternir le sourire de Marie-Antoinette qui subit discours ennuyeux et harangues interminables comme si elle entendait ses airs d'opéra favoris.

Soucieux de plaire à la Dauphine, M. d'Antigny, « chef du Magistrat », lui adresse la bienvenue en allemand. Marie-Antoinette, avec cet esprit d'à-propos qu'elle conservera jusqu'à la fin dans les pires moments, l'interrompt d'un « ne parlez point allemand, monsieur, à dater d'aujourd'hui, je n'entends plus d'autre langue que le français ». À ces paroles, l'orage et les tonnerres qui avaient accompagné la cérémonie de la *remise* cessent aussitôt et s'éloignent comme de mauvais présages conjurés par tant de grâce.

1. Mme Campan.

Une grâce éclatante dont témoignera plus tard dans ses *Mémoires* l'une des assistantes aux fêtes de Strasbourg, Henriette de Waldner, future baronne d'Oberkirch :

« Son port de tête, la majesté de sa taille, l'élégance et la grâce de sa personne, [...] tout en elle respirait la grandeur de sa race, la douceur et la noblesse de son âme ; elle appelait tous les cœurs. »

Les cœurs se rendent à cet appel, y compris celui, corrompu, de l'évêque-coadjuteur du diocèse, le prince Louis de Rohan. Il chasse la fille et le renard avec un égal plaisir, il dépense sans compter. Débauches et prodigalités le préparent à être un acteur idéal pour l'« affaire du Collier ». Rohan souhaite à la Dauphine, en la cathédrale de Strasbourg, que « l'heureux empire d'Antoinette et de Louis-Auguste » voie se perpétuer « le bonheur dont nous jouissons sous le règne de Louis le Bien-Aimé ».

Après Strasbourg et la bénédiction de Rohan, ce sont les louanges de Nancy, les vivats de Lunéville, les applaudissements de Commercy. On court, on accourt, on se presse pour acclamer la Dauphine. À quelques lieues de Châlons, un vieux curé de campagne qui avait pris pour sujet de son compliment quelques versets du *Cantique des cantiques* demeure sans voix à la vue de la resplendissante Marie-Antoinette et se contente de bredouiller : « Ah ! Madame, ne soyez pas étonnée de mon peu de mémoire ; à votre aspect, Salomon eût oublié sa harangue et n'eût plus pensé à sa belle Égyptienne ! »

L'enthousiasme est augmenté par les bienfaits que provoque le passage de la Dauphine. À cette occasion, à Châlons, six jeunes filles qui ont été dotées par la ville récitent à Marie-Antoinette les vers suivants :

Princesse dont l'esprit, les grâces, les appas
Viennent embellir nos climats,
En ce jour glorieux, quel bonheur est le nôtre !
Nous devons notre hymen à la splendeur du vôtre.

Le ciel fait à l'État deux faveurs à la fois
Dans cette auguste et pompeuse alliance :
Nous donnerons des sujets à la France
Et vous lui donnerez des rois.

À Reims, à Soissons, le voyage se donne des airs de féerie, particulièrement à Soissons où les rues qu'empruntent la Dauphine et son cortège sont décorées d'arbres fruitiers « de vingt-cinq pieds de haut, entre lesquels couraient des guirlandes de lierre, de fleurs, de gaze d'or et d'argent, entremêlées de lanternes ».

La Dauphine multiplie ses sourires, ses rires, ses élans de spontanéité. Cette gaieté, cette vivacité, tant redoutées, et tant combattues par Marie-Thérèse, font merveille. Unanimes, les gazetiers répètent qu'il suffit de voir la Dauphine pour en être charmé et que si l'on a la chance de l'entendre, on en est transporté !

À la fin de ce voyage, Mercy, satisfait — il ne le restera pas longtemps —, note : « Notre Archiduchesse Dauphine a surpassé toutes mes espérances. » L'Archiduchesse Dauphine n'a plus qu'à prendre la route qui conduit à Compiègne où l'attend sa nouvelle famille.

Chaque famille comporte un monstre que l'on appelle, merci M. de La Palice, le monstre de la famille. La famille Bourbon, elle, ne compte plus ses monstres, ses moutons noirs, ses brebis galeuses. Les monstruosités, les noirceurs, les gales mentales se dissimulent sous des politesses exquises et des manières suaves... Marie-Antoinette passe, sans autre transition que ce bref voyage enchanté, de la simplicité de la Cour de Vienne aux inextricables complications de la Cour de Versailles, de ce labyrinthe qui, dans chacun de ses recoins, abrite un Minotaure, un Bourbon.

Les monstres de la famille
(14 mai - 30 mai 1770)

Le 14 mai 1770, en approchant du pont de Berne, à l'orée de la forêt de Compiègne où l'attendent Louis XV, ses trois filles et son petit-fils, Marie-Antoinette, toute à la joie de ce moment tant espéré, irradie. Prise au piège de sa propre lumière, elle ne voit pas les ténèbres. Elle ne peut pas les voir puisqu'elle en est la négation même. Elle sera insupportable à ceux qui vivent dans l'ombre, ou tirent leur substance de l'ombre, comme les trois filles de Louis XV. Trio que l'on désigne sous la globale appellation de « Mesdames » et qui comprend : Madame Adélaïde, Madame Victoire, Madame Sophie.

Des trois, Madame Adélaïde est la plus redoutable. Elle a combattu tant qu'elle a pu l'alliance franco-autrichienne. Quand un officier appartenant à la suite qui allait à Strasbourg pour y recevoir la Dauphine était venu prendre « les ordres » de Madame Adélaïde, il s'était attiré cette cinglante réponse qu'il avait répétée à qui voulait l'entendre :

— Si j'avais des ordres à donner, ce ne serait pas pour envoyer chercher une Autrichienne.

Voilà, c'est dit et cela tombe comme un couperet. En 1770, comme en 1789, « Autrichienne » a les mêmes résonances qu'aura, en 1945 comme en 1989, le terme de « nazi ». L'Autrichienne, ce terme n'évoque pas la gaieté viennoise : il est synonyme des horreurs de la guerre. L'Autrichienne, le mot est lancé avant même que Marie-Antoinette n'ait pénétré en France et se changera, plus tard, en « chienne d'Autrichienne » que scanderont les journées d'émeutes et de massacres.

Auprès de Madame Adélaïde, serpent sifflant sans cesse ses mensonges, ses deux autres sœurs font pâle figure. Madame Victoire est d'une naïveté qui frôle la bêtise. Madame Sophie est irrémédiablement laide. Ces trois sinistres Parques, Madame Méchanceté, Madame Bêtise, Madame Laideur guettent Marie-Antoinette.

Mesdames, Louis XV et le Dauphin ne connaissent de la fille de Marie-Thérèse que des portraits, tous plus flatteurs les uns que les autres. Mesdames s'attendent au pire. Le roi attend de voir pour juger sur pièce. Le Dauphin n'attend rien. Tambours et trompettes retentissent, des clameurs s'élèvent, Marie-Antoinette approche, Marie-Antoinette est là, elle jaillit de son carrosse avec une impatience, une rapidité que ses dames d'honneur ne peuvent imiter, elle s'élance vers Louis XV et se jette à ses genoux. Surpris, conquis, ce que ne manquent pas de remarquer les témoins de cette scène, Louis XV relève promptement Marie-Antoinette et l'embrasse avec une effusion que n'avait pas prévue l'étiquette... Il présente la Dauphine au Dauphin qui est en train de se livrer à l'un de ses exercices favoris : il se balance d'un pied sur l'autre.

Le Dauphin, Louis-Auguste, a seize ans[1]. Il est encore sous l'emprise de son précepteur, M. de La Vauguyon qui a habitué son élève à voir en chaque femme une créature capable de l'induire au péché, une Tentatrice, une Ève en puissance. C'est donc l'Ève viennoise qui fait le premier pas vers son Adam versaillais et pose sur sa joue un premier baiser. Cela non plus n'a pas été prévu par l'étiquette. Louis-Auguste rougit. On peut espérer que c'est de contentement.

Tout cela se passe sous les yeux d'un Choiseul qui a

1. Exactement quinze ans neuf mois. Il en aura seize le 24 août 1770.

tant œuvré pour en arriver à cette rencontre, à cette union et pour qui ce jour est un jour de gloire et de réussite complète. Choiseul voit, avec une satisfaction qu'il ne cache pas, Marie-Antoinette monter dans le carrosse du roi, en compagnie du Dauphin.

La Dauphine ne connaît, elle aussi, le Dauphin que par des portraits. Elle peut examiner maintenant l'original qui est assis juste en face d'elle. On ignore les conclusions qu'elle en tire.

Étourdie par le bruit, les musiques, les sonorités d'une langue dont elle ne possède pas encore les subtilités, Marie-Antoinette n'a certainement pas le loisir de se livrer à des réflexions très profondes sur cet inconnu qui va devenir son mari. Elle vit dans l'instant, occupée à jouer impeccablement son rôle de dauphine, sans cesser pour autant de montrer un naturel qui a tant plu à Louis XV.

Au château de Compiègne, le roi présente à Marie-Antoinette ses nouveaux cousins, les princes du sang : le duc d'Orléans, son fils, le duc de Chartres, le prince de Condé, le duc de Bourbon, le prince de Conti, le duc de Penthièvre, rendu neurasthénique par la mort de son fils voilà deux ans, et sa belle-fille, Marie-Thérèse-Louise de Savoie-Carignan, princesse de Lamballe, âgée alors de vingt et un ans. Dans le brouhaha des présentations, Marie-Antoinette ne distingue guère celle qui deviendra sa « chère Lamballe » et se contente de l'embrasser.

Le 15 mai, la Dauphine quitte Compiègne et s'arrête à Saint-Denis pour y visiter une sœur de Mesdames, retirée depuis peu chez les carmélites, Madame Louise. Après cette visite, l'une des carmélites écrit à propos de Marie-Antoinette :

« C'est une princesse accomplie pour la figure, la taille et les façons et, ce qui est beaucoup plus précieux, on la dit d'une piété ravissante. Sa physionomie a tout à la fois un air de grandeur, de modestie et de douceur. Le roi, Mesdames, et surtout Monseigneur le Dauphin en paraissent enchantés ; ils disaient à l'envi : "Elle est incomparable." »

Appréciation que partagent pleinement les Parisiens accourus pour voir Marie-Antoinette qui, au soir du 15 mai, à sept heures, arrive au château de la Muette. Elle y rencontre les frères du Dauphin, le comte de Provence (futur Louis XVIII) qui a quinze ans, le comte d'Artois (le futur Charles X) qui en a treize, et leur sœur Clotilde qui épousera en 1777 le prince de Piémont. Au souper qui suit ces rencontres, à la table du roi qu'elle a pour voisin, Marie-Antoinette remarque une dame étincelante d'élégance, d'esprit et de pierreries. Elle interroge Mme de Noailles pour savoir quelles sont les fonctions de cette dame, comment s'appelle-t-elle ? Mme du Barry ? « Ses fonctions ? Amuser le roi », chuchote Mme de Noailles avec autant de prudence que d'imprécision. La Dauphine aura bien le temps d'apprendre en quoi consistent les fonctions de cette femme dont les caresses ont conquis le monarque sexagénaire. « Elle m'a donné des plaisirs que j'ignorais encore », a-t-il confié à un courtisan qui a répondu : « Sire, c'est que Votre Majesté n'est jamais allée au bordel », endroit où ces plaisirs que l'on nomme des « complaisances » sont monnaie courante, ou plutôt, tarifés à leur juste prix.

— Amuser le roi ? répète la Dauphine à Mme de Noailles, dans ce cas je me déclare sa rivale.

Déclaration prémonitoire. Louis XV demande à Marie-Antoinette comment elle trouve cette « rivale ». « Charmante », répond-elle avec une sincérité que l'on ne peut mettre en doute puisqu'elle aime tout ce qui est beau et qu'elle ne peut qu'apprécier cette sirène blonde qu'est Mme du Barry. « Charmante », répond en écho la sirène également sensible aux séductions de la Dauphine. Charmes d'un soir. Galanteries sans lendemain.

Dans moins de deux mois, dans une lettre à sa mère, datée du 9 juillet 1770, Marie-Antoinette déclarera Mme du Barry « la plus sotte et impertinente créature qui soit imaginable ». Pour Mme du Barry, Marie-Antoinette ne sera plus que la « petite rouquine ».

Bataille de dames qui prendra les proportions d'une affaire d'État entre la France et l'Autriche et qui divisera bientôt ce Versailles où Marie-Antoinette arrive le 16 mai au matin. Elle y rencontre la dernière personne de la famille royale qu'elle ne connaissait pas encore, sa belle-sœur Élisabeth, âgée de six ans.

Au commencement de l'après-midi, à une heure exactement, le Dauphin et la Dauphine quittent l'appartement du roi pour la chapelle où leur mariage par procuration va recevoir sa consécration religieuse donnée par le grand aumônier, Mgr de La Roche-Aymon, archevêque de Reims.

Marie-Antoinette et Louis-Auguste s'avancent, main dans la main. Elle porte un habit en brocart blanc. Il porte un habit brodé d'or. L'un et l'autre étincellent de diamants. Le couple est suivi par le roi, Mesdames, les princes du sang, Mme de Noailles et soixante-dix autres dames de la Cour. On s'écrase dans la galerie des Glaces pour assister à ce somptueux défilé et à la messe.

La cérémonie terminée, le roi signe le premier l'acte de mariage. La Dauphine s'applique à tracer à l'encre *Antoinette-Josèphe-Jeanne,* Mme de Brandeiss n'est plus là pour les tracer, au préalable, au crayon. À la fin, vaincue par l'effort, Marie-Antoinette, comme une écolière qu'elle est encore, fait un pâté.

À trois heures, le ciel se couvre de nuages. Comme pour la cérémonie de la *remise* sur le Rhin, un orage, violent, éclate, noie les illuminations, les feux d'artifice ne peuvent être tirés, les curieux, massés dans les jardins ou dans les rues, se dispersent, trempés.

Les orages du ciel, en attendant ceux des hommes, se plaisent à jouer les trouble-fête. Au château, la fête n'en est pas interrompue pour autant, et les ténèbres extérieures ne peuvent rien contre la « quantité prodigieuse de bougies » qui illuminent les salles où « toutes les dames, [...] en grandes parures, formaient un spectacle aussi surprenant que magnifique ». Jamais la Cour n'a paru aussi brillante, aussi médisante, remarquant, au souper, la sobriété de Marie-Antoinette et la voracité de Louis-Auguste.

— Ne vous chargez pas trop l'estomac pour cette nuit, recommande le roi à son petit-fils qui répond placidement :

— Pourquoi ? Je dors toujours mieux quand j'ai bien soupé.

Après le souper, les nouveaux mariés sont conduits par le roi dans leur chambre. Mgr de La Roche-Aymon bénit le lit. Inutile bénédiction. Louis-Auguste s'endort dès qu'il est couché. Ce ne sont pas les soupirs de l'amour qui se font entendre, mais les ronflements puissants et réguliers du Dauphin. La Dauphine qui, depuis qu'elle a quitté Vienne le 21 avril, n'a pas pris beaucoup de repos, s'endort à son tour.

Il ne se passe *rien* dans la nuit du 16 au 17 mai. Il ne se passera *rien* non plus dans la nuit du 17 au 18. Louis-Auguste préfère la compagnie de Morphée à celle de Vénus. On pourrait en attendre des matins triomphants. Non, aux aurores, le 18, Louis-Auguste se précipite à la chasse et en revient pour demander à Marie-Antoinette :

— Avez-vous bien dormi ?

— Oui.

C'est là tout le dialogue amoureux de leur lune de miel. D'une telle indifférence, Marie-Antoinette croit se consoler en jouant avec un petit chien, quelques moments. Puis, elle se plonge dans des rêveries dont la durée alarme le vigilant abbé de Vermond qui a suivi son élève à la cour de Versailles. Vermond ne cache pas ses inquiétudes à Mercy qui en informe à son tour Marie-Thérèse. Car il faut se rendre à l'évidence, si pénible, si incompréhensible soit-elle. Un mois après la nuit de noces, il ne s'est toujours *rien* passé entre les deux nouveaux mariés. Le 15 juin 1770, Mercy rapporte à Marie-Thérèse que Louis XV

« parla de la contenance froide du Dauphin, disant "qu'il fallait encore le laisser aller", qu'il était extrêmement "timide et sauvage", qu'enfin, il n'était pas "un homme comme les autres" ».

Si elle n'a pas encore séduit son mari, Marie-

38

Antoinette ne tarde pas à comprendre que la conquête de Versailles est également difficile. Elle s'en aperçoit dès les fêtes données en l'honneur de son mariage, avec les escarmouches qui accompagnent le bal du 19 mai.

Mercy avait demandé au roi de donner à ce bal « quelque marque de distinction » à Mlle de Lorraine, fille de la comtesse de Brionne et parente de Marie-Antoinette. Désireux de manifester à l'impératrice « sa reconnaissance du présent qu'elle lui avait fait », Louis XV avait décidé que Mlle de Lorraine danserait son menuet immédiatement après les princes et les princesses du sang. Émoi chez les grands et les petits de la Cour qui rédigent un mémoire pour protester qu'il ne pouvait y avoir de rang intermédiaire entre les princes du sang et les représentants de la haute noblesse. À Paris, on tourna ce mémoire en dérision.

Le soir du 19, il n'y avait que trois dames dans la salle de bal. Il fallut un commandement formel du roi pour forcer les autres à venir. Les menuets se déroulèrent selon l'ordre voulu par le roi, ce qui ne manqua pas de froisser des vanités et de provoquer un mécontentement que l'on dissimulait, à peine, derrière les éventails. Le septième menuet fut dansé par la comtesse Jules de Polignac que Marie-Antoinette ne remarqua pas, pas plus qu'elle n'avait distingué, lors de sa présentation, la princesse de Lamballe.

L'affaire du menuet de Mlle de Lorraine n'était que le prélude à d'autres affaires infiniment plus graves. Ainsi, Marie-Antoinette se heurtait à sa première cabale de Cour, seulement trois jours après y être entrée. Ah ! ce n'est pas à la Cour de Vienne que l'on aurait fait tant d'histoires pour un menuet !

Le 30 mai, les fêtes du mariage se clôturent par une catastrophe. Ce jour-là, la ville de Paris illumine en l'honneur du Dauphin et de la Dauphine. Un feu d'artifice est tiré sur la place Louis-XV, notre actuelle place de la Concorde. À peine est-il terminé qu'un incendie ravage la réserve des pièces d'artillerie et les échafaudages qui entourent la statue du roi. Panique dans la foule. Malheur à celui qui tombe à terre : il y reste. On relèvera 132 morts et des centaines de blessés.

Venue avec Mesdames pour admirer les illuminations, Marie-Antoinette apprend, au Cours-la-Reine, le désastre. Elle rebrousse chemin, les larmes aux yeux, ses premières larmes depuis qu'elle est en France. Elle offre immédiatement sa bourse au lieutenant de police, M. de Sartine, pour secourir les familles des victimes. Le Dauphin, à son tour, envoie à Sartine six mille livres accompagnées des mots suivants : « Je ne peux disposer que de cela, je vous l'envoie. Secourez les plus malheureux. »

Marie-Antoinette et Louis-Auguste découvrent qu'ils ont, au moins, en commun la passion de la charité.

nes, Mme du Barry parce qu'elle trouve que Choiseul
n'est pas assez soumis à ses caprices.

Des enfants, des chiens, des chevaux et un corset (juin-décembre 1770)

La charité n'a guère de place à Versailles où chacun s'agite, possédé par les démons de l'intrigue et de la galanterie. La licence y est extrême, rien n'y est respecté et surtout pas l'amour conjugal :

— Madame la Marquise, ne vous affligez pas, vous êtes bien jolie et c'est déjà un tort ; on vous le pardonnera pourtant. Mais si vous voulez vivre tranquille ici, cachez mieux votre amour pour votre mari ; l'amour conjugal est le seul qu'on n'y tolère pas, ose dire un grand vicaire à Mme d'Osmond.

C'est dans ce mauvais lieu qu'est tombée la fille de l'austère Marie-Thérèse ! En cet été 1770, Marie-Antoinette s'aperçoit vite que le roi de France n'est pas un bourreau de travail comme l'impératrice d'Autriche. Il est la victime de ses plaisirs dont il se soucie plus que des affaires de l'État. Un État qui va à vau-l'eau, vers quelque déluge. Louis XV en est conscient quand il prononce son « après moi, le déluge », sur lequel il brode cette variation : « Les choses, comme elles sont, dureront autant que moi. »

Louis le Bien-Aimé s'est changé en Louis le Bien-Haï. Il s'en moque. Sa Cour est divisée entre le parti de Choiseul, proautrichien, et le parti des « dévots » qui ne pardonne pas à Choiseul l'expulsion des jésuites. Curieusement, chez les « dévots », sont forcées de cohabiter, tout en se détestant, Mesdames et Mme du Barry. Mesdames parce qu'elles sont antiautrichiennes. Mme du Barry parce qu'elle trouve que Choiseul n'est pas assez soumis à ses caprices.

Dès son arrivée à Versailles, Marie-Antoinette doit choisir entre ces deux clans. Elle ne peut opter que pour le parti de ce Choiseul à qui elle doit son mariage. Choix qui la désigne obligatoirement à la vindicte des anti-Choiseul, et particulièrement à celle de Madame Adélaïde.

Madame Adélaïde, qui avouait à l'une de ses amies, « je suis faible, je suis Bourbon, j'ai besoin d'être menée[1] », considère la jeunesse, la spontanéité de la Dauphine comme autant d'insultes à son égard. Madame Adélaïde appartient trop à la Cour de Versailles pour ne pas y pratiquer, en virtuose, l'un des arts les plus en faveur, celui de la dissimulation. Elle réussit à cacher son antipathie pour l'Autrichienne. Ses sœurs l'imitent. Toutes trois offrent à la Dauphine « une clef des corridors particuliers du château, par lesquels, sans aucune suite et sans être aperçue, elle pourrait parvenir jusqu'à l'appartement de ses tantes et les voir en particulier[2] ».

Délaissée par son époux au lendemain de ses noces — on croirait lire un mauvais roman-feuilleton —, Marie-Antoinette, au commencement de cet été 1770, se glisse souvent vers l'appartement de Mesdames pour y chercher un peu de distraction. Elle s'ennuie et comment ne pas s'ennuyer quand chaque jour se répète, identique, monotone, sans aucune variation, aucune surprise ? Voilà le récit de l'une de ces journées que Marie-Antoinette fait à sa mère dans une lettre du 12 juillet :

« [...] je me lève à dix heures, ou à neuf heures, ou à neuf heures et demie, et, m'ayant habillée, je dis mes prières du matin, ensuite je déjeune, et de là je vais chez mes tantes, où je trouve ordinairement le roi. Cela dure jusqu'à dix heures et demie ; ensuite à onze heures, je vais me coiffer. [...] À midi est la

1. Mme de Boigne.
2. Mme Campan.

42

messe ; si le roi est à Versailles, je vais avec lui et mon mari et mes tantes à la messe ; s'il n'y est pas, je vais seule avec Monseigneur le Dauphin, mais toujours à la même heure. Après la messe, nous dînons à nous deux devant tout le monde, mais cela est fini à une heure et demie, car nous mangeons fort vite tous les deux. De là je vais chez Monseigneur le Dauphin, et s'il a affaires, je reviens chez moi, je lis, j'écris ou je travaille, car je fais une veste pour le roi, qui n'avance guère, mais j'espère qu'avec la grâce de Dieu elle sera finie dans quelques années. À trois heures je vais encore chez mes tantes où le roi vient à cette heure-là ; à quatre heures vient l'abbé chez moi, à cinq heures tous les jours le maître de clavecin ou à chanter jusqu'à six heures. À six heures et demie je vais presque toujours chez mes tantes [...] À sept heures on joue jusqu'à neuf heures, [...]. À neuf heures nous soupons, [...] nous allons nous coucher à onze heures. Voilà toute notre journée. »

On ne peut s'empêcher de bâiller d'ennui devant cet emploi du temps dont on afflige une dauphine de quatorze ans et demi ! Si, au moins, Louis-Auguste manifestait quelque empressement pour Marie-Antoinette, mais *rien*, toujours *rien*. Jamais on n'a vu couple plus mal assorti. Elle est fine. Il est lourd. Elle est hardie. Il est timide. Elle est fière. Il est modeste. Elle a de l'esprit. Il n'en a pas, et quand un flatteur lui en prête, il rectifie : « Vous vous trompez, monsieur, ce n'est pas moi qui ai de l'esprit, c'est mon frère Provence. » Elle est aimée par sa mère, ses frères, ses sœurs. Il n'est pas aimé. Et il le sait. Enfant, pendant une loterie où l'on devait donner ce que l'on gagnait à la personne par qui l'on était chéri, Louis-Auguste a été le seul à garder ses cadeaux. Comme on s'en étonnait, il a répondu par cet aveu navrant : « C'est que personne ne m'aime ici. »

Louis-Auguste est sombre, mélancolique. Comment ne pas l'être ? Tant de deuils ont assombri ses premières années. Son frère aîné, le duc de Bourgogne, meurt en 1761. Son père meurt en 1765, et sa mère, en

1767. Voilà Louis-Auguste orphelin à treize ans, avec, pour seule famille, son précepteur, M. de La Vauguyon, « un méchant homme », selon l'avis de la Cour qui s'y connaissait. La mort de son frère aîné, puis de son père, ont fait de Louis-Auguste le successeur de Louis XV. C'est lui le Dauphin, le futur roi de France, ce qui ne va pas tarder à exaspérer ses deux frères, Provence et Artois que dévorera l'envie de ceindre la couronne si...

Puisque personne ne l'aime, Louis-Auguste a remplacé l'amour par la chasse, la menuiserie, la serrurerie, ses trois passions. Marie-Antoinette ne demanderait qu'à être la quatrième... ou de supplanter ces trois-là pour n'être plus que l'unique passion de Louis-Auguste. Elle en prend le chemin et, dès le 14 juillet 1770, Mercy annonce à Marie-Thérèse :

« L'article le plus satisfaisant pour Madame la Dauphine est que chaque jour elle gagne plus d'ascendant sur l'esprit de Monseigneur le Dauphin. Elle se comporte vis-à-vis de lui avec tant de gaieté et de grâce que ce jeune prince en est subjugué ; il lui parle avec confiance de choses sur lesquelles il ne s'était expliqué à personne. Son caractère sombre et réservé l'avait rendu impénétrable jusqu'à présent, mais Madame la Dauphine lui fait dire tout ce qu'elle veut [...]. »

On peut imaginer la scène, Marie-Antoinette déployant ses grâces et son esprit pour un garçon à qui l'on n'a jamais accordé la moindre attention... En août, un soir, le Dauphin mange tant de gâteaux qu'il subit les conséquences de sa gloutonnerie : une indigestion. Le soir suivant, la Dauphine donne l'ordre d'enlever les pâtisseries qui se trouvent sur la table et défend que l'on en serve jusqu'à nouvel ordre. Le Dauphin, surpris par cette marque de considération, sourit de bonheur. Dès lors, l'emprise de Marie-Antoinette sur son époux ne va pas cesser de croître. Emprise qui s'arrête au lit. Louis-Auguste n'a toujours pas accompli son devoir conjugal, ce qui inquiète Marie-Thérèse, étonne Louis XV, rend Mesdames perplexes et fait jaser la Cour de France et les Cours d'Europe. Devant une telle agitation, Louis-Auguste promet pour le 20 septembre, puis pour le 10 octobre. *Rien*, toujours *rien*.

Pour essayer d'éclaircir l'étrangeté d'une telle situation, il est impossible de procéder par allusion ou par périphrase. Il faut appeler un chat un chat, et un prépuce, un prépuce. Celui de Louis-Auguste adhère trop au gland, ce qui rend l'érection désagréable et les essais de pénétration douloureux, voire insupportables. À cette impossibilité physiologique s'ajoutent une timidité certaine, une sensualité encore endormie. Le Dauphin dépense sa fougue à suivre les chasses ou à façonner le fer. Après une journée d'incessantes activités, il s'endort du sommeil qui terrasse les sportifs et les bricoleurs.

Louis-Auguste est aussi retenu par des scrupules religieux inspirés par son précepteur, M. de La Vauguyon. Il s'en affranchit, avec l'aide de Marie-Antoinette, en se libérant de ce Vauguyon qu'il surprend en train d'écouter aux portes. Inadmissible ! Mais *rien*, toujours *rien*.

Il se peut aussi que Louis-Auguste ne soit pas très porté sur le plaisir, sans être pour autant un impuissant comme en court le bruit. Ne pas faire l'amour est une façon comme une autre de protester contre la Luxure (Louis XV) et la Débauche (Mme du Barry). Dans cette allégorie de la Débauche et de la Luxure, le Dauphin qui est un puritain se verrait assez dans le rôle d'un Archange Justicier. Dans cette même allégorie Marie-Antoinette figurerait l'Innocence Persécutée. Car la Dauphine subit maintenant, par personnes interposées, les persécutions de Mme du Barry.

Au début de l'été 1770, pour une question de préséance, les suivantes de la Dauphine — dont la comtesse de Grammont — et celles de Mme du Barry s'étaient affrontées. Ces dames avaient échangé des propos tellement piquants que la favorite s'était plainte au roi. Le roi, qui ne pouvait rien refuser à Mme du Barry à qui il devait de connaître ses dernières voluptés, avait exilé la comtesse de Grammont à quinze lieues de Paris. La comtesse en tomba malade et demanda à Marie-Antoinette d'intervenir en sa faveur. On n'appelait jamais en vain Marie-Antoinette au secours. La Dauphine intervient auprès du roi qui refuse. La Dauphine insiste. Un peu agacé, le roi pense clore l'incident d'un « Madame, je crois vous avoir dit que je vous donnerai une réponse ». C'est compter sans l'esprit de repartie de Marie-Antoinette qui réplique immédiatement :

— Mais, papa, indépendamment des raisons d'humanité et de justice, songez donc quel chagrin ce serait pour moi si une femme attachée à mon service venait à mourir dans votre disgrâce.

« Papa » ne peut que sourire et promettre à sa petite fille de lui donner satisfaction. Il charge le duc de La Vrillière d'expédier la permission à Mme de Grammont de venir se faire soigner à Paris. Le duc néglige d'en avertir la Dauphine qui prend la mouche et lui déclare net :

— Monsieur, s'agissant d'une demande dont je vous avais chargé et qui concerne une dame de mon service, j'aurais dû être informée la première, et par vous, de la résolution que le roi prendrait à son égard ; mais je vois, Monsieur, que vous m'avez traitée en enfant et je suis bien aise de vous dire que je ne l'oublierai pas.

On croirait entendre parler Marie-Thérèse par la bouche de Marie-Antoinette. On admirera encore davantage cette réplique quand on saura que le duc de La Vrillière compte parmi les amis de Mme du Barry. Mesdames applaudissent Marie-Antoinette pour sa conduite et ses propos. Madame Adélaïde reconnaît qu'elle n'aurait pas eu ce courage, ou cette inconscience, et soupire :

— On voit bien que vous n'êtes pas de notre sang !

Mesdames prennent de plus en plus d'influence sur Marie-Antoinette. Elles encouragent son penchant à la moquerie, Mme du Barry en est souvent la cible, ce qui indispose le roi.

Mesdames deviennent des modèles pour la Dauphine qui, à leur exemple, joue les effarouchées. Elle n'ose plus parler au roi, elle s'affranchit le plus possible de ses devoirs de représentation et quand elle doit les remplir, elle est dans une agitation terrible que l'abbé de Vermond tente, vainement, de calmer. Le 10 octobre, Madame Louise reçoit à Saint-Denis l'habit de carmélite des mains de Marie-Antoinette. Mesdames, craignant que leur sensibilité ne souffre trop pendant cette cérémonie, n'y assistent pas. La Dauphine revient à la hâte leur en conter les détails. On ne se quitte plus. Ce que déplore Mercy et ce qui exaspère Marie-Thérèse qui voit son autorité maternelle sapée par ces trois vieilles harpies. Mesdames n'encouragent que trop le goût de sa fille pour des enfantillages, à tous les sens que peut avoir ce terme.

Marie-Antoinette adore les enfants et aime partager leurs jeux. Le petit Misery, cinq ans, fils de l'une de ses femmes de chambre, vient trop souvent dans l'appartement de la Dauphine et cause, pendant « les moments de lecture et d'occupations sérieuses », tant de distraction que Vermond s'en plaint. « Elle a toujours beaucoup aimé s'entretenir avec des enfants », reconnaît Marie-Thérèse qui, pour remédier à cette distraction, demande à sa fille « une espèce de journal des lectures qu'elle fait avec l'abbé ». Marie-Thérèse attendra longtemps son « journal » !

Pendant l'été 1770, Marie-Antoinette ne lit que deux livres, les *Lettres* du comte de Tessin et les *Bagatelles morales* de l'abbé Coyer. À la lecture, elle préfère nettement les jeux avec le petit Misery, ou le petit Thierry, quatre ans, fils lui aussi de l'une de ses femmes de chambre. Se joignent à leurs ébats deux chiens « fort malpropres » de Marie-Antoinette. On se distrait comme on peut.

Parfois la Dauphine s'en va à la découverte dans le parc de Versailles, fuyant toute contrainte, y compris celle... de porter un corset ! Ce refus provoque des torrents d'encre entre Mercy et Marie-Thérèse. Pendant deux mois, Marie-Antoinette persistera dans son refus et ne portera un corset qu'en octobre. Elle oublie vite l'affaire du corset pour se livrer à un nouvel amusement, les promenades à dos d'âne, trois ou quatre fois par semaine. Marie-Thérèse trouve que c'est trop, que cela frôle la dissipation. L'impératrice d'Autriche n'est pas au bout de ses peines. Ayant pris goût, avec les ânes, à l'équitation, Marie-Antoinette veut monter à cheval. Refus de Marie-Thérèse. Encouragée par Mesdames, Marie-Antoinette passe outre et monte à cheval. Fureur — contenue — de Marie-Thérèse quand elle est mise devant le fait accompli. Le 2 décembre 1770, elle écrit à sa fille :

« Me voilà sur le point où sûrement vous avez déjà cherché avec précipitation de me trouver : c'est de monter à cheval. Vous avez raison de croire que jamais je ne pourrais l'approuver à quinze ans ; vos tantes que vous citez, l'ont fait à trente. Elles étaient Mesdames et point la Dauphine, je leur sais un peu mauvais gré de vous avoir animée par leurs exemples et leurs complaisances ; mais vous me dites que le roi l'approuve, et le Dauphin, et tout est dit pour moi : c'est eux qui ont à ordonner à vous, c'est dans leurs mains que j'ai remis cette gentille Antoinette : le monter à cheval gâte le teint, et votre taille à la longue s'en ressentira et paraîtra encore plus. »

Bien que piquée dans sa coquetterie, Marie-Antoinette n'en continuera pas moins ses promenades à cheval. Avec l'impératrice d'Autriche, la Dauphine apprend à manier, à son avantage, les remontrances comme en témoigne cette exquise scène de bouderie, digne d'un Marivaux, rapportée par Mercy :

« Depuis longtemps Madame la Dauphine exhorte Monseigneur le Dauphin à ne pas rester si tard à la chasse, et elle l'avait prié ce jour-là d'en revenir à une heure raisonnable, afin qu'il fût habillé et ne fît point attendre pour le spectacle. Monseigneur le Dauphin revint tard, et, suivant sa coutume, longtemps après le roi. Il trouva Madame la Dauphine chez Sa Majesté ; il s'approcha d'elle d'un air un peu embarrassé et lui dit : "Vous voyez que je suis revenu à temps."

Madame la Dauphine répondit d'un ton assez sec : "Oui, voilà une belle heure !" On se rendit au spectacle où Monseigneur le Dauphin fut boudé tout le temps. Au retour du théâtre, il chercha à avoir une explication ; alors Madame la Dauphine lui fit un petit sermon fort énergique, où elle lui représenta avec vivacité tous les inconvénients de la vie sauvage qu'il menait. Elle lui fit voir que personne de sa suite ne pouvait résister à ce genre de vie, d'autant moins que son air et ses manières rudes ne donnaient aucun dédommagement à ceux qui lui étaient attachés, et qu'en suivant cette méthode il finirait par détruire sa santé et se faire détester. Monseigneur le Dauphin reçut cette leçon avec douceur et soumission ; il convint de ses torts, promit de les réparer, et demanda formellement pardon à Madame la Dauphine. »

Certaines gronderies peuvent être considérées comme autant de preuves d'amour. Louis-Auguste ne s'y trompe pas. Il est aimé de Marie-Antoinette, il en est persuadé, convaincu. Il est aux anges. Il est aimé par un ange. Chaque jour apporte de nouvelles preuves de la bonté de son angélique moitié.

En décembre, pendant une chasse, le postillon de la Dauphine est blessé. Les grands, à cette époque, ne s'arrêtaient pas à de tels détails et continuaient leur chasse. Marie-Antoinette, elle, s'arrête pendant une heure, s'occupe de tout, dirige tout et raconte tout avec une joie qui gagne la cour :

— Je disais à tout le monde qu'ils étaient mes amis, pages, palefreniers, postillons. Je leur disais : « Mon ami ! va chercher les chirurgiens ; mon ami ! cours vite pour un brancard ! »

N'est-elle pas touchante cette Dauphine de quinze ans qui voit des amis partout ? Ne dirait-on pas un tableau de Greuze, *le Postillon blessé* ?

Au lendemain de cet accident, Marie-Antoinette envoie prendre des nouvelles de son protégé quand un courtisan a le malheur de dire en sa présence : « Les gens d'écurie ont le cœur dur. » Révoltée, Marie-

Antoinette rapporte ces propos à l'abbé de Vermond qui les commente :

« [...] les gens qui parlent ainsi se trompent fort, les pauvres gens vivent plus ensemble, sont moins dissipés et doivent s'aimer autant pour le moins que les grands entre eux. »

Rassurée sur le sort des petits qui s'aiment autant que les grands, Marie-Antoinette se prépare aux fêtes de Noël, les premières qu'elle ne passera pas dans sa famille.

Cette déracinée, pour oublier son éloignement, multiplie les actes de charité à tel point que sa réputation de bonté ne cesse de grandir et qu'on lui attribue des bonnes actions qu'elle n'a pas commises ! À l'occasion d'une diminution du prix du pain, le peuple de Paris affirme bien haut dans les rues et dans les marchés que c'est Madame la Dauphine qui a obtenu cette diminution alors qu'elle n'y est pour rien. À Paris, comme à Versailles, la bonne réputation de Marie-Antoinette se répand et gagne Vienne. Marie-Thérèse daigne montrer sa satisfaction dans une lettre écrite la veille du quinzième anniversaire de sa fille, le 1er novembre 1770 :

« C'est à vous à donner à Versailles le ton ; vous avez parfaitement réussi ; Dieu vous a comblée de tant de grâces, de tant de douceur et de docilité, que tout le monde doit vous aimer : c'est un don de Dieu, il faut le conserver, ne point vous en glorifier mais le conserver soigneusement pour votre propre bonheur et pour celui de tous ceux qui vous appartiennent. »

Pour conserver cet état de grâce qui s'accorde avec les grâces de la quinzième année, Marie-Thérèse recommande la plus stricte vigilance :

« Je vous prie, ne vous laissez pas aller à la négligence ; à votre âge, cela ne convient pas, à votre place encore moins ; cela attire après soi la malpropreté, la négligence et l'indifférence même dans tout le reste de vos actions, et cela ferait votre mal ; c'est la raison pourquoi je vous tourmente, et je ne saurais assez prévenir les moindres circonstances qui pourraient vous entraîner dans les défauts où toute la famille royale de France est tombée depuis de longues années : ils sont bons, vertueux pour eux-mêmes, mais nullement faits pour paraître, [...] ou pour s'amuser honnêtement, ce qui a été la cause ordinaire des égarements de leurs chefs, qui, ne trouvant aucune ressource chez eux, ont cru devoir en chercher au-dehors et ailleurs. [...] On est bien récompensé des petites gênes qu'on essuie, par le contentement et la gaieté qu'une telle conduite produit et conserve. Je vous prie donc en amie, et comme votre tendre mère, qui parle par expérience, ne vous laissez aller à aucune nonchalance ni sur votre figure ni sur les représentations. Vous regretteriez, mais trop tard, d'avoir négligé mes conseils. »

Gravité d'un ton qui n'est pas celui dont on use généralement pour une lettre d'anniversaire. C'est que Marie-Thérèse ne perd pas une occasion de mettre en garde sa fille chérie contre des dangers qu'elle ne perçoit que trop bien. Le mauvais exemple donné par la famille royale de France, et principalement par son chef, peut avoir, à la longue, la plus néfaste influence sur Marie-Antoinette qui, peut-être, n'aura retenu de la lettre de sa mère qu'une seule phrase : « Vous avez tout sujet d'être contente. »

En cette fin d'année 1770, Marie-Antoinette a « tout sujet d'être contente » quand, le 24 décembre, éclate l'annonce de la disgrâce de Choiseul. Louis XV offre à Mme du Barry, en cadeau de Noël, la disgrâce de ce ministre à qui la Dauphine doit son mariage. Sans montrer le moindre trouble, Choiseul remet « la démission de sa charge de secrétaire d'État et de surintendant des Postes entre les mains du duc de La Vrillière ». Il quitte Versailles pour Paris où il est accueilli par des « acclamations honorables » et se retire, selon l'ordre du roi, en son domaine de Chanteloup. Les grands seigneurs, les dames à la mode s'empressent de rendre visite à l'exilé.

Mme du Barry n'en triomphe pas moins. Échec à la Dauphine qui avait choisi Choiseul et son parti. Malgré cet échec final, 1770 est une année bien remplie pour Marie-Antoinette : son départ de Vienne, ses rencontres, à quelques jours d'intervalle, avec trois personnes qui auront tant d'importance dans son destin : Louis de Rohan, la princesse de Lamballe, la comtesse Jules de Polignac, son mariage, sa conquête d'un mari des plus fuyants, sa naissante bonne renommée. On voudrait garder intacte cette image d'une Marie-Antoinette de quinze ans qui joue avec les cœurs, les enfants, et dont l'insouciance, les élans de compassion mettent en déroute, un instant, la puissance des Parques et les forces du mal.

L'affaire du Barry
(1771-1772)

[...] et cette femme n'entendra plus le son de ma voix.

MARIE-ANTOINETTE.

Dans sa disgrâce, Choiseul a été irréprochable et a montré une sagesse digne de sa connaissance du monde. Il devait son élévation à une favorite, Mme de Pompadour, il doit sa chute à une autre favorite, Mme du Barry. Il en est ainsi à Versailles, il faut s'y résigner.

Marie-Antoinette sera-t-elle aussi sage que Choiseul et montrera-t-elle autant de résignation ? Tout est à craindre de sa spontanéité et de ses élans qui, dans ce cas précis, risquent de déplaire au roi. Pour prévenir les dégâts que causerait une conduite irréfléchie, Mercy, une heure après avoir appris la chute de Choiseul, convoque Vermond qu'il charge de transmettre ses recommandations à la Dauphine : elle peut, par son maintien, marquer son légitime déplaisir. Elle se bornera à plaindre Choiseul « du malheur d'avoir déplu au roi, son maître ». Après quoi, sa réprobation restera muette. Marie-Antoinette suivra strictement ses instructions, à la satisfaction de Marie-Thérèse enchantée de savoir que « tout Versailles et

Paris firent les plus grands éloges de Son Altesse Royale et les gens de la cabale même furent forcés d'applaudir ». La « cabale », que Marie-Thérèse baptise aussi la clique, l'« abominable clique », ce sont, on l'a deviné, Mesdames en général, et Madame Adélaïde en particulier :

« Madame Adélaïde n'a aucune suite ni système dans l'esprit ; elle s'était ouvertement déclarée la protectrice du duc de Choiseul [...]. Le lendemain du renvoi du ministre, elle a été la première à aggraver sa conduite [...], ce qui a scandalisé tout le public. Tant d'inconséquences dans les procédés n'en annonce pas moins dans les conseils et j'en crains toujours les effets pour Madame la Dauphine, qui ne les écoute que trop. La comtesse de Narbonne, dame d'atours de Madame Adélaïde, gouverne entièrement cette princesse et voudrait aussi par son moyen gouverner Madame la Dauphine ; elle y a déjà réussi en bien des choses, mais la présence de l'abbé de Vermond met un obstacle à l'entière exécution de son projet, et cela me fait craindre que cette dame d'atours pourrait bien s'occuper des moyens d'écarter l'abbé »,

écrit Mercy à Marie-Thérèse le 23 janvier 1771. Dans le jeu que mènent l'impératrice d'Autriche et son ambassadeur pour gouverner la Dauphine, Vermond est un atout majeur. Il voit chaque jour Marie-Antoinette que Mercy ne rencontre que deux fois par semaine. Celui qui représente l'Autriche à Paris ne peut multiplier les visites à sa protégée sans risquer de provoquer des murmures. L'influence de Marie-Thérèse et de Mercy sur la future reine de France doit rester secrète. Cette nécessité du secret absolu est rendue possible par la présence de Vermond. Et voilà que ce bel équilibre est compromis par une comtesse de Narbonne qui conduit à sa guise une Madame Adélaïde qui ne peut que répéter : « Je suis faible, je suis Bourbon, j'ai besoin d'être menée. »

Marie-Thérèse et Mercy démontreront que « leur » Marie-Antoinette n'est pas « faible », elle n'est Bourbon que par alliance, et elle n'a pas besoin d'être menée... si ce n'est par sa mère, et son ambassadeur ! Vermond gardera son poste.

Ces alertes, ces craintes enragent Marie-Thérèse qui condamne vigoureusement Mesdames et leur clan :

— Cette abominable clique gâtera ma fille et lui rendra ou suspects ou incommodes ceux qui pourraient lui donner de bons conseils.

Comment empêcher Marie-Antoinette d'aller aussi souvent chez ses tantes ? Pourquoi ne reste-t-elle pas dans ses appartements à lire en compagnie de l'abbé de Vermond ?

« Tâchez de tapisser un peu votre tête de bonnes lectures, elles vous sont plus nécessaires qu'à une autre. J'en attends depuis deux mois la liste de l'abbé, et je crains que vous ne vous aurez guère appliquée ; les ânes et les chevaux auront emporté le temps requis pour la lecture [...] »,

écrit Marie-Thérèse à Marie-Antoinette dès le 6 janvier 1771. Les ânes, les chevaux et Mesdames sont, décidément, les bêtes noires de l'impératrice.

Pour Marie-Thérèse, l'équitation est incompatible avec la maternité. Marie-Antoinette doit être mère, sans tarder. Comment le serait-elle puisque son mari ne fait rien pour, ce redoutable *rien* [1] qui jalonne le journal intime de Louis-Auguste.

Chaque mois, ponctuelle, la « générale » est là. La « générale Krottendorf », ou, par abréviation, la « générale », est le terme qui, dans la correspondance entre l'impératrice et la Dauphine, désigne les règles de la Dauphine. Car Marie-Thérèse exige d'être tenue au courant des règles de sa fille. On ne saurait pousser plus loin l'inquisition maternelle !

En mars 1771, Marie-Thérèse avoue qu'elle ne comprend pas la conduite de Louis-Auguste : « Je ne comprends rien à sa conduite vis-à-vis de sa femme ;

1. Ce rien qui s'applique aux journées sans distractions majeures pourrait aussi se rapporter aux relations intimes entre Louis-Auguste et Marie-Antoinette. (N.D.E.)

est-ce peut-être la suite des mauvais principes qu'on lui a inspirés dans son éducation ? » Question à laquelle Marie-Antoinette apporte une ébauche de réponse. Elle combat ces « mauvais principes » et surtout cet « état sauvage » dans lequel se complaît son mari. Rousseau peut célébrer tant qu'il voudra « le bon sauvage » et stigmatiser les effets de la civilisation, Louis-Auguste n'en reste pas moins le Dauphin et doit donner l'exemple de la civilisation. Pur produit de cette civilisation du dix-huitième siècle : les bals. Ils se multiplient à la Cour pendant le carnaval 1771, et, ô surprise, le Dauphin, qui n'aime pas ce genre de manifestations, y paraît avec la Dauphine. Mieux encore : il y danse, il s'y amuse. Ce taciturne « a parlé à tout le monde avec un air de bonté qu'on ne lui connaissait point jusqu'à ce moment. Un changement si avantageux est attribué avec grande raison à Madame la Dauphine[1] ».

Ce renfrogné devient aimable et manifeste un peu de cet esprit de repartie dont son épouse offre tant d'exemples. Quand le couple assiste, pour la première fois, à un bal donné par Mme de Noailles, Louis-Auguste déclare à Mme l'Étiquette :

— J'espère, madame, que vous voudrez bien recevoir le mari et la femme ; nous ne venons point ici pour y apporter de la gêne, mais pour partager vos amusements.

Le changement de Louis-Auguste se poursuit :

« Depuis quelques semaines, Monseigneur le Dauphin n'est plus reconnaissable par le changement avantageux dans ses manières envers Mme l'Archiduchesse, et il porte ses attentions jusqu'à la galanterie et les soins les plus recherchés. Ce sont des petites caresses, un empressement à être le plus que possible avec Madame la Dauphine, à la prévenir en toute chose, enfin il ne manque rien à tout ce qui peut caractériser la tendresse, et elle paraît s'accroître de jour en jour. Le roi étant dernièrement dans l'inté-

1. Mercy.

rieur de sa famille, dit en plaisantant qu'il n'espérait de succession que celle que lui donnerait M. le comte d'Artois. Monseigneur le Dauphin se retournant vers Madame Victoire, lui dit en riant : "Mon père a peu d'opinion de moi, mais il sera bientôt désabusé"[1]. »

Charmantes paroles suivies de peu d'effets. *Rien,* toujours *rien.* À ce calme plat, s'ajoutent les habituelles tracasseries de la vie en famille. En cela, la famille royale ne diffère pas des autres. « Il ne se passe peu de journées dans l'intérieur de la famille royale sans qu'il survienne des petites manières à tracasseries[2]. » Dans ces eaux troubles où il exerce sa sournoiserie et sa fausseté, le comte de Provence est à l'aise, parvenant à se concilier à la fois Mesdames et Mme du Barry. Sa duplicité est telle qu'elle exaspère Marie-Antoinette. Entre le petit-fils de Louis XV et la fille de Marie-Thérèse, des altercations éclatent, vives, sèches, déconcertant le premier et dégoûtant la seconde.

Le comte d'Artois ne vaut guère mieux que le comte de Provence. Il rapporte à Marie-Antoinette des commérages qui pourraient la blesser. Tant et si bien qu'un jour la Dauphine se jette au cou du Dauphin en disant :

— Je sens, mon cher ami, que je vous aime chaque jour davantage. Votre caractère d'honnêteté et de franchise me charme, plus je vous compare avec d'autres, plus je connais combien vous valez mieux qu'eux.

Chère Marie-Antoinette. Elle dit exactement ce qu'il faut dire à Louis-Auguste qui se croit inférieur à son entourage en général, et à ses frères en particulier. Ravi par la déclaration de la Dauphine, le Dauphin atteint la béatitude quand il apprend les « délicatesses » que son épouse dispense presque quotidiennement. Une fois, blessée au pied par une ruade de son cheval, Marie-Antoinette n'en laisse rien voir afin

1. Mercy.
2. *Ibid.*

d'« épargner à son écuyer le chagrin de se voir l'auteur involontaire de cet accident ». Une autre fois, pendant une chasse, elle renonce à poursuivre un cerf afin de ne pas traverser, donc saccager, un champ de blé parce que, explique-t-elle, cela fait du tort aux cultivateurs qui « sont toujours peu et mal dédommagés dans de semblables occasions ». Enfin, Marie-Antoinette donne l'exemple de l'économie :

« Le duc de Duras [...] sachant combien Madame la Dauphine aime la danse, lui proposa de faire des dispositions pour qu'il y eût des bals pendant le séjour que la Cour fera à Fontainebleau en automne. Mme l'Archiduchesse lui répondit que cet arrangement lui agréerait beaucoup, mais que, comme il en résulterait une augmentation de dépense, elle ne voulait pas qu'il fût dit qu'on trouvait de l'argent pour ses amusements, tandis que l'on n'en trouvait pas pour payer les appointements des gens de sa maison, qu'ainsi elle renonçait par cette raison aux divertissements qui lui étaient proposés. Cette réponse, que personne n'a ignorée, a causé une admiration générale [1]... »

De l'argent pour les bals, et pas d'argent pour payer les domestiques de la Dauphine (plusieurs centaines de personnes), on aura une idée du désordre régnant dans les finances royales !

En cette Dauphine charitable et économe, le Dauphin, le pieux Dauphin, croit contempler un cadeau du ciel. Il croit aussi être, et bien avant Ruy Blas, le ver de terre amoureux d'une étoile. Il ne fait *rien* pour combler la distance qui sépare le ver de l'étoile. « Si une jeune fille, et de la figure de la Dauphine, ne peut échauffer le Dauphin, tout remède serait inefficace, qu'il vaut donc mieux y renoncer et attendre du temps le changement d'une conduite si étrange », se plaint Marie-Thérèse qui se résigne, momentanément, à la non-consommation du mariage de sa fille. L'impéra-

1. Mercy.

58

trice a maintenant d'autres sujets de préoccupations, les amies de Marie-Antoinette que l'opinion publique changera en favorites, les égales d'une Pompadour ou d'une du Barry, et cela, dès l'apparition de la première d'entre elles, la princesse de Lamballe :

« Depuis quelque temps Madame la Dauphine s'était prise d'une affection toute particulière pour la princesse de Lamballe, née princesse de Carignan et veuve du prince de Lamballe, fils du duc de Penthièvre. Cette jeune princesse, douce et aimable, jouissant ici des prérogatives de princesse du sang, se trouve très portée de faire sa cour à Madame la Dauphine et de cultiver les bontés de Son Altesse Royale »,

signale Mercy à Marie-Thérèse, le 17 mars 1771.

Cette affection « particulière » n'a rien à voir avec ce que l'on nommerait aujourd'hui une amitié particulière. Il faut redonner à cet adjectif le sens qu'il avait au dix-huitième siècle : il signifiait à part, incomparable. Lamballe a tout pour plaire à Marie-Antoinette. Elle est douce, Mercy a raison, et tellement sensible qu'elle s'évanouit pour un oui ou pour un non. L'impétueuse, la robuste Marie-Antoinette de quinze ans ne peut être que séduite par tant de faiblesse. Et puis, Lamballe n'est que son aînée de six ans. En cette Cour où dominent les vieilles barbes et les vieilles perruques, la jeunesse d'une Lamballe est appréciable.

Quand elle évoquait sa captivité au Temple où, après la mort de ses parents, elle avait tant souffert de solitude et d'isolement, Madame Royale disait :

— On m'eût donné un monstre que je l'eusse aimé.

Sa mère, en ce printemps 1771, aurait pu faire sienne une telle déclaration. Tombée dans une famille de monstres, Marie-Antoinette ne trouve, à part Louis-Auguste, personne à aimer. L'hypocrisie de Mesdames, les sournoiseries de Provence, le libertinage d'Artois, la rebutent. Louis-Auguste, si amoureux soit-il de son épouse, ne parvient pas à la combler, ni physiquement ni sentimentalement. À Versailles, Marie-Antoinette souffre d'une solitude et d'un isolement que ses deux confidents, Mercy et Vermond, ne peuvent rompre. Elle est prête à aimer un monstre. Or, Marie-Thérèse-Louise de Savoie-Carignan n'est pas un monstre, bien qu'elle en ait épousé un, quand elle avait dix-huit ans, Louis-Stanislas de Bourbon-Penthièvre, fils de Louis-Jean Marie de Bourbon-Penthièvre qui est l'un des hommes les plus riches d'Europe, le dernier héritier des fils légitimés de Louis XIV et de Mme de Montespan. Un an après son mariage, Louis-Stanislas est mort, « victime de ses excès », dit-on pudiquement. Depuis, la princesse de Lamballe joue la jeune veuve, aussi ravissante que celle décrite par La Fontaine dans l'une de ses fables. Ses malheurs ont augmenté ses charmes. Ses grands yeux, ses longs cheveux, son teint éblouissant, sa taille souple, sa démarche qui ne l'est pas moins, sont nimbés d'une irrésistible mélancolie. Lamballe plie, Lamballe ploie, Lamballe languit, Lamballe gémit. C'est un cœur sensible. Un cœur de blonde puisque la princesse est blonde comme la Dauphine. En Lamballe, Marie-Antoinette espère trouver l'âme sœur, ou l'illusion de retrouver ses sœurs, Marie-Anne, Marie-Christine, Marie-Élisabeth, Marie-Amélie et surtout Marie-Caroline dont elle avait été séparée pour crime de chuchotements et de moqueries.

Avec Lamballe, Marie-Antoinette recréera l'irremplaçable atmosphère de sérail qui était celle de Schönbrunn, avec ses rires, ses pleurs, ses rêveries à voix haute, ses confidences à voix basse. Dans ce duo féminin, Marie-Antoinette pourra être à nouveau la petite fille tendre et moqueuse qu'elle fut, qu'elle n'a pas cessé, qu'elle ne cessera jamais d'être. Lamballe représente cette possibilité d'enfance retrouvée... Jeux de l'enfance qui n'ont rien à voir avec les jeux de Lesbos.

À peine la naissante faveur de la princesse de Lamballe est-elle connue — elle n'atteindra son apogée qu'en 1774 — que l'on essaie d'en profiter. La comtesse de Brionne forme le projet d'unir son fils, le prince de Lambesc, avec la princesse de Lamballe, grâce à l'entremise de la Dauphine. Mercy, consulté, dissuade Marie-Antoinette de donner suite à ce projet. À ce détail, on aura compris combien Marie-Antoinette doit être prudente, attentive à ses moindres gestes, à ses moindres faveurs. Toutes ses actions sont prétextes à intrigues.

Il y a pire. Depuis la chute de Choiseul, on assiste à une fermentation des esprits qui va, d'année en année, s'accentuer et conduire jusqu'au 14 juillet 1789. La contestation commence, une contestation qui était impensable sous un Louis XIV, et que Mercy signale, en avril 1771 :

« Depuis que les esprits sont entièrement révoltés contre tout ce qui se passe ici, le public ne garde plus de mesure dans ses propos. Les matières de gouvernement sont devenues presque les seuls objets de conversations de la Cour, de la ville, même de tout le royaume, [...] Le trône y est avili par l'indécence et l'extension du crédit de la favorite et par la méchanceté de ses partisans. La nation s'exhale en propos séditieux, en écrits indécents où la personne du monarque n'est point épargnée ; Versailles est devenu le séjour des perfidies, des haines et des vengeances ; tout s'y opère par des intrigues et des vues personnelles, et il me semble qu'on y ait renoncé à tout sentiment d'honnêteté. Je n'ai pas hésité de présenter ce tableau à Madame la Dauphine, et de lui faire observer bien souvent que le seul moyen possible d'éviter les inconvénients d'un temps si critique est de garder un profond silence sur les choses ainsi que sur les personnes, et Son Altesse Royale commence à sentir la nécessité de cette méthode. »

À quinze ans, Marie-Antoinette apprend la valeur du silence et son pouvoir. Bien manié, le silence peut être une arme redoutable. La première victime en est Mme du Barry à qui Marie-Antoinette n'adresse jamais la parole. Or, Mme du Barry est au sommet de l'emprise qu'elle exerce sur Louis XV. Non contente d'avoir éliminé Choiseul, elle l'a remplacé par l'un de ses protégés, le duc d'Aiguillon. « L'extension du crédit de la favorite » provoque des murmures révoltés que recueille Mercy.

Comme Madame Adélaïde, Louis XV pourrait répéter :

— Je suis faible, je suis Bourbon, j'ai besoin d'être mené.

Il est mené par Mme du Barry, puisque tel est son bon plaisir devant lequel tous s'inclinent. Sauf la fille de Marie-Thérèse qui ne peut supporter un tel abaissement et qui sait maintenant à quoi s'en tenir sur celle qui, avant d'être la favorite du roi, se vendait au plus offrant.

Marie-Antoinette est naturellement vertueuse, en un siècle où on l'est si peu. Comme ses contemporaines, les héroïnes de Sade, elle connaîtra les « infortunes de la vertu ». Louis-Auguste est également vertueux. Le Dauphin et la Dauphine sont quotidiennement révoltés par le triomphe de la du Barry qu'ils retrouvent partout, à Versailles comme à Fontainebleau, à Marly comme à Compiègne. Impossible d'éviter sa présence. Si Louis-Auguste ne dissimule pas sa répugnance, Marie-Antoinette ne montre rien. Son impassibilité ne passe pas inaperçue.

En présence de Mme du Barry, Marie-Antoinette est soudainement frappée de cécité, de surdité et de mutisme. Elle ne voit pas Mme du Barry, elle n'entend pas ce que dit Mme du Barry, elle n'ouvre pas la bouche en présence de Mme du Barry. Mme du Barry ne peut que s'offusquer d'un tel comportement : elle s'en plaint au roi qui en prend de l'humeur. Comme il a horreur des explications *directes* avec ses enfants, Louis XV convoque Mme de Noailles à qui il fait observer que Madame la Dauphine « se permettait de parler trop librement de ce qu'elle voyait ou croyait voir, et que ses remarques un peu hasardées pourraient produire de mauvais effets dans l'intérieur de la famille ».

Il faut se résigner à considérer Mme du Barry comme appartenant à la famille et cesser ces moqueries dont Marie-Thérèse avait raison de craindre « les mauvais effets ». Mais Marie-Antoinette ne s'avoue pas vaincue. Quelques heures après la convocation de Mme de Noailles, elle demande à son « papa » s'il « n'avait pas assez d'amitié et de confiance en elle pour lui parler directement sur ce qui pouvait lui être agréable ou lui déplaire ». On ne saurait être plus *directe* que Marie-Antoinette. Louis XV est plongé dans un embarras qui tourne à l'avantage de la Dauphine. « Papa » assure sa petite fille « qu'il la trouvait charmante, qu'il l'aimait de tout son cœur ; il lui baisa les mains, l'embrassa et approuva tout ce que Son Altesse Royale venait de lui dire[1] ».

Victoire, éphémère, de Marie-Antoinette. Mesdames sont scandalisées des libertés que la Dauphine prend avec le roi. Elles n'en abandonnent pas pour autant leur proie, au grand dépit de Marie-Thérèse qui voudrait bien voir cesser leur trop grande influence. La situation va rapidement devenir intenable puisque « manquer d'égards à des gens que le roi a mis en place dans sa société, c'est lui manquer à lui-même ». Tout se complique encore, au mois de mai 1771, par le mariage du comte de Provence avec une princesse de Savoie. La « cabale », la « clique abominable » essaient d'opposer les deux belles-sœurs, et à travers elles, leurs pays. Si la Savoie l'emportait sur l'Autriche, quelle satisfaction pour Mesdames qui restent farouchement anti-autrichiennes ! Ce qui ne les empêche pas d'engluer Marie-Antoinette dans d'hypocrites manifestations d'affection.

Le 30 juillet 1771, l'affaire du Barry s'élève à la hauteur d'une affaire d'État puisque Louis XV s'en mêle, ouvertement. Ce jour-là, Mercy est invité chez la favorite qui proteste de ses bonnes intentions envers la Dauphine et dément qu'elle ait osé la traiter de « petite rousse[2] ». Alors, pourquoi Madame la Dauphine est-elle aussi méprisante envers elle, Mme du

1. Mercy.
2. Ce qui laisserait à supposer que les cheveux de la Dauphine étaient d'un blond ardent et qu'ils devinrent ensuite d'un blond cendré.

Barry ? Très ennuyé, Mercy ne sait que répondre. Pour augmenter sa gêne, Louis XV surgit et lui déclare :

— Jusqu'à présent, vous avez été l'ambassadeur de l'impératrice ; je vous prie d'être maintenant mon ambassadeur, au moins pour quelque temps. Je vous autorise à lui dire tout ce que vous voudrez de ma part ; on lui donne de mauvais conseils, il ne faut pas qu'elle les suive.

Mercy engage Marie-Antoinette à reconnaître l'existence de Mme du Barry et à ne plus la considérer comme une femme invisible. Après d'interminables discussions, la Dauphine annonce qu'elle consentira à dire quelques mots à la favorite, le 11 août, selon un plan prévu par Mercy. Le 11, Mercy s'installerait à la table de jeu de Mme du Barry et engagerait la conversation avec la favorite. Marie-Antoinette s'approcherait et, se mêlant à la conversation, adresserait quelques mots à la créature.

Tout paraît devoir se passer comme prévu, Mercy commence à bavarder avec la du Barry. Marie-Antoinette s'approche de la table, quand Madame Adélaïde lance à la cantonade :

— Il est temps de s'en aller, partons.

La cantonade, en l'occurrence, Marie-Antoinette s'y inclut, obéit et part sans avoir adressé la parole à Mme du Barry qui en est froissée. Le roi ne cache pas son mécontentement à Mercy à qui il lance ironiquement :

— Monsieur l'Ambassadeur, vos avis ne fructifient guère, il faudra que je vienne à votre secours.

Triomphe de Mesdames et fureur de Marie-Thérèse qui, le 30 septembre 1771, adresse à Marie-Antoinette une sévère mise en garde :

« [...] vous n'agissez que par vos tantes [...] elles n'ont jamais su se faire aimer ni estimer ni de leur famille ni du public, et vous voulez prendre le même chemin. [...] Vous ne devez connaître ni voir la Barry d'un autre œil que d'être une dame admise à la Cour et à la société du roi. [...] Si on exigeait de vous des bassesses, des familiarités, ni moi ni personne ne pourrait vous les conseiller, mais une parole indifférente, de certains regards, non pour la dame, mais pour votre grand-père, votre maître, votre bienfaiteur ! Et vous lui manquez si sensiblement dans la première occasion où vous pouvez l'obliger et lui marquer votre attachement, qui ne reviendra plus de si tôt ! Voyons à cette heure pour qui ? Par une honteuse complaisance pour des gens qui vous ont subjuguée en vous traitant en enfant, vous procurant des courses à cheval, sur des ânes avec des enfants, avec des chiens ; voilà les grandes causes qui vous attachent de préférence à eux qu'à votre maître, et qui vous rendront à la longue ridicule, ni aimée ni estimée. [...] Des complaisances outrées sont des bassesses ou des faiblesses ; il faut savoir jouer son rôle si on veut être estimé ; vous le pouvez si vous voulez vous gêner un peu et suivre ce qu'on vous conseille ; si vous vous abandonnez, je prévois de grands malheurs pour vous ; rien que des tracasseries et petites cabales qui rendront vos jours malheureux. »

Les mères abusives auraient-elles le don de double vue ? Marie-Thérèse ne se révélera, hélas, que trop bonne prophétesse et sa fille connaîtra les « grands malheurs » engendrés par de « petites cabales »...

À cette mercuriale maternelle, Marie-Antoinette répond le 13 octobre :

« J'ai bien des raisons de croire que le roi ne désire pas de lui-même que je parle à la Barry, outre qu'il ne m'en a jamais parlé. Il me fait plus d'amitié depuis qu'il sait que j'ai refusé, et, si vous étiez portée de voir comme moi tout ce qui se passe ici, vous croiriez que cette femme et sa clique ne seraient pas contents d'une parole et ce serait toujours à recommencer. Vous pouvez être assurée que je n'ai besoin d'être conduite par personne pour tout ce qui est de l'honnêteté. »

— Plus d'humeur que de conviction, ronchonne

Marie-Thérèse en recevant la réponse de sa fille dont le seizième anniversaire approche.

Marie-Antoinette recevra, en guise de cadeau, une autre mercuriale écrite aux veilles de son anniversaire, le 31 octobre 1771 :

« Je n'ai pas trouvé mauvais que vous vous êtes défendue vivement sur le sujet de ma dernière lettre. [...] mais ce qui m'a fait de la peine, et m'a convaincue de votre peu de volonté de vous en corriger, c'est le silence entier sur le chapitre de vos tantes, ce qui était pourtant le point essentiel de ma lettre et qui est la cause de tous vos faux pas. [...] Est-ce que mes conseils, ma tendresse méritent moins de retour que la leur ? J'avoue, cette réflexion me perce le cœur. »

Elle perce aussi le cœur de Marie-Antoinette qui ne peut supporter que sa mère pense, un instant, qu'elle est délaissée au profit de Mesdames ! Marie-Antoinette cède à ce chantage sentimental. Elle cessera d'ignorer Mme du Barry comme le veulent Mesdames et adressera quelques paroles à la créature, comme le souhaite sa mère.

Le 1er janvier 1772, la Dauphine lance à la favorite cette phrase d'une profonde banalité et qui résonne pourtant comme une inoubliable musique :

— Il y a bien du monde aujourd'hui à Versailles.

La descendante des Habsbourg a, enfin, parlé à Jeanne Bécu, fille d'Anne Bécu et de père inconnu, qui a débuté dans le commerce de la mode qu'elle a vite confondu avec celui de la galanterie.

Après ce mémorable « il y a bien du monde aujourd'hui à Versailles », Mesdames sont furieuses, mais Mme du Barry, Louis XV, Marie-Thérèse, Joseph II exultent. Pas pour longtemps. Au lendemain de sa capitulation, le 2 janvier, Marie-Antoinette annonce :

— J'ai parlé une fois, mais je suis bien décidée à en rester là, et cette femme n'entendra plus le son de ma voix.

Elle tiendra parole.

Elle n'attend pas moins, en récompense de sa brève soumission, l'approbation de sa mère à qui elle écrit, le 21 janvier 1772 :

« Je ne doute point que Mercy vous ait mandé ma conduite du jour de l'An, et j'espère que vous en aurez été contente. Vous pouvez bien croire que je sacrifie toujours tous mes préjugés et répugnances, tant qu'on ne me propose rien d'affiché et contre l'honneur. »

Cinglante réponse de Marie-Thérèse le 13 février :

« Vous m'avez fait rire de vous imaginer que moi ou mon ministre pourrions jamais vous donner des conseils contre l'honneur ; pas même contre la moindre décence. Voyez par ces traits combien les préjugés, les mauvais conseils ont pris sur votre esprit. Votre agitation après ce peu de paroles, le propos de n'en plus tenir font trembler pour vous. [...] Le roi est âgé ; les indigestions dont il souffre ne sont pas indifférentes ; il peut arriver des changements en bien et en mal avec la Barry, avec les ministres... Je vous le répète, ma chère fille, si vous m'aimez, de suivre mon conseil ; c'est de suivre sans hésiter, et avec confiance, tout ce que Mercy vous dira ou exigera ; s'il souhaite que vous répétiez vos attentions vis-à-vis de la dame ou d'autres, de le faire. »

Si Marie-Thérèse insiste tellement pour que Marie-Antoinette ménage « la Barry », c'est que la situation est grave. L'heure du premier partage de la Pologne entre l'Autriche, la Prusse et la Russie, a sonné. Un conflit entre ces trois puissances pourrait en résulter. L'alliance franco-autrichienne a plus que jamais besoin d'être maintenue. C'est ce que précise nettement Marie-Thérèse à Mercy :

« Nous savons pour certain que l'Angleterre et le roi de Prusse veulent gagner la Barry. La France pateline avec la Prusse. Le roi est faible ; ses alentours ne lui laissent pas le temps de réfléchir et de suivre son propre sentiment. Vous voyez par ce tableau combien il importe à la conservation de l'alliance qu'on emploie tout pour ne pas se détacher dans ce moment de crise. Pour empêcher ces maux, il n'y a que ma fille : il faut qu'elle cultive, par ses assiduités et tendresses, les bonnes grâces du roi et qu'elle traite bien la favorite. [...] peut-être que l'alliance en dépend. »

Marie-Antoinette continue à être sacrifiée sur l'autel de l'alliance franco-autrichienne. L'alliance sera maintenue et les Français ne se battront pas pour la Pologne, comme ils se sont battus pour le roi de Prusse. Le pire est évité. La bataille entre la Dauphine et la favorite ne dégénérera pas en conflit européen. Sans être définitivement close, l'affaire du Barry n'atteindra plus tant d'intensité.

Ainsi, à l'affaire du corset a succédé l'affaire du Barry. La vie ne serait donc qu'une suite d'affaires ? Marie-Antoinette peut se poser la question. Après tout, elle n'a que seize ans. Cela promet.

La conquête de Paris
(8 juin 1773)

Le 23 janvier 1772, Mercy signale à Marie-Thérèse :

« Si la santé du roi continue à s'affaiblir, il pourrait en résulter de grands changements à cette Cour ; ce serait le moment où il dépendrait de Mme l'Archiduchesse de jouer un rôle aussi brillant qu'utile ; mais il faudrait pour cela que Son Altesse Royale voulût bien donner un peu plus d'attention aux choses sérieuses, et qu'elle sût y sacrifier quelques petits amusements qui l'absorbent entièrement. Elle s'ennuie avec le roi, et ne prend pas toujours la peine de le dissimuler. »

L'ennui, comme les mauvaises odeurs — d'urine et du reste (on se soulage comme on peut et où l'on peut) — règnent à Versailles[1]. « Du dimanche au samedi, on vivait à Versailles dans une tranquillité horriblement ennuyeuse », rapporte Mme de Boigne. Pour secouer cette monotonie qui continuera sous Louis XVI, Marie-Antoinette est prête à faire n'importe quoi et fera n'importe quoi. En attendant, pour se distraire, la Dauphine brode ou se livre « à un de ces ouvrages manuels pour lesquels elle eut toujours le plus grand goût ». À la satisfaction de sa

1. « Les passages de communications, les cours, les bâtiments en ailes, les corridors sont remplis d'urine et de matières fécales. Le parc, les jardins, le château font soulever le cœur par leurs mauvaises odeurs. » Témoignage rapporté, dans *Marie-Antoinette*, par André Castelot, Perrin, p. 266.

mère qui a *enfin* obtenu son « journal de lectures », elle lit *Anecdotes de la cour de Philippe Auguste* de Mlle de Lussan, le *Petit Carême* de Massillon, l'*Histoire d'Angleterre* de Hume. Fuir l'ennui en lisant des livres aussi ennuyeux, c'est tomber de Charybde en Scylla ! On comprend que, après de telles lectures forcées, exécutées sous la direction de l'abbé de Vermond, la Dauphine, devenue reine, n'ouvrira plus que rarement un livre. Ce qui ne l'empêche pas de conseiller au Dauphin de lire les *Mémoires* de Sully...

Marie-Antoinette n'aura pas été sensible, et c'est le moins que l'on puisse dire, aux auteurs de son temps. Elle les ignorera pour la plupart. À la littérature, elle préfère nettement la musique. Elle appartient à ces élus pour qui la musique est le langage des dieux et qui oublie tout en entendant quelques notes.

Quand elle va voir Mesdames, Marie-Antoinette chante des airs de Grétry, accompagnée à la harpe par Jeanne Louise Henriette Genet qui est née à Paris le 2 octobre 1752. Son père, M. Genet, est premier commis au ministère des Affaires étrangères. Henriette apprend l'italien et l'anglais. Elle reçoit aussi des leçons de chant et de diction. C'est une petite Parisienne tellement accomplie que sa jeune renommée gagne Versailles. En octobre 1768, elle accède à la charge de lectrice de Mesdames. Puis elle épouse un officier de la chambre de la Dauphine, Pierre Dominique François Bertholet-Campan. À partir de 1774, elle comptera parmi les premières femmes de chambre de la reine. C'est elle, Mme Campan, l'auteur de ces fameux *Mémoires*.

En chantant des airs de Grétry en compagnie de Henriette Genet, Marie-Antoinette oublie-t-elle la présence de Mesdames ? C'est à croire. Depuis l'affaire du Barry, Marie-Antoinette s'est aperçue qu'elle n'avait reçu de ses tantes que de mauvais conseils, et de mauvais exemples. Elle s'affranchit de leur néfaste tutelle, comme le souhaitait sa mère et, comme le remarque Mercy en février 1772 :

« Depuis que Madame la Dauphine a commencé à

ouvrir les yeux sur l'empire de Mesdames, et sur les inconvénients qui en résultaient, Son Altesse Royale a pris le parti sage de secouer le joug. Elle est maintenant très convenablement vis-à-vis de Mesdames ses tantes, sur un ton d'aisance et de bonne amitié ; [...] personne ne la gouverne. »

Si personne, pour le moment, ne la gouverne, Marie-Antoinette a du plaisir à gouverner les autres, et pas toujours avec le succès qu'elle espère. En ce même mois de février 1772, elle engage le Dauphin à aller voir, par bienséance, son ancien précepteur, le duc de La Vauguyon, qui agonise. Le Dauphin refuse, et ce sera l'une des rares fois où on le verra refuser quelque chose à sa chère Marie-Antoinette. Trop content d'être délivré de son « méchant » mentor, Louis-Auguste participe à « la joie générale » que causait ce trépas. M. de La Vauguyon n'était pas aimé à Versailles...

Ce décès cache à Marie-Antoinette un événement qui va se révéler, pour elle, d'une importance fatale : le prince Louis de Rohan est nommé ambassadeur de France à Vienne. À peine est-il arrivé que Marie-Thérèse souhaite son départ :

— Je ne saurais accorder mon approbation à l'ambassadeur Rohan ; c'est un gros volume farci de bien mauvais propos, peu conformes à son état d'ecclésiastique et de ministre, et qu'il débite avec imprudence en toute rencontre ; sans connaissance d'affaires et sans talents suffisants, avec un fonds de légèreté, présomption et inconséquences [1].

Marie-Thérèse communiquera son aversion à sa fille, et c'est pour en venir à bout que le prince de Rohan, Louis de Rohan, avec sa légèreté, sa présomption et son inconséquence, se prêtera aux machinations qui formeront l'affaire du Collier.

Sentant le vent tourner et la santé du roi décliner en

1. Marie-Thérèse à Mercy, le 1er mars 1772.

même temps que le pouvoir de Mme du Barry, le comte et la comtesse de Provence s'éloignent de la favorite pour se rapprocher, ou essayer de se rapprocher, de Marie-Antoinette :

« [...] ces deux derniers ont réellement abandonné le parti de la favorite et du duc d'Aiguillon ; ils en font au moins le semblant. Le comte de Provence a cherché à avoir des explications à ce sujet avec Mme l'Archiduchesse ; [...] Madame la Dauphine a écouté toutes ces ouvertures sans rien répondre qui puisse donner prise sur elle [1]. »

Marie-Antoinette sait à quoi s'en tenir sur la « sincérité » de son beau-frère Provence. Pour préserver la paix de la famille, elle fait « semblant » de se rendre à ces raisons. Chacun croit duper l'autre et tout le monde est content. Entente qui a la fragilité de cette pièce de porcelaine qui se trouve sur la cheminée de la chambre du comte de Provence et que le Dauphin prend souvent, quand il y vient, entre ses mains. Ce qui inquiète Provence, à juste titre. En juin 1772, la porcelaine tombe des mains du Dauphin et se brise en morceaux.

« M. le comte de Provence, dans son premier mouvement de colère, s'avança sur Monseigneur le Dauphin ; ils se colletèrent et se donnèrent quelques coups de poing. Madame la Dauphine, très embarrassée de cette scène, eut la présence d'esprit de séparer les combattants, et elle reçut même à cette occasion une égratignure à la main [2]. »

Charmante famille ! Pour fuir l'ennui, et les ennuis, qui y dominent, Marie-Antoinette regarde de plus en plus vers Paris :

« Madame la Dauphine a depuis longtemps un

1. Mercy à Marie-Thérèse, le 15 mai 1772.
2. Mercy, le 15 juin 1772.

grand désir de voir Paris. Elle s'était proposé de faire tenir des chevaux de selle à une certaine distance, d'y arriver en voiture, de monter à cheval et de se promener sur les boulevards sans entrer dans la ville. [...] En conséquence, la comtesse de Noailles fit naître tant de difficultés que la partie projetée n'eut point lieu [1]. »

Ce n'est qu'une partie remise et Marie-Antoinette n'en garde pas moins les yeux fixés sur Paris. Dès qu'elle apprend que, dans la nuit du 29 au 30 décembre 1772, un incendie a ravagé l'Hôtel-Dieu, elle envoie immédiatement mille écus « aux malheureux », avec sa générosité, et sa discrétion, habituelles :

— Je n'en ai rien dit ; on m'en fait des compliments qui embarrassent, avoue-t-elle à sa mère.

L'empire qu'exerce Marie-Thérèse sur sa fille ne cesse de croître. La Dauphine, quand elle doit écrire à l'impératrice, en est comme paralysée :

— Je n'ai pas une pensée dans l'esprit que je ne voulusse dire à ma mère, mais j'ai peur de l'inquiéter en lui mandant les choses de travers, confie-t-elle à Mercy.

Puis elle ajoute :

— J'aime l'impératrice, mais je la crains, quoique de loin ; même en écrivant, je ne suis jamais à mon aise vis-à-vis d'elle.

Aveu capital : Marie-Antoinette se sent toujours vaguement coupable face à la Déesse Irréprochable qu'elle a pour génitrice. Pour tempérer ce que ses aveux peuvent avoir d'inquiétant, Marie-Antoinette prononce devant Mercy cette profession de foi :

— Il n'est rien que je ne fisse pour prouver à ma mère mon amour.

Rassuré, Mercy démontre à la Dauphine qu'elle n'éprouve pas les mêmes craintes avec son frère, l'empereur Joseph II.

— Oh ! cela est bien différent, l'empereur est mon frère, je lui répondais quand il me fâchait, et j'étais accoutumée à plaisanter avec lui !

1. Mercy, le 15 juin 1772.

73

On ne plaisante pas avec Marie-Thérèse à qui rien n'échappe. Ayant appris que sa fille continuait à correspondre avec son ancienne gouvernante, Mme de Brandeiss, elle décide de supprimer cet échange de lettres :

« Comme la correspondance de la comtesse de Brandeiss pourrait aboutir à des nouvelles capables d'inspirer des préjugés contre différentes personnes qui pourraient en ressentir l'effet lorsqu'elles arriveraient en France, je trouve mieux de supprimer cette correspondance, en chargeant tour à tour quelqu'un de la famille de lui donner régulièrement de nos nouvelles [1]. »

Marie-Antoinette aura beau pleurer, supplier, rien n'y fera. Elle n'aura plus la « consolation » de recevoir les lettres de sa « chère Brandeiss ». Comment n'être pas, pour employer un mot à la mode d'aujourd'hui, « traumatisée » par une telle mère ? Aussi, c'est à peine si, dans une lettre du 15 février 1773, Marie-Antoinette ose évoquer une innocente escapade en compagnie de Louis-Auguste :

« Nous avons été, Monsieur le Dauphin, le comte, la comtesse de Provence et moi, jeudi dernier à Paris au bal de l'Opéra ; on a gardé le plus grand secret. Nous étions tous masqués ; cependant on nous a reconnus au bout d'une demi-heure. Le duc de Chartres et le duc de Bourbon, qui dansaient au Palais-Royal, qui est tout à côté, sont venus nous trouver, et nous ont fort pressés d'aller danser chez Mme la duchesse de Chartres ; mais je m'en suis excusée, n'ayant la permission du roi que pour l'Opéra. Nous sommes venus ici à sept heures, et avons entendu la messe avant de nous coucher. Tout le monde est enchanté de la complaisance de Monsieur le Dauphin pour cette partie, pour laquelle on lui croyait de l'aversion. »

1. Marie-Thérèse à Mercy, le 5 mai 1773.

On croirait lire le récit d'une pensionnaire échappée, pour un soir, de son couvent. Autre motif de diversion pour Marie-Antoinette, le mariage du comte d'Artois avec une sœur de la comtesse de Provence. Provence et Artois ont ainsi épousé chacun une princesse de Savoie. On s'en moque par des allusions à de possibles indigestions de... gâteaux de Savoie.

Cet apport massif de la Savoie porte ombrage à Marie-Thérèse. Ne va-t-on pas essayer de supplanter sa fille ? « On », c'est-à-dire, la « cabale », la « clique abominable », avec, à leur tête, Mesdames. Leur tutelle sur la Dauphine a pris fin. Leur rancune commence. C'est dans le salon de Mesdames, et dans la bouche même de Madame Adélaïde, qu'a été entendu, pour la première fois, ce surnom de l'« Autrichienne », et c'est dans ce même salon que naîtront bien des libelles qui accableront Marie-Antoinette de leurs calomnies, et prépareront le chemin qui conduit à l'échafaud...

« On » essaie donc, avec l'aide du comte de Marmora, ministre de Sardaigne, d'opposer la Dauphine à la comtesse de Provence et à la comtesse d'Artois. On y renoncera. La partie est trop inégale. La comtesse de Provence n'est capable que de petits manèges ambitieux sans aucune envergure et manque complètement des grâces dont Marie-Antoinette est comblée. La comtesse d'Artois n'a pas été gâtée par la nature avec son grand nez, sa grande bouche, son manque d'esprit qui ne fait que mieux ressortir l'esprit de Marie-Antoinette. La qualité l'emporte sur la quantité. Une Viennoise vaut largement deux Piémontaises. On aurait voulu choisir deux repoussoirs pour la Dauphine, on n'aurait pas mieux fait ! Provence et Artois enragent, et envient à Louis-Auguste sa chance d'être nanti d'une aussi charmante épouse. Chance dont le Dauphin n'abuse certes pas. *Rien,* toujours *rien.* Pas d'héritier à l'horizon, et pour cause. Provence et Artois reprennent espoir...

Pour éviter d'être trop mêlée aux intrigues de ses beaux-frères et de ses belles-sœurs, Marie-Antoinette a mis au point « une sorte d'agenda [...] qui comprend la distribution des heures de la journée ».

« Il y est dit qu'en se levant Mme l'Archiduchesse emploiera les premiers moments à la prière, qu'ensuite elle s'occupera de la musique, de la danse, et d'une heure de lecture raisonnable [...] La toilette, une visite chez le roi, la messe et le dîner remplissent le reste de la matinée. Après midi il se trouve une heure et demie assignée à la continuation des lectures raisonnables ; les promenades ou la chasse, et les conversations avec Monsieur le Dauphin [...] trouvent lieu successivement[1]. »

Face à cet emploi du temps, Marie-Antoinette déclare, avec autant de franchise que de bonne foi :
— Je ne sais si je remplirai tout cela bien exactement, mais je m'y tiendrai le plus qu'il sera possible.

Comment s'y tenir quand s'approche le 8 juin 1773, le jour tant espéré par la Dauphine de son entrée solennelle à Paris ?

Il était d'usage que cette cérémonie suive de près celle du mariage. Depuis le 16 mai 1770 Marie-Antoinette attend, avec une impatience que partage Marie-Thérèse, *son entrée,* retardée par la « cabale », entravée par la « clique abominable », par la jalousie de Mesdames, l'envie de Mme du Barry et les craintes de Louis XV qui a peur de voir ses petits-enfants applaudis alors que lui, ne l'est plus depuis longtemps. Ses craintes ne sont que trop justifiées. Le 8 juin, la Dauphine a conquis Paris. Elle en est pleinement consciente comme en témoigne le récit qu'elle envoie à sa mère, quelques jours plus tard, le 14 juin :

« [...] ce qui m'a touchée le plus, [...] c'est la tendresse et l'empressement de ce pauvre peuple qui, malgré les impôts dont il est accablé, était transporté de joie de nous voir. [...] Je ne puis vous dire, ma chère maman, les transports de joie, d'affection, qu'on nous a témoignés dans ce moment. Avant de nous retirer, nous avons salué avec la main le peuple,

1. Mercy à Marie-Thérèse, le 18 mai 1773.

ce qui a fait grand plaisir. Qu'on est heureux dans notre état de gagner l'amitié de tout un peuple à si bon marché ! Il n'y a pourtant rien de si précieux ; je l'ai bien senti et je ne l'oublierai jamais. »

Elle l'oubliera, hélas !

Autre sujet de contentement, en ce jour, pour Marie-Antoinette, l'aisance de Louis-Auguste qui « a répondu à merveille à toutes les harangues ».

Au quai des Tuileries, au pont Royal, au quai Conti, au pont Neuf, au quai des Orfèvres, le peuple de Paris est là qui se presse pour voir cette Dauphine dont il attend, lui aussi, la venue depuis trois ans. Ce ne sont que des cris de joie et des « qu'elle est belle, qu'elle est charmante ! ». Marie-Antoinette récompense ces cris et ces commentaires d'un sourire.

— Il est impossible de se montrer avec plus de grâce, plus de charmes et plus de présence d'esprit que n'en a marqué Mme l'Archiduchesse dans cette conjoncture, se plaît à constater Mercy.

À un seul moment, quand elle doit paraître au balcon des Tuileries, Marie-Antoinette, devant la marée humaine qui a envahi les jardins, recule, effrayée, et murmure :

— Mon Dieu ! que de monde !

Le duc de Brissac, gouverneur de Paris, qui se trouve à ses côtés déclare galamment :

— Madame, n'en déplaise à Monsieur le Dauphin, ce sont autant d'amoureux qui vous regardent.

En plus de ces galanteries et de ces acclamations qui n'arrêtent pas, Marie-Antoinette et Louis-Auguste se voient offrir des fruits et des fleurs par les dames de la Halle, une messe à Notre-Dame de Paris, une visite à Sainte-Geneviève, des vers récités par les étudiants du collège Montaigu. Marie-Antoinette sourit, et Louis-Auguste ne peut qu'imiter le radieux sourire de son épouse.

Lorsqu'ils reviennent à Versailles, chargés de bouquets et grisés d'acclamations, le Dauphin et la Dauphine sont reçus par Louis XV qui les attend avec une certaine impatience :

— Mes enfants, j'étais presque inquiet. Vous devez être bien fatigués de votre journée ?

— C'est la plus douce de notre vie, répond Marie-Antoinette. Il faut que Votre Majesté soit bien aimée des Parisiens, car ils nous ont bien fêtés.

Peut-on imaginer flatterie plus délicate ? C'est à Louis XV qu'un tel succès est dû ! Chère Marie-Antoinette !

Après un tel triomphe, Marie-Antoinette veut profiter de sa conquête et retourner le plus possible à Paris. Elle obtient du roi la permission d'y aller une fois par semaine, pour assister au spectacle, « en grand apparat », c'est-à-dire avec un déploiement de gardes françaises et suisses pendant que tonnent les canons de la Bastille et des Invalides. Ennemie des fastes inutiles, Marie-Antoinette obtiendra de paraître à Paris avec une petite suite, sans gardes, ni canons.

Grand apparat ou petite suite, le succès de la Dauphine se maintient, éclatant, tandis que s'amorce le déclin de Mme du Barry qu'annonce Mercy à Marie-Thérèse, le 16 juin 1773 :

« Quoique, depuis un mois, la santé du roi n'ait point empiré, on remarque cependant qu'il devient toujours plus sujet aux vapeurs et à l'ennui. Son premier goût pour la favorite étant amorti par le temps, et cette femme ayant infiniment peu de ressources dans l'esprit et dans le caractère, le roi ne trouve plus chez elle qu'une dissipation médiocre et entremêlée de tous les inconvénients dont il éprouve à chaque instant les effets. Ce sont de continuelles importunités pour obtenir des grâces souvent injustes, presque toujours pour des gens peu estimables et qui n'ont d'existence que celle que leur donne l'intrigue. »

Le comte de Creutz, ministre de Suède en France, renchérit à ce propos :

— La passion que le roi a pour Mme du Barry se soutiendra tant que sa santé sera inaltérable ; mais s'il venait à tomber malade, il y a toute apparence que la dévotion succéderait à l'amour.

Marie-Antoinette pourra bientôt aller à Paris, sans demander la permission à personne, même pas à Louis-Auguste, son dévot dont elle sera l'abusive déesse.

L'amour fou de Louis-Auguste
(22 mars 1774)

> *La lumière du jour, les ombres de la nuit,*
> *Tout retrace à mes yeux les charmes que*
> *[j]'évite ;*
> *Tout vous livre à l'envi le rebelle Hyppolite.*

RACINE.

Depuis que le 14 juillet 1770, Mercy écrivait à Marie-Thérèse que « l'article le plus satisfaisant pour Madame la Dauphine est que chaque jour elle gagne plus d'ascendant sur l'esprit de Monsieur le Dauphin », trois ans se sont écoulés et l'ascendant qu'exerce Marie-Antoinette sur Louis-Auguste est absolu, définitif et durera jusqu'à leur séparation au Temple. Même les petits nuages qui assombrissent inévitablement les ménages sont vite oubliés. Le 17 juillet 1773, Mercy rapporte le passage de ces ombres légères :

« Quoiqu'il subsiste entre Monsieur le Dauphin et Madame la Dauphine la plus parfaite harmonie, cependant Son Altesse Royale a quelquefois des petits sujets de déplaisir dont elle me fait la grâce de me parler. Tout l'ascendant qu'elle a sur Monsieur le Dauphin n'a pu encore détourner ce jeune prince de son goût extraordinaire pour tout ce qui est ouvrage de bâtiments, comme maçonnerie, menuiserie et autres de ce genre. Il a toujours quelque chose de nouveau à faire arranger dans l'intérieur de ses appartements ; il travaille lui-même avec les ouvriers à remuer des matériaux, des poutres, des pavés, et se livrant des heures entières à ce pénible exercice, il en revient quelquefois plus fatigué que ne le serait un manœuvre obligé à remplir ce travail. J'ai vu en dernier lieu Madame la Dauphine excessivement impatientée et chagrinée de cette conduite ; [...] »

Ces « petits déplaisirs » sont sans lendemain. « M'aimez-vous bien ? » demande Louis-Auguste à Marie-Antoinette qui répond, sans hésiter : « Oui, et vous ne pouvez en douter ; je vous aime sincèrement et je vous estime encore davantage. »

Que demander de plus ? À cet amour, à cette estime, Marie-Antoinette ajoute l'excellence de ses conseils.

— Il faut convenir que vous m'avertissez toujours bien à propos, reconnaît Louis-Auguste.

Rien ne semble pouvoir entamer l'apparente « parfaite harmonie » du couple, même pas les sifflements de ces vipères piémontaises que sont la comtesse de Provence et la comtesse d'Artois.

Au commencement de mars 1774, la Dauphine souhaite assister, le jeudi qui suit le mardi gras, au bal masqué de l'Opéra. Mais, sachant que Louis-Auguste n'aime pas ces sortes de bal et n'y vient que pour lui faire plaisir, elle ne veut pas abuser d'une telle complaisance. Aussi Marie-Antoinette prie-t-elle sa belle-sœur, la comtesse de Provence, de dire que c'est elle-même, Provence, qui a envie d'aller à ce bal. La Piémontaise s'acquitte, à sa façon, de la commission en racontant tout au Dauphin. Elle en rajoute même. Cette chipie déclare que, à l'exemple de Louis-Auguste, elle n'aime guère ce genre de divertissement et ne demanderait pas mieux que d'en être dispensée, mais la frivolité des Viennoises n'est que trop connue en Europe, n'est-ce pas, alors que le sérieux des Piémontaises... Tant de perfidie, tant de venin écœurent

Louis-Auguste qui rapporte le tout à Marie-Antoinette. Mercy rend compte, à son tour, cette affaire à Marie-Thérèse le 22 mars 1774 :

« Le venin d'une méchanceté aussi maladroite avait fort choqué Monsieur le Dauphin, et il dit de la meilleure grâce à Mme l'Archiduchesse que, pour ne plus l'exposer à de pareilles duplicités, *il lui déclarait une fois pour toutes qu'il approuverait toujours* et verrait avec grand plaisir qu'elle exécutât les petits arrangements qui pouvaient contribuer à ses amusements et *qu'il ne la gênerait jamais en rien*. »

C'est moi qui souligne ce « il lui déclarait une fois pour toutes qu'il approuverait toujours... » et ce « qu'il ne la gênerait jamais en rien ». Je vois en ces mots la preuve de l'amour fou que Louis-Auguste éprouve pour Marie-Antoinette. Il prononce l'équivalent d'un credo se résumant à un « tout ce que vous faites est bien fait ». Combien d'épouses peuvent se vanter d'avoir entendu une telle phrase sur les lèvres de leur époux ? Combien de filles de dix-neuf ans — l'âge de Marie-Antoinette en 1774 — ont entendu de telles paroles dans la bouche d'un garçon de vingt ans — c'est l'âge qu'a alors Louis-Auguste ?

Louis-Auguste, devenu roi de France, tiendra la promesse du Dauphin. Il approuvera toujours ce que fera Marie-Antoinette. Il n'aimera jamais une autre femme, il n'en connaîtra jamais d'autres. Marie-Antoinette sera la seule et l'unique. C'est l'une des rares femmes au monde à n'avoir pas été trompée par son mari ! Le Dauphin est un sage : il désire ce qu'il possède. Car Louis-Auguste désire cette Marie-Antoinette qu'il ne parvient pas à posséder complètement. Ce n'est pas faute d'essayer. Stefan Zweig a vu dans ces tentatives infructueuses, qui dureront jusqu'en 1777, l'origine de l'insatisfaction de la reine. Cela se peut. Mais de cette première insatisfaction en découle une autre, beaucoup plus forte, celle de ne pas avoir d'enfants. Marie-Antoinette souhaite, avant tout, des enfants. Plus qu'épouse, elle veut être mère.

En cela, elle n'est pas satisfaite, et l'« harmonie » n'est pas aussi « parfaite » que le croit Mercy. Elle garde espoir, puisque, d'après Lassone, le médecin du roi, Louis-Auguste « est bien constitué, il m'aime et a bonne volonté, mais il est d'une nonchalance et paresse qui ne le quitte jamais que pour la chasse[1] ».

Cet avis médical ne rassure guère Marie-Thérèse qui, le 3 janvier 1774, écrit à Mercy :

« La froideur du dauphin, jeune époux de vingt ans vis-à-vis d'une jolie femme m'est inconcevable. Malgré toutes les assertions de la faculté, mes soupçons augmentent sur la constitution corporelle de ce prince, [...] »

Les soupçons de sa belle-mère n'empêchent pas Louis-Auguste d'être, pour la première fois de sa vie, heureux. Il sait qu'il est faible, qu'il est Bourbon et qu'il a besoin d'être mené. Mesdames ses tantes le lui ont assez répété. Comment peut-il l'être mieux, croit-il, que par sa chère Marie-Antoinette ? Le bonheur, pour Louis-Auguste, c'est cela, et rien d'autre !

1. Marie-Antoinette à Marie-Thérèse le 18 avril 1773.

Marie-Antoinette
(1774)

Il y a, dans chaque vie de femme, une année exceptionnelle par ses bonheurs inattendus, ses deuils tellement prévisibles qu'ils n'en sont plus quand ils arrivent et prennent l'allure d'une délivrance... Cette année-là, pour Marie-Antoinette, c'est 1774. C'est l'année des premières fois.

Pour la première fois, Louis-Auguste manifeste son amour fou autrement que par des paroles : il offre à sa compagne le petit Trianon.

Pour la première fois, Marie-Antoinette voit se lever l'aurore.

La première, à Paris, de l'*Iphigénie* de Gluck, son ancien professeur de musique et musicien préféré, est fixée au 13 avril.

Pour la première fois, Marie-Antoinette rencontre Fersen.

Pour la première fois, elle peut donner libre cours à son amitié pour la princesse de Lamballe.

Pour la première fois, elle reçoit Rose Bertin qui sera son ministre de la mode et Böhmer qui sera son joaillier. Henriette Campan entre à son service comme l'une de ses premières femmes de chambre et deviendra bientôt sa confidente.

1774 sera aussi, hélas, l'année de la première chanson et du premier libelle contre Marie-Antoinette. Ce sera l'année de la mort de Louis XV, deuil compensé par l'exil immédiat de Mme du Barry. Le roi est mort, vive la reine !

Dès août 1773, Marie-Thérèse a pressenti cette mort. Elle est épouvantée par l'inexpérience de sa fille en matière de politique. Et, la mère l'emportant sur l'impératrice, elle souhaiterait que Marie-Antoinette se tienne loin des affaires, comme elle l'avoue à Mercy, le 31 août :

« Je vous avoue franchement que je ne souhaite pas que ma fille gagne une influence décidée dans les affaires. Je n'ai que trop appris, par ma propre expérience, quel fardeau accablant est le gouvernement d'une vaste monarchie. De plus, je connais la jeunesse et légèreté de ma fille, jointe à son peu de goût pour l'application (et qu'elle ne sait rien), ce qui me ferait d'autant plus craindre pour la réussite dans le gouvernement d'une monarchie aussi délabrée que l'est à présent celle de France ; et si ma fille ne pouvait la relever, ou que l'état de la monarchie venait encore empirer de plus en plus, j'aimerais mieux qu'on en inculpât quelque ministre que ma fille [...] »

Dans cette même lettre du 13 août 1773, la mère cède immédiatement la place à l'impératrice dans le paragraphe qui suit celui que je viens de citer :

« Ma fille ferait sans doute mieux de traiter la favorite comme toute autre femme la plus indifférente, qui vient lui faire sa cour, et je trouve étrange cette affectation de ne jamais lui dire un seul mot. »

Politique avant tout. Tant que la favorite est en place, la Dauphine doit s'incliner. Or, elle ne s'incline pas et continue sa tactique du silence. Depuis le 1er janvier 1772, comme Marie-Antoinette l'avait promis, Mme du Barry n'a plus entendu le son de sa voix. Mais le temps n'est plus aux plaintes, il est aux avances. Mme du Barry fait savoir à la Dauphine, par l'intermédiaire du comte de Noailles, qu'elle est prête à user de son influence sur Louis XV pour qu'il offre à sa petite-fille de magnifiques pendants en brillants estimés à sept cent mille livres. La Dauphine fait savoir, par ce même intermédiaire, qu'elle ne souhaite pas augmenter le nombre de ses bijoux qu'elle juge suffisant. Refus qui augmente encore l'« estime et l'amitié de M. le Dauphin », précise Mercy, début janvier 1774.

Le 1er janvier 1774, le comte Axel de Fersen est présenté à Louis XV. Depuis le mois de novembre 1773, Axel est à Paris où il fréquente le meilleur monde. « Beau comme un ange », les dames en raffolent. Né le 4 septembre 1755 en Suède où son père, le feld-maréchal Frédéric de Fersen, possède plusieurs domaines et châteaux, Axel accomplit, comme tout jeune noble de son époque, son tour d'Europe.

Son père, qui a servi en France pendant treize ans et commandé le régiment Royal-Suédois, appartient au parti profrançais des « Chapeaux ». Il est normal que son fils soit reçu à la cour de France. « Votre réputation et vos services ont été mon passeport et ma recommandation », écrira, plus tard, Axel à son père.

Le 10 janvier 1774, Axel de Fersen assiste au bal de la Dauphine, sans en retirer une grande impression :

« J'allais, à trois heures, au bal de Madame la Dauphine. Ce bal commença comme à l'ordinaire, à cinq heures, et finit à neuf heures et demie. Je retournai tout de suite à Paris »,

note-t-il dans son journal intime. On chercherait vainement dans ces pages la trace de ces transes qui s'emparent de ceux, et de celles, qui, apercevant la Dauphine, exaltent aussitôt sa beauté, à laquelle, visiblement, Fersen n'a pas été sensible.

Dans ce même journal, le 30 janvier :

« [...] je partis à une heure pour aller au bal de l'Opéra. Il y avait foule : Madame la Dauphine, Monsieur le Dauphin et le comte de Provence y vinrent et y demeurèrent une demi-heure, sans que leur présence fût remarquée. Madame la Dauphine me parla long-temps sans que je la reconnusse ; enfin, quand elle se fit connaître, tout le monde s'empressa autour d'elle et elle se retira dans une loge. À trois heures, je quittai le bal. »

Quelques jours plus tard, le 2 février, Fersen est plus sensible à la comtesse de La Marck, et se dit « enchanté de sa politesse et de ses façons gracieuses ».

Les « façons gracieuses » de la Dauphine n'ont pas eu le même effet sur Axel. Il faut réduire cette fameuse rencontre à un bal masqué à l'Opéra, *en présence* du Dauphin et du comte de Provence, à ce qu'elle est : un badinage entre deux jeunes gens du même âge. Certains y ont vu le début de l'« idylle » avec le beau Suédois et vont jusqu'à insinuer que sa « liaison » avec Marie-Antoinette aurait commencé là, dans la loge, sans preuve aucune, évidemment.

Fersen disparaît de Versailles et n'y reparaît qu'en août 1778. Voilà, c'est tout. Pour le moment. S'il y avait eu « autre chose », Mercy en aurait été averti. Or, Mercy n'en souffle pas un mot, et dans toute sa *Correspondance*, le nom de Fersen n'apparaît guère...

Dans sa correspondance du moment, l'ambassadeur d'Autriche à Paris préfère dénoncer les manigances de Mesdames qui ne désarment pas et qui, en mars 1774, essaient, au nom de la Sainte Étiquette, de réprimer les élans du cœur qu'a trop souvent, à leur gré, la Dauphine pour ses familiers, que ce soit un postillon, une femme de chambre, ou un duc. Apprenant que l'une de ses dames, Mme de Mailly vient de perdre son fils unique, Marie-Antoinette veut aller à Paris donner « quelque consolation » à la « mère affligée ». Mesdames se récrient : cela ne se fait pas. Ayant reçu, cela va de soi, l'approbation du Dauphin, la Dauphine demande la permission au roi qui répond :

— Quoique nous ne soyons accoutumés à faire des visites au loin, ma chère fille, vous êtes bien la maîtresse de faire tout ce que vous dictera votre bon cœur pour cette pauvre femme.

Louis XV est plus que jamais enclin à l'indulgence. Il a vu récemment plusieurs de ses courtisans succomber de mort subite. Des gens de son âge, comme le marquis de Chauvelin, l'un de ses compagnons de plaisir, l'abbé de La Ville, son directeur aux Affaires étrangères, ou le maréchal d'Armentières.

Devant ces trois morts successives, Louis XV pourrait revenir, dit-on, à des sentiments de piété et se confessera. Son confesseur, l'abbé Maudoux, est aussi celui de Marie-Antoinette. C'est un abbé « d'une vertu trop reconnue pour se livrer à l'intrigue ». Il faut éloigner ce gêneur et donner à Louis XV un autre confesseur qui suivra les instructions de la « clique abominable ». Cela remue la Cour et même Madame Louise, dans son carmel, s'en mêle. Beaucoup de bruit pour rien. Sur une intervention de la Dauphine, l'abbé Maudoux est maintenu dans ses fonctions.

À cette anecdote, on comprendra mieux combien Marie-Antoinette quitte, avec empressement, l'irrespirable Versailles pour s'aérer un peu à Paris... Paris où Gluck, avec la création de son *Iphigénie*, ne sait plus où donner de la tête. La première fixée au 13 avril a été renvoyée au 19. À chaque houleuse répétition, Gluck menace de reprendre le chemin de Vienne. Marie-Antoinette l'en dissuade chaque fois. Elle veut que Gluck, qu'appréciait tant son père, François de Lorraine, remporte un triomphe. Elle le veut d'autant plus que Mme du Barry — escarmouche d'arrière-garde — s'est déclarée ouvertement pour le rival de Gluck, Piccinni. Gluckistes et piccinnistes s'affrontent, à Paris, comme à Versailles. *Iphigénie* triomphe, et Marie-Antoinette avec. Ce que Dauphine veut... Il est vrai qu'elle n'a pas ménagé sa peine. C'est elle qui a déclenché, lors de la première, le signal des applaudissements. Mme du Barry est vaincue. C'est le commencement de sa défaite. Huit jours après la première d'*Iphigénie,* Louis XV a un malaise. Il meurt le 11 mai de la petite vérole.

Que fait Marie-Antoinette pendant ces jours d'agonie, et d'ultimes intrigues ?

« Dans une conjoncture si critique et si délicate, Madame la Dauphine a tenu la conduite d'un ange, et je ne puis exprimer mon admiration de la piété, de sa prudence, de sa raison ; tout le public en est enchanté et certainement à juste titre. Son Altesse Royale s'est tenue dans la plus parfaite retraite, même pour les personnes de son service ; hors famille royale, elle n'a vu que l'abbé de Vermond et moi, [...] [1]. »

En apprenant la mort de Louis XV, Marie-Antoinette et Louis-Auguste s'écrient :

— Mon Dieu, gardez-nous ! protégez-nous ! Nous régnons trop jeunes.

Ils pleurent, moins sur le défunt roi, que sur eux-mêmes.

— Quel fardeau ! soupire la reine.

— Mais vous m'aiderez à le porter, implore le roi.

Quel fardeau, en effet ! Louis-Auguste, devenu Louis Seizième du nom, ne sait même pas s'il doit signer ses ordres Louis ou Louis-Auguste. Le reste est à l'avenant.

Le roi, qui a choisi de signer Louis, mais qui restera, pour nous, Louis-Auguste, n'a aucune expérience de gouvernement. Il a été systématiquement écarté des affaires. Les caisses de l'État sont vides. Ce qui n'empêche pas Louis-Auguste d'envoyer 200 000 livres aux pauvres de Paris et de renoncer à son « droit de joyeux avènement ». Marie-Antoinette, elle, renonce à son « droit de ceinture ». Ces droits n'étaient que des impôts déguisés, frappant les classes les plus démunies. Dons et renoncements sont appréciés et provoquent de justes louanges. On trace sur la statue de Henri IV ces mots : « Il est ressuscité. »

Cette liesse console un peu le roi et la reine d'avoir

1. Mercy, le 8 mai 1774.

trouvé dans les papiers du « feu roi » des lettres du comte et de la comtesse de Provence qui ne laissent aucun doute sur le double jeu qu'ils ont mené pendant l'affaire du Barry. Pour sauvegarder la paix de la famille, Marie-Antoinette et Louis-Auguste décident de fermer les yeux. Quelques jours après, ils se retrouvent avec les Provence et les Artois, ils répètent quelques scènes de comédie. On mesure à ce détail que le chagrin causé par la mort de leur grand-père n'était pas insurmontable... On joue une scène du *Tartuffe* dans laquelle Provence interprète le rôle-titre. Le roi se contente de dire :

— Cela a été rendu à merveille, les personnages y étaient dans leur naturel.

À bon entendeur, salut !

Toujours dans les jours qui suivent la mort de Louis XV, le roi fait ouvrir les portes du bois de Boulogne qui étaient habituellement fermées. Le public y est admis et le couple royal se promène, bras dessus bras dessous, au milieu des acclamations et des bénédictions.

La reine, qui aime les arbres et la promenade, y retourne souvent seule, autant qu'une reine de France puisse l'être, c'est-à-dire accompagnée de son innombrable suite et flanquée de son inévitable Mme de Noailles. Mme l'Étiquette blâme Marie-Antoinette qui a adressé, au mépris du protocole, quelques paroles aimables à un vieillard qui travaillait là. En guise de réponse à cette remontrance, Marie-Antoinette a tourné le dos à Mme de Noailles qui s'est plainte d'un tel procédé au roi qui a répondu, avec une sécheresse extrême et sur le ton d'un ordre, « qu'on laisse la reine faire ce qu'il lui plaît, et qu'elle parle à qui elle veut ! ». C'est proclamer bien haut la toute-puissance de la reine. Personne ne s'y trompe. Pourtant, dans la confusion qui a suivi la mort de Louis XV, Mesdames ont profité de l'inexpérience de leur neveu pour imposer un ministre de leur choix, Maurepas.

Marie-Antoinette, elle, donne la priorité à ce qui n'en a pas vraiment, l'exil de Mme du Barry à l'abbaye de Pont-aux-Dames, près de Meaux. Après quoi, la reine respire et se sent portée à la clémence. Elle annonce que la reine ne vengerait pas les injures faites à la Dauphine. Le protégé de Mme du Barry, le duc d'Aiguillon, sera renvoyé, mais non exilé. Nuance.

Si la reine oublie les injures faites à la Dauphine, elle n'en oublie pas les bienfaits. Elle range Choiseul parmi ses bienfaiteurs et trouve « humiliant » que celui à qui elle doit son mariage soit toujours exilé à Chanteloup.

— Si vous invoquez une telle raison, je n'ai rien à vous refuser, dit Louis-Auguste qui lève aussitôt l'arrêt frappant Choiseul.

Ce dernier revient à Versailles où le roi, embarrassé de le revoir, se contente de bredouiller les suavités suivantes :

— Vous avez engraissé, monsieur de Choiseul, vous perdez vos cheveux, vous devenez chauve.

Marie-Antoinette essaie d'effacer un tel accueil en multipliant les sourires et les « je suis bien aise de m'acquitter envers vous des obligations que je vous ai, je vous dois mon bonheur et m'estime heureuse d'avoir pu contribuer à votre retour ».

Bref retour. En dépit des sourires et des propos de la reine, Choiseul comprend qu'il ne vaincra pas la répugnance du pieux Louis-Auguste pour qui il demeure celui qui a expulsé les jésuites. Le lendemain de cette réception, Choiseul retourne à Chanteloup.

Dans tout cela, ce qui importe, c'est la fidélité de Marie-Antoinette à ses amis, et c'est l'un des beaux traits de son caractère.

Du caractère, Marie-Antoinette va devoir en montrer pour affronter les interminables cérémonies imposées par le deuil, et par l'étiquette. Quand elle était Dauphine, elle a dissimulé tant qu'elle a pu sa nostalgie de la Cour de Vienne où l'on vivait sans étiquette. Reine, devra-t-elle continuer à endurer de telles importunités ? Elle endure. C'est son métier. Elle reçoit les « révérences de deuil ». Tout ce que la France compte de hautes et puissantes dames vient s'incliner devant la souveraine. Elles sont toutes plus âgées les unes que les autres. Marie-Antoinette, qui a le snobisme de la jeunesse, et son inconscience, murmure :

— Passé trente ans, je ne comprends pas comment on ose paraître à la Cour.

Cela est entendu, rapporté, commenté. Cela n'empêche pas le défilé de continuer. C'est une tempête d'éventails noirs et de gants noirs qui s'agitent, et que supporte, stoïque, Marie-Antoinette. L'une de ses plus jeunes dames d'honneur, la marquise de Clermont-Tonnerre, déclare net qu'elle n'en peut plus, s'assied à même le parquet et se livre à « mille espiègleries ». La reine s'en amuse. Elle se met à « sourire », affirme Mme Campan, à « rire », prétendent les autres. A-t-elle ri ou souri ? Le résultat est identique. Les hautes, puissantes et vieilles dames sont outrées d'un tel accueil et déclarent qu'elles ne viendront plus rendre hommage à cette « petite moqueuse ». Dès le lendemain, la première des chansons écrites contre la reine court Paris :

> *Petite reine de vingt ans*
> *Vous qui traitez si mal les gens*
> *Vous repasserez en Bavière...* [1]

Dans ses moqueries, Marie-Antoinette n'a pas épargné le clan d'Aiguillon qui regroupe les anciens du clan du Barry. Ce ne sont pas les derniers à répéter : *Petite reine de vingt ans...* Provence, Artois, leurs épouses exultent, tandis que Marie-Thérèse, dès le 18 mai 1774, se lamente à propos de sa fille et écrit : « Je compte ses beaux jours finis. » En quoi l'impératrice d'Autriche pèche par excès de pessimisme. Les beaux jours de la reine de France ne font que commencer ; moins d'un mois après la mort de Louis XV, elle reçoit en cadeau le petit Trianon :

« Depuis longtemps, et lorsque Mme l'Archiduchesse était encore Dauphine, elle désirait beaucoup

---

1. Ou « Vous repasserez la barrière ».

d'avoir une maison de campagne à elle en propre, [...] et au premier mot qu'elle prononça au roi du petit Trianon, il répondit avec un vrai empressement que cette maison de plaisance était à la reine et qu'il était charmé de lui en faire don. Cette maison est à un quart de lieue du château de Versailles ; elle est très agréablement bâtie, fort ornée avec de jolis jardins, et un jardin séparément destiné à la culture des plantes et des arbustes étrangers. »

Ce petit Trianon sera pour Marie-Antoinette ce que l'on appellerait aujourd'hui une résidence secondaire qu'elle va arranger selon ses goûts personnels, se livrant, dès qu'elle entre en sa possession, à des changements. Elle transforme le jardin « à la française », dont les alignements semblent une version végétale de l'Étiquette, par l'un de ces jardins « à l'anglaise » qui, par leur fantaisie et leurs imprévus, sont tellement à la mode. Le prince de Ligne, le duc d'Orléans, le marquis de Caraman en possèdent un[1]. Marie-Antoinette sera-t-elle la dernière à avoir son jardin anglais ?

Le 26 juillet 1774, l'architecte Gabriel dresse un plan pour l'agrandissement du jardin botanique. Gabriel et un autre architecte, Mique, unissent leurs talents aux conseils du marquis de Caraman pour permettre à la reine d'avoir ce que tout amoureux des arbres souhaite secrètement tenir à sa disposition : les arbres du monde entier.

— La gloire du petit Trianon, dit Arthur Young, ce sont les arbres et les arbrisseaux exotiques. Le monde entier a été mis à contribution pour l'orner.

Les acacias roses de la Chine, les chênes et les noyers de l'Amérique, les sapins baumiers de l'Arabie, les yeuses d'Italie, les cyprès de Crète, les pins de Corse, les orangers d'Espagne affluent et Marie-Antoinette les accueille comme autant d'amis.

<hr/>

1. L'actuel parc Monceau à Paris est tout ce qui reste du jardin « à l'anglaise » du duc d'Orléans.

« La reine est maintenant tout occupée d'un jardin à l'anglaise qu'elle veut faire établir à Trianon. Cet amusement serait bien innocent s'il laissait place en même temps aux idées sérieuses. [...] La reine ne se dispose pas encore à réfléchir aux choses qui lui sont les plus essentielles dans le moment présent [1]. »

Le délabrement de son royaume, l'urgence des réformes, cela n'inquiète guère Marie-Antoinette pour qui il n'y a pas d'autre urgence que son « bon plaisir », suivant en cela l'exemple du défunt Louis XV. Pour la reine, la royauté n'est qu'un jouet. Être reine, c'est avoir des bijoux, des robes, des jardins, autant qu'on en souhaite et dès qu'on les souhaite. Et des amies. En même temps que son intérêt pour les jardins « à l'anglaise », son amitié pour la princesse de Lamballe atteint alors son zénith, un zénith qui durera un an, de 1774 à 1775. Le 7 juin 1774, Mercy observe :

« Sa Majesté voit souvent dans ses cabinets la princesse de Lamballe [...]. La reine a conçu [...] une vraie amitié pour cette jeune princesse, et ce choix est excellent, parce que Mme de Lamballe, quoique piémontaise, n'est aucunement liée avec Madame [2] ni avec Mme d'Artois. J'ai cependant pris la précaution de faire observer à la reine que son penchant et ses bontés pour Mme de Lamballe exigeaient quelque mesure, afin de prévenir tout abus de ce côté-là. »

Comme Mercy a raison de craindre les abus ! Un peu plus tard, le 15 juillet, il signale :

« L'amitié de la reine pour la princesse de Lamballe avait donné lieu au bruit que cette dernière serait créée surintendante de la Maison de Sa Majesté. Ce soupçon avait d'abord causé de l'alarme à la comtesse

1. Mercy, le 2 juillet 1774.
2. C'est ainsi que l'on désignait l'épouse du comte de Provence que l'on appelait, lui, *Monsieur*.

de Noailles ; après m'en avoir parlé, je me mis à portée de la tranquilliser, après m'être assuré que la reine n'avait pas pensé au projet en question. »

Ce n'est, hélas, que partie remise... Et les abus prévus par Mercy et par Marie-Thérèse vont faire leur entrée en la personne de Rose Bertin que la duchesse de Chartres présente à Marie-Antoinette en ce mois de juillet.

Née en 1747 à Amiens, Rose Bertin est marchande de modes. C'est-à-dire qu'elle est à la fois couturière et modiste, avec « quelque chose en plus ». Beaucoup de choses en plus. À Paris, dans sa boutique, « Au Grand Mogol », on trouve des mantelets, des pelisses, des manchons, des éventails, des gazes, des dentelles, des colifichets. La spécialité de Rose, ce sont les bonnets, bonnets à la Chartres en reconnaissance à la duchesse, à la Carmélite, à la Sultane, et les poufs, dont le célèbre *pouf aux sentiments*. Le pouf aux sentiments est une coiffure qui se signale « par la multitude de choses qui entrent dans sa composition et par le génie qu'elle exige pour les varier avec art. On l'appelle *pouf* à cause de la confusion d'objets qu'elle peut contenir et *aux sentiments* parce qu'ils doivent être relatifs à ce qu'on aime le plus... Toutes les femmes veulent avoir un pouf et en raffolent [1] ».

Rose Bertin s'est déjà signalée à l'attention de Marie-Antoinette en créant, pour la première d'*Iphigénie,* la *coiffure à l'Iphigénie,* et le *pouf à la circonstance* pour l'avènement de Louis XVI.

En Marie-Antoinette, Rose Bertin a trouvé la cliente idéale. Sa faveur ne se démentira pas. La dernière commande de la reine est datée du 7 août 1792, trois jours avant la prise des Tuileries.

La Bertin lance la reine dans des folies de dépenses, dans des excès de plumages qui exaspéreront Marie-Thérèse. Sa fulgurante ascension fera jaser le Tout-Paris et le Tout-Versailles. On imaginera, à tort, que

---

1. Émile Langlade, *la Marchande de modes de Marie-Antoinette, Rose Bertin,* Albin Michel, p. 32.

Marie-Antoinette et Rose se livrent à des pratiques en faveur à Lesbos. Elles se contentent de régner sur les modes, main dans la main. En plus, Rose Bertin apporte à Marie-Antoinette l'air de Paris, ses potins, ses histoires. Sa conversation ne devait pas manquer d'agrément si l'on en juge par certains de ses propos que la postérité a retenus comme son « il n'y a de nouveau que ce qui est oublié » que Rose lance un jour à la reine.

Rose Bertin le matin, Lamballe l'après-midi, Marie-Antoinette est comblée en son premier été de règne et ne voit pas plus loin que son intense satisfaction. Elle se tient éloignée des choses sérieuses qui occupent son époux, comme la formation du nouveau ministère où Turgot est nommé contrôleur général des Finances, et Vergennes, aux Affaires étrangères.

— Je dois avouer ma dissipation et paresse pour les choses sérieuses, ose confesser Marie-Antoinette à Marie-Thérèse, le 30 juillet.

Aveu qui ne fait que conforter la mère dans la piètre estime qu'elle a de sa fille... L'impératrice d'Autriche se console un peu en constatant que la régularité de l'emploi du temps de la reine ne diffère guère, selon Mercy, de celui de la Dauphine :

« Il y a une telle uniformité dans la façon dont la reine emploie son temps qu'il n'existe presque pas la moindre différence d'une journée à l'autre. La reine se lève entre neuf et dix heures ; elle prend son déjeuner et reçoit successivement des visites de la famille royale. La toilette se fait à onze heures, à midi la messe ; communément j'ai occasion de parler à la reine avant son dîner, qui est à une heure un quart après midi. Sa Majesté fait de la musique et souvent me donne audience jusqu'au moment de la promenade, qui est après cinq heures et qui dure presque jusqu'au temps du souper. Tous les soirs le roi soupe chez la reine [...]. »

Après le souper, « le roi passe les nuits chez la reine ». Mais *rien* toujours *rien*.

L'été 1774 est l'un des plus chauds que le siècle ait connus. Pour profiter de la fraîcheur de l'aurore, et aussi parce qu'elle en a lu, dans un livre, une merveilleuse description, Marie-Antoinette, qui est à Marly, décide, une nuit, d'attendre le lever du jour. Elle en a obtenu la permission de Louis-Auguste. Elle n'a pas réussi à convaincre son époux, résolument couche-tôt, de partager son attente. Craignant que l'absence du roi ne prête à quelque commentaire malveillant, la reine se fait accompagner par Mme de Noailles, et pour compenser une aussi fâcheuse compagnie, par Mme de Lamballe. Suivent d'autres personnes de la Cour parmi lesquelles le duc de Chartres. Des flatteurs se demandent si le soleil va consentir à luire devant une aussi brillante assemblée. Il y consent et quand il paraît, Marie-Antoinette joint les mains en s'écriant :

— Que c'est beau, mon Dieu, que c'est beau !

On ne respire que fraîcheur et innocence. C'est un moment parfait.

De cette fraîcheur, de cette innocence, de cette perfection naîtra un abominable pamphlet contre la reine, *le Lever de l'aurore*. Alors que Marie-Antoinette est allée tranquillement se coucher après avoir assisté à ce lever, les pamphlétaires l'ont présentée s'égarant dans les bosquets, changée en Bacchante, pour s'y livrer à des orgies avec « les deux sexes, et autres »...

Marie-Antoinette fait mentir le proverbe : « Il n'y a pas de fumée sans feu. » Elle est la preuve même qu'il peut y avoir de la fumée sans feu. Ce *Lever de l'aurore* le prouve. La campagne de calomnies qui tourmentera Marie-Antoinette jusqu'à ses derniers jours est déclenchée.

Presque en même temps, à Londres, paraît un autre libelle contre la reine. Son auteur serait Beaumarchais, comme le croit Kaunitz, ministre de Marie-Thérèse, ou le duc d'Aiguillon, comme l'insinue Mercy. Qu'il soit ou non l'auteur de ce libelle, Beaumarchais s'offre pour récupérer ces « pages infâmes » et les détruire. S'ensuivent des aventures, rocambolesques avant la lettre, qui amusent Louis-Auguste quand il les apprend. Quelqu'un qui ne rit pas, c'est Marie-Thérèse qui, le 28 août, laisse éclater son indignation :

« [...] je ne saurais vous nier que je n'ai pas cru que la haine invétérée contre les Autrichiens, contre ma personne et la pauvre innocente reine était si inaltérablement placée dans le cœur des Français. C'est donc à cela qu'aboutissent toutes les adulations tant prodiguées ! c'est donc cela l'amour qu'on porte à ma fille ! Jamais rien de plus atroce n'a paru et qui met dans mon cœur le plus vil mépris pour cette nation sans religion, mœurs et sentiments. »

La fureur de Marie-Thérèse est explicable. Dans ce libelle de Londres, on accuse, entre autres horreurs, Marie-Antoinette de chercher à avoir un enfant d'un homme autre que Louis-Auguste. Pour le moment, on ne croit pas à ces calomnies et quand le chancelier de Maupeou est renvoyé, le peuple de Paris le brûle en effigie et crie : « Vengeons notre charmante reine contre laquelle ce misérable a osé dire du mal et écrire des libelles. » Beaumarchais, Aiguillon, Maupeou, on ne saura pas qui est vraiment l'auteur de ce libelle dont l'existence inquiète la reine que Mercy s'efforce de rassurer :

« Elle revint encore au libelle, et témoigna craindre que s'il en était échappé quelques exemplaires, on pourrait peut-être en voir reparaître une nouvelle édition. J'observai que, quand même cela arriverait, il n'y avait pas de quoi s'en inquiéter, et que de pareilles infamies ne pouvaient nuire qu'à leurs misérables auteurs. »

Dans cette course aux infamies, Mesdames, Madame Adélaïde en tête, les Provence, les Orléans ne sont pas les derniers. Dans leurs salons prompte-

ment changés en véritables « ateliers de calomnies »,
naissent, cet été-là, des chansons comme :

> *Vous qui pour écarts de l'enfance*
> *Prenez ceux du tempérament,*
> *Reine de France en apparence,*
> *Vous l'êtes plus réellement*
> *Des ministres de la toilette,*
> *Des comédiens, des histrions ;*
> *Et bravant en tout l'étiquette,*
> *Des filles vous avez le ton.*

Ne croirait-on pas entendre Madame Adélaïde murmurant à l'oreille de son neveu Provence :
« Regardez-la cette reine qui brave en tout l'étiquette
et qui, des filles, a le ton » ?

Il s'agit, bien sûr, des filles publiques, des
prostituées...

C'est aussi pendant l'été 1774 — un été bien chargé
pour Marie-Antoinette — que la reine traite d'un premier achat avec le joaillier Böhmer qui sera l'un des
principaux acteurs de l'affaire du Collier. Et quel
achat ! Il s'agit de boucles d'oreilles formées par des
« diamants en forme de poire d'une grosseur prodigieuse » et dont le montant s'élève à 600 000 livres.
Après en avoir retiré « les deux boutons qui formaient
le haut des girandoles », leur prix est fixé à
348 000 livres. Böhmer touche 48 000 livres
d'acompte. C'est le roi qui paiera les traites, avec
l'argent de sa cassette personnelle, pendant six ans,
jusqu'en 1780.

Marie-Antoinette n'est reine de France que depuis
trois mois et déjà elle se laisse entraîner, par Bertin et
par Böhmer, dans un tourbillon de plumes et de diamants, dans un gouffre de dépenses fabuleuses tandis
que le roi et Turgot prêchent l'économie, vainement.

Après le bel été, c'est l'hiver précoce, glacial qui met obstacle à la chasse et aux promenades. À Versailles, on se terre dans le château. La reine joue sur son clavecin du Mozart, et surtout du Gluck. Elle a de « longues conversations journalières » avec l'abbé de Vermond.

La paix se maintient dans la famille royale. Mesdames, n'ayant plus les moyens d'intriguer, affectent de ne plus se mêler de rien, et ne se mêlent plus que de ces calomnies qu'elles s'appliquent à répandre sur l'« Autrichienne ». Le comte et la comtesse de Provence essaient de faire oublier leurs tartuferies passées et s'efforcent de plaire à la reine. Le comte et la comtesse d'Artois ne cachent pas leur satisfaction : la comtesse est enceinte. La reine ne l'est pas. Ce qui ne l'empêche pas de marquer à sa belle-sœur « plus d'attentions et de bontés ». Cela, c'est la façade, c'est ce que montre Marie-Antoinette, non sans mérite. Car l'intérieur est tout autre :

« Sa Majesté en est intérieurement affectée d'une façon très douloureuse. Ensuite [...] de la confiance qu'elle daigne m'accorder ainsi qu'à l'abbé de Vermond, nous sommes les seuls vis-à-vis desquels la reine puisse s'expliquer sur ce fatal article »,

rapporte Mercy, le 18 décembre.

Ah ! ce « fatal article », cette non-consommation du mariage, on n'a pas fini d'en parler et de s'en plaindre ! Quand Marie-Antoinette pourra-t-elle annoncer qu'elle est enceinte, comme la comtesse d'Artois ?

La fin de 1774 approche. Marie-Antoinette doit écrire à sa mère. Ces lettres, quelle corvée pour la « petite reine de vingt ans » qui se donne beaucoup de peine pour rien puisque Marie-Thérèse ne les apprécie guère : « La dernière lettre de ma fille était, comme à l'ordinaire, peu intéressante, et ma réponse sera de même. » Marie-Antoinette oublie cette corvée, ce

« fatal article », et autres importunités pour se livrer à l'une de ses passions : les courses de traîneaux.

À la mi-décembre, la neige se met à tomber pendant trois jours. On se croirait à Vienne et la reine en profite pour se lancer, comme à Vienne, dans des courses de traîneaux. Elle y entraîne sa chère Lamballe, qui était « enveloppée de fourrure [...] on pouvait dire que c'était le printemps sous la martre et l'hermine[1] ».

« Pendant quelques jours où la neige est restée sur terre, Sa Majesté a profité pour faire trois courses en traîneau, [...] le cheval qui y était attelé s'emporta, le cocher renversé par une secousse abandonna les guides, mais la reine eut la présence d'esprit d'en saisir une, et de tourner la tête du cheval contre une haie par laquelle il fut arrêté[2]. »

La chute a été évitée de justesse. Faut-il y voir un symbole pour les années à venir ? Ce serait, en ce cas, le plus trompeur des symboles.

1. Mme Campan.
2. Mercy, le 18 décembre 1774.

Une « petite reine de vingt ans »
(1775)

> *Toujours plus près de son sexe que de son rang, elle oubliait qu'elle était faite pour vivre et mourir sur un trône réel ; elle voulut trop jouir de cet empire fictif et passager que la beauté donne aux femmes ordinaires et qui en fait les reines d'un moment.*
>
> RIVAROL.

Dans la première chanson écrite contre la reine, au printemps 1774, *Petite reine de vingt ans,* ce qui avait augmenté le chagrin de Marie-Antoinette, c'est qu'on l'y vieillissait d'un an. Elle n'aurait vingt ans qu'à l'automne 1775. Elle avait tant de plaisir à être jeune. Comment ne pas en profiter, ne pas multiplier les fêtes, les bals, les courses en traîneaux ? Pendant les six premières semaines de 1775, la reine et la princesse de Lamballe jouent les fées des neiges, dans :

« le bruit des sonnettes et des grelots dont les harnais des chevaux étaient garnis. Personne n'imagina que l'on eût rien à blâmer dans un amusement aussi innocent. Mais on fut tenté d'étendre les courses et de les conduire jusqu'aux Champs-Élysées, [...] on ne manqua pas de dire que la reine avait couru les rues de Paris en traîneau. Ce fut une affaire. Le public vit dans cette mode une prédilection pour les habitudes de Vienne [...]. La reine en fut informée, et quoique tous les traîneaux eussent été conservés et que depuis cette époque il y ait eu plusieurs hivers favorables à ce genre d'amusement, elle ne voulut plus s'y livrer[1] ».

Si elle abandonne les courses en traîneaux, Marie-Antoinette n'en renonce pas pour autant à une autre de ses passions, combattre l'étiquette. Au désespoir de Mme de Noailles, la reine en supporte de moins en moins l'« importunité » :

« L'habillement de la princesse était un chef-d'œuvre d'étiquette ; tout y était réglé. La dame d'honneur et la dame d'atours, toutes deux si elles s'y trouvaient ensemble, aidées de la première femme et de deux femmes ordinaires, faisaient le service principal ; mais il y avait entre elles des distinctions. [...] Un jour d'hiver, il arriva que la reine, déjà toute déshabillée, était au moment de passer sa chemise, je la tenais toute dépliée ; la dame d'honneur entre, se hâte d'ôter ses gants et prend la chemise. On gratte à la porte, on ouvre : c'est Mme la duchesse d'Orléans ; ses gants sont ôtés, elle s'avance pour prendre la chemise, mais la dame d'honneur ne doit pas la lui présenter ; elle me la rend, je la donne à la princesse ; on gratte de nouveau : c'est Madame, comtesse de Provence ; la duchesse d'Orléans lui présente la chemise. La reine tenait ses bras croisés sur sa poitrine et paraissait avoir froid. Madame voit son attitude pénible, se contente de jeter son mouchoir, garde ses gants, et, en passant la chemise, décoiffe la reine, qui se met à rire pour déguiser son impatience, mais après avoir dit plusieurs fois entre ses dents : "C'est odieux ! Quelle *importunité !*" »

On a souvent cité ce passage des *Mémoires* de Mme Campan. On oublie d'en citer la conclusion que voici :

1. Mme Campan.

104

« Des princes accoutumés à être traités en divinités finissaient naturellement par croire qu'ils étaient d'une nature particulière, d'une essence plus pure que le reste des hommes. Cette étiquette qui, dans la vie intérieure de nos princes, les avait amenés à se faire traiter en idoles, dans leur vie publique en faisait des victimes de toutes les convenances. Marie-Antoinette trouva, dans le château de Versailles, une foule d'usages établis et révérés qui lui parurent insupportables. »

Marie-Antoinette ne les supporte pas longtemps. Elle supprime l'usage de dîner chaque jour en public, d'être servie à table uniquement par des femmes et d'être toujours suivie par deux de ses dames en habit de Cour. Elle ne sera plus accompagnée que d'un seul valet de chambre et de deux valets de pied.

Cet état de déesse au-dessus de l'étiquette, des convenances et des lois, Marie-Antoinette n'aura que trop tendance à s'y complaire. Tout ce qui n'est pas son « bon plaisir » n'est qu'*importunité*. Elle vit dans un Olympe inaccessible, dans une bulle de cristal, dans un triangle magique, Versailles, Paris, Fontainebleau. C'est tout ce qu'elle connaîtra de la France. Son époux n'en connaîtra guère plus, lui qui ne quittera Versailles que pour un seul voyage en Normandie, en 1786.

Marie-Antoinette est une déesse dont la sobriété et la décence étonnent la Cour et la ville.

Sa sobriété. Elle mange peu, habituellement de la volaille bouillie ou rôtie. Elle ne boit que de l'eau, manifestant une préférence pour celle de Ville-d'Avray. Indifférente aux plaisirs de la table que chérissent trop les Bourbons, en général, et son mari, en particulier, Marie-Antoinette n'aime vraiment que son café du matin et le pain qui l'accompagne « auquel elle avait été accoutumée dans son enfance, à Vienne ». Dans la cérémonie de la *remise* dans l'île du Rhin, Marie-Antoinette a renoncé à tout ce qui était autrichien, sauf au petit pain viennois !

Sa décence. Elle se baigne vêtue d'une longue robe de flanelle boutonnée jusqu'au cou et, pendant qu'elle sort du bain, elle exige qu'un drap soit tendu pour empêcher ses dames de l'apercevoir. Cela n'empêchera pas les libellistes de raconter, à propos des « bains de la reine », mille indécences plus choquantes les unes que les autres. Il est vrai que la reine prend souvent des bains à une époque où ce n'est guère l'usage. Cela suffit à révolter les âmes crasseuses, les Mesdames confites dans leurs ordures, les Provence, les Orléans noircis dans la fange de leurs perfidies.

La reine aime l'eau, et pour boire, et pour se laver. Fille de l'eau, Marie-Antoinette est aussi une fille de l'air, sans cesse en mouvement, courant à Paris, traversant Versailles comme une flèche à la rencontre de sa chère Lamballe. Laquelle donne à Mercy autant de soucis qu'il l'avait prévu. Le 15 janvier 1775, il écrit :

« Depuis assez longtemps, Madame et la comtesse d'Artois désiraient fort de pouvoir procurer en France un établissement à un jeune prince de Carignan, leur cousin. Les ministres du roi étaient fort opposés à ce projet et en empêchaient le succès. La princesse de Lamballe, sœur du jeune prince dont il s'agit, voyant qu'il n'y avait d'autre appui efficace à espérer que celui de la reine, se prévalut de l'affection toute particulière dont Sa Majesté l'honore, et en obtint la promesse de faire réussir l'arrangement en question. Il fut en effet décidé sous huit jours. Le roi y mit sa complaisance ordinaire pour tout ce que désire la reine, et sans consulter aucun ministre, il déclara qu'il accordait au prince de Carignan trente mille livres de pension annuelle avec un régiment d'infanterie nationale, [...]. Cette nouvelle preuve du crédit de la reine a fait grande sensation, [...] »

Sensation, certes, et non, comme plus tard, scandale. En même temps que l'on est informé de la faveur accordée au frère de la princesse de Lamballe, on apprend le succès remporté par Marie-Antoinette, le 13 janvier, à l'Opéra de Paris où elle est allée à nouveau entendre l'*Iphigénie* de Gluck dont elle ne se lasse pas. Au deuxième acte, un chœur dont le premier vers, chanté par Achille, est : *Chantez, célébrez votre reine,* est transformé par son interprète qui se tourne vers la loge de Marie-Antoinette en « *Chantons, célébrons notre reine* ». L'Opéra croule sous les applaudissements et les « Vive la reine ! ». Marie-Antoinette en est touchée aux larmes.

Quand le prince de Ligne écrit que Marie-Antoinette n'a pas eu, dans sa vie, un seul jour complètement heureux, c'est nettement exagéré. À l'Opéra, ce sont des larmes de bonheur qu'elle verse. Elle est reine, elle est adulée, elle est heureuse. Elle va l'être encore plus, cette Viennoise sentimentale, puisque son petit frère, l'archiduc Maximilien, vient à Paris. Il est né un an après Marie-Antoinette qui le considère comme « son enfant ».

Le 7 février 1775, Maximilien arrive au château de la Muette où sa sœur l'attend. Voilà presque cinq ans, en avril 1770, que Marie-Antoinette quittait Vienne et sa famille. Elle est devenue tellement française que Marie-Thérèse l'accuse d'« avoir honte d'être allemande » et que, sur ce thème, Joseph II lui a adressé une lettre très désagréable. Elle a pris le parti d'en rire :

— Il y aurait ici matière à brouillerie, mais je ne me brouillerai jamais avec mon frère, je vais lui répondre en plaisantant.

En accueillant Maximilien avec toute la tendresse dont elle est capable, Marie-Antoinette montre que la Française, en elle, n'a pas effacé son attachement à sa famille autrichienne.

Maximilien est accompagné de son mentor, le comte de Rosemberg. Comme sa sœur, Maximilien aime l'*incognito* et se fait appeler comte de Burgau, ce qui ne trompe personne et qui cause des problèmes. Sous le prétexte de cet incognito, les princes des Maisons d'Orléans, de Condé et de Conti affirment que

Maximilien leur doit *la* première visite. L'archiduc s'y refuse. Marie-Antoinette prend sa défense et déclare vivement au duc d'Orléans :

— Le roi et ses frères n'y ont pas regardé de si près... Laissant de côté la qualité d'archiduc, vous auriez pu remarquer que le roi l'a traité en frère et qu'il l'a fait souper en particulier dans l'intérieur de la famille royale, honneur auquel je suppose que vous n'avez jamais prétendu. Au reste, mon frère sera fâché de ne pas voir les princes ; mais il est pour peu de temps à Paris, il a beaucoup de choses à voir, il s'en passera.

Maximilien s'en passe d'autant mieux qu'il reçoit les visites des jeunes gens à la mode, les Ségur, les Durfort, les Noailles. Provence et Artois, qui ne savent plus quoi imaginer pour plaire à Marie-Antoinette, offrent à son frère, le 27 février, une fête qui coûte dans les cent mille livres. N'y assiste pas le duc de Chartres qui en profite pour se montrer ostensiblement à Paris où il est applaudi. On affecte de croire que Marie-Antoinette sacrifie tout à sa famille de Vienne et le surnom de l'« Autrichienne » est à l'honneur, pendant quelques jours, dans les rues et dans les salons.

Les Parisiens sont vexés de l'indifférence que Maximilien montre pour les beautés de leur ville. Les Parisiens se moquent de ses maladresses. Par exemple, à Buffon qui lui offre ses œuvres complètes, Maximilien répond :

— Je serais bien fâché de vous en priver.

Impayable, non, ce frère de l'« Autrichienne » ?

Dans une lettre du 17 mars, Marie-Antoinette ne cache pas à sa mère que le voyage de Maximilien n'a pas été une complète réussite.

« Le départ de mon frère m'a fort affligée ; c'est une chose cruelle que le doute de savoir si jamais on se verra. Il s'est fait ici la réputation de bien élevé par sa politesse, honnêteté et attention pour tout le monde. Il n'a pas si bien réussi pour les choses qu'on lui a montrées, parce qu'il a toujours été fort indifférent. Je crois que dans quelque temps il sera plus en état de profiter d'un tel voyage. »

Il n'y aura pas d'autre voyage en France pour Maximilien. Dans cette même lettre du 17, Marie-Antoinette consent à reconnaître :

« Il est vrai que je m'occupe un peu de ma parure, et pour les plumes, tout le monde en porte, et il paraîtrait extraordinaire de n'en pas porter. On en a fort diminué la hauteur depuis la fin des bals. »

Elle croit apaiser l'irritation de sa mère qui, début mars, se manifestait ainsi :

« De même je ne peux m'empêcher de vous toucher un point que bien des gazettes me répètent trop souvent : c'est la parure dont vous vous servez ; on la dit depuis de la racine des cheveux 36 pouces de haut, et avec tant de plumes et rubans qui relèvent tout cela ! »

À peine Marie-Thérèse est-elle rassurée sur la hauteur des plumes que porte sa fille qu'elle a un nouveau sujet de contrariété. Marie-Antoinette a assisté à une course de chevaux. Une reine de France à une course de chevaux ! À quoi pense Mme de Noailles ? À quoi sert Mme l'Étiquette qui ne sait pas empêcher de telles extravagances ?

« Une foule de monde s'était rendue à ce mince spectacle, et la reine ne fut point accueillie avec les mêmes applaudissements et marques de joie accoutumés. La raison en est que le public fondait de grandes espérances en son influence dans les objets utiles et dans la coopération au bien que lui procurerait son crédit. D'après cet espoir le public voit avec un peu d'humeur que la reine ne s'occupe que d'amusements et néglige tous les moyens de remplir le rôle que la confiance générale lui destinait. »

Face à cette reine dont on attend tout et qui, manifestement, ne se préoccupe que de plumes et de chevaux, le public est en droit de manifester « un peu d'humeur ». Cette humeur dégénère, les premiers jours de mai, en émeutes à Paris, à Versailles et dans plusieurs villes voisines. Le prix du pain est monté de treize sols à quatre livres et si l'on songe qu'une robe de Marie-Antoinette vaut dans les 6 000 livres... On a pillé les boutiques de boulangers. Puis tout est rentré dans l'ordre. Les seuls à se réjouir de ces émeutes, ce sont les ennemis du contrôleur général des Finances, Turgot, dont la politique de liberté pour le commerce des grains aurait conduit à ces désordres. Rose Bertin en tire l'inspiration pour un bonnet, le *Bonnet à la révolte*. On ne sait pas si Marie-Antoinette en a porté un...

Ces fâcheux événements ne concernent en rien le comte d'Artois « qui ne s'occupe que de frivolité, et dont la conduite tend à un libertinage décidé ». Il chasse le daim dans le bois de Boulogne et donne des dîners très gais, trop gais, murmure-t-on. Marie-Antoinette, si elle n'assiste pas au dîner, suit la chasse. Son beau-frère la ramène dans un « diable » qui est « une espèce de calèche dans laquelle on peut se tenir debout ». Ces « diableries » ne produisent pas bon effet. La mauvaise réputation d'Artois, ce garnement de seize ans, rejaillit sur la « petite reine de vingt ans ». Le roi n'en est pas content, et, s'il ne dit rien à Marie-Antoinette, il ne dissimule pas sa contrariété à Artois. Est-ce bouderie silencieuse de sa part ? Louis-Auguste fait « chambre à part ». Ce qui alarme Marie-Thérèse autant que les émeutes. Le 2 juin, elle écrit à sa fille :

« En général cet esprit de mutinerie commence à devenir familier partout : c'est donc la suite de notre siècle éclairé. J'en gémis souvent, mais la dépravation des mœurs, cette indifférence sur tout ce qui a rapport à notre sainte religion, cette dissipation continuelle sont cause de tous ces maux. [...] Nous sommes dans ce monde pour faire du bien aux autres ; votre tâche est une des plus essentielles [...] Pardonnez ce sermon, mais je vous avoue, ce lit à part, ces courses avec le comte d'Artois ont mis d'autant plus de chagrin dans mon âme que j'en connais les conséquences et ne saurais vous les présenter trop vivement pour vous sauver de l'abîme où vous vous précipitez. Attribuez à ma tendresse ces alarmes, mais ne les croyez pas superflues. »

L'ennui, avec Marie-Antoinette, c'est qu'elle ne voit le mal nulle part et croit toujours faire le bien. Le 22 juin, elle s'empresse de calmer les alarmes de sa mère :

« Le rhume que j'ai eu pendant longtemps s'est entièrement passé avec le lait. Il est vrai que pendant qu'il a duré le roi a couché dans son appartement ; mais ma chère maman peut être rassurée sur cet article, il y a longtemps qu'il est revenu. »

Le coupable de ce dérangement, c'est donc... le rhume ! Chère Marie-Antoinette !

Dimanche 11 juin 1755, sacre du roi à Reims. Louis-Auguste y reçoit la bénédiction solennelle du titre qu'il tient de ses ancêtres... Au Siècle des lumières, tout change et le sacre n'est plus ce qu'il était. Des esprits forts, des philosophes comme d'Alembert et Condorcet voient dans cette cérémonie « la plus inutile comme la plus ridicule des dépenses inutiles ». Bien qu'elle ne soit pas gagnée par l'air du temps, ni par les idées des philosophes qu'elle ignore, Marie-Antoinette ne montre aucun empressement à être couronnée en même temps que le roi. Elle ne voit pas, ou ne veut pas voir, l'ampleur de l'enjeu. Elle ne suppute que la gêne d'une interminable cérémonie, son importunité. Elle considère le sacre comme une occasion supplémentaire de se divertir, et de se livrer aux joies de l'*incognito* avec le comte et la comtesse de Provence, avec le comte d'Artois. Incognito qui ne dure guère. Dès que le quatuor arrive à Reims, Marie-Antoinette est reconnue et reçue aux cris de « Vive la reine ! ».

Dès qu'il entre dans la cathédrale de Reims, le roi, comme un collégien un peu attardé, un collégien de vingt et un ans, cherche des yeux sa reine installée dans une tribune. Quand il l'aperçoit, il manifeste un contentement qui attendrit l'assistance. Touchée, Marie-Antoinette s'incline et peut croire, dans le déchaînement des orgues et des chœurs, que la vie est un superbe opéra.

Après le sacre dans la cathédrale, c'est le sacre dans les rues où les souverains sont triomphalement acclamés. Elle écrit à sa mère le 22 juin :

« C'est une chose étonnante et bien heureuse en même temps, d'être si bien reçu deux mois après la révolte et malgré la cherté du pain qui malheureusement continue. [...] Pour moi, je sais bien que je n'oublierai jamais de ma vie, dut-elle durer deux cents ans, la journée du sacre. »

Après l'inoubliable journée de sa conquête de Paris, voilà une deuxième journée également inoubliable pour Marie-Antoinette qui en rend compte en des termes identiques, jurant de se souvenir de ces acclamations populaires, et de les mériter. Serment qu'emporte l'ivresse de nouvelles fêtes, comme celles données, le 21 août, pour le mariage de sa belle-sœur, Clotilde, avec Charles-Emmanuel de Savoie. Clotilde disparaît de Versailles où elle ne laisse aucun vide.

Marie-Antoinette a d'autres soucis en tête que le destin de Clotilde ! À Reims, elle a revu Choiseul et raconte par lettre l'entrevue au comte de Rosemberg, homme de confiance de Marie-Thérèse et qui, à ce titre, avait accompagné en France l'archiduc Maximilien.

« Vous aurez peut-être appris l'audience que j'ai donnée au duc de Choiseul à Reims. [...] Vous croirez aisément que je ne l'ai point vu sans en parler au roi, mais vous ne devinerez pas l'adresse que j'ai mise pour ne pas avoir l'air de demander sa permission. Je lui ai dit que j'avais envie de voir M. de Choiseul et que je n'étais embarrassée que du jour. J'ai si bien fait que le pauvre homme m'a arrangé lui-même l'heure la plus commode où je pouvais le voir. Je crois que j'ai assez usé du droit de femme dans ce moment. »

« Le pauvre homme ! » dit-elle en parlant de Louis XVI.

Dans cette même lettre, et avec la même légèreté, Marie-Antoinette se vante d'avoir provoqué la disgrâce du duc d'Aiguillon et annonce qu'elle prendra la princesse de Lamballe comme surintendante :

« Jugez de mon bonheur, je rendrai mon amie intime heureuse, et j'en jouirai encore plus qu'elle. C'est encore un secret, je n'en parle pas encore à l'impératrice. Il n'y a que l'empereur qui le sache ; prêchez-le bien à n'en pas parler, vous en sentez la conséquence. Adieu, monsieur, la longueur de ma lettre vous assure du plaisir que j'ai à causer avec vous. »

Atterré par tant d'inconséquence, Rosemberg montre cette lettre à Joseph II qui la montre à son tour à Marie-Thérèse. Leurs réactions face à ces confidences inconsidérées, à cet impardonnable « le pauvre homme », sont des plus dures. Si la reine de France ose traiter le roi de France de « le pauvre homme », où va-t-on ? Joseph II écrit à sa sœur une lettre d'une telle sévérité que Marie-Thérèse en empêche l'envoi. Mais celle qu'elle adresse à sa fille, le 30 juillet, n'est guère tendre :

« Je ne puis dissimuler vis-à-vis de vous qu'une lettre écrite à Rosemberg m'a jetée dans la plus grande consternation. Quel style ! Quelle légèreté ! Où est ce cœur si bon, si généreux de cette archiduchesse Antoinette ? Je n'y vois qu'une intrigue, basse haine, esprit de persécution, persiflage ; intrigue comme une Pompadour, une Barry aurait pu avoir pour jouer un rôle, mais nullement comme une reine, une grande princesse et une princesse de la maison de Lorraine et d'Autriche, pleine de bonté et de décence. [...] Quel langage ! Le pauvre homme ! Où est le respect et la reconnaissance pour toutes les complaisances ? [...] Votre bonheur ne pourrait que trop changer et vous, vous précipiter par votre faute dans les plus grands malheurs. [...] Vous le reconnaîtrez un jour, mais trop tard. »

Une fois de plus, Marie-Thérèse brandit les abîmes, prévoit les malheurs et prononce ce « trop tard » qui résonne comme un glas et qui va rythmer les échecs de Marie-Antoinette. Mais comme elle voit juste, cette mère extralucide, et comme elle a raison de comparer sa fille aux favorites ! Marie-Antoinette est la favorite de Louis-Auguste qui n'en voudra jamais d'autre.

Consternée, révoltée par le comportement de la reine, l'impératrice répète à Mercy :

— Quel style, quelle façon de penser ! Cela ne confirme que trop mes inquiétudes ; elle court à grands pas à sa ruine, trop heureuse encore si, en se perdant, elle conserve les vertus dues à son rang.

Face à ce double orage maternel et fraternel, Marie-Antoinette se défend comme elle peut et plaide non coupable :

« Je n'oserais jamais écrire à mon auguste mère, si je me sentais la moitié aussi coupable qu'elle le croit. Être comparée aux Pompadour, aux du Barry, couverte des épithètes les plus affreuses ne va pas à votre fille. J'ai écrit une lettre à un homme de mérite qui a votre confiance et à qui, sur une autorité aussi respectable, j'ai cru pouvoir donner la mienne. Comme il est venu dans ce pays-ci et qu'il connaît la valeur qu'on met ici à certaines phrases, je ne devais en craindre aucun inconvénient. Ma chère maman en juge autrement, c'est à moi à baisser la tête et à espérer que dans d'autres circonstances, elle me jugera plus favorablement et, j'ose dire, comme je le mérite. »

Marie-Antoinette explique à Mercy que sa « chère maman » ne comprend rien « à la valeur qu'on met à ce que l'on appelle ici le badinage », ce badinage en vogue à Versailles où l'on dit les pires choses sans y croire et où l'on répand les pires bruits, sans y penser. Marie-Antoinette badinait. Mais on ne badine pas avec la royauté sans engendrer des révolutions. Si la « petite moqueuse » ne respecte rien, même pas son époux à qui elle doit tout, elle ne doit pas s'étonner outre mesure de voir son exemple suivi.

— C'est à vous à donner le ton à Versailles, recommandait Marie-Thérèse qui ne pensait certainement pas à ce déplorable ton-là !

Le 6 août, l'accouchement de la comtesse d'Artois permet d'oublier, un peu, l'affaire du « pauvre homme ».

« [...] il est inutile de dire à ma chère maman combien j'ai souffert de voir un héritier qui n'est pas de moi. »

Marie-Antoinette a souffert beaucoup plus qu'elle n'ose l'avouer à sa mère à qui elle cache la scène qui a suivi l'accouchement de la comtesse d'Artois et que nous raconte Mme Campan :

« La reine [...] donna toutes les marques possibles de tendresse à la jeune accouchée et ne voulut la quitter que lorsqu'elle fut replacée dans son lit ; ensuite elle traversa les escaliers et la salle des gardes avec un maintien fort calme, au milieu d'une foule immense. Les poissardes, qui s'étaient arrogé le droit de parler aux souverains dans leur ridicule et grossier langage, la suivirent jusqu'aux portes de ses cabinets en lui criant, avec les expressions les plus licencieuses, que c'était à elle de donner des héritiers. La reine arriva dans son intérieur, très agitée et précipitant ses pas ; elle s'enferma seule avec moi pour pleurer, non de jalousie sur le bonheur de sa belle-sœur, elle en était incapable, mais de douleur sur sa position. »

Marie-Antoinette poursuivie par des poissardes ! La pauvre femme !

Une quinzaine de jours après l'incident Rosemberg, Marie-Thérèse reçoit, à la mi-août, une lettre de Mercy où elle trouve deux autres sujets de contrariété. Non seulement Marie-Antoinette va nommer la princesse de Lamballe surintendante, mais elle a une nouvelle favorite, la comtesse de Polignac :

« Sa Majesté a obtenu le consentement du roi pour le rétablissement de cette charge de surintendante, et la princesse de Lamballe en a actuellement la promesse positive. Ce n'est pas que cette princesse n'ait beaucoup perdu de sa faveur auprès de la reine, qui pendant un temps accordait toute préférence à une comtesse de Dillon ; mais cette dernière vient d'être supplantée à son tour par une jeune comtesse de Polignac, pour laquelle la reine s'est prise d'un goût bien plus vif que ne l'ont été les précédents. De ces variétés d'affections résultent des embarras et des inconvénients. En satisfaisant à ses engagements avec la princesse de Lamballe, toutes les dames du palais sont en jalousie et en rumeur, [...] »

Pour fuir cette pétaudière, ces jalousies, ces rumeurs, cette Cour où le roi lui-même donne l'exemple de la décadence en autorisant ses frères, lors de son avènement, à ne plus l'appeler « Votre Majesté », Mme de Noailles a décidé de se retirer. Mme de Noailles ne supporte plus de voir les manquements quotidiens à cette Étiquette qu'elle représente et qu'incarnait la défunte reine de France, Marie Leszczynska. Les reines vivaient dans l'ombre. Marie-Antoinette, la première, réclame sa part de soleil et d'éclat. C'est plus que n'en peut tolérer Mme de Noailles qui cède la place à des Lamballe et à des

Polignac. Elle s'en va, et avec elle, c'est le symbole de l'ancienne Cour et des anciens usages qui disparaît. Marie-Antoinette n'en a cure, trop contente d'être délivrée de son cerbère.

Avec le départ de Mme de Noailles, le dernier obstacle pour la nomination de Mme de Lamballe au poste de surintendante est levé. Mercy a vainement essayé de limiter les abus, et les prérogatives, attachés à cette charge : « Toutes les représentations ont échoué, gémit-il, et tout est resté dans l'ancien chaos. »

Un confortable chaos pour la princesse de Lamballe dont les émoluments avaient été fixés à 70 000 livres et qui en reçoit plus du double, 150 000. C'est la somme que touchait Mlle de Clermont, la dernière surintendante qui n'avait pas de fortune — ce qui n'est pas le cas de Mme de Lamballe — et qui avait besoin d'un tel salaire pour soutenir les charges de sa fonction.

À combien reviennent les favorites... Marie-Antoinette avait espéré en trouver une autre, plus désintéressée, en cette Mme Dillon que signale Mercy. D'origine irlandaise, maîtresse du prince de Guéménée, Mme Dillon a, comme la princesse de Lamballe, cette douceur qui plaît tant à Marie-Antoinette. La mère de Mme Dillon, Mme de Roth, a évalué trop cher les douceurs de sa fille. Importunée par d'incessantes demandes d'argent, Marie-Antoinette s'est détournée de Mme Dillon et est revenue à Mme de Lamballe. Leur intimité reprend de plus belle et continue à faire jaser.

— Je sais que l'on a calomnié mon amitié avec la reine. Nul scrupule ne pourrait me retenir de me confesser à vous en toute franchise ; mais vous pouvez vous rapporter à ma parole, rien n'est vrai dans tout ce qu'on a dit, avouera, plus tard, la princesse à son médecin, le docteur Saiffert.

Marie-Antoinette et Lamballe, deux colombes qui se contentent de roucouler ensemble. On appelle cela des « caquetages d'amitié ». La manufacture de Sèvres en fabrique des groupes représentant « Les tendres amies » ou « Confidences de deux jeunes personnes » qui ornent les intérieurs des plus vertueuses familles. Personne ne voit du mal à ces chastes tendresses et à ces pures confidences.

Septembre 1775. La princesse de Lamballe est nommée surintendante. On croit sa faveur à son zénith alors que son déclin commence. Une louve déguisée en agnelle vient de pénétrer dans la bergerie. Cette louve que suit une meute redoutable ne fera qu'une bouchée de Marie-Antoinette et éliminera Lamballe.

Cette redoutable créature, c'est Yolande de Polastron. Née en 1749, elle a épousé en 1767 le comte Jules de Polignac. Leur manque de fortune oblige le couple à vivre retiré dans la Brie, à Claye. Nièce de M. de Maurepas, principal ministre du roi, Yolande a, pour belle-sœur, Diane de Polignac qui est laide, bossue, méchante, mais tellement spirituelle, tellement drôle que l'on en oublie sa laideur, sa bosse, sa méchanceté. Nommée auprès de la comtesse d'Artois comme « dame à accompagner », Diane s'empresse d'attirer à Versailles celle que ses intimes appellent la comtesse Jules, évitant soigneusement de prononcer le prénom de Yolande qu'ils jugent trop « moyenâgeux ».

La comtesse Jules paraît à la Cour. Sa beauté de brune aux yeux bleus fascine la reine. Le duc de Lévis, dans ses *Souvenirs et portraits,* y consacrera des lignes dithyrambiques :

« Elle avait une de ces têtes où Raphaël savait joindre une expression spirituelle à une douceur infinie. D'autres pouvaient exciter plus de surprise et plus d'admiration ; [...] on ne se lassait pas de la regarder. »

— Jamais figure n'avait annoncé plus de charme et de douceur que celle de Mme de Polignac, renchérit le comte de La Marck, jamais maintien n'avait annoncé plus que le sien, la modestie, la décence et la réserve.

Douceur de Lamballe, douceur de Dillon, douceur

de Polignac. Marie-Antoinette n'aime, décidément, que la douceur. Comme elle a raison ! Quand il s'agit de la vraie douceur, bien sûr ! Celle de la Polignac n'est qu'une apparence, un faux miel, une glu destinée à appâter de possibles proies. La comtesse Jules possède l'art de tout recevoir, sans rien donner en échange que l'illusion d'une insaisissable douceur. Son secret ? Une ostentation de désintéressement : elle ne demande rien pour elle-même, elle obtient tout pour les autres, et principalement pour son amant, le comte de Vaudreuil, un cynique, un brutal à qui elle est entièrement soumise... On peut voir en Mme de Polignac l'ancêtre de ces coûteuses poupées de luxe qui, à son exemple, dans les siècles suivants, graviteront autour du pouvoir et en tireront des pensions, des positions, des distinctions.

Le contrôleur général d'Ormesson reconnaît que les premières demandes des Polignac n'étaient pas excessives mais qu'elles devinrent de plus en plus fortes, causant le scandale de la Cour et le mécontentement du peuple. Dans les quatre années qui suivirent la faveur de la comtesse Jules, Mercy estimait que les Polignac avaient obtenu plus de 500 000 livres de revenus annuels.

Comment Marie-Antoinette pourrait-elle deviner que cet « ange de douceur » sera l'un des plus sûrs instruments de sa perte et la précipitera vers ces « abîmes » tant redoutés par Marie-Thérèse ? La reine est éblouie par cette comtesse Jules qui chante, sans aucune fausse note, le grand air de simplicité, et qui, à sa question « pourquoi, madame, ne paraissez-vous jamais à la Cour ? », répond en alléguant son absence de fortune, son peu de goût pour les mondanités. Marie-Antoinette croit avoir enfin trouvé en Mme de Polignac une violette, une humble violette digne de son Trianon.

— Je la recevrai dans mes cabinets ou à Trianon, je jouirai des douceurs de la vie privée qui n'existent pas pour nous si nous n'avons le bon esprit de nous les assurer, confie la reine à Mme Campan, peu après sa rencontre avec la divine comtesse.

La brune aux yeux bleus a plus d'un tour dans son sac. Après le grand air de la simplicité, elle interprète, et avec quel talent, la comédie du n'allons-pas-plus-loin-quand-il-en-est-encore-temps, ce qui, en général, donne le signal de tous les débordements. Invitée à Fontainebleau, la comtesse Jules y suit la reine, comme à regret, puis feint de vouloir quitter la Cour dont les intrigues — elle ne s'en rend que trop compte — sont insupportables à sa candeur de petite campagnarde de la Brie.

Après avoir reçu les confidences de la reine, Mme Campan reçoit celles de la comtesse :

« Elle m'entretint avec franchise et ingénuité de tout ce qu'elle entrevoyait d'honorable et de dangereux à la fois dans les bontés dont elle était l'objet. »

Toute « franche » et « ingénue » qu'elle puisse paraître aux yeux de Mme Campan, Mme de Polignac n'en simule pas moins un départ imminent dont elle expose les raisons à la reine :

— Nous ne nous aimons pas encore assez pour être malheureuses si nous nous séparons. Je sens que cela arrive déjà, bientôt je ne pourrai plus quitter la reine. Prévenons ce temps-là, que Votre Majesté me laisse partir de Fontainebleau.

Après avoir prononcé ces mots, la comtesse Jules éclate en des sanglots auxquels Marie-Antoinette joint les siens. Leurs larmes séchées, les deux amies jurent de ne plus se quitter et s'éloignent, défaillant d'émotion, se soutenant l'une l'autre. Est-ce cette scène de faux adieux qu'a surprise le comte d'Artois ? Le prince de Ligne attribuait les rumeurs sur la liaison de la reine et de Mme de Polignac à un commérage imprudent du comte d'Artois qui surprit une scène d'adieu entre les deux amies :

« La reine pleure, l'embrasse, lui prend les mains, la conjure, se jette à son cou. La porte était entrouverte. M. le comte d'Artois voit ce tableau en

120

entrant. Il se met à rire, sort en disant : "Ne vous gênez pas" et raconte à tout le monde qu'il a dérangé deux amies. »

Les deux amies ne se gêneront pas pour afficher un bonheur qui n'est pas celui que pense ce libertin de comte d'Artois. Après les aveux du faux départ, Marie-Antoinette est plus persuadée que jamais d'avoir trouvé en Mme de Polignac la personne la plus désintéressée, et la plus aimante, du monde. Comme disait justement une courtisane de la fin du siècle dernier :

— Il faut se méfier des gens qui ne vous demandent rien au début, ce sont ceux-là qui finissent par vous coûter des fortunes.

Il en est un que les simagrées de la Polignac ne trompent pas, c'est Mercy. Dès le 18 septembre 1775, il veut « démontrer à la reine que la comtesse de Polignac, sa favorite, n'a ni l'esprit, ni le jugement, ni même le caractère nécessaire à jouir de la confiance d'une grande princesse ».

Ces démonstrations, ces avertissements, comme tant d'autres, ne serviront à rien. Dans sa lutte contre la comtesse Jules, Mercy, comme Lamballe, est vaincu d'avance. La partie est trop inégale. Impossible d'abattre celle dont Marie-Antoinette dit : « Avec elle, je ne suis plus la reine, je suis moi. » Que ne parvenait-elle à être elle-même sans avoir besoin d'un tel miroir ! Car « cette auguste princesse, si intéressante par les qualités uniques de son esprit et de son caractère, serait sans reproche si on la laissait à elle-même ; c'est à ses indignes entours qu'il faut s'en prendre », reconnaît volontiers ce même Mercy qui ajoute : « et je les combattrai jusqu'au dernier moment, avec la même fermeté que je leur ai toujours montrée ».

Inutile combat. L'aveuglement de Marie-Antoinette pour Mme de Polignac se comprend mieux grâce à cet aveu qu'elle fit au comte de Ségur :

— J'aime qu'on ne me quitte jamais mécontent. Je conviens que par facilité, je me laisse aller à recom-mander des personnes dont je ne connais pas les droits.

On abusera beaucoup — et pas seulement la comtesse Jules — de cette « facilité »...

En septembre 1775, Marie-Antoinette prévient sa mère de la nomination de Mme de Lamballe au poste de surintendante. Sachant Marie-Thérèse hostile à cette nomination, elle s'attend au pire. L'impératrice d'Autriche ne manifeste pourtant aucune irritation et se déclare rassurée par les éloges qu'elle entend « des qualités de la princesse de Lamballe ». Mais, ajoute-t-elle, elle voudrait bien savoir qui est exactement cette comtesse de Polignac. Elle ne tardera pas à l'apprendre. Ce qui devait arriver arrive : Lamballe et Polignac sont jalouses l'une de l'autre ; et cela, dès le 15 novembre, comme l'annonce Mercy :

« Sa Majesté s'est trouvée et se trouve encore dans l'embarras de concilier la princesse de Lamballe avec la comtesse de Polignac, parce que ces deux favorites, très jalouses l'une de l'autre, ont hasardé vis-à-vis de la reine de petites plaintes respectueuses, et qui sont présentées sous l'aspect d'une sensibilité la plus tendre. [...] Il me semblait aussi que Sa Majesté ne devait pas trop se livrer à écouter les plaintes de ces jeunes personnes, [...]. En donnant ce conseil à la reine, je lui ai représenté que c'était le moyen de se préserver de beaucoup d'importunités déplacées ; mais il existe une autre raison que je n'ai pas pu dire, et qui est de plus de conséquence.

« La princesse de Lamballe est soutenue par M. le comte d'Artois, par le duc de Chartres son parent, et par tout ce qui compose le Palais-Royal, dont je redoute infiniment les démarches intrigantes. La comtesse de Polignac a pour partisans le baron de Besenval, plusieurs jeunes gens de la Cour, une tante d'assez mauvaise réputation, et des entours également dangereux. »

Marie-Antoinette ne voit aucun de ces dangers. Elle est prise au piège de l'amitié et elle aime son piège. Elle est heureuse avec ses amies de cœur, et non de corps, on n'insistera jamais assez là-dessus. Elle croit tellement en la pureté de son bonheur qu'elle ne songe nullement à s'en cacher. Chère Marie-Antoinette ! Comme elle est imprudente ! Ces imprudences provoquent des calomnies et 1775 s'achève par une épidémie de chansons satiriques : « On en fait sur toutes les personnes de la Cour, hommes et femmes, et la légèreté française s'est même étendue sur le roi. » La reine s'en moque. Elle vient d'être victime d'une autre épidémie, celle de la grippe, bien connue de notre vingtième siècle. Sa nouveauté est telle que Mercy prend la précaution de mettre son nom entre guillemets :

« Une sorte d'épidémie que l'on nomme ici "la grippe" et dont personne n'est exempt. »

La grippe est à la mode. Comment ne pas être grippée ? Prisonnière de ses amitiés, Marie-Antoinette va l'être aussi des modes qui ne sont pas toutes aussi inoffensives que la couleur puce tellement en vogue :

« Pendant l'été de 1775, la couleur à la mode était une sorte de nuance marron qui était celle d'un taffetas que la reine avait choisi pour s'en faire une robe. En la voyant, le roi s'était écrié : "C'est couleur de puce !" Aussitôt la nuance puce fit fureur, tant à la ville qu'à la Cour. »

Face aux puissants sortilèges de la mode, l'« Autrichienne » ne saura pas résister et se révélera plus parisienne que les Parisiennes !

Les dangers de la vertu
(1776)

Les plaisirs, et les plaisirs à la mode, que Marie-Antoinette découvre en 1774, qu'elle poursuit en 1775, atteignent leur apogée en 1776. Courses de chevaux, jeux de hasard qui transforment Versailles en un « tripot », la vie de la reine n'est plus qu'une suite ininterrompue de divertissements... Il est fort douteux qu'elle observe les trois jours de retraite par an que recommandait son père dans ses *Conseils*. Elle en vient à oublier, au mois d'octobre, de souhaiter sa fête à sa mère ! Elle est tellement occupée entre ses favorites, et ses favoris :

« Elle passe tout à ceux qui se rendent utiles à ses amusements ; et c'est toujours par ce motif qu'elle décide de l'accueil plus ou moins favorable qu'elle fait aux gens. [...] enfin on réussit tellement à tenir la reine hors d'elle-même, à l'enivrer de dissipation que, cela joint à l'extrême condescendance du roi, il n'y a dans certains moments aucun moyen de faire percer la raison »,

gronde Mercy, au commencement de 1776.

Entre les incessantes suggestions de Rose Bertin qui se croit ministre de la Mode, entre les récriminations de Mme de Lamballe dont la faveur descend inexorablement et les sollicitations, promptement exécutées, de Mme de Polignac dont la faveur ne cesse de monter, Marie-Antoinette n'a plus une minute à accorder aux affaires sérieuses, et à la plus importante de toutes : son mari. Dans ce tourbillon de plaisirs, la reine ne distingue plus le jour de la nuit, distinction que son époux continue à observer. Louis-Auguste ne veut déranger en rien Marie-Antoinette, mais il ne veut pas non plus être dérangé dans ses habitudes dont la plus chère est de se coucher à heure fixe. La reine, qui a la monotonie en horreur, ne peut se soumettre à une telle exigence. Quand le roi se met au lit, à onze heures précises, la reine part, ou est déjà partie, à une fête, suivie d'une joyeuse cohorte composée par le baron de Besenval, le duc de Coigny, le comte d'Adhémar, le prince de Ligne, Lauzun, et le comte d'Esterhazy. La présence de ce dernier parmi les compagnons de sa fille étonne Marie-Thérèse.

— Je suis surprise qu'un jeune homme, et sans rang distingué, tel qu'est le comte d'Esterhazy, ait le moyen d'approcher de ma fille, remarque l'impératrice.

Esterhazy « approche de sa fille » parce qu'il la distrait, parce qu'il la sauve de l'accablant ennui. En échange de quoi, la reine fait payer par le roi les quinze mille francs de dette qui « tourmentent » Esterhazy. Louis-Auguste paie, sans murmurer. Si le roi ne dit rien, la Cour, et le peuple, commencent à s'indigner de tant de folles faveurs. Sans s'en rendre compte, et alors que sa vertu est « intacte » comme le constatera l'année suivante son frère Joseph II, peu enclin à l'indulgence, Marie-Antoinette est en train de devenir une Madame Scandale à qui l'on prête non seulement des aventures avec des hommes, mais des liaisons avec des femmes. Elle en rit et a l'inconscience de rapporter ces racontars à sa mère :

— On m'a très libéralement supposé les deux goûts, celui des femmes et des amants.

Est-ce assez drôle ? Est-ce assez mode ? Une reine de France aussi galante qu'une héroïne de Crébillon, qu'une petite maîtresse ?

« Sa prétendue galanterie, rectifiera le prince de

Ligne dans ses *Pensées et lettres*, n'a jamais été plus qu'un profond sentiment d'amitié montré, peut-être à une ou deux personnes en particulier, et la *coquetterie* générale d'une femme et d'une reine souhaitant plaire à tous. À un moment, quand la jeunesse et l'inexpérience auraient pu nous conduire à en prendre trop à notre aise avec elle, il n'y en a pas un, parmi ceux d'entre nous qui eurent le bonheur de l'approcher tous les jours, qui aurait osé en abuser par le moindre manquement au décorum ; elle agissait en reine, inconsciemment, et ils l'adoraient sans même songer à l'aimer. »

Quelques-uns songeront à l'aimer, comme un Besenval ou un Lauzun. Ils « oseront » se déclarer à la reine et n'en obtiendront qu'un « Sortez, monsieur », ou un « Relevez-vous, monsieur » si l'impudent s'est jeté aux pieds de son idole. La statue n'a pas les pieds en argile et se maintient ferme sur le piédestal de son inattaquable vertu. Marie-Antoinette peut être à la fois vertueuse et coquette, et cela avec d'autant plus de facilité qu'elle serait encline à la froideur, si l'on en croit le témoignage de Tilly :

« Si elle avait eu une vocation décidée à la galanterie, eût-elle été embarrassée de faire un choix dans une Cour où il y avait une jeunesse vraiment remarquable ? Son éloignement, sa froideur pour les jeunes gens fut au contraire un trait distinctif de son caractère. »

Ces jeunes gens n'en passent pas moins pour les favoris de Marie-Antoinette. Tant de favoris, et deux favorites en titre, c'est beaucoup, c'est trop pour une reine que les libellistes auront beau jeu de comparer, sur ces seules apparences, à une Messaline. Parce qu'elle paraît à un bal masqué de l'Opéra en compagnie de Provence qui donne un coup de poing à un domino noir, parce qu'elle s'y promène « quelques minutes » avec le duc de Choiseul, Marie-Antoinette se verra accusée de turpitudes pires que celles qu'avait provoquées sa présence à un lever de l'aurore...

Autre sujet de scandale, les courses de chevaux qui ont repris et se multiplient sous l'impulsion du comte d'Artois, épris d'anglomanie : « Il veut que ses équipages soient montés à l'anglaise, et il cherche à imiter la tournure, les modes et les goûts de cette nation, ce qui, dans un fils de France, déplaît beaucoup. » Cela déplaît encore plus chez une « Autrichienne » qui se dit reine de France alors qu'elle n'a pas encore été capable de donner un héritier au trône. L'épouse de ce même comte d'Artois vient d'accoucher pour la deuxième fois. Marie-Antoinette oublie les « importunités » de cette deuxième naissance dans le brouhaha des courses.

Mercy se lamente :

« Il était cependant permis à un chacun de monter dans le salon où se tenait la reine ; c'était dans ce lieu où se faisaient les paris, et ils n'étaient jamais arrangés sans beaucoup de propos, de bruit et de tumulte. [...] Il faut convenir cependant qu'au milieu de ce pêle-mêle, la reine, se portant partout, parlant à tout le monde, conservait un air de grâce et de grandeur qui diminuait en partie l'inconvénient du moment ; mais le peuple, qui ne pouvait apercevoir cette nuance, ne voyait qu'une familiarité dangereuse à laisser soupçonner dans ce pays-ci. »

Autre sujet de lamentation provoqué par une autre « familiarité dangereuse » : le soir, à Versailles, la reine s'exhibe, avec, à son bras, Mme de Polignac. Ce qui produit « le plus mauvais effet ».

Certaine de sa propre vertu, Marie-Antoinette méprise les soupçons et sait qu'elle peut aller partout le front haut, suivie de ses favoris qui ne sont pas ses amants et de ses favorites qui ne sont pas ses maîtresses. Danger d'une vertu qui ne soigne pas assez les apparences en un monde où tout n'est qu'apparence et qui préfère la faute au scandale.

Si le roi « se plaît de préférence à Versailles, qu'il dit être le seul lieu où il croit être chez lui [1] », la reine

1. Mercy, évidemment !

128

en fuit volontiers la société qui ne présente « ni variété ni grandes ressources. Elle voit dans quelques moments Mesdames ses tantes ; mais quoiqu'il n'existe depuis longtemps plus de brouilleries, il n'existe pas non plus, à beaucoup près, cette intimité nécessaire à rendre les liaisons intéressantes. Il en est à peu près de même de Monsieur et de Madame[1] ».

Marie-Antoinette déserte Versailles. Son exemple est suivi :

« Insensiblement les femmes de Paris perdent l'habitude d'aller à Versailles, par l'incertitude où elles sont des jours et des heures où elles pourront réussir à faire leur cour, ce qui dépend toujours des dispositions très incertaines que la reine fait de ses matinées et de ses soirées [...][2]. »

La reine se réfugie à Trianon qu'elle agrémente d'un pavillon chinois. Elle aime ce qui vient d'Asie et collectionne les porcelaines de Chine, les vases de sardoine, les coffrets de jaspe, les coupes d'agate, les petites boîtes dorées où bambous, oiseaux, rivières dressent leur féerie et incitent à la rêverie. Comme l'alouette, Marie-Antoinette est attirée par ce qui brille. En juillet 1776, en cachette de Mercy et de Vermond qui l'auraient certainement dissuadée ou détournée d'un tel achat, elle s'offre des bracelets de diamants qui valent cent mille écus. Elle fait ses comptes. Manquent, pour payer ces bracelets, deux mille écus qu'elle demande au roi :

« Le monarque reçut cette proposition avec sa complaisance ordinaire ; il se permit seulement de dire en douceur qu'il n'était point surpris que la reine fût sans argent, vu le goût qu'elle avait pour les diamants. Après cette remarque les deux mille louis furent donnés le lendemain[3]. »

1. Mercy.
2. *Ibid.*
3. *Ibid.*

L'impératrice d'Autriche n'est pas aussi complaisante que le roi de France. Dès qu'elle apprend cet achat, Marie-Thérèse fulmine :

« Toutes les nouvelles de Paris annoncent que vous avez fait un achat de bracelets de 250 000 livres, que pour cet effet vous avez dérangé vos finances et chargé de dettes, [...] et qu'on suppose après que vous entraînez le roi à tant de profusions inutiles, qui depuis quelque temps augmentent de nouveau et mettent l'État dans la détresse où il se trouve. [...] Cette légèreté française avec toutes ces extraordinaires parures ! Ma fille, ma chère fille, la première reine, le deviendrait elle-même ! Cette idée m'est insupportable. »

— Voilà que mes bracelets sont arrivés à Vienne, se contente de dire Marie-Antoinette à Vermond, en guise de commentaire à cette diatribe.

Ne pouvant soupçonner que Vermond, ou Mercy, sont les auteurs de cette indiscrétion, elle en accuse l'une de ses sœurs. Puis elle répond à sa mère avec une brièveté qui frise la désinvolture : « Je n'ai rien à dire sur les bracelets ; je n'ai pas cru qu'on pût chercher à occuper la bonté de ma chère maman à de pareilles bagatelles. »

À ce mot de « bagatelle » pour désigner une aussi énorme somme, on mesurera l'inconscience de Marie-Antoinette en matière de dépense. Face au Tribunal révolutionnaire, elle plaidera non coupable. Comment pouvait-elle se douter de la détresse des finances de l'État ? Quand elle demandait trente mille livres, elle en recevait le double !

Pour entretenir cette bienheureuse ignorance, elle obtient le renvoi de Turgot qui prêchait trop l'économie, et qui, en plus, crime impardonnable, avait fait révoquer pour « inepties » le duc de Guines, ambassadeur de France à Londres, et ami de Marie-Antoinette et des Polignac. Si l'on renvoyait pour « ineptie » les amis de la reine, où allait-on ? Quelqu'un qui le sait, et qui ne veut pas assister à une telle débâcle, c'est l'abbé de Vermond, qui aspire à une demi-retraite. L'extrême faveur des Polignac, en cet été 1776, l'accable. Il a, dans l'affaire du comte de Tessé, la preuve de son impuissance à freiner les caprices de la reine.

— Dans l'affaire du comte de Tessé, nous avons éprouvé, l'abbé de Vermond et moi, toutes les mortifications imaginables, soupire Mercy.

Mercy et Vermond ont essayé, sans succès, de détourner Marie-Antoinette d'un autre projet aussi fou que celui du rétablissement de la charge de surintendante pour la princesse de Lamballe : donner la survivance de la charge de premier écuyer de la reine, qu'exerce le comte de Tessé, à M. de Polignac. Or, Tessé est bien vivant, accomplit scrupuleusement sa tâche et pense que son poste ira, plus tard, à quelqu'un de sa famille : il est gendre du maréchal de Noailles. Ce n'est pas n'importe qui, Tessé ! Sur intervention de Marie-Antoinette à qui Louis-Auguste ne refuse rien, sa charge est donnée à M. de Polignac, « vingt-huit ans, peu d'esprit et nul titre que celui de colonel que l'on obtient ici, à vingt-cinq ans ». Scandale que cette nomination dont personne n'ignore l'origine :

« Sa Majesté croit avoir sacrifié à l'amitié, et le public ne veut voir qu'engouement et aveuglement pour la comtesse de Polignac, qui dans ce moment l'emporte sur tout. Mme de Polignac est [...] nièce de M. de Maurepas et fort liée avec le parti Choiseul. On la soupçonne de trahir alternativement un parti pour l'autre »,

déplore Mercy, le 17 septembre 1776.

Et Marie-Antoinette qui croyait avoir rencontré une amie que les intrigues de Cour dégoûtaient, et qui était désintéressée ! La nomination de M. de Polignac, qui va coûter 80 000 livres, l'attribution de l'ambassade de Suisse au père de la favorite, et d'une pension à sa tante, Mme d'Andlau, provoquent bruits et rancœurs. Comment, en un an, de septembre 1775 à septembre 1776, Mme de Polignac est-elle parvenue à un tel degré de faveur et à éliminer la princesse de Lamballe qui ne s'en tient plus qu'à la stricte observation de sa charge de surintendante, et qui voit de moins en moins la reine dans l'intimité ?

Marie-Antoinette et la comtesse Jules sont maintenant des *inséparables,* elles ont cédé à la « fureur de se faire une amie que l'on nommait *inséparable* », fureur à la mode qui a inspiré à Mme de Genlis l'une de ses pièces de théâtre.

En Mme de Polignac, Marie-Antoinette a découvert une variété de femmes qu'elle ignorait, la femme pauvre, celle qui doit compter parce qu'elle n'a que des revenus modestes. Comment peut-on ne pas avoir d'argent, s'interroge Marie-Antoinette, fascinée, et vivre à Claye, dans la Brie, loin de Versailles, au bout du monde ?

Avec la princesse de Lamballe, Marie-Antoinette avait une amie de son milieu et de son rang. Avec Mme de Polignac, elle a le sentiment délicieux de s'encanailler. Mme de Polignac a un amant. Comment peut-on avoir un amant ? Voilà une question que la reine n'aurait pas osé poser à la chaste et mélancolique Lamballe qui a un peu trop abusé de ses crises de nerfs, et de ses évanouissements. Avec la Polignac, Marie-Antoinette apprend que la vie peut avoir un goût de faisandé qu'elle ignorait. Marie-Antoinette, « un des plus purs parmi les êtres humains [1] », subit l'attrait de la boue, cette boue qui cimente ceux et celles qui forment le clan Polignac. Curieusement, Marie-Antoinette semble n'en rien ignorer, à la stupéfaction de l'abbé de Vermond.

Vermond, en sermonnant la reine sur ses mauvaises fréquentations, s'aperçoit du « peu d'estime » qu'elle a pour sa favorite, et pour ses favoris. Une note de Vermond à Mercy relate cette curieuse, et édifiante, conversation, pendant laquelle l'abbé dit à Marie-Antoinette :

1. John Wilson Crocker.

« [...] je passe que vous ne preniez garde ni aux
mœurs ni à la réputation d'une femme, que vous en
fassiez [...] votre amie, uniquement parce qu'elle est
aimable ; certes ce n'est pas la morale d'un prêtre ;
mais que l'inconduite en tout genre, les mauvaises
mœurs, les réputations tarées et perdues soient un
titre pour être admis dans votre société, voilà qui vous
fait un tort infini. »

Conclusion de l'entretien rapporté par Vermond :

« La reine a écouté avec un sourire et une sorte
d'applaudissement et d'aveu tout ce sermon... Elle
n'a relevé que le dernier article, en citant comme
bonne réputation la seule Mme de Lamballe. »

Marie-Antoinette estime Lamballe, mais c'est Polignac qu'elle préfère ! Vermond n'y comprend plus
rien et veut vraiment se retirer. Il en est dissuadé par
une lettre de Marie-Thérèse qui a l'habileté de rajou-
ter ce post-scriptum : « Étant logée à Schönbrunn
dans les chambres où ma fille a été, je me trouve à la
même place où vous avez eu vos conversations ; jugez
combien j'en suis affectée. » Vermond ne peut pas
résister à cette évocation de Schönbrunn où il était
arrivé, à l'automne 1769, pour s'occuper de l'éducation d'un petit perroquet viennois. Cela fait à peine
six ans... Il restera donc à Versailles pour écouter les
ramages de la reine et dénoncer la fatale influence de
Mme de Polignac, aidé en cela par Mercy qui ne cesse
de renouveler ses avertissements :

« Dans l'origine j'ai toujours regardé comme dangereux, à bien des égards, le goût de la reine pour la
comtesse de Polignac. Cette dernière a peu d'esprit :
elle est dirigée par sa tante, une comtesse d'Andlau,
perdue de réputation. C'est sans doute dans cette
source que la nièce a puisé des travers assez graves,
entre autres celui de vouloir se mettre au-dessus de ce
que les esprits faibles et corrompus appellent préjugés.
On a vu la jeune personne en question afficher un

amant, [...]. Sa conduite en matière de dogme n'est pas moins équivoque, et le premier médecin Lassone, qui la connaît, dit un jour à l'abbé de Vermond qu'il craignait que la liaison dont il s'agit ne portât à la longue quelque atteinte à la piété de la reine. »

Les croyances de la reine ne seront pas trop ébranlées par l'impiété qu'affectent certains membres du clan Polignac. Mais sa réputation souffrira d'admettre dans sa société intime une Mme d'Andlau qui a été chassée autrefois de la Cour par Louis XV pour avoir prêté à l'une de ses filles, Madame Adélaïde, un ouvrage pornographique, *le Portier des Chartreux*. On peut imaginer les commentaires dont Madame Adélaïde aura accompagné le retour de Mme d'Andlau dans « les entours » de l'« Autrichienne »...

Dirigée à la fois par son amant, M. de Vaudreuil, et par sa tante, Mme d'Andlau, Mme de Polignac ne pouvait représenter pour la reine que la plus dangereuse des liaisons. C'est en ce puant brasier que Marie-Antoinette s'amusait à jouer les salamandres.

Marie-Antoinette affirmait volontiers que « jamais une pédante n'aurait été son amie ». Elle ne courait pas ce risque avec la comtesse Jules qui n'a pour sujet d'entretien que la « chanson nouvelle, le bon mot du jour, les petites anecdotes scandaleuses ». Voilà qui change des graves conversations avec Mercy, des sermons de Vermond, des soupirs amoureux de Louis-Auguste avec qui, *rien,* toujours *rien,* et des nouvelles venues d'une lointaine contrée dont on parle de plus en plus : l'Amérique. Le 4 juillet 1776, le congrès de Philadelphie a proclamé l'Indépendance des États-Unis et décidé l'envoi en France d'un ambassadeur, M. Franklin. Il y arrivera à la fin de l'année.

Qu'importe à Marie-Antoinette l'Indépendance des États-Unis ? Mme de Polignac, l'indépendante Polignac, est tellement plus intéressante, avec ses complications sentimentales, ses chantages et sa perpétuelle menace de quitter Versailles pour retourner à Claye, dans la Brie. Affreuse perspective qui affole Marie-

Antoinette et la rend incapable de résister aux bouderies de sa favorite.

Quand elle échappe à l'emprise de la Polignac, ne serait-ce que le temps d'une promenade, Marie-Antoinette redevient la « charitable Antoinette » qu'elle n'a jamais cessé, et qu'elle ne cessera jamais, d'être :

« Sa Majesté dans une de ses promenades traversa, il y a quelque temps un village à une lieue de Versailles ; elle vit sur son passage une bonne vieille paysanne entourée de plusieurs petits enfants orphelins, dont elle était la grand-mère. Les bonnes physionomies de cette petite famille qui perçaient à travers leur misère fixèrent l'attention de la reine. Elle fit donner de l'argent à la vieille femme, et daigna lui demander si elle voulait donner à Sa Majesté un de ses enfants. Le plus petit de tous fut offert ; c'est un petit garçon qui a trois ans, qui est vif, fort gai [1]. »

Cet enfant ne sera pas le seul dont Marie-Antoinette s'occupera, qu'elle élèvera, établira. Chère Marie-Antoinette !

Les charités, les Polignac, les bracelets en diamants, voilà qui coûte beaucoup d'argent, et tellement que la reine finit par avoir des dettes :

« Le principe des dettes de la reine est connu et n'excite pas moins de cris et de plaintes. La reine a acheté beaucoup de diamants, et son jeu est devenu fort cher ; elle ne joue plus aux jeux de commerce, dont la perte est nécessairement bornée. Le lansquenet est devenu son jeu ordinaire et parfois le pharaon, lorsque son jeu n'est pas entièrement public. Les dames et les courtisans sont effrayés et affligés des pertes auxquelles ils s'exposent pour faire leur cour à la reine. Il est de même vrai que le gros jeu déplaît au roi, et qu'on se cache de lui autant que possible [2]. »

1. Mercy, le 17 août 1776.
2. Mercy, le 17 septembre 1776.

On ne s'en cache pas autant que Mercy le prétend puisque le roi autorise sous son toit ce qu'il interdit dans le reste de son royaume : les jeux de hasard comme le pharaon. La reine a envie de jouer au pharaon. Pour plaire à la reine, le roi permet une partie, une seule, mais qui, il n'a pu le prévoir, commencera le 30 octobre au soir et se terminera le 1er novembre au matin. Pour justifier un tel excès, Marie-Antoinette s'en tire par une plaisanterie : le roi avait permis une séance de jeu, sans en déterminer la durée. Tant de mauvaise foi amuse Louis-Auguste qui dit en riant :

— Allez, vous ne valez rien tant que vous êtes.

Marie-Thérèse, qui n'a pas l'indulgence de son gendre, vitupère une telle conduite et se demande comment sa fille a pu en arriver là ! Dauphine, Marie-Antoinette n'était ni joueuse ni dépensière. En montant sur le trône, elle pouvait se vanter de n'avoir aucune dette. Au début de son règne, elle avait évité le gaspillage. Puis, éblouie par son propre éclat, elle avait cru l'augmenter par des faveurs, des plumes, des diamants, des excitations de table de jeu. Poussée sur la pente des prodigalités par des Lamballe, des Polignac, des Bertin, des Böhmer...

Deux ans ont suffi à Marie-Antoinette pour en arriver là ! De 1774 à 1776, tout se joue, tout se met en place pour provoquer le drame final, tout va très vite. Consciente de son impuissance à freiner la « course aux abîmes », Marie-Thérèse va frapper un grand coup et jouer l'un de ses derniers atouts. Elle enverra en France, l'an prochain, en 1777, son fils, Joseph II. Il est temps que l'empereur, en personne, mette un peu d'ordre dans ce Versailles qui a l'air d'un « tripot ».

avec bien de la peine à sonder les dispositions où
pourrait être le roi de se charger au moins d'une partie des dettes subsites. Au premier jour que la reine
prononce sur ce chapitre, le roi, sans hésiter et de la
meilleure grâce possible, consentit d'abord à payer
toute la somme. »

Les prédictions d'un frère
(1777)

> *Vous êtes faite pour être heureuse, vertueuse
> et parfaite ; mais il est temps [...]. L'âge
> avance : vous n'avez plus l'excuse de l'enfance.
> Que deviendrez-vous si vous tardez plus long-
> temps ? Une malheureuse femme et plus mal-
> heureuse princesse...*

JOSEPH II à sa sœur MARIE-ANTOINETTE.

L'annonce de la venue de son frère tourmente
Marie-Antoinette. Mme de Lamballe et Mme de Polignac rassurent, du mieux qu'elles peuvent, leur amie.
Pourtant, elles aussi se sentent menacées par cet impi-
toyable censeur qui, grâce au ciel, doit retarder son
voyage. Il n'arrivera à Versailles qu'en avril.

La reine profite de ce délai de grâce pour mettre de
l'ordre dans ses finances, au début de janvier 1777,
avec l'aide de Mercy :

« [...] je trouvai la reine inquiète et embarrassée sur
l'état de ses dettes, dont elle ne savait pas elle-même le
montant. J'en fis le relevé, qui se portait à la somme
de vingt mille trois cent et trois louis, ou quatre cent
quatre-vingt-sept mille deux cent soixante et douze
livres. La reine, un peu surprise de voir ses finances
dérangées à un tel point, [...] se détermina, quoique

avec bien de la peine, à sonder les dispositions où pourrait être le roi de se charger au moins d'une partie des dettes susdites. Au premier mot que la reine prononça sur ce chapitre, le roi, sans hésiter et de la meilleure grâce possible, consentit d'abord à payer toute la somme. »

Vit-on jamais mari plus généreux et plus complaisant ? C'est que Louis-Auguste a beaucoup à se faire pardonner. Lui qui ne refuse rien à Marie-Antoinette refuse pourtant de se prêter à l'opération qui permettrait l'accomplissement du « fatal article », la consommation du mariage. Il est conforté dans son refus par l'avis de Moreau, chirurgien de l'Hôtel-Dieu, qui, en ce mois de janvier 1777, « a dit à peu près comme les autres, que l'opération n'était pas nécessaire et qu'il y aurait toute espérance sans cela[1] ». Le roi a promis à son épouse que « s'il n'y avait rien de décidé d'ici quelques mois, il se déciderait lui-même à l'opération ».

En attendant cette opération qui débriderait le sexe de Louis-Auguste, en attendant Joseph II, en attendant le déluge annoncé par Louis XV, Marie-Antoinette, pour oublier de telles « importunités », ne manque pas un divertissement. Aux bals, aux courses, aux fêtes, on perd de plus en plus l'habitude de témoigner le respect dû à une reine qui, loin d'en être choquée, encourage les familiarités. N'importe qui peut approcher la souveraine. En se conduisant comme une personne ordinaire, Marie-Antoinette accomplit, sans s'en rendre compte, une véritable révolution. Une reine qui joue un jeu d'enfer, une reine qui se montre aux courses, n'est plus au-dessus du genre humain. On ne manque pas de tirer parti de ces faiblesses. Ainsi, en avril 1777, on découvre, avec stupéfaction, que la femme d'un trésorier du roi, Mme Cahuet de Villers, en se vantant de voir fréquemment la reine, en se servant de son nom et en imitant sa signature, a pu extorquer cent mille écus à M. Bérenger, trésorier du

1. Marie-Antoinette à Marie-Thérèse, le 14 janvier 1776.

138

duc d'Orléans, et cent mille livres à M. Lafosse, banquier. Dans l'affaire du Collier, Mme de La Motte n'agira pas autrement que Mme Cahuet de Villers !

Mercy voudrait que l'affaire Cahuet de Villers soit portée devant les juges, parce que « tout ce qui tient à la gloire de la reine doit être mis au grand jour ». Il n'est pas écouté. À la demande des ministres du roi, l'affaire est étouffée, et la femme du trésorier jetée à la prison de Sainte-Pélagie, sans autre forme de procès.

À peine cette affaire-là est-elle réglée que Marie-Antoinette doit faire face à une autre, d'un genre différent. Ses ennemis projettent « d'induire le roi au libertinage » et de jeter dans ses bras Louise Contat, une actrice du Français qui créera le rôle de Suzanne dans *le Mariage de Figaro*. Ce projet n'aboutit pas. Louis-Auguste ne conçoit pas d'aimer une autre femme que la sienne. Marie-Antoinette et Mercy peuvent alors se consacrer pleinement à la venue de Joseph II.

Le vendredi 18 avril 1777, l'empereur arrive à Paris. Cédant à la manie de sa famille, il voyage *incognito* sous le nom de comte de Falkenstein. Cet incognito pose autant de problèmes que celui de Maximilien et irrite, un peu, la reine qui aurait voulu recevoir son frère en grande pompe. Affectant une simplicité ostentatoire, Joseph II a choisi de descendre, à Versailles, dans un hôtel garni, l'« Hôtel du Juste ». Ce juste, c'est le personnage que veut incarner l'empereur pendant son séjour. Il a exigé que ses retrouvailles avec sa sœur s'accomplissent sans témoin, « pour ne point jouer la comédie aux autres ». Chacun fera, à sa façon, le récit de cette première rencontre placée sous le signe de l'émotion, de l'amabilité et des confidences. Voilà sept ans qu'ils ne se sont pas vus, sept ans pendant lesquels la « petite archiduchesse » s'est métamorphosée en Dauphine, puis en reine.

Marie-Antoinette déploie tant de grâces que son frère lui avoue net :

— Si vous n'étiez point ma sœur, je ne balancerais

point à me remarier avec vous pour me donner une compagne aussi charmante.

Charmée, la reine « ouvre son âme » à l'empereur à qui elle fait une espèce de confession générale, évoquant ses problèmes conjugaux, ses dissipations, ses dettes, ses favorites, ses favoris. Désarçonné par tant de franchise, l'empereur demande à sa sœur un peu de temps pour « méditer » sur ces problèmes qu'il ne croyait pas aussi nombreux... De plus en plus charmée, Marie-Antoinette, qui croyait voir ses aveux couronnés par une diatribe à la Marie-Thérèse, des remontrances à la Mercy ou un sermon à la Vermond, conduit l'empereur chez le roi. Les deux monarques s'embrassent et se déclarent « fort contents » l'un de l'autre. Contentement qui saisit immédiatement les autres membres de la famille, les Provence, les Artois, et les ministres présents, les Maurepas et les Vergennes. Ce contentement ne se dément pas dans les jours qui suivent, chacun semble à son aise, et tellement que, lors du souper du 21 avril, toute contrainte est abandonnée :

« Le souper fut plus que gai, c'est-à-dire de la part du roi et des deux princes ses frères. Ils se mirent tellement à leur aise qu'au lever de table ils s'amusèrent à des enfantillages, à courir dans la chambre, à se jeter sur des sofas, au point que la reine et les princesses en furent embarrassées à cause de la présence de l'empereur qui, sans paraître faire attention à ces incongruités, continuait la conversation avec les princesses. Madame, dans un mouvement d'impatience, appela son époux et lui dit qu'elle ne l'avait jamais vu si enfant. Tout cela se termina cependant de bonne grâce, sans que l'empereur eût laissé remarquer la surprise que lui avait causée un si étrange spectacle [1]. »

Joseph II en verra bien d'autres pendant son séjour en France. Il visitera l'École militaire, l'Imprimerie royale, il rendra visite à Mme Geoffrin, et à...

1. Mercy.

Mme du Barry. On ne saurait être plus éclectique. L'empereur plaît autant que son frère Maximilien avait déplu. Il va à pied dans les rues de la capitale, sans suite, ce qui enchante les Parisiens, ces mêmes Parisiens qui criaient au scandale quand Marie-Antoinette se promenait en traîneau, « avec une suite réduite ».

Joseph II n'est pas là uniquement pour *voir*. Il est là pour *parler* à sa sœur. Le 22 avril, première explication, « en douceur ». Le 3 mai, deuxième explication « un peu orageuse » entre la reine et l'empereur. La reine s'entend dire ses quatre vérités, et même davantage. Tout y passe, ses négligences envers le roi, son abandon de toute occupation sérieuse, sa frénésie pour le jeu. Joseph II s'en prend même à « ses entours » tant décriés par Mercy. Sans aucun ménagement, il déclare que la maison de la princesse de Guéménée est un « vrai tripot », qu'il n'aime guère la princesse de Lamballe, et encore moins la comtesse de Polignac. Un seul parmi les favoris trouve grâce à ses yeux, c'est le duc de Coigny. Suffoquée, anéantie, Marie-Antoinette consent à reconnaître qu'elle fera cas des sévères observations de son frère, mais seulement après son départ, parce qu'elle « ne voulait point avoir l'air d'être conduite ».

Après la sœur, c'est le tour du beau-frère qui « espère avoir bientôt des enfants ». Joseph II indique le plus sûr moyen d'en avoir, et se montre partisan, lui aussi, de l'opération. Dûment chapitrée par l'empereur, la reine se montre plus attentive à partager les jours, et les nuits, du roi. Ce qui vaut cet aveu, touchant, de Louis-Auguste à Marie-Antoinette :

— Nous avons été plus souvent et plus longtemps ensemble pendant le séjour que l'empereur a fait ici, et c'est une grande obligation que je lui dois.

Cher Louis-Auguste ! Il ignorera, heureusement, ce que Joseph II écrit, à son sujet, à son frère Léopold : « Cet homme est un peu faible, mais point imbécile ; il a des notions, il a du jugement, mais c'est une apathie de corps comme d'esprit. » Les autres membres de la famille royale ne sont guère mieux traités. Le comte de Provence est un « être indéfinissable », le comte d'Artois, un « petit maître », et Mesdames, « nulles ». Seule Marie-Antoinette est épargnée et a même droit à un traitement de faveur :

« C'est une aimable et honnête femme, un peu jeune, peu réfléchie, mais qui a un fonds d'honnêteté et de vertu dans son âge, vraiment respectable. Avec cela, de l'esprit et une justesse de pénétration qui m'a souvent étonné. Son premier mouvement est toujours le vrai ; si elle s'y laissait aller, réfléchissait un peu plus, et écoutait un peu moins les gens qui la soufflent, dont il y a des armées et de différentes façons, elle serait parfaite. »

Pour contribuer à cette perfection, Joseph II, aux veilles de son départ, fin mai, a laissé à sa sœur des *Réflexions données à la reine de France* qu'il a écrites pendant son séjour. Voilà ce que Marie-Antoinette peut, entre autres, y lire :

« Tâchez de procurer au roi les sociétés qui lui conviennent ; elles doivent être les vôtres et, s'il y a quelque préjugé contre quelqu'un, même de vos amis, il faut le sacrifier. Enfin, votre seul objet... doit être l'amitié, la confiance du roi.

« [...] De même daignez penser un moment aux inconvénients que vous avez rencontrés aux bals de l'Opéra. [...] Le roi abandonné toute une nuit à Versailles, et vous mêlée en société et confondue avec la canaille de Paris [...].

« Vous êtes faite pour être heureuse, vertueuse et parfaite ; mais il est temps et plus que temps de réfléchir et de poser un système qui soit soutenu. L'âge avance : vous n'avez plus l'excuse de l'enfance. Que deviendrez-vous si vous tardez longtemps ? Une malheureuse femme et plus malheureuse princesse, [...]. »

En dépit de ces sévérités, et de ces outrances qu'elle juge excessives (« L'âge avance » ; elle aura vingt-deux ans le 2 novembre prochain !) Marie-Antoinette garde le meilleur souvenir de Joseph II et de son passage à la Cour. « Rien ne peut me payer le bonheur dont j'ai joui et les marques d'amitié qu'il m'a données, écrit-elle à sa mère, le 16 juin, j'étais bien sûre qu'il ne voulait que mon bonheur, et tous ses conseils en sont la preuve ; je ne les oublierai pas. »

Hélas, chaque fois que Marie-Antoinette promet de ne pas oublier, elle oublie. Certes, pendant les deux mois qui suivront le départ de son frère, elle s'efforcera de suivre les *Réflexions données à la reine de France*. Elle fréquentera moins le « tripot » de la princesse de Guéménée, s'abstiendra de jouer gros et délaissera Paris au profit de Versailles, et du roi. Elle en sera récompensée, plus qu'elle ne pouvait l'espérer. Le 30 août 1777, elle annonce triomphalement à Marie-Thérèse :

— Je suis dans le bonheur le plus essentiel pour toute ma vie. Il y a déjà plus de huit jours que mon mariage est *parfaitement* consommé ; l'épreuve a été réitérée, et encore hier plus complètement que la première fois.

Voilà sept ans que Marie-Antoinette, Marie-Thérèse, et l'Europe attendaient ce moment, cet événement. Que l'opération ait eu lieu ou non, et Bernard Faÿ dans son *Louis XVI* [1] en a contesté la réalité, peu importe ! Le résultat est là. Il s'est enfin passé *quelque chose* qui efface les *rien*, toujours *rien*. Comme Louis XV, à soixante ans, avait découvert des plaisirs raffinés qu'il ignorait encore, son petit-fils, à vingt-trois ans, découvre le simple plaisir et s'en déclare fort content. Il dit à ses tantes :

— J'aime beaucoup le plaisir et je regrette de l'avoir ignoré pendant tant de temps.

Découverte, et triomphe, de courte durée. Dix jours après avoir proclamé sa victoire, Marie-Antoinette doit reconnaître que le « roi n'a pas de goût de coucher à deux. Je l'entretiens à ne pas faire séparation totale sur cet article. Il vient quelquefois la nuit chez moi. Je ne crois pas devoir le tourmenter pour venir

1. Perrin.

143

plus souvent, parce que d'ailleurs il vient me voir tous les matins dans mon cabinet particulier. Son amitié et sa tendresse augmentent tous les jours [1] ».

Mercy a une opinion différente :

« J'observerai d'abord que c'est une échappatoire de la reine lorsqu'elle dit dans sa lettre que "le roi n'a pas de goût de coucher à deux". Il m'est bien démontré qu'il n'y a jamais eu de répugnance, et qu'il n'a interrompu cette habitude qu'à cause des veillées de la reine au jeu. Il se couche de bonne heure pour se lever matin ; il ne sait jamais quand la reine se retirera, il ne veut point la gêner : voilà la vraie raison qui établit le lit à part, [...]. »

La reine n'a pas su tenir longtemps, comme elle l'avait promis à son frère, ses bonnes résolutions. Elle est revenue, avec une ardeur accrue, à ses dissipations, à ses bals, à ses « tripots ». Joseph II, qui l'apprend, multiplie les recommandations et les lettres. Marie-Antoinette n'y répond que « par des échappatoires qui auraient presque l'air de plaisanterie ». La reine s'émancipe de plus en plus...

La chaleur de l'été 1777 est accablante. Il n'est plus question d'aller profiter de la fraîcheur de l'aurore puisque cela a donné naissance à un libelle tellement ordurier. On a donc résolu, à l'instigation du comte d'Artois, de profiter de la fraîcheur du soir, en sortant, vers dix heures, sur la terrasse du château où joue la musique des gardes françaises et suisses. En écoutant ses airs préférés, Marie-Antoinette se promène avec une seule dame de sa suite — en général, Mme de Polignac — au milieu d'une foule venue de Versailles pour profiter du concert, et de la présence de sa souveraine.

La reine porte une robe de percale, des voiles de mousseline et un grand chapeau. C'est ce que portent

1. Marie-Antoinette à Marie-Thérèse, le 10 septembre 1777.

toutes les femmes présentes. Aussi la reine risque-t-elle d'être confondue avec ces dernières. Cela n'arrive que deux fois, d'abord avec un jeune commis de la guerre, puis avec un garde du corps de Monsieur. Ces deux brèves et innocentes rencontres inspireront des couplets dont l'indécence indignera le roi lui-même. On y affirme que Marie-Antoinette quitte la terrasse pour les bosquets où elle donne de galants rendez-vous. Pareille calomnie rendra plausible, dans l'affaire du Collier, le rendez-vous soi-disant donné par la reine à Rohan. C'est d'ailleurs en août 1777 que Louis de Rohan est nommé grand aumônier, en dépit de l'opposition de Marie-Antoinette.

Dès qu'il a appris ces sorties nocturnes, Mercy n'a pas manqué de prévoir que « surtout pour la reine, de pareilles promenades peuvent produire de grands inconvénients ».

Plus que jamais, le pauvre Mercy est la « voix clamant dans les déserts ». Marie-Antoinette l'écoute, lui et Vermond, « avec grâce et bonté » mais n'en suit pas moins ses caprices et ses plaisirs. La reine joue, elle perd, le roi paie. Pour la première fois, Marie-Antoinette ment effrontément à sa mère à qui elle affirme qu'elle ne joue plus qu'au billard, et qu'elle a abandonné les jeux de hasard. À l'en croire, elle ne ferait que lire et jouer... de la harpe. Navrée, Marie-Thérèse se demande : « Il n'y a peut-être qu'un revers sensible qui l'engageât à changer de conduite, mais n'est-il pas à craindre que ce changement n'arrive trop tard ? »

Comment Marie-Antoinette pourrait-elle être sage dans une Cour qui semble saisie de folie, la dernière en date étant la construction de Bagatelle, en sept semaines, et cela, à la suite d'un pari entre la reine et son beau-frère, Artois ?

« La circonstance la plus inouïe est que, comme les matériaux manquaient, [...] M. le comte d'Artois donna ordre que des patrouilles du régiment des gardes suisses allassent à la découverte sur les grands chemins, pour y saisir toutes les voitures qu'elles rencontreraient chargées de pareils matériaux [...]. On payait sur-le-champ la valeur de ces matériaux ; mais comme cette denrée se trouvait déjà vendue à des particuliers, il en résultait de cette méthode une sorte de violence qui a révolté le public. On ne conçoit pas que le roi tolère de semblables légèretés, et malheureusement on ajoute la supposition qu'elles ne seraient point souffertes sans la protection que leur accorde la reine [1]. »

Marie-Antoinette a beau assurer qu'elle n'est pour rien dans les « imprudences » de son beau-frère. On ne la croit pas. On ne la croit plus. Trop tard.

Le 30 décembre 1777, Maximilien-Joseph, électeur de Bavière, meurt, sans laisser d'héritier direct. Joseph II voit là un moyen « idéal » de s'emparer de la Bavière, « le coup pourra réussir sans guerre ». Moins optimiste en apprenant cette mort, Marie-Antoinette craint aussitôt que son frère « ne fît des siennes », comme elle l'écrit à Mme de Polignac.

Dès qu'elle ne voit plus la comtesse Jules qui, connaissant les bienfaits de l'absence, multiplie les cures et les petits voyages, Marie-Antoinette se révèle, en digne fille de Marie-Thérèse, une incomparable, une infatigable épistolière. Voilà qui étonnerait bien sa mère !

1. Mercy, le 19 novembre 1777.

Une mère trop abusive
et un jumeau idéal
(1778)

L'affaire de Bavière est la première que doit affronter Marie-Antoinette. Voilà des années que Marie-Thérèse priait sa fille de ne pas s'occuper des affaires de l'État. Marie-Antoinette aurait souhaité que Choiseul redevînt ministre. Marie-Thérèse s'y opposait parce qu'elle jugeait Choiseul trop intelligent, donc, dangereux, ce qui en dit long sur son peu d'estime pour les ministres de son gendre...

Dans le cas présent, l'impératrice a besoin de Marie-Antoinette. Elle va la supplier d'intervenir auprès de son mari pour le maintien de l'alliance franco-autrichienne que menace l'imbroglio bavarois. Marie-Thérèse ne craindra pas d'agiter le spectre de sa propre mort pour parvenir à ses fins. La trop vulnérable Marie-Antoinette n'aura plus qu'à « baisser la tête », comme elle dit, et à obéir.

Quel est donc cet imbroglio bavarois auquel Marie-Antoinette va être mêlée, malgré elle ? À la mort de l'électeur de Bavière, le 30 décembre 1777, Joseph II avait négocié avec son successeur, l'électeur palatin Charles-Théodore, la cession de quelques districts bavarois à l'Autriche qui prétendait y avoir des droits remontant au... quinzième siècle ! « Jugez combien des droits peu constatés et surannés, [...] doivent être mesurés pour ne pas causer de troubles dont tant de malheurs suivront », écrit à Joseph II Marie-Thérèse qui ne veut pas la guerre. C'est le langage de la raison,

Joseph II ne l'entend pas. Le 15 janvier, il occupe les districts de Basse-Bavière, provoquant une immédiate levée de boucliers. Frédéric II masse ses troupes sur les frontières de la Bohême. Les autres prétendants à la succession de Bavière, comme l'électeur de Saxe ou le duc des Deux-Ponts, s'agitent dangereusement et sont prêts à unir leurs troupes à celles de Frédéric II. Quant aux Bavarois, hostiles aux Autrichiens, ils refusent une occupation qu'ils jugent injustifiée.

En France renaît la peur de cette Autriche qui, pour s'agrandir, a multiplié, pendant deux siècles, ces guerres auxquelles on avait cru, pour toujours, mettre un terme en unissant un prince français, Louis-Auguste, à une archiduchesse autrichienne, Marie-Antoinette. Tout est-il à refaire ? Il faut, à tout prix, éviter le recommencement de pareilles calamités, et maintenir l'alliance franco-autrichienne. Sa rupture « me donnerait la mort », écrit Marie-Thérèse à Marie-Antoinette, le 1er février 1778. En lisant ces mots soulignés, la reine « pâlit » et « c'est par cette secousse qu'elle a été mise dans le mouvement et l'inquiétude ». Elle se précipite aussitôt chez le roi à qui elle ne cache aucune de ses craintes, et, à sa stupéfaction, Louis-Auguste répond :

— C'est l'ambition de vos parents qui va tout bouleverser ; ils ont commencé par la Pologne, maintenant la Bavière fait le second tome, j'en suis fâché par rapport à vous.

Décontenancée par cette inhabituelle fermeté de ton, Marie-Antoinette reprend :

— Mais vous ne pouvez pas nier, Monsieur, que vous étiez informé et d'accord sur cette affaire de Bavière.

— J'étais si peu d'accord, réplique le roi, que l'on vient de donner des ordres aux ministres français de faire connaître, dans les Cours où ils se trouvent, que ce démembrement de la Bavière se fait contre notre gré et que nous le désapprouvons.

On ne saurait être plus clair. Louis XVI l'emporte sur Louis-Auguste. Marie-Antoinette en est atterrée. Joseph II ne le sera pas moins quand il sera informé de cette attitude, lui qui prenait son beau-frère pour un « enfant ». Comme Marie-Thérèse, Joseph II agite le spectre de sa propre mort dont Marie-Antoinette ne peut que se sentir responsable, « puisque vous ne voulez pas empêcher la guerre », a-t-il l'audace, la cruauté, de lui écrire le 19 février.

Marie-Antoinette cède à ce double chantage, convoque les ministres Maurepas et Vergennes, leur parle « fortement ». Les ministres objectent les dépenses qu'entraînerait une guerre contre la Prusse et que ne permet pas le mauvais état des finances. Alors la reine se retourne vers le roi, et le supplie, avec d'autant plus de force qu'elle sent les prémices de cette grossesse tant espérée. « J'ai un peu vomi, ce qui augmente mes espérances », écrit-elle à sa mère, le 19 avril. Et elle ajoute : « Je serais trop heureuse si les affaires pouvaient s'arranger et me délivrer des alarmes et des plus grands malheurs que je puisse éprouver. »

Mai 1779. La grossesse de la reine est certaine. Le 5, Mercy constate que « le roi, qui est au comble de la joie, voit la reine plus souvent et plus longtemps ; il en est résulté entre ces deux augustes époux des entretiens fort intéressants sur les affaires présentes ». On ne saurait être plus cynique. Louis-Auguste ne peut plus rien refuser à une Marie-Antoinette enceinte, après tant d'années d'attente...

Juillet 1779. Tous les efforts diplomatiques pour empêcher la guerre entre l'Autriche et la Prusse ont échoué. Le 5, Frédéric II pénètre en Bohême et le 7, la guerre est déclarée. Marie-Thérèse, qui sait que l'armée prussienne est plus forte que l'armée autrichienne, s'affole et communique son affolement à Marie-Antoinette qui pleure et annule une fête à Trianon. À ce détail, Louis-Auguste comprend le désespoir de son épouse. Faut-il que son Antoinette soit inquiète pour renoncer à un divertissement !

Harcelée par sa mère et par Mercy, Marie-Antoinette presse le roi de hâter la conclusion d'une paix convenable pour l'Autriche dont les troupes battent en retraite. Quel cadeau que cette guerre pour l'enfant qui va naître ! Cette fois-ci, Louis-Auguste va l'emporter sur Louis XVI. Il explique à Marie-Antoinette qu'« il ne pouvait pas supporter de la voir en si grande inquiétude, qu'il voulait faire tout au monde pour apaiser sa douleur, qu'il y avait toujours incliné, mais que ses ministres l'avaient retenu ».

Là-dessus, en août, la situation de l'Autriche empirant, Marie-Thérèse lance à Marie-Antoinette cet appel désespéré :

— Sauvez votre maison et votre frère !

La reine se précipite chez le roi qui est en conférence avec Maurepas et Vergennes. Il est temps que ces ministres ne « retiennent » plus le roi. Et que demande la reine ? Une intervention armée ? Non, simplement une médiation de la France pour arrêter les « effusions de sang » dans une Bohême « saccagée ». Les ministres respirent. Hostiles à la guerre, ils sont favorables à la médiation qui aboutira, au printemps 1779, à la paix de Teschen.

La médiation de la France étant assurée, Marie-Antoinette peut se consacrer à son plus cher souci, l'enfant qu'elle porte. Elle ménage sa santé. Elle ne se livre plus aux dissipations. Elle se promène, elle chante, elle joue de la harpe, mais ce qu'elle continue de préférer à tout, c'est la présence de la comtesse Jules :

« La reine ne peut se passer de la société de cette jeune femme ; elle est dépositaire de toutes ses pensées, et je doute fort qu'il y en ait d'exceptées à cette confiance sans bornes [1]. »

Quant à la pauvre Lamballe, « Sa Majesté ne peut s'empêcher d'être intérieurement très dégoûtée de sa surintendante, [...]. Tout cela tourne au profit de la comtesse de Polignac, qui en devient d'autant plus chère à la reine, et qui reste seule maintenant en possession de la faveur qu'elle partageait ci-devant avec une rivale [2]. »

1. Mercy.
2. *Ibid.*

150

Pour conjurer les angoisses de l'affaire de Bavière et les affres de la première grossesse, les soupirs de Lamballe ne sont d'aucun secours. Marie-Antoinette a besoin de la gaieté de Mme de Polignac, d'entendre ses perpétuels pépiements d'oiseau sans cervelle. Avec la comtesse Jules, la reine peut évoquer des affaires autres que celles de la Bavière, comme les affaires d'Amérique dans lesquelles la France a pris, contre l'Angleterre, le parti des insurgés. Le marquis de La Fayette va se joindre à ces insurgés, malgré l'opposition de sa famille, malgré la défense du roi, entraînant à sa suite son beau-frère, le vicomte de Noailles, et d'autres jeunes nobles, des Ségur, des Pontgibault, des Gouvion. C'est un engouement, c'est un délire d'enthousiasme, on se coiffe aux « insurgents », on joue au « boston » ; est-ce assez mode, est-ce assez drôle d'imaginer la fine fleur de Versailles dans les déserts américains ? Ensemble, la reine et la comtesse peuvent se livrer, sans contrainte, à leur mutuel penchant pour la moquerie. Elles passent au crible les événements, les personnages, les étrangers de marque qui se pressent à Versailles où ils sont généralement assurés du bon accueil de la reine, toujours à l'affût de visages nouveaux et d'exotisme. Quand on sait que, pour la reine, l'exotisme commence aux portes de Paris, à Claye, en Brie...

En août 1778, on parle beaucoup, à la Cour comme à la ville, et Marie-Antoinette ne peut l'ignorer, d'un jeune noble suédois, le comte Axel de Fersen. Il y a, au dix-huitième siècle, un mythe du beau Suédois, comme il y aura, au vingtième, celui de la belle Suédoise. Fersen, le « beau Fersen », comme on l'appelle en Suède et en France, est un séducteur impénitent. Il est grand, mince, élégant, brillant. C'est, d'après l'une de ses amies, Mme de Korff, « une âme brûlante sous une écorce de glace ». Il a le charme de celui qui joue la froideur et l'inaccessibilité, réservant, dans le secret des alcôves, des fougues inattendues. Si Fersen, discret, ne parle jamais de ses conquêtes, ses conquêtes, elles, n'observent pas le même silence, et, comblées, chantent ses louanges. Il appartient, visiblement, à la race des inoubliables. Ce qui explique le mot de Marie-Antoinette quand elle revoit Axel en août 1778 :

— Ah ! c'est une ancienne connaissance !

Dans une lettre à son père datée du 26 août, Fersen raconte ses retrouvailles avec la reine :

« C'est mardi passé que je me suis rendu à Versailles pour être présenté à la famille royale. La reine qui est charmante dit en me voyant : *Ah ! c'est une ancienne connaissance,* le reste de la famille ne me dit pas le mot. »

On peut interpréter ce « Ah ! c'est une ancienne connaissance » comme une preuve de la proverbiale mémoire des reines, qui se souviennent toujours de quelqu'un qu'elles ont rencontré. On peut en déduire aussi que Marie-Antoinette n'a pas oublié la brève rencontre du 30 janvier 1774, à l'Opéra de Paris, pendant un bal masqué. La Dauphine était masquée, le comte ne l'était pas. Elle a pu examiner à loisir cet étranger et retenir son visage...

Le 8 septembre, Fersen écrit à nouveau à son père :

« La reine qui est la plus jolie et la plus aimable princesse que je connaisse, a eu la bonté de s'informer souvent de moi ; elle a demandé à Creutz[1] pourquoi je ne venais pas à son jeu le dimanche et ayant appris que j'étais venu un jour qu'il n'avait pas eu lieu, elle m'en a fait une espèce d'excuses. »

Le ton monte. La reine n'est plus seulement « charmante », elle est la « plus jolie et la plus aimable des princesses ». L'« âme de feu » se manifesterait-elle sous l'« écorce de glace » ? Et si Marie-Antoinette s'informe souvent du Suédois, c'est que Marie-Antoinette s'intéresse au « beau Fersen ». C'est indéniable. Le tout est de savoir jusqu'où va cet intérêt. Dans sa lettre du 8 septembre, après avoir rendu

1. Ambassadeur de Suède à Paris.

hommage à la « plus jolie » et à la « plus aimable princesse », Fersen notait : « *Sa grossesse avance et elle est très visible.* »

Marie-Antoinette, qui accouchera en décembre, est enceinte de cinq mois. Ce n'est pas le moment propice pour le commencement d'une liaison. Certes, l'Autrichienne et le Suédois ont beaucoup de traits communs. Tous deux sont également blonds et entrent dans leur vingt-troisième année. Comme la reine, Fersen aime dépenser et sa dépense, à Paris, s'élève à mille livres par mois, ce qui effraie son sénateur de père. Comme la reine, il aime les fêtes, les bals, les masques. Il s'est déguisé en berger, en jockey, en géant, en montreur d'ours. Comme la reine, il se couche tard et transforme sa nuit en jour. Il aime les arbres, surtout ceux de Paris qui forment, note-t-il, des « berceaux sous lesquels il fait bon se promener ».

En Fersen, Marie-Antoinette reconnaît son double masculin, son jumeau idéal. Ils sont fraternellement unis par tant de goûts, tant d'affinités, à partager. Que vouloir de plus ? Parfois la reine manifeste un caprice, caprice de femme enceinte. En novembre, elle demande à son nouvel ami de venir à la Cour dans son uniforme d'officier suédois, un bel uniforme jaune et bleu qu'elle ne manque pas d'admirer. Cela suffit à provoquer les pires suppositions.

Toujours en novembre, à la veille d'être mère, Marie-Antoinette doit faire face à un déchaînement de libelles plus odieux les uns que les autres, dans lesquels on attribue à l'enfant qui va naître tous les pères possibles, sauf celui qui l'est vraiment, Louis-Auguste. Marie-Antoinette s'en plaint à Mme de Polignac et à Mme de Chimay :

— Il faut avouer que je suis bien malheureuse d'être traitée si durement.

Elle soupire et ajoute :

— Mais s'il est méchant de la part des autres de me supposer des amants, il est bien plus singulier de la mienne que j'en aie tant à ma charge et que je me passe de tous.

Mme de Polignac et Mme de Chimay, qui savent exactement à quoi s'en tenir sur la vertu de la reine, ne peuvent que reconnaître l'exactitude de sa déclaration, et déplorer l'ignominie de ces libelles calomnieux payés par Mesdames, par le comte de Provence et par le duc de Chartres. Les horreurs de la famille continuent...

Novembre 1778. La reine, de son propre aveu, n'a pas d'amants. Et si elle en avait eu, dans ce temps-là et dans les temps qui suivront, Mercy, je le répète, Mercy qui sait tout, se serait empressé de signaler l'heureux élu à Marie-Thérèse et à Joseph II. Dans la correspondance de Mercy, pas une fois, pas une seule, j'insiste, le nom de Fersen n'est mentionné. Son nom ne figure pas non plus, d'après Gustave Desjardins, parmi les habitués de Trianon.

Marie-Antoinette trouvera en Fersen cet « ami des femmes » dont toutes les femmes rêvent, qu'elles peuvent parer de toutes les perfections auxquelles l'épreuve du lit, tombeau souvent des illusions, est épargnée. Contrairement à Mme de Polignac, Fersen ne demandera rien et n'abusera pas du penchant qu'il inspire à Marie-Antoinette. Comme on faisait remarquer à la reine que la préférence qu'elle accordait aux étrangers pouvait lui nuire auprès des Français, elle répondit, sans illusion aucune :

— Que voulez-vous ? C'est que ceux-là ne me demandent rien.

Quand elle avait senti, pour la première fois, remuer l'enfant qu'elle portait, Marie-Antoinette en avait informé gaiement son mari :

— Je viens, Sire, me plaindre d'un de vos sujets assez audacieux pour me donner des coups de pied dans le ventre.

Émoi, puis joie du roi quand il avait compris qu'il s'agissait d'une plaisanterie... Maintenant, ce sujet « assez audacieux » veut naître, et, le 19 décembre, en fin de matinée, Vermond l'accoucheur, frère de l'abbé de Vermond, crie :

— La reine va accoucher !

C'est le tumulte, la ruée vers la chambre de Marie-Antoinette où sont réunis Lamballe, Polignac, la famille royale au complet, les princes et les princesses de sang. Cela fait beaucoup de monde, mais une reine de France se doit d'accoucher en public, et des curieux en profitent, dont deux Savoyards qui, sans façons, montent sur un meuble pour mieux profiter du spectacle. C'est dans cette incroyable cohue que l'enfant naît, c'est une fille que l'on emporte aussitôt pour l'emmailloter et la remettre à sa gouvernante, la princesse de Guéménée. Le roi et la foule suivent la nouveau-née.

Quelques instants plus tard, l'accoucheur crie :

— De l'air, de l'eau chaude, il faut une saignée au pied.

Marie-Antoinette perd connaissance. Mme de Lamballe l'imite, ajoutant à la confusion.

« [...] le monarque ne fut pas témoin de l'accident qui, par la grande présence d'esprit de l'accoucheur, fut dissipé en quatre minutes au moyen de cinq palettes de sang tirées au pied [1]. »

La reine est sauvée. On se félicite, on s'embrasse, on pleure de joie. Versailles, Paris, la France sont en liesse. Aux pleurs de joie succèdent les feux de joie sur les places publiques. La reine demande à voir sa fille. Elle aurait certainement préféré un fils. Qu'importe ?

— Un fils eût plus particulièrement appartenu à l'État. Vous serez à moi ; vous aurez tous mes soins ; vous partagerez mon bonheur et vous adoucirez mes peines, annonce Marie-Antoinette à sa fille.

Elle est fière d'être mère. Et Louis-Auguste ne cache pas son orgueil d'être, enfin, père :

« Le roi, auquel un exercice habituel est devenu nécessaire pour la conservation de sa santé, n'a pas

1. Mercy. Contrairement à ce que raconte Mme Campan, le roi n'était pas là pour ouvrir les fenêtres, et donner de l'air à la reine.

voulu sortir du château pour faire la moindre promenade pendant les huit premiers jours des couches. Au réveil de la reine, il se trouvait le premier au chevet de son lit, et y passait une partie de la matinée ; il y revenait à différentes reprises l'après-midi, y restait toute la soirée, et partageait le temps de la journée à aller de chez la reine auprès de son auguste enfant auquel il marque la tendresse la plus touchante [1]. »

Le jour même de sa naissance, l'enfant est baptisée dans la chapelle du château, en présence du roi, par le cardinal de Rohan. Elle reçoit les prénoms de Marie-Thérèse Charlotte. Elle a pour parrain le roi d'Espagne que représente Monsieur, et pour marraine l'impératrice d'Autriche que représente Madame. Pour être distinguée de Madame, épouse de Monsieur, on l'appellera « Madame, fille du roi ».

Le lendemain de ses couches, le 20 décembre, Marie-Antoinette n'a qu'une pensée : écrire à sa mère, fût-ce au crayon. Mercy l'en dissuade : cet effort pourrait nuire à sa santé. Pour sa mère encore, Marie-Antoinette voudrait se faire peindre avec son enfant dans ses bras. Mercy trouve que c'est prématuré. L'impératrice d'Autriche est avertie de l'heureux événement par un courrier spécial et marque sa joie en envoyant à sa fille deux vases « en bois pétrifié, ornés de pierres précieuses ». Cassés pendant le voyage, ces vases ne parviendront pas à leur destinataire.

Le 31, l'« auguste accouchée » se lève et entretient Mercy de ses projets d'éducation concernant « Madame, fille du roi ». Elle veut « éloigner des premiers regards de l'enfant royal toutes les images de grandeur ». Car, en même temps que l'enfant, naît en Marie-Antoinette un nouveau personnage : la mère. Une mère qui s'efforcera de ne pas être aussi abusive que la sienne le fut, et l'est encore, et qui donne à Marie-Thérèse Charlotte un surnom ravissant : Mousseline.

1. Mercy.

Madame Scandale
(1779)

> *C'est en l'année 1779, ma chère amie, que j'ai fait pour la première fois le portrait de la reine, alors dans tout l'éclat de sa jeunesse et de sa beauté. Marie-Antoinette était grande, admirablement bien faite, assez grasse sans l'être trop. Ses bras étaient superbes, ses mains petites, parfaites de forme, et ses pieds charmants. Elle était la femme de France qui marchait le mieux...*
>
> Mme VIGÉE-LEBRUN.

En apprenant les couches de Marie-Antoinette, une femme de la cour déclarait :

— Nous espérons que la reine se conduira mieux l'année prochaine.

C'est-à-dire que, l'année prochaine, la reine donnera à la France ce Dauphin tant désiré qu'annoncent des poètes comme Imbert :

> *Pour toi, France, un Dauphin doit naître.*
> *Une princesse vient pour en être témoin ;*
> *Sitôt que vous voyez une Grâce paraître,*
> *Croyez que l'Amour n'est pas loin.*

Les poètes, la Cour, la ville, la France, le roi veulent maintenant ce Dauphin. Marie-Thérèse, elle aussi, s'impatiente déjà et demande si elle devra encore attendre sept ans. « Il nous faut absolument un Dauphin », répète-t-elle à sa fille à qui elle reproche son plan d'éducation pour Mousseline :

« Je ne conviens aucunement qu'on doit rayer les étiquettes dans le plan d'éducation des enfants de notre naissance, mais tout luxe, mollesse et service chargé. La mode d'à cette heure selon Rousseau, où on les rend paysan à force de liberté, ne me plaît pas, [...] il faut les accoutumer dès leur enfance à la représentation, pour obvier à tant d'inconvénients inévitables lorsque le souverain et sa famille ne se distinguent pas par la représentation de l'ordre des particuliers. C'est un point essentiel, surtout à l'égard de la nation française, aussi vive que légère. »

En fait, Marie-Thérèse exprime ici clairement ses craintes de voir Mousseline devenir une autre Marie-Antoinette, une reine qui ne tient pas sa Cour pour courir à Trianon ou à Paris, qui considère son métier, et la représentation qui y est attachée, comme autant d'importunités.

Malgré l'empressement général à la voir enceinte dans les plus brefs délais, Marie-Antoinette se déclare « un peu dégoûtée » de ses couches et exprime le désir « de ne pas devenir grosse de plusieurs mois ». Mercy, et l'abbé de Vermond, se hâtent de ramener la reine dans le droit chemin de la procréation. Après quelques jours de rébellion, Marie-Antoinette se résigne à souhaiter la « grossesse la plus prochaine possible ». Après quoi, Vermond estime qu'il a largement accompli son devoir. Il prend une semi-retraite et ne viendra plus à Versailles qu'une ou deux fois par semaine. Il demeurera ainsi l'indispensable trait d'union entre Mercy et Marie-Antoinette, le conseiller, le confident et même le comptable. Il aide la reine à établir le montant de ses dettes. En 1778, elle a perdu 14 000 louis au jeu et en a gagné 6 494. La perte nette s'élève à 7 556 louis. Marie-Antoinette promet à Vermond — qui doit lever les yeux au ciel dans l'attente d'un miracle — de modérer ses dépenses en 1779 ! Mais, comment ne pas célébrer la naissance de Mousseline par des dons qui, dès le début de l'année, compromettent ses finances ? Elle accorde cinq cents livres de dot à cent jeunes ménages, confie des aumônes considérables aux curés de diverses paroisses et fait libérer les prisonniers pour dettes.

Le 8 février 1779, accompagnée du roi, de Monsieur et de Madame, du comte et de la comtesse d'Artois, Marie-Antoinette va à Paris, remercier solennellement Dieu, à Notre-Dame et à Sainte-Geneviève, de sa délivrance. Sur le passage du cortège, on entend quelques rares « vive le roi ! vive la reine ! ». La joie populaire qui, le 19 décembre, a accompagné la naissance de Mousseline ne se renouvelle pas. Ce n'est pas la ferveur qui a poussé les Parisiens à venir, c'est la curiosité, une curiosité silencieuse. Les temps sont durs, le pain a encore augmenté. À la reine qui ne comprend rien à cette « tiédeur », Mercy explique, sans ménagement, que l'« idée de la dissipation, des dépenses qu'elle occasionne, enfin l'apparence d'un désir immodéré de s'amuser dans un temps de calamités et de guerre, tout cela peut aliéner les esprits ».

Le déclin de Marie-Antoinette commence ce jour-là, insidieusement. Il y aura des rémissions, des retours de popularité. Mais le virus est installé. Depuis son accession au trône, on attendait tout de la reine dont on connaissait le pouvoir extrême sur le roi. À la place de quoi, on a eu des frivolités. Non seulement Marie-Antoinette ne s'occupe pas des affaires sérieuses de son royaume, mais elle semble s'en moquer. Son attitude laisse croire qu'elle insulte la misère des gens. Terrible équivoque que rien ne dissipera.

Quand elle apprend cette « tiédeur », Marie-Thérèse ne manque pas d'en trouver la raison dans « l'impression moins sensible que l'apparition des souverains produit lorsque, contre l'usage ancien, les sujets s'accoutument à les voir plus souvent et sans représentation ». En effet, pourquoi se dérangerait-on pour applaudir une reine qui se conduit comme n'importe quelle bourgeoise et qui vient en voiture au bal de l'Opéra ? Quand elle écrit ses commentaires sur le manque d'empressement des Parisiens, Marie-Thérèse ignore encore la fameuse « affaire du fiacre » qu'elle ne va pas tarder à apprendre, et dans tous ses détails, par Mercy :

« [...] la reine partit de Versailles sans suite ; elle descendit à Paris à l'hôtel du premier écuyer [1], où Sa Majesté monta dans une voiture de particulier, et qui ne put pas être reconnue. Malheureusement cette voiture était si vieille et mauvaise qu'elle cassa dans une rue à quelque distance du théâtre [...] il fut trouvé impossible de raccommoder la voiture, l'heure qu'il était ne permettait pas non plus de se donner le temps nécessaire à faire chercher un bon carrosse : on arrêta le premier fiacre qui vint à passer, et la reine arriva au bal dans cette voiture. »

Marie-Antoinette n'est pas arrivée, au bal de l'Opéra, en clamant « c'est moi en fiacre, n'est-ce pas bien plaisant ? ». Elle semble assez mortifiée par cette mésaventure et l'est davantage quand elle en apprend l'exploitation qu'en tirent les pamphlétaires. On parlera d'une aventure galante avec le duc de Coigny puisque c'est à l'hôtel du duc que la reine s'est arrêtée pour monter dans la vieille voiture. D'où ces conséquences :

« Une fois que ces idées de galanteries furent éveillées, il n'y eut plus de bornes à toutes les sottes préventions désagréables du jour, encore moins aux calomnies qui circulaient à Paris sur le compte de la reine : si elle avait parlé à la chasse ou au jeu à MM. Édouard de Dillon, de Lambertye ou à d'autres dont les noms ne me sont plus présents, c'étaient autant d'amants favorisés. [...] [2] »

1. Le duc de Coigny.
2. Mme Campan.

Avant d'être Madame Déficit, Marie-Antoinette est Madame Scandale. « Tranquillisée par l'innocence de sa conduite », elle dédaigne, plus que jamais, ces faux bruits. Résultat ? Elle peut doter cent ménages, multiplier ses sourires à la foule, cela ne suffit plus. Oui, décidément, 1779 marque la fin de l'état de grâce dont la reine a joui jusqu'alors. Une reine qui se promène en fiacre, la nuit, dans Paris, cela n'est vraiment pas sérieux. Comment Marie-Antoinette ne s'attarde-t-elle pas aux inconvénients suscités par son équipée ? En ce même mois de février, elle se doit de participer à la gloire d'un La Fayette revenu d'Amérique, tout auréolé par ses hauts faits.

— Donnez-moi des nouvelles de nos bons Américains, de nos chers républicains, dit-elle au héros du jour, avec une étourderie que désapprouverait son frère, qui, pendant son séjour en France, avait répondu à ceux qui chantaient les louanges des républicains américains :

— Mon métier à moi est d'être royaliste.

Depuis qu'elle a pris le parti des insurgés, en 1778, la France est en guerre contre l'Angleterre. Fidèle à l'idée monarchique et au principe d'autorité que les colons révoltés battent en brèche, le roi a beaucoup hésité avant de se lancer dans ce conflit. Necker, qui avait succédé à Turgot, n'était pas plus favorable à une entreprise qui se révélerait des plus dispendieuses, et qui, effectivement, coûtera au budget de 1 000 à 1 300 millions de livres. On est loin, très loin des dépenses reprochées à Marie-Antoinette pour ses toilettes et son Trianon...

Certains ministres comme Maurepas et Vergennes, qui penchaient en faveur d'une alliance avec les États-Unis, avaient fini par l'emporter. N'étaient-ils pas soutenus par la reine ? Ces ministres-là y voyaient essentiellement la revanche sur l'Angleterre, après l'humiliation du traité de Paris. En patronnant une révolte, ils préparaient la révolution. Marie-Antoinette, qui ne se rendait guère compte des dangers du présent, ne pouvait pas prévoir les périls de l'avenir. Elle affichait hautement sa sympathie pour les Américains, et sa protection pour La Fayette.

Une reine protégeant des révoltés, quelle audace ! En 1779, Marie-Antoinette n'en est plus à une audace près. On dirait qu'elle les accumule exprès. Elle a la rougeole. Cela ne pourrait être qu'un événement. Cela devient un scandale pour la Cour et pour la ville puisque la reine a choisi pour gardes-malades quatre messieurs, Coigny, Guines, Besenval et Esterhazy qui passent pour ses amants. On jase, on se livre « à toute sorte de propos très fâcheux, à de mauvaises plaisanteries tenues à la cour même, où l'on mit en question de savoir quelles seraient les quatre dames choisies pour garder le roi dans le cas où il tombât malade [1] ».

Les ducs de Coigny et de Guines, le baron de Besenval et le comte Esterhazy resteront trois semaines à Trianon avec la reine. Ils auront même la prétention d'y passer les nuits. Horrifié, Mercy s'y opposera et le galant quatuor devra renoncer à cette « ridicule idée ». Mercy n'est pas au bout de ses peines. Après dix jours de ce compagnonnage insolite, il intervient auprès de la reine pour qu'elle daigne adresser quelques mots au roi qui, lui aussi, est interdit de Trianon. Sa proposition est « rejetée avec une aigreur extrême ». Il faudra que l'abbé de Vermond quitte précipitamment sa retraite pour obtenir de Marie-Antoinette qu'elle écrive à Louis-Auguste qu'« elle avait beaucoup souffert mais que ce qui la contrariait le plus était de se voir privée encore pour plusieurs jours du plaisir d'embrasser le roi ». Ces quelques mots arrachés à la reine ravissent le roi qui y répond. Une correspondance s'engage entre les deux époux.

Quand elle apprend la nouvelle incartade de Marie-Antoinette, Marie-Thérèse ne cache pas son déplaisir : « La compagnie de ces quatre messieurs dont ma fille a fait le choix pendant sa maladie m'a bien affligée. » Ces lignes datent du 30 avril. L'affliction de l'impératrice sera de courte durée puisque le 1er mai, elle

1. Mercy.

annonce personnellement à la reine la fin de l'affaire de Bavière, la signature de la paix. Les affaires du fiacre et de la rougeole sont oubliées dans l'allégresse qui unit les deux femmes. Oubliés aussi les « ce qui me donnerait la mort » ou les « puisque vous ne voulez pas empêcher la guerre »...

Est-ce pour atténuer un peu les effets de la rougeole et du scandale qu'elle a engendré que Marie-Antoinette, qui se souvient alors qu'elle a une belle-sœur qui a maintenant quinze ans, Élisabeth, l'invite à un premier séjour à Trianon ? Enchantée par cette compagnie, la reine annonce qu'« il n'y avait rien de si aimable que sa petite belle-sœur, qu'elle ne la connaissait pas encore bien, mais qu'elle en avait fait son amie et que ce serait pour la vie ».

Imprévisible Marie-Antoinette qui, pendant trois semaines, se plaît à écouter les fadaises faisandées de ces quatre hommes choisis parmi les plus corrompus de la Cour et puis qui, brusquement, se délecte des propos dévots de l'immaculée Élisabeth.

La reine apprend que, pendant sa « retraite-rougeole » à Trianon, des « indignes personnes » ont essayé, une fois de plus et en pure perte, d'induire le roi à se livrer « aux désordres de la galanterie ». Le 4 juin, explication entre les deux époux :

« Dans une conversation qu'elle eut avec ce monarque, le 4 de ce mois, il tint à son auguste épouse un langage infiniment cordial et tendre ; il lui dit entre autres qu'il l'aimait bien de tout son cœur, et qu'il pouvait lui jurer de n'avoir jamais éprouvé ni sensation ni sentiment pour aucune femme, hors pour elle seule. La reine fit grande attention à cette phrase, et en conclut que le roi soupçonnait qu'elle avait connaissance des projets de lui donner une maîtresse [1]. »

1. Mercy.

Toutefois, la reine, bien qu'assurée de l'immuable fidélité du roi, préfère prendre toutes les assurances possibles : elle « s'est proposé, pour autant que cela dépend d'elle, qu'il ne se passera pas de semaine sans qu'elle ait des habitudes matrimoniales avec le roi[1] ».

L'alerte porte ses fruits et on ne tarde pas à espérer une nouvelle grossesse. Espoir déçu : Marie-Antoinette fait une fausse couche. Pour s'en consoler, elle s'occupe « avec plus d'attention que jamais » de sa fille. La maternité n'a pas, pour le moment, amendé cette Madame Scandale autant qu'on pouvait l'espérer. L'éducation de sa fille ne suffit pas à l'occuper pleinement. L'ennui, le redoutable ennui ne lâche pas sa proie. Pour le chasser, Marie-Antoinette continue à jouer au pharaon et à perdre obstinément. Ses pertes au jeu sont la fable de Versailles, de Paris, et des Cours européennes. À la fin de 1779, ses finances sont aussi « dérangées » qu'au début de l'année. À ce désagrément s'en ajoute un autre : la comtesse Jules est malade. Quant à la princesse de Lamballe, elle « est devenue pour Sa Majesté un objet d'ennui et d'embarras, au point que cela tourne à la déplaisance ». Parmi tant d'importunités, un sujet de contentement : Marie-Antoinette a un nouveau valet de chambre-coiffeur des plus doués, Léonard Antié. Léonard aura autant d'importance que Rose Bertin, sinon plus, puisqu'il saura tellement se rendre indispensable à la reine qu'elle l'entraînera dans la fuite à Varennes, avec toutes les funestes conséquences que l'on verra...

1. Mercy.

Départ de Fersen,
avènement de la duchesse Jules
et mort de Marie-Thérèse
(1780)

La comtesse Jules met à profit son « dépérissement » — lequel ne dissimule rien d'autre qu'un début de grossesse — pour essayer de soutirer à la reine de nouvelles faveurs. Elle souhaiterait « en pur don, un domaine du roi de cent mille livres de rente ». Les cinq cent mille livres de rentes annuelles que dénonçait Mercy ne suffisent vraisemblablement plus aux Polignac.

Pour obtenir une telle gratification, la comtesse Jules sent que son seul crédit n'y parviendra pas. Pour servir à ses projets, elle enrôle le comte d'Artois. Devant l'union Polignac-Artois, Marie-Antoinette, bien qu'effrayée « par une idée si déraisonnable », est sur le point de céder. Dès qu'elle apprend cette intrigue, Marie-Thérèse écrit à Mercy le 1er janvier 1780 :

« Je suis frappée de l'intérêt que ma fille prend à procurer à la famille de Polignac un établissement aussi exorbitant. L'entremise du comte d'Artois dans cette affaire augmente mes justes soupçons sur le caractère intrigant de ce prince (et que ce prince est la plus dangereuse liaison pour ma fille). »

Ne croirait-on pas lire les considérations d'un Laclos ? C'est la seule fois de sa vie où l'impératrice d'Autriche pourra être comparée à l'auteur des *Liaisons dangereuses* !

À la mi-janvier, on annonce que la comtesse Jules est enceinte. Ses malaises n'étaient inquiétants que pour les finances du roi :

« Après un enchaînement de manœuvres qu'il serait trop long et inutile de déduire ici, il a été décidé que la comtesse de Polignac renoncerait à sa demande du comté de Bitch, mais qu'elle aurait quatre cent mille livres pour payer ses dettes, la promesse d'une terre de trente-cinq mille livres de revenus, et huit cent mille livres en argent pour la dot de sa fille. [...] On croit pouvoir réussir à tenir secrète une grâce aussi extraordinaire qu'exorbitante. Il est plus que probable qu'elle sera connue dans peu de temps, et elle ne peut manquer d'occasionner beaucoup de murmures et de dégoûts[1]. »

Les « murmures » et les « dégoûts » ne tardent pas à envahir les gazettes de Paris. Il en résulte un sérieux mécontentement contre la reine qui l'apprend, en est peinée et regrette de ne pas avoir coupé court à cette demande. Elle avoue à Mercy que la « comtesse de Polignac était toute changée et qu'elle ne la reconnaissait plus ». Devant cette constatation, Mercy se garde de crier victoire : « Je n'infère point de là que cette favorite ne se soutiendra pas encore longtemps ; mais, par son avidité, elle a mis dans l'âme de la reine un germe de dégoût qui à la longue pourrait opérer plus décisivement, et pour le moins mettre un frein aux abus de faveur. » On n'en est pas encore là...

Un instant menacée par l'affaire du comté de Bitch, la faveur des Polignac ne saurait être plus complète.

Que devient Axel de Fersen pendant ce temps ? Marie-Antoinette semble s'occuper davantage de la comtesse Jules que du comte Axel. Le 13 mars 1780, Fersen, nommé aide de camp du général Rocham-

1. Mercy.

beau, s'embarque pour l'Amérique. Sur cette période nous avons le témoignage de Creutz qui écrit à Gustave III :

« Le jeune comte de Fersen a eu dans cette occasion une conduite admirable par sa modestie et par sa réserve, et surtout par le parti qu'il a pris d'aller en Amérique. En s'éloignant, il écartait tous les dangers ; mais il fallait évidemment une fermeté au-dessus de son âge pour surmonter cette situation. La reine ne pouvait pas le quitter des yeux les derniers jours ; en le regardant ils étaient pleins de larmes. [...] Lorsqu'on sut le départ du comte, tous les favoris en furent enchantés. La duchesse de Fitz-James lui dit : "Quoi, monsieur, vous abandonnez ainsi votre conquête ? — Si j'en avais fait une, je ne l'abandonnerais pas, répondit-il, je pars libre, et malheureusement sans laisser de regrets." »

Autre version du voyage en Amérique de Fersen, celui de la comtesse de Boigne :

« La reine fut coquette pour lui [Fersen] comme pour tous les étrangers, car ils étaient à la mode ; il devint sincèrement et passionnément amoureux, elle en fut touchée mais résista à son goût et le força à s'éloigner. Il partit pour l'Amérique, [...]. »

Pour Creutz, Fersen s'éloigne de son plein gré, provoquant le chagrin de la reine. Pour la comtesse de Boigne, Fersen s'éloigne à la demande de la reine. Où est la vérité ? Comment la rétablir dans ce fatras d'anecdotes dont la plupart — et Nesta Webster l'a magistralement, irréfutablement prouvé dans son *Marie-Antoinette intime*[1] — sont fausses ? Ainsi, la reine n'a pas pu chanter « sans pouvoir dissimuler son trouble », avant le départ de Fersen, en mars 1780, l'air de *Didon* :

1. La Palatine, 1957, rééd. La Table Ronde, 1981.

puisque *Didon* ne fut représenté pour la première fois
que le 16 octobre 1783.

Fersen s'en va le 13 mars. Si elle en éprouve du chagrin, Marie-Antoinette le cache parfaitement. Le 16,
elle écrit à Marie-Thérèse une lettre débordant du
bonheur d'être la mère de la robuste Mousseline :

« [...] elle est grande, elle est forte, on la prendrait
pour un enfant de deux ans. [...] J'ose confier au tendre cœur de ma chère maman un bonheur que j'ai eu
il y a quatre jours. Étant plusieurs personnes dans la
chambre de ma fille, je lui ai fait demander par
quelqu'un où était sa mère. Cette pauvre petite, sans
que personne lui disait mot, m'a souri et est venue me
tendre les bras. C'est la première fois qu'elle a marqué
me connaître ; j'avoue que cela m'a fait une grande
joie, [...]. »

À cette joie s'en ajoute une autre, celle de revoir ses
amies d'enfance, Louise et Charlotte de Hesse-
Darmstadt.

Dans les jours qui suivent le départ de Fersen,
Mercy note qu'« il ne s'est rien passé de remarquable
relativement à ce qui concerne la reine ». Il se
contente de signaler l'introduction de jeux nouveaux
« qui ressemblent au colin-maillard, qui aboutissent à
donner des gages qu'il s'agit ensuite de racheter par
quelques pénitences bizarres, et le grand mouvement
que cela occasionne est souvent prolongé bien avant
dans la nuit. [...] La reine convient du mauvais
effet que cela doit produire dans l'opinion publique ».

Voilà des jeux autrement nuisibles pour Marie-
Antoinette que le départ de Fersen !

La réputation de la reine continue à souffrir des
faveurs qu'elle dispense, sans répit, à la comtesse
Jules, laquelle veille à ce que son amant, le comte de
Vaudreuil, ne soit pas oublié dans la distribution. Il

reçoit une pension du roi s'élevant à 30 000 livres. Marie-Thérèse en est indignée et exige une explication que Marie-Antoinette fournit avec une précision qui frôle la sécheresse :

« M. de Vaudreuil est un homme de condition qui a bien servi, et dont les parents se distinguent dans la guerre actuelle. Il n'a jamais demandé des grâces, et sa fortune ne lui faisait pas désirer celles d'argent. Il a beaucoup de biens aux îles, mais il n'en reçoit rien à cause de la guerre. Le roi lui avait donné 30 000 livres non de pension, mais seulement jusqu'à la paix. »

Le pouvoir absolu n'est pas celui qu'un Louis XVI est censé exercer sur ses sujets, c'est celui que la comtesse Jules exerce sur la reine et, maintenant, sur le roi :

« Ce qui affermit la comtesse de Polignac dans sa position, c'est que le roi semble avoir contracté une sorte d'amitié pour elle : il lui sait gré d'être devenue une ressource essentielle pour la reine, il s'habitue lui-même dans la société de cette favorite ; lorsqu'elle est absente de Versailles, le monarque prend soin de lui écrire pour l'avertir et des moments où sa présence peut devenir le plus nécessaire ou agréable à la reine. Ladite comtesse influe en effet souvent dans une partie des arrangements de la cour[1]. »

On croit rêver. La comtesse Jules règle jusqu'aux déplacements de la reine. En effet, Marie-Antoinette renonce, et la Cour avec, à un séjour à Marly pour être proche de son amie qui est sur le point d'accoucher. Et quand la comtesse accouche en juin, à la Muette, la reine accourt chaque jour voir sa favorite. Tant d'empressement provoque une plaisanterie qui fait rire aux éclats Versailles et Paris : « L'enfant de Mme de Polignac est-il de la reine ou de M. de Vau-

1. Mercy, le 17 avril 1780.

169

dreuil, puisque M. de Polignac est en province depuis un an ? » Plaisanterie qui donne le ton des libelles abominables qu'engendre la trop voyante faveur de la comtesse Jules qui, en octobre, voit son époux devenir « duc héréditaire ».

L'avènement de la duchesse Jules n'empêche pas Marie-Antoinette de se souvenir de sa favorite déchue, la princesse de Lamballe, qui a perdu son frère, le prince de Carignan :

« À la nouvelle de la mort du prince de Carignan, [...] la reine vint en ville pour voir cette dernière et passer quelques moments avec elle. Cette marque de bienveillance est la seule que la surintendante ait éprouvée depuis fort longtemps ; déchue de tout crédit, elle ne paraît que bien rarement à la Cour et passe sa vie avec le duc de Penthièvre, son beau-père, qui habite presque dans toutes les saisons de l'année ses maisons de campagne [1]. »

Mme de Lamballe, comme Mme du Barry, ont régné, chacune à leur façon, un moment, sur Versailles. Toutes deux vivent dans la retraite, à la campagne. Ainsi s'écoulent la gloire, et la faveur, des grands de ce monde...

Une retraite que Marie-Antoinette trouve de plus en plus à Trianon où elle peut, loin de la Cour, vivre en paix et même soigner... sa constipation :

« Quoique la reine soit très sobre, qu'elle ne prenne aucune nourriture irritante et qu'elle n'use d'aucune boisson fermentée, elle a, malgré cela, le sang fort échauffé, ce qui se manifeste par des aphtes dans l'intérieur de la bouche, par une constipation fréquente et par un dérangement dans le sommeil [2]. »

Rien, décidément, n'échappe à la vigilance de Mercy, même pas la constipation de la reine !

1. Mercy.
2. *Ibid.*

À Trianon, en cet été 1780, Marie-Antoinette se découvre une nouvelle passion : le théâtre. L'inévitable Mercy a assisté aux deux premières représentations de *Rose et Colas*, un opéra-comique de Sedaine et Monsigny, et du *Devin de village* de Jean-Jacques Rousseau. Vaudreuil chante le rôle du Devin, et Marie-Antoinette celui de Colette :

« La reine a une voix très agréable et fort juste, sa manière de jouer est noble et remplie de grâce ; en total ce spectacle a été aussi bien rendu que peut l'être un spectacle de société. J'observai que le roi s'en occupait avec une attention et un plaisir qui se manifestaient dans toute sa contenance ; pendant les entractes il montait sur le théâtre et allait à la toilette de la reine. [...] Le théâtre, qui a été construit en petit sur les dessins du grand théâtre de Versailles, est d'une forme très élégante, et d'une richesse de dorures qui devient presque un défaut, et qui a été un objet de grande dépense[1]. »

Au théâtre de Trianon, on joue ensuite *l'Anglais à Bordeaux* de Favart, *le Sorcier* de Poinsinet, *la Gageure imprévue* de Sedaine où la reine interprète un rôle de servante... Marie-Thérèse daigne approuver le goût que manifeste sa fille pour le théâtre puisqu'il l'éloigne de divertissements autrement dangereux comme le jeu ou l'équitation.

Le 3 novembre, au lendemain du vingt-cinquième anniversaire de Marie-Antoinette, Marie-Thérèse écrit, avec une tendresse inaccoutumée : « Madame ma très chère fille, j'étais hier toute la journée plus en France qu'en Autriche, et j'ai récapitulé tout cet heureux temps d'alors, qui est bien passé. Le souvenir seul en console... »

Cette lettre du 3 novembre sera la dernière que la reine recevra de sa mère. Le 29, l'impératrice d'Autriche meurt à l'âge de soixante-trois ans. Une mort à l'image de sa vie : un exemple de dignité et de force.

1. Mercy.

Atteinte d'un « durcissement des poumons », elle se sentait, disait-elle, « devenir intérieurement comme de la pierre ». Elle a pris congé de ses enfants, les présents et les absents. En prononçant le nom de Marie-Antoinette, elle n'a pas caché son émotion, puis, reprenant son calme, elle a dit :

— J'ai toujours désiré mourir ainsi ; mais je craignais que cela ne me fût pas accordé. Je vois à présent qu'on peut tout avec la grâce de Dieu.

Pendant la nuit du 29, elle a lutté contre le sommeil :

— Je crains de m'endormir, je ne veux pas être surprise, je veux voir venir la mort.

Cette leçon d'ultime courage, Marie-Antoinette ne l'oubliera pas à l'heure de sa propre mort.

La nouvelle du décès de Marie-Thérèse n'arrive à Versailles que le 6 décembre :

« La douleur de la reine fut telle qu'on devait la prévoir et la craindre. Une heure après avoir appris cet événement, elle prit le deuil de respect, en attendant que le deuil de Cour fût prêt ; elle resta enfermée dans ses cabinets pendant plusieurs jours, ne sortit que pour entendre la messe, ne vit que la famille royale et ne reçut que la princesse de Lamballe et la duchesse de Polignac. Elle ne cessait de parler du courage, des malheurs, des succès et des pieuses vertus de sa mère[1]. »

Le 10 décembre, Marie-Antoinette écrit à son frère, Joseph II, un billet où éclate son désarroi : « Accablée du plus affreux malheur, ce n'est qu'en fondant en larmes que je vous écris. Oh ! mon frère, oh ! mon ami, il ne me reste donc que vous dans un pays qui m'est, et me sera toujours cher. »

On peut se demander si cette immense peine ne se double pas d'un immense soulagement. Pour la première fois de sa vie, à partir de ce 6 décembre 1780, Marie-Antoinette n'a plus de compte à rendre à per-

1. Mme Campan.

sonne. Elle pourra s'orner de plumes et de diamants, perdre au jeu, multiplier les faveurs aux Polignac, galoper à travers la forêt de Fontainebleau autant qu'elle voudra, sans avoir à craindre les réprimandes maternelles. La voix à la fois aimée et redoutée de Marie-Thérèse s'est tue, à jamais. Marie-Antoinette est libre d'agir à sa guise.

Une orpheline de vingt-cinq ans
(1781)

Le plus insupportable des deuils n'empêche pas que la terre tourne, que le soleil se lève et que la vie continue... En avril 1781, Marie-Antoinette est enceinte, elle porte un enfant qui sera ce Dauphin dont Marie-Thérèse souhaitait, avec tant d'ardeur et d'impatience, la naissance.

— Il faut bien jouir du temps de la jeunesse, le moment de la réflexion viendra, et alors les frivolités disparaîtront, avait, un jour, avoué Marie-Antoinette à Mercy.

Pour cette orpheline de vingt-cinq ans, le moment de la réflexion est venu, croit-elle, il ne durera pas longtemps, cédant vite la place aux habituelles frivolités et autres « dissipations »...

Certes, la mort de sa mère plonge Marie-Antoinette dans un désespoir qui s'accompagne, peut-être, de remords. Elle se rend compte qu'elle n'a pas été la fille que Marie-Thérèse souhaitait, c'est-à-dire, une autre Marie-Thérèse. Elle doit même reconnaître qu'elle a été une anti-Marie-Thérèse, plus soucieuse de ses plaisirs que du bonheur de ses sujets.

Dans cette épreuve, Marie-Antoinette se rapproche de Louis-Auguste, resserre ses liens d'affection avec sa belle-sœur Élisabeth.

En cette traversée du désert, Marie-Antoinette trouve une oasis : le petit Trianon qui, avec son Belvédère et son Temple de l'Amour, a atteint une perfection que salue le prince de Ligne : « Je ne connais rien de plus beau et de mieux travaillé que le Temple et le pavillon. » Il célèbre le rocher, les chutes d'eau, les arbres, la grotte, la rivière, les plates-bandes de fleurs, sauf une à laquelle il trouve « l'air un peu trop ruban ».

L'intérieur vaut l'extérieur. Guirlandes de flèches et de cœurs, Amours jouant aux angles des corniches, satyres ayant des grappes de raisin à la place de la barbe, nids débordant de roses et de colombes, c'est le triomphe de l'allusion et de l'illusion. Les roses n'ont pas d'épines, les flèches de l'Amour ne blessent pas, les satyres sont inoffensifs. C'est aussi le triomphe du style Louis XVI que l'on appelle de plus en plus, de nos jours, le style Marie-Antoinette. Louis-Auguste, qui partage son temps entre la chasse et les affaires de l'État, a laissé à sa femme le soin de faire appel aux artistes de son temps, les Houdon, les Clodion, les Roentgen, les Goutière.

La bibliothèque du petit Trianon comporte 2 930 volumes — combien Marie-Antoinette en a-t-elle lus ? — et la salle de bains, une baignoire en marbre blanc. La reine préfère nettement les ablutions à la lecture. Elle a accroché aux murs de sa chambre deux tableaux de Wermuller, deux tableaux-souvenirs représentant l'opéra et le ballet exécutés au mariage de Joseph II par ses frères et ses sœurs. Celle que l'on appelait alors Madame Antoine y figure, vêtue d'un corsage rouge et d'une jupe de satin blanc. Ces deux tableaux ont été offerts en 1778 à la reine par l'impératrice d'Autriche. Ah, Marie-Thérèse, Marie-Thérèse, sa mort a effacé ses abus, et Marie-Antoinette « ne trouvait dans son affliction d'autre soulagement que de s'entretenir de cette mère chérie [1] » !

Marie-Antoinette a beau fuir à Trianon les obligations et la politique, elle ne peut complètement les ignorer. Le 19 mai 1781, Necker, victime de ses tentatives de réformes économiques et des intrigues de

1. Mme Campan.

Maurepas, donne sa démission. Le bruit de sa chute ébranle Trianon, Versailles, Paris, les provinces. « Toutes les personnes impartiales sont affligées », écrit une amie d'Élisabeth, la marquise de Bombelles. Faut-il ranger, parmi ces « personnes impartiales », Marie-Antoinette ? Oui, si l'on en croit Mme Necker : « Une consolation pour nous dans le monde, s'il peut en exister, c'est que la reine partage notre patriotisme, elle a pleuré samedi toute la journée. » Maurepas ne profitera pas longtemps de sa victoire sur Necker. Il mourra en novembre. Il ne sera pas pleuré par la reine.

C'est à Trianon, fin juillet 1781, que Marie-Antoinette reçoit Joseph II dans une intimité aussi stricte que l'*incognito* de son frère qui, cette fois, est complètement respecté. Encore plus qu'à son premier séjour, Joseph II est sensible aux charmes de sa sœur qu'il trouve « digne de toute sa tendresse ». Marie-Thérèse est présente dans leurs entretiens et Joseph II ne manque pas de rappeler combien l'impératrice a souhaité, jusqu'à ses derniers jours, la naissance d'un Dauphin. Tout le monde attend ce Dauphin à qui l'on donne, à l'avance, le surnom de « Consolateur ». Tout le monde s'en mêle et joue les bons prophètes. « Votre sorcellerie est bien aimable de me promettre un garçon. J'y ai beaucoup de foi et je n'en doute nullement », écrit Marie-Antoinette à son amie, Louise de Hesse-Darmstadt.

Cette fois a sa récompense. Le 22 octobre, la reine met au monde un garçon, Louis-Joseph-Xavier-François. Les tumultes, les désordres qui avaient accompagné la naissance de Mousseline ne se renouvellent pas. La reine a accouché devant un public seulement composé par la famille royale et par ses familiers, ce qui faisait pas mal de monde...

À peine né, l'enfant a été remis à sa gouvernante, la princesse de Guéménée. Marie-Antoinette, qui ne sait pas encore qu'elle a donné le jour à un garçon, soupire :

— Vous voyez comme je suis raisonnable, je ne vous demande rien.

Ivre de joie, Louis-Auguste s'approche alors de son épouse et dit :

— Monsieur le Dauphin demande d'entrer.

La princesse de Guéménée apporte Louis-Joseph à sa mère qui le prend dans ses bras, l'embrasse « avec effusion » et le rend avec ces mots :

— Prenez-le, il est à l'État, mais aussi je reprends ma fille.

À trois heures, Louis-Joseph est baptisé à la chapelle de Versailles par le cardinal de Rohan. Après la cérémonie, il reçoit le cordon bleu du Saint-Esprit et la croix de Saint-Louis. Si ces décorations n'impressionnent guère sa nourrice qui porte le nom prédestiné de Mme Poitrine, Louis-Auguste, lui, est dans le ravissement. Ce père de vingt-sept ans ne cesse pas de contempler son fils en répétant, sans s'en lasser :

— Mon fils, le Dauphin !

Sa joie trouve un écho à Vienne. Joseph II écrit à Mercy : « Je ne me croyais plus susceptible d'une joie de jeune homme, mais cet événement si désiré et dont je n'osais point me flatter vient réellement me tourner la tête. »

Dans cette liesse, le comte et la comtesse de Provence dissimulent leur mécontentement. Seul le comte d'Artois laisse percer son dépit devant cet héritier importun qui éloigne ses espoirs d'accéder au trône. À son fils qui s'exclame : « Mon Dieu, papa, qu'il est petit mon cousin ! » Artois répond :

— Il viendra un jour, mon fils, où vous le trouverez bien assez grand.

Excepté pour les Provence et les Artois qui ne voient en ce Dauphin qu'un obstacle supplémentaire dans leur course au pouvoir, l'allégresse est générale, à Paris comme dans les provinces. À Rouen, un comédien de passage chante ces vers dont il est l'auteur :

> *Pour le bonheur des Français*
> *Notre bon Louis seize*
> *S'est allié pour jamais*
> *Au sang de Thérèse.*
> *De cette heureuse union*
> *Il sort un beau rejeton.*

Douze ans plus tard, l'auteur de ce panégyrique plat et banal, Collot d'Herbois, changera de ton. Il votera la mort du « bon Louis XVI » et répandra le « sang de Thérèse ».

Pendant son séjour à Trianon, en août, Joseph II avait fait remarquer à sa sœur qu'elle avait en commun avec lui le « bonheur de jouir de l'amour de ses sujets ». Comment Marie-Antoinette pourrait-elle douter de cet amour-là quand, pendant les neuf jours qui suivent la naissance de son fils, chaque corporation vient de Paris, portant les insignes de sa profession et déclamant des compliments ? Parmi ce défilé ininterrompu, on remarque cent vingt dames de la Halle, qui étalent des excès de soie noire et de diamants. Trois d'entre elles sont admises au chevet de Marie-Antoinette et déclament avec entrain :

— Madame, il y a si longtemps que nous vous aimons sans oser vous le dire, que nous avons besoin de tout votre respect pour ne pas abuser de la permission de vous l'exprimer.

Toujours heureux d'entendre chanter les louanges de son épouse, le roi offre aux dames de la Halle un repas très copieux, et très arrosé, qui se termine par des chansons :

> *Y eut-il cent Bourbons cheux nous ;*
> *Il y a du pain, des lauriers pour tous.*

Les églises retentissent des *Te Deum* et les rues, de vivats. « La folie du peuple est toujours la même, huit jours après la naissance du Dauphin. On ne rencontre dans les rues que violons, chansons et danses [1]. » Jubi-

---

1. Mme de Bombelles, le 29 octobre 1781.

lation qui efface, momentanément, l'impopularité croissante de Madame Scandale. Et puis, la charité est de la fête. Le roi et la reine consacrent à des œuvres de bienfaisance une somme presque égale à celles qu'ont coûté les bâtiments de Trianon et que coûteront ceux du Hameau.

Louis-Joseph fera ses premiers pas à Trianon. Ce sera un enfant de Trianon. On serait tenté d'ajouter « comme sa mère ». Car Marie-Antoinette, elle aussi, est une enfant de Trianon. Elle est la fille de son œuvre. Elle a enfanté ce Trianon dont elle semble sortie et auquel son image est indissolublement liée. Légendaire bergère voguant sur des troupeaux de nuages et nourrissant de sa main des moutons célestes...

Des enfants voués au blanc
et à Trianon
(1782)

Comme pour la naissance de sa fille, la reine se doit d'aller célébrer solennellement celle de son fils à Paris. La dureté des temps — on est en guerre contre l'Angleterre, le pain manque —, le mauvais état des finances de la ville ont retardé ces fêtes officielles qui n'ont plus rien à voir avec les défilés spontanés des corporations et des dames de la Halle.

Inconsciente des difficultés, et des dépenses qu'entraînent de telles cérémonies, Marie-Antoinette demande s'il faudra attendre que le Dauphin soit en âge de danser pour assister à ce bal qui figure parmi les festivités prévues à l'Hôtel de Ville. Devant cette royale impatience, le prévôt des marchands, M. de Caumartin, ne peut que s'incliner et fixer les dates des fêtes aux 21 et 23 janvier 1782.

Ce 21 janvier, à neuf heures du matin, Marie-Antoinette quitte la Muette et se rend à Notre-Dame. Elle ignore qu'un pamphlet a été affiché à la porte de la cathédrale. On y affirme, entre autres horreurs, que le roi et la reine, « conduits sous bonne escorte en place de Grève », iraient à l'Hôtel de Ville confesser leurs crimes et qu'ensuite, ils monteraient à l'échafaud pour être « brûlés vifs ». Pamphlet prémonitoire puisque c'est un 21 janvier que le roi sera guillotiné.

Ce que Marie-Antoinette n'ignore pas — le comte d'Artois n'a été que trop heureux de l'apprendre à sa belle-sœur — c'est qu'un « grave danger » la menace à l'Hôtel de Ville. Menace sans effet. Le seul danger que court la reine, le 23, au bal de l'Hôtel de Ville, c'est d'être étouffée par la multitude. On avait invité treize mille personnes, il en est venu plus du double. Dans cette indescriptible cohue, Marie-Antoinette dansera jusqu'à deux heures du matin, et regagnera Versailles, enchantée.

Ces divertissements terminés, Marie-Antoinette peut enfin penser aux choses sérieuses, à ses toilettes de printemps, en compagnie de sa nouvelle dame d'atours, Geneviève d'Ossun, qui, depuis novembre 1781, a remplacé Mme de Mailly. Née en 1751, nièce de Choiseul, ce qui est une référence pour Marie-Antoinette, Geneviève de Gramont a épousé en 1766 le comte d'Ossun. Elle a aussi peu de fortune que Mme de Polignac à son arrivée à Versailles. Elle se contente de son traitement, quelques milliers de livres par mois, et ne demande rien pour elle, ni pour les autres, à la stupéfaction de Marie-Antoinette. À ce manque d'avidité, Geneviève d'Ossun ajoute le sens de l'économie. Elle veut freiner les pratiques « insensées » de Rose Bertin qui « porte à une somme totale sans aucun détail des prix des fournitures qui y sont entrées, comme elle vient encore de le faire pour le dernier habit du jour de l'An qu'elle porte d'un seul mot à 6 000 livres. Une somme aussi forte aurait bien mérité quelque détail ».

Entre Geneviève et Rose c'est la guerre. Marie-Antoinette s'en amuse. Tout l'amuse, cette enfant de Trianon, y compris la lecture de la liste des « habillements de printemps qui sont à la garde-robe de la reine pour servir au printemps 1782 ». Comment ne pas se divertir à choisir entre quatre robes sur grand panier, quatorze polonaises, vingt-huit lévites dont « une carmélite jaspée de soie, une prune de Monsieur, une merdoie », et une robe de mousseline brodée en or, cadeau de Marie-Thérèse ?

Marie-Thérèse aura été présente partout, y compris dans la garde-robe de sa fille !...

En ce printemps 1782, Marie-Antoinette et Rose Bertin décident que le marron, puce, prune, ou merdoie est démodé. La reine n'aime plus que le blanc, suivant un engouement venu des îles. Les créoles de Saint-Domingue ne portent que de la toile blanche, du linon, du calicot. Imiter cette simplicité coûte cher aux soyeux de Lyon qui crient à la ruine. Sans s'en soucier, Marie-Antoinette se voue au blanc, et à Trianon où elle s'habille en laitière, en fermière, en villageoise.

De telles toilettes exigent un décor adéquat. C'est en 1782 que Marie-Antoinette décide d'adjoindre au petit Trianon un « hameau sans prétention », ce sont ses propres termes. Pauvre hameau dont la construction — il sera achevé en 1788 — fera tant couler d'encre ! Pauvre Marie-Antoinette qui, pour aimer le blanc et la simplicité, se verra accuser des pires noirceurs !

Ce petit Trianon et ce Hameau que l'on a tant reprochés à la reine n'ont coûté que quelque 1 649 000 livres. On est loin *des* millions évoqués par le Tribunal révolutionnaire... Ce n'est que le prix d'un rêve. Ce Hameau de rêve a les apparences de la réalité : ferme, grange, poulailler, moulin, laiterie. Rêve de reine, revu et corrigé par l'architecte Mique et le peintre Hubert Robert. La charité y a sa place : en 1785, Marie-Antoinette installera au Hameau douze familles pauvres qu'elle entretiendra à ses frais. Sur tout cela se sont édifiées des légendes de grottes en diamants, de moutons tondus avec des ciseaux d'or. C'est exactement le contraire. À Trianon et au Hameau, Marie-Antoinette mène la vie que l'on menait dans le Schönbrunn de son enfance. Elle peut entrer dans son salon sans que les femmes interrompent leurs tapisseries, et les hommes, leurs parties de billard. Elle n'est plus la reine de France, elle est la châtelaine de Trianon. Comme une châtelaine, elle veille au bien-être, aux divertissements de ses invités.

Interrompus en 1781 par le deuil qu'imposait la mort de Marie-Thérèse, les spectacles reprennent à Trianon avec *le Sage étourdi, la Veillée villageoise, les Deux Chasseurs et la laitière*. Marie-Antoinette veille à tout, s'occupe de tout. C'est une animatrice-née. Elle aurait fait merveille, de nos jours, dans un club, avec son sens des réceptions et de la fête...

En mai, réceptions et fêtes se succèdent à Trianon en l'honneur du grand-duc de Russie, fils de Catherine II, futur Paul Ier, et de sa femme. Ils se font appeler, *incognito* oblige, comte et comtesse du Nord. La baronne d'Oberkirch, qui assiste à l'une de ces fêtes, raconte :

« "Madame d'Oberkirch, me dit la reine, parlez-moi donc un peu allemand ; que je sache si je m'en souviens. Je ne sais plus que la langue de ma nouvelle patrie."

« Je lui dis plusieurs mots allemands ; elle resta quelques secondes rêveuse et sans répondre.

« "Ah ! dit-elle enfin, je suis pourtant charmée d'entendre ce vieux tudesque ; vous parlez comme une Saxonne, madame, sans accent alsacien, ce qui m'étonne. C'est une belle langue que l'allemand ; mais le français ! Il me semble dans la bouche de mes enfants l'idiome le plus doux de l'univers." »

Telle est la profession de foi de celle que Mesdames et leurs séides ont surnommée l'« Autrichienne ».

Septembre 1782. Après avoir été annoncée à plusieurs reprises, la faillite du prince de Guéménée est déclarée, son déficit s'élève à vingt-huit millions de livres. Tout le monde est plus ou moins atteint par cette faillite dont le scandale est énorme. Après quoi, la princesse de Guéménée ne peut, décemment, rester gouvernante des Enfants de France. Elle offre sa démission qui est acceptée. Qui va-t-on nommer à sa place ? Marie-Antoinette renonce à Mme de Chimay qui est trop austère et à Mme de Duras qui est trop pédante. La rumeur avance le nom de Mme de Polignac. Pressée par les amis de la duchesse Jules qui voient là un espoir de nouveaux profits, Marie-Antoinette répond :

— Mme de Polignac ? Je croyais que vous la connaissiez mieux ; elle ne voudrait pas de cette place.

Mme de Polignac en voudra pourtant. Au scandale de la faillite Guéménée succède le scandale de la nomination Polignac. Mais, comme l'écrit à ce propos, un courtisan, le 9 octobre 1782, « il est de toute justice que la mère choisisse la bonne de ses enfants ». Marie-Antoinette ne cache pas sa satisfaction d'avoir choisi sa bonne. Elle connaît l'indolence de la duchesse Jules et sait parfaitement qu'elle n'exercera guère sa charge. À travers Mme de Polignac, c'est Marie-Antoinette qui sera la véritable gouvernante de ses enfants. Rôle qu'elle prend de plus en plus au sérieux. Mercy s'en irrite. En décembre, il écrit à Joseph II :

« Depuis qu'elle s'occupe de l'éducation de son auguste fille et qu'elle la tient continuellement dans ses cabinets, il n'y a presque plus moyen d'y traiter aucun objet important ou sérieux qui ne soit à tout moment interrompu par les petits incidents des jeux de l'enfant royal, et cet inconvénient ajoute à un tel point aux dispositions naturelles de la reine à être dissipée et inattentive, qu'elle écoute à peine. »

Depuis la mort de l'impératrice d'Autriche, Mercy rend compte à Joseph II des paroles et des gestes de Marie-Antoinette. Mais cela n'a plus l'intérêt de ses lettres à Marie-Thérèse. On sent que Marie-Antoinette ne veut plus retomber dans l'esclavage autrichien. Elle n'en fait plus qu'à sa tête, sa « tête à vent », comme répétait Joseph II. A-t-elle jamais agi autrement ? N'a-t-elle pas toujours suivi ses caprices, malgré les remontrances de sa mère et de son ambassadeur ? Mercy, Vermond, sont maintenant là, comme des meubles familiers. À vingt-sept ans, Marie-Antoinette découvre que son enfance est terminée et que celle de sa fille et de son fils commence. Elle y veillera de très près. Mousseline et Louis-Joseph seront voués au blanc, et à Trianon, comme leur mère.

La chute d'un ange
et le triomphe de l'angélisme
(1783)

La divine amitié n'est pas le fait d'un monde
Qui s'en étonnera toujours
Et toujours il faudra que ce monde confonde
Nos amitiés et nos amours.

Jean COCTEAU.

Les favorites de Marie-Antoinette, si privilégiées soient-elles, n'échappent pas à l'une des plus anciennes lois qui régissent le destin des humains et qui veut que la chute suive, de près, l'élévation. On se souvient que le déclin de Mme de Lamballe avait commencé alors qu'on la croyait au comble de la faveur et qu'elle venait d'être nommée surintendante. En devenant gouvernante des Enfants de France, Mme de Polignac atteint le sommet de la grandeur. Son mari est nommé directeur général des postes aux chevaux. Le couple reçoit une pension supplémentaire de 80 000 livres. À Versailles, comme à Paris, la toute-puissance de Mme de Polignac et de son clan est une évidence que plus personne ne songe à discuter...

En cet été 1782, cela fait sept ans que Mme de Polignac règne. Entre la comtesse Jules, débutante qui jouait les effarouchées et qui osait avouer son peu de fortune, et la duchesse Jules qui fait et défait les ministres, ou les réputations, et qui montre sa splendeur avec une ostentation de nouvelle riche, quelle différence ! La comtesse Jules et la duchesse Jules n'ont plus grand-chose en commun. Dans cette affaire, Marie-Antoinette a le sentiment d'avoir été flouée et doit se rendre à l'évidence : elle aime quelqu'un qui n'existe plus, ou qui n'a existé que dans son imagination. Maintenant, elle peut comparer la rapacité de Mme de Polignac avec le désintéressement de Mme d'Ossun.

Avec celle-ci, Marie-Antoinette apprend qu'elle peut être aimée pour elle-même. Mme d'Ossun organise des petits dîners, des petits concerts, des petits bals, sans frais, ni prétention. Marie-Antoinette s'y plaît de plus en plus et se plaît de moins en moins dans le cercle Polignac où elle se sent maintenant une étrangère. Et quel cercle ! On dirait, tel que le présente Mme de Bombelles, l'un des cercles de l'Enfer de Dante :

« Et toute cette fameuse société est composée de personnes bien méchantes et montée sur un ton de morgue et de médisance incroyable. Ils se croient faits pour juger le reste de la terre [...]. »

Ces médisances amusaient la reine, elles ne l'amusent plus. Cette société ne respecte rien, même pas la religion, ce qui effraie Marie-Antoinette... Mais on n'efface pas, en un jour, sept ans de tendres complicités frivoles. Il est dur pour Marie-Antoinette de reconnaître qu'elle s'est trompée en choisissant pour « inséparable » Mme de Polignac. Comme Mercy et Vermond avaient raison de la prévenir contre cette femme perdue de réputation ! Comment a-t-elle pu accepter de telles compromissions ?

— Les reines s'ennuient dans leur intérieur et elles se compromettent chez les autres, explique Marie-Antoinette à Mme Campan.

Assurés qu'ils sont de pouvoir aller trop loin, les protégés affichent des airs protecteurs envers leur protectrice. Vaudreuil en prend à son aise, confondant familiarité et insolence. C'est plus que n'en peut supporter Marie-Antoinette qui, lassée par une suite de mufleries évidentes, fait comprendre à Mme de Polignac qu'elle ne souhaite plus rencontrer Vaudreuil, ni ses amis trop libertins et trop voltairiens. Réponse de la duchesse Jules :

— Je pense que parce que Votre Majesté veut bien venir dans mon salon, ce n'est pas une raison pour qu'elle prétende en exclure mes amis.

C'est dit et cela résonne aux oreilles de la reine comme un arrêt de mort. C'est la fin d'une amitié. C'est la chute d'un ange, de ce « cher ange » qui cachait un démon de cupidité. Mais ce n'est pas la rupture. Marie-Antoinette dissimule sa peine, sauve les apparences, prend la précaution quand elle va chez Mme de Polignac de demander qui s'y trouve pour éviter toute rencontre désagréable, et, pour bien montrer qu'elle est au-dessus d'une telle ingratitude, nomme son ex-inséparable, gouvernante des Enfants de France. C'est un cadeau d'adieu, comme le titre de surintendante l'avait été pour Mme de Lamballe.

Les faveurs, les titres, les pensions ne suffisent plus aux Polignac. Ils veulent participer aux affaires de l'État et nommer des ministres. C'est grâce à leur intervention que M. de Castries a obtenu récemment le ministère de la Marine et que M. de Ségur a obtenu le ministère de la Guerre. Le premier soin de Ségur a été d'interdire l'épaulette d'officier à qui ne possédait pas quatre quartiers de noblesse. On imagine le mécontentement qu'une telle mesure — que l'on ne manque pas d'attribuer à la reine — suscite.

Après la Guerre et la Marine, les Polignac s'attaquent aux Finances. Depuis le départ de Necker, les contrôleurs des Finances se sont succédé, Joly de Fleury, d'Ormesson, sans avoir le temps de faire leurs preuves, le premier de son incapacité, le second de son honnêteté incompatible avec un tel poste. Les Polignac ont un candidat, Calonne, qui jouit de leur faveur. Il n'a pas celle du roi ni celle de la reine. Pareil détail n'arrête pas les Polignac qui se révèlent des maîtres dans la tactique du harcèlement. M. de Calonne est nommé contrôleur général des Finances le

3 octobre 1783. « On lui crut des talents supérieurs, parce qu'il traitait légèrement les choses les plus sérieuses », écrira Mme de Staël dans ses *Considérations sur la Révolution française*.

Calonne laisse volontiers croire qu'il peut accomplir des miracles financiers. Des incrédules comme Vaudreuil, des sceptiques comme la duchesse Jules s'empressent de croire à ce genre de miracle. Le pieux Louis-Auguste, la très chrétienne Marie-Antoinette n'ont pas foi aux vertus de saint Calonne. Il s'occupera pourtant à sa façon des finances de la France puisque tel est le « bon plaisir » des Polignac. Marie-Antoinette, qui n'a plus guère d'illusion sur les Polignac et sur leurs amis, prédit que Calonne « achèvera de perdre les finances de l'État ». Elle ne se trompe pas. Calonne jongle avec les chiffres et les écus. Son habileté inspire une chanson que l'on place dans la bouche de Marie-Antoinette :

Calonne n'est pas ce que j'aime,
Mais c'est l'or qu'il n'épargne pas.
Quand je suis dans quelque embarras
Alors je m'adresse à lui-même.
Ma favorite en fait de même
Et puis nous en rions tout bas, tout bas.

La reine, dans l'affaire Calonne, regrettera sa faiblesse et reprochera, publiquement, à la duchesse Jules son intervention, affirmant que les finances sont dans les mains d'un « habile intrigant ». Mme de Polignac, qui n'a pas la facilité de Mme de Lamballe à s'évanouir, se contente de rire d'une telle affirmation. Décidément, le « cher ange » est infréquentable et son rire ne fait plus naître, en écho, celui de Marie-Antoinette.

Heureusement, pour la reine, 1783, ce n'est pas qu'une suite d'escarmouches avec le clan Polignac et la clique Calonne. 1783, c'est aussi la paix avec l'Angleterre. En avril, est signé le traité de Versailles qui consacre l'indépendance des Américains. La France en retire un grand prestige, d'immenses dettes et deux mots à la mode : indépendance et liberté. Les courses de chevaux « à l'anglaise » sont remplacées par la course à la liberté qui prendra son départ national un 14 juillet 1789.

De cette guerre d'Indépendance, Axel de Fersen revient, désabusé. « Nos alliés ne se sont toujours pas bien conduits avec nous, et le temps que nous avons passé avec eux nous a appris à ne pas les aimer ni les estimer. » Pour sa vaillante conduite pendant la guerre, Fersen a été décoré de l'ordre de Cincinnatus. Entre deux expéditions, il a beaucoup pratiqué le « repos du guerrier » à Newport. « Ici, j'ai beaucoup à faire, les femmes sont jolies, aimables et coquettes, voilà tout ce qu'il me faut. » Les femmes, toutes les femmes, ont toujours été la préoccupation majeure du Suédois qui retourne en France le 17 juin 1783. Il aura vingt-huit ans le 5 septembre. Marie-Antoinette en aura vingt-huit le 2 novembre. Au dix-huitième siècle, les approches de la trentaine sont celles de la maturité. S'il ne veut pas jouer les éternels jeunes hommes, Fersen doit s'établir, fonder une famille, bien qu'il soit satisfait d'être célibataire :

— Je me trouve fort bien de l'état de garçon. Je sens que celui du mariage ne me rendrait pas aussi heureux. À moins qu'il n'augmentât considérablement ma fortune, ce n'est pas la peine de se marier pour n'avoir que des peines, des embarras, et des privations de plus.

On ne saurait montrer plus de sens pratique. Fersen est fermement décidé à épouser une riche héritière. Mlle Leyel, puis Mlle Necker, et leurs dots, échappent successivement à ses convoitises.

Il s'en console aisément. Le 31 juillet 1783, il avoue à sa sœur Sophie :

« Je suis bien aise que Mlle Leyel soit mariée, on ne m'en parlera plus et j'espère qu'on n'en trouvera pas d'autre, j'ai pris mon parti, je ne veux jamais former le lien conjugal, il est contre nature. [...] Je ne puis pas être à la seule personne à qui je voudrais être, la seule qui m'aime véritablement, ainsi je ne veux être à personne. »

Cette « seule personne » qui « aime véritablement » Fersen, c'est Marie-Antoinette. Il y a mille façons d'aimer et Marie-Antoinette a choisi l'une des meilleures. Le cœur parle, le corps n'a plus qu'à se taire, c'est le triomphe des sentiments sur les sens. Fersen en est ébloui et répète :

— Jamais on ne m'a aimé comme cela.

Ce don Juan, cet inlassable conquérant des dames de Paris, de Londres, de Rome et de Newport, découvre que l'on peut être aimé *autrement*. Il répétera aussi : « C'est un ange de bonté. » Chacun succombe à l'angélisme qui permet toutes les audaces. Marie-Antoinette pourra, sans cesser d'être vertueuse, vivre son roman avec ce héros de roman qu'est Fersen, comme le rapporte dans ses *Souvenirs* le duc de Lévis : « Sa figure et son air convenaient très bien à un héros de roman, mais non pas d'un héros français dont il n'avait ni l'assurance, ni l'entrain. »

Justement, Fersen est différent des galants qui entourent Marie-Antoinette. Il n'a pas l'assurance d'un Lauzun, ni l'entrain d'un Tilly. Ce Tilly, qui fut l'un des pages de la reine, trace dans ses *Mémoires* un portrait de Fersen qui permet de mieux comprendre les sentiments qu'il inspire à Marie-Antoinette :

« C'était un des plus beaux hommes que j'aie vus, quoique d'une physionomie froide que les femmes ne haïssent pas quand il y a l'espérance de l'animer : je ne crois pas qu'il eût un esprit bien distingué mais ce qu'il en avait lui servit à se conduire avec calme et mesure dans la situation difficile à laquelle il arriva. Il aimait la musique, les arts et une vie tranquille ; il vécut sans intriguer et sans chercher l'éclat ; et durant tout le temps de sa faveur, si quelque chose put en faire soupçonner l'excès, ce fut une attitude plus modérée, plus respectueuse, qui participait un peu de l'affectation du courtisan. Mais il n'affectait rien, son art fut d'être simple. »

Entre le Fersen de 1778 qui vole de fête en fête et le

Fersen de 1783 qui aime « la vie tranquille », quelle évolution ! C'est aussi celle de Marie-Antoinette qui, de plus en plus, aime « la musique, les arts et une vie tranquille », et, par-dessus tout, la simplicité. Tout est simple aux simples, tout est pur aux purs. Le drame de Marie-Antoinette aura été d'être simple et pure dans un monde qui ne tolérait que l'affectation, la dissimulation et autres pollutions mentales.

Marie-Antoinette et Fersen : l'union de leurs deux cœurs est incompréhensible pour qui limite l'amour au sexe. Fersen, qui ne compte plus ses maîtresses, peut se permettre de chérir un ange. Marie-Antoinette, qui n'a connu que l'amour conjugal et son « bonheur essentiel », peut se permettre de chérir l'ange en Fersen, laissant, aux autres, la « bête » d'alcôve [1].

En juin 1783, quand Marie-Antoinette retrouve Fersen, elle pourrait répéter son « Ah ! c'est une ancienne connaissance ! ». Cet homme que la Dauphine a remarqué, que la reine a distingué, est là, devant elle, « vieilli de dix ans » par la guerre en Amérique et la vie des camps. Ce « vieillissement » n'a pas atténué sa séduction. Marie-Antoinette y est sensible, comme le sera, quelques mois plus tard, le roi de Suède, Gustave III :

« C'est à Erlang [...] écrit Fersen à son père, que j'ai joint le roi, jamais un frère séparé pendant long-temps d'un frère qu'il aime tendrement n'a été reçu comme je l'ai été par ce charmant monarque, il n'y a pas de paroles qui pussent l'exprimer, il pleurait de joie et de sensibilité, et j'étais très touché depuis ce moment, il n'y a aucune sorte de marques d'amitié et de confiance que je n'éprouve tous les jours. [...] Il était encore au lit quand j'arrivai, il me fit entrer sur-le-champ, il m'embrassa mille et mille fois, [...]

1. C'est ce que confirmerait l'interprétation de l'horoscope de Marie-Antoinette par Dicta Dimitriadis : « Mars en Cancer pousse la reine à retrouver l'enfance, à regarder l'avenir comme à travers une nébuleuse... Une bonne mère. Une amoureuse immature. *Elle a sûrement été chaste.* »

enfin il me reçut non en roi mais en ami tendre et sensible... Il me distingue de tous les autres en tout et partout. »

Quel dommage qu'il n'ait pas raconté ses retrouvailles avec la reine de France comme il raconte les siennes avec le roi de Suède ! On peut les imaginer — presque — semblables, Marie-Antoinette prodiguant à ce « frère » retrouvé des « marques d'amitié et de confiance ». Elle n'aura pas reçu Fersen en reine, mais en « amie tendre et sensible ».

Gustave III qui ne cache pas sa passion pour les beaux garçons succombe visiblement aux charmes de l'irrésistible Fersen. Fersen a-t-il succombé ? On n'en sait rien. Il a fort bien pu induire le roi en angélisme. Fascinant Fersen qui, en cette année 1783, est également « distingué » par la reine de France et par le roi de Suède ! Il n'en est pas grisé pour autant, et, toujours pratique, songe à en tirer le meilleur parti possible. Il a envie d'un régiment, le Royal-Suédois qui est à vendre. « Trop cher », estime son père qui refuse d'avancer la somme nécessaire pour cet achat. Qu'à cela ne tienne, la reine de France et le roi de Suède uniront leurs efforts pour que « leur » Fersen soit satisfait et obtienne son Royal-Suédois !

Le 19 septembre, Marie-Antoinette écrit à Gustave III :

« [...] Je profite du départ du comte de Fersen pour vous renouveler les sentiments qui m'attachent à Votre Majesté ; la recommandation qu'elle a faite au roi a été accueillie comme elle devait l'être, venant de vous et en faveur d'un aussi bon sujet. Son père n'est pas oublié ici : les services qu'il a rendus et sa bonne réputation ont été renouvelés par le fils, qui s'est fort distingué dans la guerre d'Amérique, et qui, par son caractère et ses bonnes qualités, a mérité l'estime et l'affection de tous ceux qui ont eu l'occasion de le connaître. J'espère qu'il ne tardera pas à être pourvu d'un régiment. »

Il le sera trois jours après. Le 21 septembre, Louis-Auguste nomme « M. le comte de Fersen maître de camp-propriétaire du Royal-Suédois ».

En amour, comme en amitié, Marie-Antoinette ne se donne pas : elle donne. Elle donne sans compter, c'est sa volupté suprême. Elle a donné tout ce qu'elle pouvait à Mme de Polignac. Elle agira de même avec Fersen.

Fersen quitte Marie-Antoinette en novembre pour aller rejoindre en Allemagne Gustave III qui, se livrant aux joies de l'*incognito*, y voyage sous le nom de comte de Haga. Peu après ce départ, la reine fait une fausse couche. Car elle était enceinte. Chaque fois que Fersen retrouve Marie-Antoinette, elle est *déjà* enceinte, ce qui exclut les possibilités de paternité que l'on a attribuées au beau Suédois, et ce qui, je le répète, n'est pas des plus favorable à l'épanouissement de « ces plaisirs qu'on nomme, à la légère, physiques... ».

L'angélisme offre des avantages certains qui permettent d'unir joies de la grossesse et triomphe des sentiments. Marie-Antoinette et Louis-Auguste peuvent pleurer ensemble — et ils ne s'en privent pas — l'enfant perdu. Et Fersen redire, comme pour s'en convaincre, « jamais on ne m'a aimé comme cela ».

Un ballon nommé
Marie-Antoinette
(1784)

L'hiver qui suit le départ de Fersen, l'hiver 1784-1785, est des plus rigoureux. Louis-Auguste et Marie-Antoinette rivalisent de charité. Les pauvres de Paris, reconnaissants, édifient pour le roi un obélisque de neige où l'on peut lire :

> *Louis, les indigents que ta bonté protège*
> *Ne peuvent élever qu'un monument de neige*
> *Mais il plaît davantage à ton cœur généreux*
> *Que le marbre payé du pain des malheureux.*

et pour la reine une pyramide de neige qui porte cette inscription :

> *Reine, dont la bonté surpasse les appas*
> *Près d'un roi bienfaisant occupe ici la place*
> *Si ce monument frêle est de neige et de glace*
> *Nos cœurs pour toi ne le sont pas.*

Cela fait oublier les pamphlets incessants, avec d'affreux couplets comme :

> *Louis, si tu veux voir*
> *Bâtard, cocu, putain*
> *Regarde ton miroir*
> *La reine et le dauphin.*

Les panégyriques fondent avec la neige. Les horreurs verbales restent, et, de bouche à oreille, s'amplifient, salissant tout sur leur passage. De cette boue, Marie-Antoinette n'a pas le temps de se soucier, attentive, en cet hiver-là, à secourir les misérables. Elle n'hésite pas, quand sa bourse est vide, à en appeler à la charité des autres, comme le rapporte Mme de La Tour du Pin :

« Elle trouvait près de sa porte un des deux curés de Versailles qui lui remettait une bourse, et elle faisait la quête à chacun, hommes et femmes, en disant : "Pour les pauvres, s'il vous plaît." Les femmes avaient chacune leur écu de six francs dans la main et les hommes leur louis. La reine percevait ce petit impôt charitable suivie d'un curé, qui rapportait souvent jusqu'à cent louis à ses pauvres, et jamais moins de cinquante. »

Pour Marie-Antoinette, la charité est une entreprise familiale. Elle y fait participer sa fille et son fils qui, pour leurs étrennes 1784, reçoivent le plus beau des cadeaux : ils apprennent à donner.

« Voulant encore donner à ses enfants une leçon de bienfaisance, elle m'ordonna de faire apporter de Paris, comme les autres années, la veille du jour de l'An, tous les joujoux à la mode et de les faire étaler. Prenant alors ses enfants par la main, elle leur fit voir [...] et leur dit qu'elle avait eu le projet de leur donner de jolies étrennes, mais que le froid rendait les pauvres si malheureux que tout son argent avait été employé en couvertures, [...] ainsi, que cette année, ils n'auraient que le plaisir de voir toutes ces nouveautés. Rentrée dans son intérieur avec ses enfants, elle dit [...] que le marchand de joujoux devait y perdre et qu'elle lui donnait cinquante louis pour l'indemniser de ses frais de voyage et le consoler de n'avoir rien vendu[1]. »

1. Mme Campan.

La reine pense même à dédommager le marchand de jouets ! Chère Marie-Antoinette !

Aux rigueurs de l'hiver, avec ses drames de la misère, succède le printemps, avec sa comédie qui pourrait s'intituler : « Jouera-t-on ou ne jouera-t-on pas *le Mariage de Figaro* ? » Passionnée de théâtre, Marie-Antoinette s'intéresse à cette grave question qui met en émoi la Cour, les salons et les académies.

La pièce de Beaumarchais a été reçue au Théâtre-Français, fin 1781. La censure s'est opposée à sa représentation. Depuis, les lectures privées se sont multipliées. On se doit de dire : « J'ai assisté à la lecture du *Mariage de Figaro*. » Son auteur en est le principal lecteur, un lecteur des plus demandés puisque Mme de Lamballe doit le prier longtemps avant qu'il ne consente à venir dans son salon. Pour une fois, Mme de Lamballe et Mme de Polignac sont d'accord : on doit jouer ce *Mariage de Figaro* où le régime, les institutions, l'administration sont attaqués. Vaudreuil, Fronsac, Lamballe, Polignac, nobles seigneurs et nobles dames s'extasient devant le monologue de Figaro et applaudissent son : « Qu'avez-vous fait pour tant de biens ? Vous vous êtes donné la peine de naître et rien plus. » C'est la condamnation des privilèges et de ceux qui en profitent. Et ce sont ces privilégiés qui ont l'inconscience de réclamer la représentation du *Mariage de Figaro* qui marque les prémices de la Révolution et de ses bouleversements.

Louis-Auguste et Marie-Antoinette se font lire par Mme Campan ce *Mariage*. Le roi, qui est loin d'être sot, s'aperçoit du danger que cette pièce représente pour le régime. Quand il entend la tirade contre les prisons d'Etat, il s'exclame :

— Il faudrait détruire la Bastille pour que la représentation de cette pièce ne fût pas une inconséquence dangereuse !

La reine insiste :

— On ne jouera donc point cette pièce.

— Non, certainement, vous pouvez en être sûre, répond le roi avec une insolite fermeté.

Beaumarchais a eu l'habileté de mettre dans la bouche de son Figaro cette déclaration : « Il n'y a que les petits esprits qui craignent les petits écrits. » Chacun craint de passer pour un « petit esprit ». À force de sollicitations, la permission de jouer la pièce est donnée en juin 1783. À la dernière minute, juste avant le lever du rideau, la représentation est interdite par une lettre de cachet.

Trois mois après cette interdiction, *le Mariage de Figaro* est interprété chez le comte de Vaudreuil. Triomphe du clan Polignac qu'augmente la présence de l'un des frères du roi, le comte d'Artois. La brèche est ouverte et *le Mariage de Figaro* finit par être créé le 27 avril 1784. Succès foudroyant. D'après Mme Campan, Marie-Antoinette « témoigna son mécontentement à toutes les personnes qui avaient aidé l'auteur du *Mariage de Figaro* à surprendre le consentement du roi pour la représentation de sa comédie ». Ainsi, face aux Polignac, aux Lamballe, Marie-Antoinette avait manifesté sa solidarité conjugale, au risque de passer pour un « petit esprit ».

Pendant que Marie-Antoinette secourait les malheureux et participait à la bataille du *Mariage de Figaro,* Fersen accompagnait Gustave III en Italie. Sa présence portait ombrage aux amants du roi de Suède qui, pourtant, voyaient leur rival aller de « belle Emilie » en « lady Elizabeth ». Axel court de femme en femme, il n'y peut rien, il est né infidèle, ce Chérubin attardé. Mais son cœur, et son encrier, restent attachés à Marie-Antoinette avec qui il entretient une correspondance secrète. L'angélisme a besoin de mystère pour s'épanouir à son aise. La reine qui, à son baptême, avait reçu les prénoms de Marie-Antoinette-Josèphe-Jeanne, a choisi son troisième prénom, celui de Joséphine, pour être désignée dans cette correspondance qui a, hélas, disparu.

Le 7 juin 1787 le roi Gustave III, ou plutôt le comte

de Haga — puisqu'il a voulu maintenir son *incognito* — et Fersen arrivent à Versailles. Leur visite va se dérouler avec un entrain accablant pour Axel qui s'en plaint à son père, le 20 juin :

« Nous sommes arrivés ici le 7 au soir, et depuis ce moment nous nageons dans les fêtes et les plaisirs et divertissements de tous genres. Nous sommes sans cesse occupés et toujours pressés ; nous n'avons jamais le temps de faire tout ce que nous nous proposons de faire. Ce genre d'étourdissement convient fort à M. le comte de Haga ; il s'en faut bien que cela m'arrange aussi bien et j'en suis excédé. Nous avons déjà eu un grand opéra à Versailles et un bal paré, sans compter nombre de dîners et soupers. Demain, nous avons une fête au grand jardin de la reine à Trianon ; c'est la dernière, mais il nous reste encore beaucoup de soupers et de spectacles à Paris [...] c'est une rage. »

Pour des amoureux de la « vie tranquille » comme Marie-Antoinette et Fersen, la visite de Gustave III tourne au tourbillon perturbateur. Le roi de Suède est ravi et présente la fête à Trianon comme un « enchantement parfait ». Il en donne un récit extasié :

« La reine ne voulut pas se mettre à table, mais fit les honneurs comme aurait pu faire la maîtresse de la maison la plus honnête. Elle parla à tous les Suédois, et s'occupa d'eux avec un soin et une attention extrêmes. »

Aimant un Suédois, Marie-Antoinette étend ses sentiments à la Suède entière. Et comme rien n'unit autant que de brûler pour une même idole, elle comble d'attentions Gustave III qui, le 23 juin, est convié au spectacle à la mode en ce moment-là : les ballons, ces merveilleux ballons que l'on voit glisser dans les airs depuis que Montgolfier en a lancé un, le 5 juin, à Annonay. Le ballon du 23 juin, orné des chiffres du roi de France et du roi de Suède, porte le nom de

« Marie-Antoinette ». Quand il s'élève, on a l'illusion de voir la reine s'envoler. Un ballon nommé *Marie-Antoinette* au lumineux destin, hors d'atteinte des hommes et oublié par les dieux...

Le 19 juillet, Gustave III et Fersen s'en vont. Fersen est chargé d'une sérieuse mission : trouver un chien suédois pour la reine. Il s'en acquittera avec conscience et célérité.

Au roi de Suède succède, en août, le prince Henri, frère de Frédéric II. Cette visite ne vaudrait pas la peine d'être mentionnée si elle n'avait été racontée par Marie-Antoinette à Gustave III sur un ton de liberté révélant la complicité qui unit les deux souverains :

« Je n'ai pas eu beaucoup d'occasions de voir le prince Henri [...] en petit nombre à la fois [...]. Ce genre de vie convenait à ma santé et au commencement de ma grossesse qui continue fort heureusement. »

Après la fausse couche de l'automne 1783, Marie-Antoinette se retrouve, à l'automne 1784, enceinte. Une telle régularité dans la procréation royale aurait enchanté Marie-Thérèse qui ne pourrait plus accuser son gendre de « froideur ».

Il est dit que, même après la mort de Marie-Thérèse, les grossesses de Marie-Antoinette seront troublées par sa famille autrichienne. Le 23 septembre 1784, Marie-Antoinette écrit à son frère Joseph II :

« Je vous avouerai bien que les affaires politiques sont celles sur lesquelles j'ai le moins de prise. La méfiance naturelle du roi a été fortifiée d'abord par son gouverneur ; dès avant son mariage, M. de La Vauguyon l'avait effrayé sur l'empire que sa femme voudrait prendre sur lui, et son âme noire s'était plu à effrayer son élève par tous les fantômes inventés contre la maison d'Autriche. M. de Maurepas, quoique avec moins de caractère et de méchanceté, a cru utile pour son crédit d'entretenir le roi dans les mêmes idées. M. de Vergennes suit le même plan et peut-être se sert-il de sa correspondance des affaires étrangères pour employer la fausseté et le mensonge. J'en ai parlé clairement au roi, et plus d'une fois. [...] Je ne m'aveugle pas sur mon crédit ; je sais que, surtout pour la politique, je n'ai pas grand ascendant sur le roi. »

On voit dans cette lettre resurgir la vieille méfiance suscitée par M. de La Vauguyon à l'encontre de la Maison d'Autriche, des Autrichiens et de l'« Autrichienne ». On y voit aussi la reine donner des limites à son crédit pourtant illimité... Pourquoi tant d'explications à son frère, et tant de manifeste embarras ? C'est que Joseph II, délivré de la tutelle maternelle, s'agite beaucoup, et que cette agitation risque de conduire, encore, à la guerre.

Les traités de 1715 avaient fermé les bouches de l'Escaut et en avaient confié la garde à la Hollande. Ce que l'empereur d'Autriche ne supporte plus. Il réclame la libre circulation sur l'Escaut, et, devant le refus des Hollandais, en a forcé le passage.

Joseph II multiplie les incidents. En cet automne 1784, la situation est très tendue. La France, qui ne veut pas d'une guerre, se contente d'offrir sa médiation. Joseph II ne cache pas son mécontentement :

« Aussi longtemps que la France a été engagée dans la guerre d'Amérique, je me suis abstenu de faire valoir mes droits sur la Hollande, quoique alors il eût été difficile à la France de s'y opposer. On doit donc, à Versailles, me tenir compte de la confiance et de la modération que j'ai montrées dans ce temps-là. »

C'est l'affaire de Bavière qui recommence.

Comme Marie-Thérèse, Joseph II exerce sur Marie-Antoinette un chantage affectif. Et Mercy ne manque pas de chapitrer la reine sur le rôle qu'elle aurait à tenir dans une guerre « fratricide » ! Quand elle déclare au baron de Staël, ambassadeur de Suède : « Vous pouvez être persuadé que je ne me mêlerai de rien quand on aura pris un parti ; et dans tous les cas je n'oublierai jamais, malgré mon amitié pour l'empereur, que je suis reine de France et mère du Dauphin », Marie-Antoinette n'en demeure pas moins attachée à son Autriche natale, à son frère, et en est déchirée.

A l'exemple de sa mère, Marie-Antoinette répugne à la guerre. Elle est pour les « arrangements ». De scène de ménage — pauvre Louis-Auguste — en scène avec les ministres — pauvres Maurepas et Vergennes — la reine contribue à éviter la guerre et à conclure ses « arrangements ». Ce qui montre bien qu'elle avait sur le roi un ascendant plus grand qu'elle ne l'avouait à son frère...

Joseph II renonce à ses prétentions et reçoit, en échange, une forte indemnisation. La France qui n'a vraiment rien à voir dans cette affaire des bouches de l'Escaut s'engage à en payer une partie. Quand la nouvelle en est connue, fin 1785, ce n'est qu'un seul cri : « C'est un coup de l'Autrichienne ! » La calomnie s'en empare et l'on parle de caisses d'or, de deux millions envoyés par Marie-Antoinette à Joseph II. Ce dernier, sur son lit de mort, déclarera :

— Je n'ignore pas que les ennemis de ma sœur Antoinette ont osé l'accuser de m'avoir fait passer des sommes considérables. Je déclare, prêt à paraître devant Dieu, que c'est une horrible calomnie.

D'autres ennemis, dans l'ombre, trament déjà de plus « horribles calomnies », celles qui conduiront à l'affaire du Collier.

Le collier maléfique
(août 1785 - mai 1786)

> La calomnie, monsieur. [...] Croyez qu'il n'y
> a pas de plate méchanceté, pas d'horreurs, pas
> de conte absurde, qu'on ne fasse adopter aux
> oisifs d'une grande ville, en s'y prenant bien : et
> nous avons ici des gens d'une adresse ! [...] Elle
> s'élance, étend son vol, tourbillonne, enve-
> loppe, arrache, entraîne, éclate et tonne, et
> devient, grâce au ciel, un cri général, un cres-
> cendo public, un chorus universel de haine et de
> proscription. Qui diable y résisterait ?
>
> BEAUMARCHAIS.
> *(Le Barbier de Séville.)*

Avec Fersen, Gustave III, Joseph II, les ballons de
Montgolfier, les bouches de l'Escaut, la construction
du Hameau, les embellissements de Trianon, l'éducation de Mousseline et de Louis-Joseph, les fêtes, les
réceptions, les modes à lancer, les ministres à tancer,
Marie-Antoinette a enfin vaincu ce qu'elle redoutait le
plus au monde : l'ennui. Elle n'a plus un instant pour
s'ennuyer. Elle est, pour elle-même et pour son
époux, un spectacle. Femme-spectacle qui a pour
théâtre le plus prestigieux des châteaux, Versailles. Et
le plus coûteux. Gaspillages et coulages s'intensifient
d'année en année. Les serviteurs, ils sont légion, per-
çoivent des droits extravagants, cela va du « droit de

parasol » au « droit de remplacement de retour des bougies ». Certains de ces abus, qui rapportent gros et qui ont deux siècles d'existence, sont inattaquables. Et puis le château a besoin de réparations. L'architecte Mique établit un devis. L'importance des dépenses épouvante Louis XVI qui décide de repousser les réparations jusqu'en 1790. Les travaux devraient durer dix ans et il faudrait, pendant ce temps-là, quitter Versailles. C'est le seul endroit où le roi se trouve à son aise. Quitter Versailles, pour aller où ? Marly ou Fontainebleau ? Trop grands. Trianon ou la Muette ? Trop petits. Dans cette recherche de résidence provisoire, Marie-Antoinette, qui n'a pas pour le château de Versailles l'attachement manifesté par son époux, a pensé au château de Saint-Cloud appartenant au duc d'Orléans qui veut s'en défaire.

L'air de Saint-Cloud, d'après les médecins, serait particulièrement bénéfique au Dauphin dont la santé n'est pas des meilleures. Alors, Saint-Cloud, pourquoi pas ? Louis-Auguste peut-il refuser quelque chose à Marie-Antoinette qui va le rendre père pour la troisième fois ?

Le 20 février 1785, Marie-Antoinette devient propriétaire du château de Saint-Cloud acquis pour la somme de six millions. C'est presque la somme pour laquelle le roi vend, à la même époque, le château Trompette qu'il possède à Bordeaux. L'achat de Saint-Cloud est donc couvert par la vente de Trompette. Cela n'empêche pas un tollé général. Un parlementaire s'écrie :

— Il est impolitique et immoral de voir des palais appartenir à une reine de France.

Des imprimés collés sur les grilles du parc de Saint-Cloud et qui portent ces quatre mots « De par la reine » achèvent d'exaspérer le public qui voit dans cet affichage une provocation, une atteinte aux droits de la Maison de France au profit de la Maison d'Autriche. Comme l'affaire de l'Escaut est en train de se terminer et que l'on croit que Marie-Antoinette a soutenu son frère, le surnom, l'« Autrichienne », réapparaît avec virulence et les Parisiens disent volontiers : « Nous allons à Saint-Cloud voir les eaux et l'Autrichienne. » On feint de voir dans Saint-Cloud un autre Trianon, un gouffre où s'engloutit l'argent des Français. Au surnom de l'Autrichienne, on en accole un autre, également mortel, « Madame Déficit ».

Pour bien montrer qu'elle ne mérite pas ce dernier surnom et qu'elle sait faire des économies, Marie-Antoinette, en ce mois de février 1785, convoque Mlle Bertin et lui dit qu'« au mois de novembre elle aurait trente ans, que personne ne l'en avertirait vraisemblablement ; que son projet était de réformer de sa parure les agréments qui ne pouvaient aller qu'avec ceux d'une extrême jeunesse ; qu'en conséquence elle ne porterait plus ni de plumes ni de fleurs[1] ». Ces renoncements ne trompent personne puisque, en dépit de ces restrictions, Mlle Bertin continue à pratiquer des prix exorbitants. En 1785, les dépenses, en toilettes, de Marie-Antoinette s'élèveront à 258 000 livres.

Est-ce l'approche de la trentaine ou les effets de l'affaire de l'Escaut ? La grossesse de la reine est pénible. Plus la délivrance approche, plus Marie-Antoinette sent des craintes telles qu'elle décide, avec l'approbation du toujours vigilant Vermond, de se confesser et de communier. Le cercle voltairien des Polignac s'en alarme et annonce un prochain règne des prêtres. Il n'en est rien. L'accouchement est facile et Marie-Antoinette met au monde, le 27 mars, jour de Pâques, un garçon.

Comme son frère et sa sœur, le nouveau-né est baptisé le jour même à la chapelle du château. Il reçoit les prénoms de Louis-Charles, le titre de duc de Normandie et le cordon du Saint-Esprit. Louis-Auguste, toujours aussi ému d'être père, un père de trente et un ans, balbutie :

— Mon petit Normand, ton nom te portera bonheur.

Cet enfant, né un jour de Pâques et promis au bonheur, connaîtra les ténèbres du Temple... On a beau-

---

1. *Mémoires secrets.*

coup dit, murmuré que ce « petit Normand » avait pour père Fersen. Le parrain de Louis-Charles, le comte de Provence, peu suspect de sympathie pour la reine, écrit, en 1798, un texte qui anéantit ces racontars :

« Marie-Antoinette fut imprudente sans doute ; mais il y a bien loin de là à être criminelle, et je ne crois pas que personne au monde puisse prouver qu'elle l'ait été. »

Le lundi de Pâques, Paris célèbre la naissance de Louis-Charles par des feux de joie et des illuminations. A ces manifestations d'allégresse, succède, peu après, pour Marie-Antoinette, la tristesse d'un deuil qu'elle ressent. A la date du 11 mai, on lit dans la *Correspondance secrète* : « La mort du duc de Choiseul est la nouvelle la plus importante en ce moment. [...] La reine a paru affligée en apprenant cette mort. » Elle ne peut qu'être affligée par la disparition de celui qui a été l'artisan de son mariage avec Louis-Auguste, en 1770, comme le temps passe !... Marie-Antoinette aura bientôt un autre sujet d'affliction.

Le 24 mai, elle vient à Paris remercier Dieu de cette troisième naissance. Fersen rend compte de cette visite : « La reine a été reçue très froidement, il n'y a pas eu une seule acclamation, mais un silence parfait. »

Entre la tiédeur du 8 février 1779 et la froideur du 24 mai 1785, on peut mesurer combien l'impopularité de Marie-Antoinette a grandi. La reine ne comprend rien à un tel accueil. Elle retourne à Versailles demander, en pleurant, à Louis-Auguste :

— Que leur ai-je donc fait ?

Rien. Et c'est précisément ce néant, cette absence d'actions positives, que le peuple accable de son silence.

Les charités, les œuvres de bienfaisance ne suffisent pas à masquer les frivolités perpétuelles, l'argent gaspillé pour suivre les caprices de la mode ou des Polignac. Marie-Antoinette ne se conduit pas comme une reine, mais comme une favorite, comme une Pompadour. Marie-Thérèse avait raison de stigmatiser une pareille conduite. Le « silence parfait » du 24 mai le prouve.

Marie-Antoinette va-t-elle s'amender, réfléchir ? Non. En plus de tous ses dons, elle a reçu le don d'oubli dont elle use, et abuse. Elle oublie la froideur de Paris, comme elle oublie que Beaumarchais est un auteur séditieux qui, l'an dernier, avec son *Mariage de Figaro* a mis en échec la volonté du roi. Elle oublie qu'elle avait en cette occasion manifesté son mécontentement. Elle oublie...

Tentée par le rôle de Rosine, et voulant prouver à Mme de Lamballe et à Mme de Polignac qu'elle n'est pas un « petit esprit », Marie-Antoinette veut jouer, à son théâtre de Trianon, non pas *le Mariage de Figaro* — son inconscience ne va pas jusque-là — mais *le Barbier de Séville*. Elle pousse la malice jusqu'à attribuer le rôle de Figaro au comte d'Artois et le rôle d'Almaviva à Vaudreuil. Ainsi, Artois et Vaudreuil, qui se sont tant démenés pour que soit levée l'interdiction de représenter *le Mariage de Figaro*, joueront *le Barbier de Séville* aux côtés de la reine de France, du bailli de Crussol (Basile) et du duc de Guiche (Bartholo). On ne saurait rêver plus noble distribution...

Marie-Antoinette peut être satisfaite. Son plaisir d'interpréter Rosine passe avant n'importe quelle autre considération. Tant de répliques semblent avoir été écrites pour elle. Depuis la première scène à la troisième de l'acte premier — « comme le grand air fait plaisir à respirer » — jusqu'à la scène deux du deuxième acte — « l'ennui me tue ». Combien de fois, Marie-Antoinette, en respirant l'air des jardins de Trianon aura dit « comme le grand air fait plaisir à respirer » et combien de fois aura-t-elle soupiré « l'ennui me tue » ? Elle sent qu'elle peut jouer Rosine « au naturel ». Elle *sera* Rosine. Plus rien d'autre ne compte, pour le moment. Marie-Antoinette fixe la représentation du *Barbier* au 19 août. Il n'y a plus une minute à perdre. Il faut répéter. Et quel talent ce Beaumarchais ! Comme il a bien vu les travers de son siècle, et son goût pour la calomnie ! Quand Crussol-Basile en distille les effets, « croyez qu'il n'y a pas de plate méchanceté, pas d'horreurs, pas de conte absurde, qu'on ne fasse adopter aux oisifs d'une grande ville en s'y prenant bien : et nous avons ici des gens d'une adresse ! », la reine peut encore croire qu'elle a inspiré ces lignes. Ne lui prête-t-on pas de multiples aventures avec les hommes et avec les femmes ? Ne transforme-t-on pas ses innocentes promenades du soir dans le parc de Versailles en effroyables saturnales ? Ces Français, quelle imagination ! ils ne savent plus quoi inventer, et cela, dans tous les métiers, que l'on soit écrivain comme Beaumarchais, ou joaillier comme Böhmer. Ah ! ce Böhmer, quel fou ! Ce 12 juillet 1785, ne remet-il pas à Marie-Antoinette un incompréhensible billet, un chef-d'œuvre de fantaisie ?

« Madame,

« Nous sommes au comble du bonheur d'oser penser que les derniers arrangements qui nous ont été proposés, et auxquels nous nous sommes soumis avec zèle et respect, sont une nouvelle preuve de notre soumission et dévouement aux ordres de Votre Majesté ; et nous avons une vraie satisfaction de penser que la plus belle parure de diamants qui existe servira à la plus grande et à la meilleure des reines. »

Que signifient ces « derniers arrangements » ? Quelle est cette « plus belle parure de diamants » ? Qu'est-ce que tout cela veut dire ? Marie-Antoinette veut interroger Böhmer. Trop tard. Il a disparu. Elle fait lire ce billet à Mme Campan qui n'y comprend rien non plus. Ce billet n'est qu'une folie supplémentaire de ce pauvre Böhmer qui, depuis 1774 — cela dure exactement depuis douze ans —, voudrait que la reine achète un collier de 540 diamants. Leur nombre et leur beauté justifient le prix considérable que Böhmer, et son associé Bassenge, en demandent : un million six cent mille livres. Par deux fois, Louis-

Auguste a voulu l'offrir à Marie-Antoinette. Par deux fois, Marie-Antoinette l'a refusé. La première en alléguant que la « construction d'un navire était une dépense bien préférable à celle que l'on proposait ». La deuxième en prétextant que le « roi pouvait faire cette acquisition et conserver ce collier pour les époques des mariages de ses enfants, mais qu'elle ne s'en parerait jamais, ne voulant pas qu'on puisse lui reprocher dans le monde d'avoir désiré un objet d'un prix aussi excessif ».

Ces deux refus n'ont pas rebuté Böhmer qui, connaissant la légendaire bonté de la reine, a essayé une manière de chantage en suppliant Marie-Antoinette d'acheter le collier, sinon il était « ruiné, déshonoré, il irait se jeter dans la rivière ». A quoi la reine a répondu :

— Je vous regretterais, si vous vous donniez la mort, comme un insensé auquel je prenais intérêt, mais je ne serais nullement responsable de ce malheur. Non seulement je ne vous ai point commandé l'objet qui, dans ce moment, cause votre désespoir ; mais toutes les fois que vous m'avez entretenue de beaux assortiments, je vous ai dit que je n'ajouterais pas quatre diamants à ceux que je possédais. [...], ne m'en parlez donc jamais [1].

Malgré ce refus, et cette défense, Böhmer est revenu à la charge en ce 12 juillet, inutilement. Et pour prouver l'inutilité d'une telle démarche, Marie-Antoinette brûle ce ridicule billet en disant à Mme Campan : « Cela ne vaut pas la peine d'être gardé », puis, elle ajoute, pour conclure définitivement, pense-t-elle, cette affaire Böhmer :

— Cet homme existe pour mon supplice ; il a toujours quelque folie en tête ; songez bien, la première fois que vous le verrez, à lui dire que je n'aime plus les diamants, que je n'en achèterai plus de ma vie ; que si j'avais à dépenser de l'argent, j'aimerais bien mieux augmenter mes propriétés de Saint-Cloud par l'acquisition des terres qui les environnent ; entrez

1. Mme Campan.

dans tous ces détails avec lui pour l'en convaincre et les bien graver dans sa tête.

Mme Campan demande si elle doit convoquer Böhmer pour lui transmettre ce message. Marie-Antoinette répond que cela n'en vaut pas la peine et que Mme Campan répétera ses instructions quand elle rencontrera le joaillier, « à la première occasion ». Rien ne presse. Ce qui est urgent, c'est de répéter *le Barbier de Séville*.

Le 1er août, Mme Campan quitte Versailles pour sa maison de campagne. Le 3, elle voit arriver Böhmer qui s'inquiète de n'avoir pas de réponse de la reine. Mme Campan répète les paroles de Marie-Antoinette. La reine n'aime plus les diamants, etc. Böhmer écoute, et, tenace, insiste :

— Mais la réponse à la lettre que je lui ai présentée, à qui dois-je m'adresser pour l'obtenir ?

— A personne ; Sa Majesté a brûlé votre placet sans même avoir compris ce que vous vouliez lui dire.

Böhmer insiste de plus belle et annonce froidement que la reine « lui doit plus de quinze cent mille francs ». Pour quoi ? Pour le collier, le fameux collier. Mme Campan raconte la suite de ce dialogue de sourds :

« Alors il me dit que la reine avait voulu avoir le collier et le lui avait fait acheter par Mgr le cardinal de Rohan. "Vous êtes trompé ! m'écriai-je ; la reine n'a pas adressé la parole une seule fois au cardinal depuis son retour de Vienne ; il n'y a pas d'homme plus en défaveur à sa cour. — Vous êtes trompée vous-même, madame, me dit Böhmer ; elle le voit si bien en particulier, [...]. — Ah ! quelle odieuse intrigue ! m'écriai-je." »

Mme Campan conseille à Böhmer d'aller, sans tarder, à Versailles expliquer cette « odieuse intrigue » à M. de Breteuil, chef de la Maison du roi, ministre à qui le joaillier aurait dû s'adresser pour avoir confirmation d'un achat d'une telle importance. Böhmer ne suit le conseil de Mme Campan qu'à demi. Il va à

Versailles, non pour solliciter une audience de M. de Breteuil, mais pour essayer de voir la reine qui refuse de recevoir cet importun.

— Il est fou, je ne veux pas le voir, répond-elle entre deux répliques qu'elle lance à Figaro-Artois.

Dès que Böhmer est parti, Mme Campan veut, à son tour, rejoindre la reine à Versailles pour la prévenir d'une machination qui ne peut être qu'infernale puisque le cardinal de Rohan y est mêlé. Elle en est dissuadée par son beau-père qui la persuade que c'est à M. de Breteuil de dénouer ce nœud gordien.

Quelques jours après, Marie-Antoinette rappelle Mme Campan pour répéter avec elle le rôle de Rosine.

— Savez-vous que cet imbécile de Böhmer est venu demander à me parler, en disant que vous le lui aviez conseillé ? J'ai refusé de le recevoir ; que me veut-il, le savez-vous ? demande la reine à Mme Campan qui rapporte mot pour mot son étrange conversation avec le joaillier.

Marie-Antoinette apprend qu'elle devrait « une grosse somme » à Böhmer à qui elle aurait acheté ce « grand collier » qu'elle a refusé par trois fois, qu'elle aurait chargé de cet achat le cardinal de Rohan, et que des ordres portant sa signature circuleraient !

Partagée entre la stupéfaction et l'indignation, Marie-Antoinette convoque Böhmer le 9 août et entend le joaillier raconter tant d'extravagances et d'incohérences que, pour essayer d'y voir plus clair, elle lui réclame un mémoire explicatif qu'elle reçoit le 12. La lecture de ce mémoire plonge la reine « dans un état alarmant ; l'idée que l'on avait pu croire qu'un homme tel que le cardinal avait sa confiance intime, qu'elle s'était servie de lui vis-à-vis d'un marchand, pour se procurer, à l'insu du roi, une chose qu'elle avait refusée du roi lui-même, la mettait au désespoir [1] ».

Se souvient-elle qu'en 1777, elle avait dû affronter semblables désagréments avec cette Mme Cahuet de

1. Mme Campan.

Villers qui s'était prévalue de la confiance de la reine pour extorquer de fortes sommes ? L'affaire avait été étouffée, contre l'avis de Mercy qui avait estimé que « tout ce qui tient à la gloire de la reine doit être mis dans le plus grand jour ». Se souvient-elle des paroles de Mercy ? Forte de son innocence, Marie-Antoinette veut qu'elle soit reconnue au grand jour :

— Il faut, dit-elle, que les vices hideux soient démasqués ; quand la pourpre romaine et le titre de prince ne cachent qu'un besogneux et un escroc qui ose compromettre l'épouse de son souverain, il faut que la France entière et l'Europe le sachent[1].

La France entière et l'Europe ne le sauront que trop, mais pas de la façon dont l'espère Marie-Antoinette... Avant la France et l'Europe, c'est Louis XVI qui est mis, par son épouse, au courant de cette « odieuse intrigue ». Louis-Auguste et Marie-Antoinette passent ensemble la journée du 14 août et décident de la conduite à tenir avec Rohan. « Tout avait été concerté entre le roi et moi ; les ministres n'en ont rien su qu'au moment où le roi a fait venir le cardinal », écrira la reine à son frère Joseph II, le 22 août. Il semblerait, néanmoins, que Vermond et Breteuil, qui haïssaient Rohan, aient été consultés. Il est facile de supposer qu'ils n'ont pas donné des conseils de modération. Et Mercy n'aura pu que répéter son « tout ce qui tient à la gloire de la reine doit être mis dans le grand jour ». Ce même Mercy qui, en apprenant que Rohan était nommé grand aumônier, avait déclaré à Marie-Thérèse, le 19 février 1777 :

— Je regarde comme un très grand mal que le prince de Rohan occupe cette place ; son audace en intrigue peut devenir dangereuse à la reine.

Pour Marie-Antoinette et Louis-Auguste, la culpabilité de Rohan ne laisse aucun doute. « Pressé par le besoin d'argent, le cardinal a cherché à s'en procurer en s'appropriant le collier, croyant pouvoir payer les bijoutiers, à l'époque qu'il avait marquée, sans que rien fût découvert. » Le cardinal n'est qu'un escroc.

1. Mme Campan.

Et c'est cet homme-là qui s'est servi du nom de la reine, c'est ce misérable qui a baptisé ses trois enfants. Intolérable. Insupportable. Marie-Antoinette suffoque, étouffe, en perd la respiration. Le cardinal doit être arrêté sans tarder. Une arrestation discrète serait souhaitable, on pourrait attendre, laisser passer la fête de l'Assomption qui verra officier le grand aumônier à la chapelle de Versailles. Attendre ? Impossible. Marie-Antoinette ne peut, physiquement, pas attendre. Son « état alarmant » ne cessera qu'avec l'arrestation du cardinal.

Le 15 août à onze heures du matin, le Tout-Versailles est là pour accomplir ses dévotions. Rohan, revêtu de ses habits pontificaux, se rend à la chapelle pour y célébrer la messe. Il est averti que le roi l'attend dans son cabinet. Il y va. Il y trouve le roi, la reine, le garde des Sceaux et M. de Breteuil.

« Le roi lui dit : "Vous avez acheté des diamants à Böhmer ? — Oui, Sire. — Qu'en avez-vous fait ? — Je croyais qu'ils avaient été remis à la reine. — Qui vous avait chargé de cette commission ? — Une dame appelée Mme la comtesse de La Motte-Valois qui m'avait présenté une lettre de la reine, et j'ai cru faire ma cour à Sa Majesté en me chargeant de cette commission." Alors la reine l'interrompit et lui dit : *"Comment, monsieur, avez-vous pu croire, vous à qui je n'ai pas adressé la parole depuis huit ans, que je vous choisissais pour conduire cette négociation, et par l'entremise d'une pareille femme* [1] ? — Je vois bien, répondit le cardinal, que j'ai été cruellement trompé ; je paierai le collier ; l'envie que j'avais de plaire à Votre Majesté m'a fasciné les yeux ; je n'ai vu nulle supercherie, et j'en suis fâché" [2]. »

Rohan montre alors une lettre que la reine aurait écrite à la comtesse de La Motte-Valois.

1. C'est l'auteur qui souligne cette phrase dans laquelle il voit la preuve même de l'innocence de Marie-Antoinette dans cette affaire et l'évidence de sa bonne foi.
2. Mme Campan.

— Ce n'est ni l'écriture de la reine ni sa signature, dit le roi. Comment un prince de la Maison de Rohan, comment un grand aumônier a-t-il pu croire que la reine signait *Marie-Antoinette de France* ? Personne n'ignore que les reines ne signent que leur nom de baptême. Expliquez-moi toute cette énigme. Je ne veux pas vous trouver coupable. Je désire votre justification.

Le cardinal ne sait que répondre, il chancelle, s'appuie à une table. Il est prié de se retirer dans une pièce voisine pour y écrire sa justification. Un quart d'heure après, le cardinal revient avec un écrit aussi peu convaincant que ses paroles. Tout cela prouve au roi, et à la reine, l'entière culpabilité de Rohan à qui l'on demande de se retirer pour être arrêté en public. Le cardinal prie, supplie, afin que cette honte soit épargnée à sa famille.

— Je n'y puis consentir, ni comme roi ni comme mari, réplique le roi.

Et le mari est peut-être encore plus outragé que le roi... L'amour fou de Louis-Auguste pour Marie-Antoinette trouve là une belle occasion de se manifester. Peu importe le scandale que va causer cette arrestation si, à ce prix, son épouse chérie retrouve son calme, sa respiration, son état normal.

Le 15 août 1785, à midi, ce « arrêtez M. le Cardinal » retentit non seulement à travers la galerie des Glaces, mais à travers l'Europe. Le scandale ne connaît plus de bornes, ni de frontières. Un prince de la Maison de Rohan arrêté avec éclat, et dans l'éclat de sa pourpre cardinalice... « Ce n'est qu'en France que l'on peut voir un cardinal-évêque, Grand Aumônier du roi, sans religion, ni mœurs, arrêté comme faussaire de billets, filou et escroc. » De qui sont ces lignes ? D'un frère de Marie-Antoinette, Léopold.

Le 18 août, la comtesse de La Motte-Valois est arrêtée à son tour.

Le 19, Marie-Antoinette peut jouer dans son théâtre de Trianon *le Barbier de Séville* en présence de son auteur. C'est un succès.

— On a remarqué surtout que la reine avait

répandu, dans la scène du quatrième acte, une grâce et une vérité qui n'auraient pu manquer de faire applaudir avec transport l'actrice la plus obscure, commente Grimm.

Au quatrième acte, la dernière réplique de Rosine-Antoinette se teinte d'actualité. A Almaviva qui veut punir Bartholo, Rosine-Antoinette répond : « Non, non, grâce pour lui, cher Lindor. Mon cœur est si plein que la vengeance ne peut y trouver de place. »

Marie-Antoinette peut croire que, en une réplique de théâtre, elle a résolu l'affaire du Collier. « Je suis ravie à l'idée de ne plus entendre parler de cette vilaine affaire », écrit-elle à Joseph II, le 22 août, ajoutant : « J'espère que cette affaire sera bientôt terminée. »

Terminée, l'affaire du Collier ? Elle commence à peine. Versailles, Paris, la France, l'Europe en apprendront tous les détails et croiront plus à la culpabilité de la reine qu'à celle du cardinal. Et Fersen, eh oui ! même Fersen, propagera froidement ces ragots. Stationné avec son régiment à Landrecies, il rapporte le 9 septembre à Gustave III :

« A Paris même on a dit que tout cela n'était qu'un jeu entre la reine et le cardinal, [...] que la reine faisait semblant de ne pas pouvoir le souffrir afin de mieux cacher le jeu, que le roi en avait été informé qu'il le lui avait reproché, qu'elle s'était trouvée mal et avait fait semblant d'être grosse... »

L'amour n'aveugle pas Axel, comme il aveugle Louis-Auguste !

Louis-Auguste a laissé au cardinal le choix suivant : ou il reconnaît sa faute et s'en remet à la clémence du roi, ou il est jugé par le Parlement. Le cardinal préfère le Parlement. Indigné « de voir qu'on ait osé emprunter un nom auguste et qui nous est cher à tant de titres, et violer avec une témérité aussi inouïe le respect dû à la majesté royale », le roi confie l'affaire du

Collier aux parlementaires qui, pour la plupart, haïssent la reine. Turbulences au Parlement et à Paris. Effervescence à Versailles et à la Cour. La haute noblesse, les Rohan en tête, les Soubise, les Condé, les Guéménée s'indignent de ce qu'ils considèrent comme un outrage à l'un des leurs. Le clergé s'émeut de l'emprisonnement à la Bastille de l'un des princes de l'Église. Le Vatican blâme le cardinal d'avoir accepté une juridiction laïque. La mode s'en mêle. Les femmes portent des chapeaux « au cardinal » et des rubans jaunes et rouges dits « cardinal sur la paille ». Le tohu-bohu est général.

Dès septembre 1785, l'instruction de l'affaire commence, avec défilé des témoins. Parmi ceux-là, il en est que le Parlement et Paris attendent avec une visible délectation : la reine. Le Parlement envisage d'envoyer à Versailles une commission qui recueillera la déposition de la souveraine. Le roi s'y oppose. La reine daignera envoyer au Parlement, par l'intermédiaire du garde des Sceaux, les renseignements qui seraient susceptibles d'éclaircir une aussi ténébreuse affaire. Maintenant qu'elle n'est plus obsédée par son rôle de Rosine, Marie-Antoinette se rend compte dans quel marécage elle est tombée et à quelle fange elle est mêlée. Elle affronte bravement ce « chorus universel de haine » provoqué par ce collier maléfique.

Personnellement, je crois aux objets maléfiques. Je crois à l'écharpe qui étrangle, aux ciseaux qui coupent les doigts, au rasoir qui tranche la gorge, à la chaussure qui rend boiteux, au bracelet qui se change en menotte, et au collier qui tue. La seule victime de l'affaire du Collier, ce sera Marie-Antoinette. Le collier composé par le joaillier Böhmer, et par son associé Bassenge, est un collier porte-guigne. Ils ont mis des années à rassembler les diamants. Tout cela forme 2 800 carats et mesure 38 centimètres sur 33. Ce « glorieux ornement » est destiné à la « sultane du monde », c'est-à-dire Mme du Barry. Elle est sur le point de l'obtenir quand Louis XV meurt. Première malchance. D'autres suivront. Les Cours d'Europe, une à une, refuseront ce fatal collier trop cher, trop pesant, trop grand. Il court, il court le collier maléfique et finit par tomber dans des mains redoutables, celles de Jeanne de La Motte-Valois, descendante d'un baron de Saint-Rémy, fils naturel — légitimé — de Henri II.

Jeanne est une aventurière-née. Enfant, elle a mendié dans les rues de Paris : « Pitié pour une orpheline du sang des Valois. » La marquise de Boulainvilliers prend cette orpheline sous sa protection. Jeanne est successivement lingère, blanchisseuse, cuisinière, porteuse d'eau. Elle a de la grâce, de l'esprit et cette hardiesse d'allure qui plaît à certains hommes. En 1780, elle a vingt-quatre ans, elle réussit à se faire épouser par le comte de La Motte, un jeune officier qui a beaucoup de dettes, et peu de scrupules. En 1781, par l'entremise de Mme de Boulainvilliers, Jeanne est présentée à Louis de Rohan. Jeanne et son époux qui vivent d'expédients voient en Rohan une proie idéale. Jeanne devient la confidente du cardinal, sa protégée, son amie. Elle flatte sans vergogne sa manie, son obsession de conquérir les grâces de la reine qui, pratiquant sa politique du silence, n'adresse jamais la parole à ce prélat si peu digne de son état, à ce « gros volume farci de bien mauvais propos », comme disait Marie-Thérèse.

En mars 1784, Jeanne ose raconter à Rohan que la reine, « émue de l'infortune imméritée de la petite-fille de Henri II, ne pouvait souffrir que le sang des Valois fût réduit à une position aussi précaire. Elle en soutenait les restes de son appui ; elle faisait plus : elle les honorait de son amitié et leur accordait sa confiance et ne dédaignait pas, dans les entrevues secrètes qu'elle avait avec Mme de La Motte, de la charger des plus délicates missions ».

Pas un mot de vrai là-dedans. Marie-Antoinette aura beau jeu de démontrer que « cette intrigante du plus bas étage n'avait nulle place à Versailles et n'avait jamais eu accès près d'elle ». Rohan, de son côté, aurait pu chercher à vérifier la véracité de tels propos. Il n'y songe pas. Il ne comprend que trop le motif de ces « entrevues secrètes ». Il est persuadé, comme tout le monde, que Marie-Antoinette aime les femmes et a ajouté Jeanne à ses conquêtes, entre une Lamballe, une Polignac, une Bertin. Les amantes supposées de la reine sont aussi nombreuses que ses amants présumés.

Preuve de la faveur de Jeanne, des lettres écrites par Marie-Antoinette, alors qu'elles l'ont été par l'amant de Jeanne, Rétaux de Villette. Les « ma chère comtesse » y alternent avec « mon cher cœur ». Grisé, Rohan ne songe pas à en contrôler l'écriture. Une correspondance s'engage entre le cardinal et la reine qui aboutit à une entrevue, pendant l'été 1784, dans la nuit du 11 août, à Versailles, dans le bosquet de Vénus. Mme de La Motte y a entraîné un Rohan fasciné et pantelant. Une femme vêtue de blanc s'approche, tend une rose au cardinal en disant :

— Vous savez ce que cela veut dire.

Un homme paraît alors qui interrompt ce début d'entretien d'un « Attention ! voici Madame et Mme la comtesse d'Artois qui s'avancent ». La dame en blanc disparaît aussitôt. Le cardinal est persuadé d'avoir vu la reine. Il n'en a vu qu'une contrefaçon, une prostituée du Palais-Royal, une Mlle d'Oliva recrutée par Jeanne pour jouer ce rôle rapide à cause d'une certaine ressemblance avec Marie-Antoinette.

Cette entrevue furtive pour cardinal frustré n'est explicable que par la mauvaise réputation dont les pamphlétaires ont accablé la reine. Ne court-elle pas les bosquets de Vénus, et autres, à la recherche d'aventures ?

Ce n'est pas tout. Comme la reine a des dettes, ce n'est un secret pour personne, Jeanne empruntera au cardinal pour régler ces dettes-là soixante mille livres, puis cent mille. Croyant rendre service à Marie-Antoinette, et trop content d'avoir à le faire, Rohan accède, sans sourciller, à ces demandes et versent ces sommes qu'empochent M. et Mme de La Motte qui commencent à mener grand train. Le bruit de leur crédit auprès de la reine se répand et atteint les joailliers, Böhmer et Bassenge, qui décident, en décembre 1784, de montrer l'invendable collier à Jeanne qui pourrait essayer de fléchir Marie-Antoinette. Jeanne joue les importantes et réserve sa réponse.

Le 21 janvier 1785, Jeanne apprend à Böhmer et à Bassenge que la reine accepte d'acheter, par l'intermédiaire d'un grand seigneur, le collier. Le grand seigneur, c'est, on l'a deviné, Rohan qui, de sa main, établit le contrat. Le collier sera livré le 1er février pour 1 600 000 livres, payables en deux ans par quartier de six mois en six mois. Premier versement prévu pour le 1er août. Le 1er février 1785, les joailliers donnent à Rohan le collier et reçoivent en échange le contrat dont chaque article porte le mot « approuvé » et est signé « Marie-Antoinette de France ». Le collier passe des mains de Rohan à celles de Jeanne. Le tour est joué. M. et Mme de La Motte n'ont plus qu'à en dessertir les pierres et à les vendre.

Le 2 février, jour de fête, à Versailles, Rohan et Bassenge guettent la reine qui doit porter le collier. Marie-Antoinette paraît, sans le collier, et pour cause... Elle n'accorde aucun regard à Rohan, ni à Bassenge. Le cardinal rassure le joaillier : Marie-Antoinette n'a pas dû trouver le moment opportun pour prévenir son époux d'un tel achat.

Le moment opportun semble tarder. Passent les occasions de porter le fabuleux bijou qui, par les soins de M. de La Motte, a pris le chemin de l'Angleterre où il est, en partie, vendu. Quand le cardinal manifeste quelque impatience, il reçoit, toujours des mains de Mme de La Motte, un mot rassurant de Marie-Antoinette.

Aux approches de la première échéance du 1er août, Mme de La Motte fait savoir à Rohan que la reine trouve le collier trop cher et demande un rabais de 200 000 livres. Les joailliers, à qui Rohan transmet cette offre, rechignent, puis acceptent. Le 12 juillet 1785, ils écrivent à la reine le billet que l'on connaît, « Madame, nous sommes au comble du bonheur de penser que les derniers arrangements... » En brûlant ce billet, incompréhensible pour elle, Marie-Antoinette met le feu aux poudres d'une affaire dont elle ne peut imaginer les rebondissements, ni les conséquences.

Versailles, Paris, les provinces, l'Europe sont persuadés que Marie-Antoinette est la maîtresse de Rohan et de Mme de La Motte — on ne prête qu'aux riches — et qu'elle doit avoir sa part dans ce gâteau de diamants. La reine de France est ravalée au rang d'une aventurière. Son mari ne peut être que complice. Les pamphlets, les libelles se multiplient et se publient presque ouvertement comme *le Garde du corps, le Conte oriental, la Dernière Pièce du fameux collier.* Au printemps 1786, aux quatre coins de Paris, des vendeurs de journaux crient : « Du nouveau ! Les dernières nouvelles ! Lisez les dernières nouvelles de l'affaire du Collier ! » « Cette grande pièce qui, par son intrigue, tient l'Europe attentive à son dénouement », lit-on dans la *Gazette de Leyde.* Les presses de Hollande et d'Angleterre se déchaînent contre Marie-Antoinette qui a soutenu son frère contre les Hollandais et les insurgés américains contre les Anglais.

Comment croire maintenant que le roi, sacré à Reims, et la reine sont des êtres à part ? Ils sont comme n'importe qui et font n'importe quoi. Marie-Antoinette paie cher sa mauvaise réputation. L'austérité d'une Marie-Thérèse, la pruderie d'une Marie Leszczinska rendait impensables la possibilité d'un rendez-vous nocturne dans un bosquet, ou des emprunts successifs pour payer des dettes de jeu ou de toilette. Ah ! comme il avait raison Vermond quand il mettait en garde son ancienne élève :

— Que l'inconduite en tout genre, les mauvaises mœurs, les réputations perdues et tarées soient un titre pour être admis dans votre société, voilà qui vous fait un tort infini.

Cela était vrai, cela ne l'est plus. En 1785, la reine ne veut plus recevoir les femmes séparées de leurs maris. Trop tard. La reine est perdue de réputation. En 1818, à Sainte-Hélène, Napoléon portera sur cette affaire un jugement clair, et pourrait-on dire, définitif :

— La reine était innocente, et pour donner une plus grande publicité à son innocence, elle voulut que le

Parlement jugeât. Le résultat fut que l'on crut que la reine était coupable et cela jeta du discrédit sur la Cour.

D'août 1785 à mai 1786, Marie-Antoinette va, désespérément, attendre que son innocence soit reconnue. Elle découvre son isolement. Mesdames ses tantes, ses beaux-frères, Provence et Artois, ne cachent pas leur désapprobation. Ses amies, Lamballe et Polignac, ne cachent pas non plus qu'elles trouvent Mme de La Motte la « plus touchante des victimes ». On a vu, dans sa lettre à Gustave III, ce que Fersen pensait de l'affaire. Seul reste inébranlable dans sa foi qu'il porte à Marie-Antoinette, Louis-Auguste. L'épreuve rapproche les deux époux, et tellement, que fin 1785, Marie-Antoinette est, à nouveau, enceinte. Ce qui n'empêche son trentième anniversaire, en novembre, d'être des plus mélancoliques...

D'août 1785 à mai 1786, Marie-Antoinette suit avec une attention extrême l'instruction du procès, ne manquant pas d'intervenir quand elle le peut. Elle ne voudrait pas, par exemple, que soit cité l'épisode du bosquet de Vénus. On a prétendu que la reine avait été complice de cette mise en scène destinée à ridiculiser le cardinal. Si elle l'avait été, elle n'aurait pas pu ne pas connaître Mme de La Motte qu'elle n'a jamais rencontrée. Si elle ne veut pas que figure cet épisode, c'est qu'il est humiliant pour une reine de France de penser que l'on puisse croire qu'elle joue les Vénus, à minuit, dans un bosquet, avec un cardinal. Malgré les ordres exprès de Marie-Antoinette, le procureur général, Joly de Fleury, inclura Vénus et son bosquet dans ses conclusions. Le Parlement, dans sa majorité, s'est laissé corrompre par les Rohan.

30 mai 1786. Cinq heures du matin. Les Rohan, les Soubise, les Marsan, les Brionne, en grand deuil, attendent les juges, et avec un grand sens du théâtre, exécutent, quand ils paraissent, une révérence impeccable.

— Messieurs, vous allez nous juger tous, lance en guise d'avertissement la comtesse de Marsan.

31 mai 1786. A neuf heures du soir, après dix-huit

heures de délibération, l'arrêt est rendu. Le cardinal est « acquitté de toute espèce d'accusation », autrement dit, acquitté. Mlle d'Oliva est mise hors de cause. Rétaux de Villette est condamné au bannissement. M. de La Motte qui est en fuite, aux galères par contumace. Mme de La Motte est condamnée au fouet, à être marquée sur les deux épaules de la lettre V réservée aux voleurs, et à la détention, à perpétuité, à la Salpêtrière.

Dès que l'arrêt du Parlement est connu, l'enthousiasme ravage Paris. Rohan quitte la Bastille aux cris de « Vive le cardinal ! », on illumine son hôtel, il reçoit les félicitations des poissardes. Acquitter Rohan, c'est condamner Marie-Antoinette qui n'est plus, en ce 31 mai au soir, que l'« Autrichienne », un « panier percé », une « fille de joie ».

« Le désespoir de la reine, quand le résultat du procès fut connu, a paru disproportionné avec sa cause », écrit Mercy dans son rapport à la Cour de Vienne.

Disproportionné, le désespoir de Marie-Antoinette ? C'est le désespoir de l'innocence bafouée, le désespoir de l'impuissance, c'est à pleurer et à se tordre les mains. Marie-Antoinette ne s'en prive pas. Loin des yeux d'une Cour avide d'un tel spectacle, retirée au plus profond de ses appartements privés, la reine peut donner libre cours à son chagrin devant l'une des rares personnes qui y prend réellement part, Mme Campan, à qui elle dit :

— Venez, venez plaindre votre reine outragée et victime des cabales et de l'injustice. Mais à mon tour, je vous plaindrai comme Française. Si je n'ai pas trouvé de juges équitables dans une affaire qui portait atteinte à mon caractère, que pouvez-vous espérer si vous aviez un procès qui touchât votre fortune et votre honneur ?

A ce moment, le roi entre, Mme Campan veut se retirer, le roi l'en dissuade, l'assurant qu'il connaît la sincérité de son attachement.

— Vous trouvez la reine bien affligée, dit-il, elle a de grands motifs de l'être, mais quoi ! ils n'ont voulu voir dans cette affaire que le prince de l'Église et le prince de Rohan, tandis que ce n'est qu'un besogneux d'argent.

Le roi ne peut concevoir qu'un prélat, coupable d'avoir cru la reine capable de donner un rendez-vous secret et d'acheter un collier de 1 600 000 livres à l'insu de son époux, ne soit pas puni comme il le mérite. Il se souvient alors qu'il est monarque absolu et ordonne au cardinal de « donner sa démission de premier aumônier », de « sortir de Paris dans trois jours, de ne voir que sa famille et ses conseils, de se rendre à son abbaye de La Chaise-Dieu ».

Cet exil frappant Rohan, c'était la décision à prendre dès le début de cette affaire qui n'aurait jamais dû être confiée au Parlement. Irréparable erreur. Le « chorus universel de haine » contre la reine est déclenché à un point tel que le lieutenant général de police se permet de suggérer que « Sa Majesté très-chrétienne, la reine de France, ferait mieux, pour éviter les situations désagréables qui résulteraient de manifestations publiques, au cas où elle aurait formé le projet de se montrer dans la capitale, d'y renoncer pour le moment ».

Quoi qu'en pense Mercy, Marie-Antoinette a raison d'être désespérée, et plus que désespérée, anéantie.

voir dans cette affaire que le prince de l'Église et le
prince de Rohan, tandis que ce n'est qu'un beau geste
d'argent.

Le roi ne peut concevoir qu'un prélat, coupable
d'avoir cru la reine capable de donner un rendez-vous
secret et d'acheter un collier de 1 600 000 livres à
l'insu de son époux, ne soit pas puni comme il le
mérite. Il se déshonore alors qu'il est monarque absolu
et ordonne au cardinal de « donner sa démission de
premier aumônier », de « sortir de Paris dans trois
jours», de ne voir que sa famille et ses conseils, de se
rendre à son abbaye de La Chaise-Dieu ».

Cet exil frappant Rohan, c'était la décision à prendre dès le début de cette affaire qui n'aurait jamais dû
être confiée au Parlement. Irréparable erreur. Le
« chœur unanime de haine » contre la reine est
déchaîné à un point tel que le lieutenant général de
police se permet de suggérer que « Sa Majesté très-
chrétienne, la reine de France, ferait mieux, pour éviter les situations désagréables qui résulteraient de
manifestations publiques, au cas où elle aurait formé
le projet de se montrer dans la capitale, d'y renoncer
pour le moment ».

Quoi qu'en pense Mercy, Marie-Antoinette a raison
d'être désespérée, et plus que désespérée, anéantie.

Un trop précoce automne
(juin - décembre 1786)

Le 21 juin 1786, la sentence prononcée contre Jeanne de La Motte-Valois est exécutée à Paris, dans la cour du Palais de Justice. Jeanne est fouettée, marquée au fer rouge, une première fois sur l'épaule, puis, « tout le corps dans le moment eut une telle convulsion que la lettre V fut appliquée la seconde fois, non à l'épaule, mais sur le sein ». Entre deux convulsions, Jeanne se répand en invectives contre Marie-Antoinette :

— C'est la reine qui devrait être ici à ma place !

Ces paroles, comme l'exécution est publique, sont entendues, colportées, commentées, et souvent, approuvées, augmentant l'impopularité de la reine. Impopularité qui s'étend bientôt au Parlement comme en témoigne Hardy dans son *Journal* :

« A peine la sentence prononcée contre Mme de La Motte eut-elle été mise en exécution, qu'un certain élément de la populace, touché de compassion pour la victime d'une intrigue de Cour, prit l'initiative de porter jusque devant la porte du Parlement l'expression du blâme encouru par la sévérité de la condamnation. Le sentiment populaire s'éleva avec force contre nos seigneurs du Parlement, et la violence faite sans raison valable à une femme faible et infortunée. Leur verdict était devenu suprêmement impopulaire. »

« Une femme faible et infortunée », persécutée par la reine et par le Parlement, telle apparaît à une partie de ses contemporains, Jeanne de La Motte-Valois qui, dix mois plus tard, s'évadera de sa prison dans les circonstances les plus mystérieuses et rejoindra son époux à Londres.

Ce même 21 juin, simple coïncidence, le roi s'en va à Cherbourg :

« Ce voyage, qui avait été résolu en secret, a beaucoup déplu à la reine, qui n'a pas été consultée et qui avait peut-être envie de le faire différer jusqu'après ses couches, [...]. Elle a contrarié cette résolution par toutes les ressources dont une femme qui veut être écoutée peut être capable[1]. »

Si Louis-Auguste n'a pas cédé au désir de Marie-Antoinette de l'accompagner pendant son voyage en Normandie, c'est que la reine est aux veilles d'accoucher et qu'il est plus raisonnable qu'elle reste à Versailles. En plus, le roi veut donner l'exemple de l'économie. Il s'en va avec une petite suite d'à peine 25 personnes parmi lesquelles son premier écuyer, son capitaine des gardes et quelques officiers.

A Cherbourg, à Caen, à Rouen, à Honfleur, Louis-Auguste est acclamé, comme il ne l'a pas été depuis longtemps. Il l'annonce aussitôt à Marie-Antoinette :

« Vous serez, j'espère, contente de moi, car je ne crois pas avoir fait une seule fois ma grosse voix [...]. L'amour de mon peuple a retenti jusqu'au fond de mon cœur : jugez si je ne suis pas le plus heureux roi du monde. »

Il espère qu'en lisant ces lignes, Marie-Antoinette sera la reine la plus heureuse du monde et comprendra que Paris, ce n'est pas la France et que si Paris illu-

---

1. *Correspondance secrète inédite sur Louis XVI, Marie-Antoinette, la Cour et la ville (1777-1792)*, avec une préface et des notes de Pierre de Lescure, Plon, 1866.

mine en l'honneur de Rohan, Cherbourg, Caen, Rouen, Honfleur pavoisent en l'honneur de ses souverains :

« Le roi a d'abord paru étonné autant que touché des transports du peuple à son passage. Il ignorait sans doute que le Français pénètre dans le cœur de son maître pour le juger et qu'il connaît les vues droites et bienfaisantes de Louis XVI. Dans les provinces, on n'identifie point la personne du monarque avec le gouvernement. "Pourquoi, dit en route Sa Majesté, reçois-je ici des témoignages d'amour auxquels je ne suis point accoutumé ?" [...] "Je le vois, reprit-elle, il faut que l'on m'ait fait une bien mauvaise réputation à Versailles." Sur la fin du voyage, le roi remarquant moins d'empressement de la part du peuple : "Je m'aperçois, dit-il, que j'approche de Versailles..."[1]. »

Le 29 juin, Louis-Auguste rentre au bercail et y retrouve sa chère Marie-Antoinette qui, le 9 juillet, à six heures du soir, sent les premières douleurs de l'enfantement et qui, à neuf heures, met au monde une fille baptisée Sophie-Béatrix. Le quatrième accouchement de Marie-Antoinette se passe sans les tumultes, ni les transports qui ont accompagné les trois précédents. On s'habitue à tout, même aux naissances royales. Pas de liesse parisienne non plus. Pas de feux de joie, seulement quelques fontaines de vin. L'héroïne du jour, ce n'est pas la nouveau-née, Sophie-Béatrix, mais Jeanne de La Motte-Valois qui, à la Salpêtrière, pourrait tenir salon si elle était autorisée à y recevoir toutes les nobles dames désireuses de la secourir, d'adoucir son sort par des collectes en sa faveur, comme celle organisée par la duchesse d'Orléans. La princesse de Lamballe, elle, en sera pour ses frais. Elle n'est pas admise à voir la prison-

---

1. *Correspondance secrète inédite sur Louis XVI, Marie-Antoinette, la Cour et la ville (1777-1792)*, avec une préface et des notes de Pierre de Lescure, Plon, 1866.

nière, s'en indigne, exige des explications qu'elle reçoit en forme de gifle verbale :

— Mme de La Motte subit sa peine, c'est vrai, mais elle n'est pas condamnée à avoir des visites — pas même une princesse de sang — qu'elle n'est pas disposée à recevoir, répond la supérieure de la Salpêtrière.

Pour la supérieure, comme pour Hardy, et comme pour la majorité du public, Jeanne est une victime de la reine.

Pour oublier ces injustices, ces trahisons, ces poisons, Marie-Antoinette se réfugie plus que jamais à Trianon, et s'y consacre à ses enfants. Elle veille au chevet de Sophie-Béatrix. Elle surveille l'éducation de Mousseline, à qui elle enseigne des travaux d'aiguille et qui apprend, avec l'abbé d'Avaux qui sera son Vermond, la grammaire et l'histoire. Moins rebelle à l'étude que sa mère, Mousseline n'a besoin de l'aide de personne pour tracer ses lettres.

Marie-Antoinette choisit le gouverneur du Dauphin. Elle ne veut pas entendre parler de M. de Vaudreuil, le titre d'amant de Mme de Polignac ne suffit pas à le rendre apte à cet emploi, et on mesurera, à ce détail, que la faveur de la duchesse Jules n'est plus ce qu'elle était... Marie-Antoinette préfère le duc d'Harcourt, « dont la réputation d'honnêteté est extrêmement établie ». Si la santé du Dauphin, Louis-Joseph, laisse à désirer, celle de son frère, Louis-Charles, est éclatante, « un vrai enfant de paysan », lance Marie-Antoinette gaiement, étourdiment. La calomnie est prête à prendre cette affirmation au pied de la lettre. La calomnie ne lâche pas sa proie. Le 13 septembre, Mme Campan surprend la reine en pleurs, dans sa chambre, et froissant des lettres anonymes qu'elle vient de recevoir.

— Ah ! les méchants ! Les monstres ! sanglote Marie-Antoinette qui, une fois de plus, demande : « Que leur ai-je donc fait ? »

On ne sait pas quelles abominations contenaient ces lettres qui portent la reine à dire « je voudrais mourir ». Mme Campan s'alarme, propose de l'eau de fleur d'oranger, des calmants. Remèdes que repousse Marie-Antoinette :

— Non, si vous m'aimez, laissez-moi, il vaudrait mieux me donner la mort.

La reine ne mourra pas ce 13 septembre. Elle survivra à ces horreurs anonymes et se laissera séduire par les beautés de l'automne à Fontainebleau, et par ses plaisirs :

« Il y avait une telle foule à Fontainebleau qu'on ne pouvait parler qu'à deux ou trois personnes qui jouaient avec vous, et l'on ne retirait de plaisir d'être dans le monde que l'agrément d'être étouffé ; mais c'était surtout autour de la reine que les flots de la foule se précipitaient »,

écrit à Gustave III Mme de Staël. Elle note aussi le « respect sans crainte et l'empressement sans avidité » que suscite le passage de Marie-Antoinette qui peut ainsi avoir l'illusion que les horreurs de l'affaire du Collier sont oubliées et que Mme de La Motte n'est pas la seule à attirer des foules...

Voilà donc à la Cour Germaine Necker, qui a épousé l'ambassadeur de Suède à Paris, le baron de Staël. Elle a reçu, lors de sa présentation aux souverains, l'accueil le plus flatteur :

« Le succès de Mme la baronne de Staël a fortement inquiété certaines personnes. Voici quelques détails peu connus sur sa réception. En entrant dans le cabinet de la reine, elle parut un peu embarrassée, et son trouble augmenta à l'arrivée du roi. La reine, cherchant sans doute à excuser l'air gêné de ses révérences, dit qu'elle avait peur. "Si vous avez peur ici, dit obligeamment le monarque à l'ambassadrice, vous aurez donc peur partout." Ce trait aussi délicat qu'ingénieux remit Mme la Baronne à qui Leurs Majestés donnèrent mille témoignages d'intérêt et de bonté. Un falbala de sa jupe s'étant dérangé au moment de la présentation, la reine fit appeler

Mlle Bertin, sa marchande de modes, pour réparer cet accident [1]. »

L'indispensable Rose Bertin est toujours là qui distrait Marie-Antoinette avec les derniers potins de Paris. Oui, oui, on continue à parler de la comtesse de La Motte. Mais que la reine se rassure, on va parler davantage des changements de la mode :

— Voilà les femmes de trente ans obligées d'abdiquer les plumes, les fleurs et la couleur rose.

Le bannissement des plumes, des fleurs et de la couleur rose, voulu par la reine, marquera plus 1786, d'après Rose Bertin, que l'exil du cardinal de Rohan ! 1786 doit aussi rester comme une année mémorable puisque Marie-Antoinette adopte comme coiffure habituelle ces poufs en velours, créés par Bertin, tels qu'on peut les voir dans les portraits de la reine que peint, à cette époque, Mme Vigée-Lebrun. Cette dernière précise dans ses *Mémoires* :

« Ceci me rappelle qu'en 1786, peignant la reine, je la suppliai de ne point mettre de poudre et de partager ses cheveux sur son front. "Je serai la dernière à suivre cette mode, dit la reine en riant, je ne veux pas qu'on dise que je l'ai imaginée pour cacher mon grand front." »

Le « grand front » — est-ce l'effet de l'affaire du Collier ? — devient chaque jour plus grave, voire sévère. Le « temps de la réflexion » ardemment souhaité par Marie-Thérèse, par Mercy et par Vermond est-il venu ?

Dans la *Correspondance secrète,* à la date du 5 décembre 1786, on lit :

« La reine éloigne d'elle tous les jeunes gens qui avaient pris un ton indécent de familiarité, que la destruction de toute étiquette semblait autoriser. Elle ne veut plus admettre dans sa société que des hommes

1. *Correspondance secrète.*

232

raisonnables et décents, s'il y en a. [...] On croit apercevoir dans la reine quelque penchant à la dévotion :
elle suivrait de bonne heure l'exemple de sa mère. »

Éloignement des jeunes gens trop familiers, fré-
quentation des « hommes raisonnables et décents, s'il
y en a », on admirera, au passage, l'ironique réserve
contenue dans ce « s'il y en a », retour aux dévotions
de son adolescence quand elle faisait retraite pendant
trois jours ; à travers tous ces signes, Marie-
Antoinette manifeste qu'elle ressent, à trente et un
ans, les approches d'un trop précoce automne...
À ce qu'elle croit être la perte de la jeunesse, et qui
n'est que la perte de la première jeunesse, Marie-
Antoinette oppose un front grave, et un cœur qui se
veut serein. Gravité et sérénité, tels sont les nouveaux
bijoux de la reine.

Quand Marie-Antoinette
se prend pour Marie-Thérèse
(1787)

Dans la nuit du 29 au 30 décembre 1786, Louis-Auguste ne dort pas. « Je n'ai pas dormi cette nuit, mais c'était de plaisir », écrit-il à Calonne. Car, ce n'est pas Marie-Antoinette qui est responsable de cette bienheureuse insomnie, c'est Calonne. Devant l'état désespéré des finances, Calonne a proposé au roi de tenir une assemblée des notables. C'est une préfiguration des États généraux. Enthousiasmé à la pensée de recevoir les plus dignes représentants de son bon peuple, le roi en a perdu le sommeil.

Le désordre financier hérité de Louis XV a atteint maintenant des sommets, ou des abîmes, qui donnent le vertige. Calonne croyait y remédier par des emprunts. En décembre 1783, il a emprunté cent millions. En décembre 1784, cent vingt-cinq. En décembre 1785, quatre-vingts. En septembre 1786, trente. Après quoi, le roi déclare net qu'il ne veut plus « ni impôts ni emprunts ». Il a conscience que des impôts excessifs ruinent ses sujets et que des emprunts fréquents détruisent le crédit. Il faut pourtant trouver un remède aux cent millions de déficit annuel. À ce chiffre, on mesurera l'injustice du surnom dont on affuble Marie-Antoinette, « Madame Déficit » ! Si elle a sa part, et une part beaucoup moins importante qu'on ne l'a laissé croire, elle n'en a quand même pas l'entière responsabilité !

« 3 janvier 1787. La grande nouvelle du jour est la convocation d'une assemblée nationale qui produit dans le public la plus vive sensation[1]. »

Marie-Antoinette n'a pas été informée de ce projet et l'apprend en même temps que le public. Elle est un peu froissée par ce manque de confiance, ou de déférence, de Louis-Auguste. Elle ne s'en inquiète pas outre mesure. Elle sait que son époux est peu communicatif. Elle sait surtout que son pouvoir sur Louis-Auguste est intact. À quoi cela sert-il ? À peu de chose se plaint Mercy qui écrit à Joseph II : « Il est constant que les sentiments de la reine subjuguent et guident ceux de son auguste époux ; mais il est également constant que cette vertu influe si peu sur l'esprit des choses. » En 1787, comme en 1777, Mercy déplore le peu d'intérêt que Marie-Antoinette porte aux affaires politiques : « Elle n'en connaît ni la valeur ni les conséquences, elle les envisage avec ennui. »

La peur de l'ennui aura fait commettre bien des erreurs à Marie-Antoinette ! Sa vivacité tellement charmante et qui séduit tant Louis-Auguste — c'est le mouvement fascinant l'immobilité — constitue un sérieux obstacle pour s'occuper efficacement des affaires du gouvernement. Mercy-Mentor s'en désole et tient à Joseph II le même langage qu'il tenait à Marie-Thérèse : « Je tâche toujours d'obtenir qu'Elle mette un peu moins de vivacité dans les propos et plus de raisonnement dans le fond des choses. » Comme Marie-Thérèse, Joseph II supplie Marie-Antoinette : « De grâce, ne faites aucune démarche que du su et de l'aveu du comte de Mercy pour ne rien gâter par un empressement outré. » Famille dévastatrice et maléfique, ne laisserez-vous jamais en paix Marie-Antoinette ?

Février 1787. La reine est sifflée à l'Opéra et en

1. *Correspondance secrète.*

236

paraît « extrêmement affectée ». À cette manifestation d'impopularité s'ajoute un autre sujet de souci. Mme de Polignac, sentant le vent tourner et voulant prévenir sa disgrâce, offre sa démission qui est refusée. Grâce à l'indolence de la gouvernante des Enfants de France, Marie-Antoinette peut s'occuper de ses deux fils et de ses deux filles autant qu'elle le désire. À quoi servirait cette démission ? De toute façon, Marie-Antoinette et Mme de Polignac se voient de moins en moins. La duchesse Jules continue à soutenir Calonne que combat la reine. C'est la lutte entre la dame de cœur et la dame de pique. Marie-Antoinette a du cœur. La duchesse n'en a pas. Toute l'explication de leur amitié se trouve, peut-être, en cette différence...

L'Assemblée des notables se solde par un échec. Rien n'est résolu. Le roi demande à Calonne sa démission. Le 8 avril 1787, la chute du contrôleur général des Finances remplit Paris de joie. On brûle son effigie sur les places. Effrayé, Calonne s'enfuit en Angleterre où il retrouve Mme de La Motte-Valois qu'il aidera, d'après Mme Campan, à rédiger ses *Mémoires* contre Marie-Antoinette. Le duo Calonne-La Motte ne pouvait produire que ce concert de calomnies que sont ces *Mémoires* contés à la première personne du singulier, ce qui leur a donné tant de force de persuasion sournoise.

À la chute de Calonne, le roi a déclaré qu'il ne voulait « ni neckeraille ni prêtraille ». Il se méfiait de Necker, et il ne voulait pas non plus qu'un prélat se mêle des affaires de l'État. Pauvre Louis-Auguste : il aura ce qu'il ne voulait pas. Le prélat d'abord, Necker ensuite. Et quel prélat ! Loménie de Brienne, qui est archevêque de Toulouse, mène une vie aussi dissolue que celle de Louis de Rohan. Mais il a dans son jeu un atout important, c'est lui qui, voilà dix-sept ans, fut à l'origine de la fortune de l'abbé de Vermond, auprès d'une archiduchesse viennoise que l'on nommait alors Madame Antoine. Vermond n'est pas un ingrat. Mercy fait, depuis longtemps, l'éloge de ce Loménie que Joseph II considère comme « l'un des sujets les plus capables au ministère ». Soucieuse d'obliger à la fois Vermond, Mercy et Joseph II, Marie-Antoinette réussit à imposer Loménie de Brienne à Louis-Auguste qui n'en voulait pas. Pour le roi très catholique, l'archevêque de Toulouse offrait une tare majeure : il ne croyait pas en Dieu. Il croyait plus volontiers au pouvoir de Marie-Antoinette qui n'était pas aussi limité que le laissait entendre Mercy...

Le 1er mai 1787, Loménie de Brienne reçoit le titre de ministre principal. « Ne vous y trompez pas, c'est un Premier ministre », triomphe la reine. Paroles imprudentes. On n'ignore plus que Marie-Antoinette a contribué à la chute de Calonne et à l'élévation de Loménie. C'est son ministre. Il sera à sa disposition. « La puissance de la reine sera considérablement augmentée par ce choix, écrit le baron de Staël à Gustave III, le 6 mai. Les affaires de l'État se traitent maintenant dans des comités particuliers auxquels la reine assiste. »

Grâce à Loménie de Brienne, Marie-Antoinette a l'illusion d'être une nouvelle Marie-Thérèse. Malheureusement, elle n'a pas le génie politique de sa mère. Toutes les erreurs de Loménie seront automatiquement attribuées à Marie-Antoinette.

Comme Marie-Thérèse, Marie-Antoinette connaît la douleur de perdre un enfant en bas âge. Le 15 juin, Sophie-Béatrix meurt à l'âge de quinze mois. L'autopsie révélera un « mauvais état » de l'« organe pulmonaire ».

Profondément affligée, Marie-Antoinette s'enferme à Trianon avec Louis-Auguste. Elle envoie ensuite chercher sa belle-sœur Élisabeth, et non Mme de Polignac :

— Venez, nous pleurerons sur la mort de ma pauvre petite ange *(sic)*... J'ai besoin de tout votre cœur pour consoler le mien.

« Venez. » La reine, dans le malheur, est seule et doit appeler à l'aide. Personne ne vient spontanément la secourir. Comme au siècle suivant, Élisabeth d'Autriche, « Sissi », sera l'« impératrice des solitudes », Marie-Antoinette serait-elle la reine des solitaires ?

Pour Marie-Thérèse, la politique était tout. Pour Marie-Antoinette elle n'est qu'un accident, un remède à ses chagrins, une distraction à ses peines... Quand elle se rend enfin compte, en ce printemps 1786, du délabrement des finances de l'État, Marie-Antoinette décide de mettre de l'ordre dans ses propres finances. Elle donnera l'exemple de l'économie. Elle décide de suspendre les travaux du château de Saint-Cloud, consent à la suppression de 173 emplois dans sa maison, et refuse à Mlle Bertin un « bonnet d'un goût nouveau »... parce qu'il est trop cher ! Rose Bertin n'en croit pas ses oreilles ! Ce refus provoque un tel bruit à la Cour et à la ville que l'on parle de faillite de la marchande de modes qui continuera néanmoins à fournir la reine.

Rose Bertin a pourtant compris qu'elle ne peut plus aller trop loin et que le temps des plumages et des ramages est terminé. En plus, elle devra partager son règne avec Mme Eloff, couturière, dont les tarifs sont nettement moins élevés, et qui fournira les étoffes, les lingeries, les rubans et se livrera volontiers à une activité à laquelle il était impensable que la vaniteuse Bertin se soumette : elle *raccommode*. Elle raccommode les chemises, les jupons, les manteaux de la reine, et même, répare ses chaussures. En ce royaume du gaspillage infini, on n'avait jamais songé à raccommoder, et à réparer, est-ce drôle, non ? Et si on lançait la mode de l'économie ? Tout est mode pour Marie-Antoinette.

Devant cette mode, et ces mesures d'économie, grands seigneurs et grandes dames font grise mine. M. de Polignac, qui perd la direction générale aux postes de chevaux, proteste âprement. Vaudreuil est ulcéré de devoir renoncer à son titre de Grand Fauconnier. Quant à Besenval, il ne cache pas à la reine ce qu'il pense de telles restrictions, ou de telles spoliations :

— Madame, il est affreux de vivre dans un pays où l'on n'est pas sûr de posséder le lendemain ce que l'on avait la veille. Cela ne se voyait qu'en Turquie.

La douceur de vivre est en train de s'aigrir. L'opinion publique aussi qui a vu dans le renvoi des notables en province un abus de pouvoir du roi. Ce qui a inspiré le quatrain suivant placardé sur un mur :

> *Tant qu'il était imbécile*
> *On pouvait lui pardonner*
> *Mais voulant être despote*
> *Il faudra bien le tuer.*

On parle déjà de « tuer le roi » en cet été 1787. Quant à la reine, elle n'est plus assimilée aux grâces, et aux déesses de l'Olympe, elle est assimilée à Jézabel, la mère d'Athalie. Au Théâtre-Français, la tirade de Joad

> *Confonds dans ses conseils cette reine cruelle ;*
> *Daigne, daigne, mon Dieu sur Nathan et sur elle*
> *Répandre cet esprit d'impudence et d'erreur*
> *De la chute des rois funeste avant-coureur*

est applaudie avec une frénésie telle que la reine qui assiste à la représentation doit quitter sa loge. Confondre avec une « reine cruelle », Marie-Antoinette qui ne ferait pas de mal à une mouche, ni à une Polignac, faut-il que la calomnie soit puissante !

Antoinette-Jézabel et Loménie-Nathan apprennent, à leurs dépens, qu'il ne suffit plus de paraître pour plaire et que le peuple attend autre chose que des sourires et des discours. Le peuple veut des actes, des économies, et des vraies, pas des économies de bouts de chandelle, ou de dentelle. A la place de quoi, Loménie de Brienne présente deux projets d'impôts nouveaux au Parlement : l'imposition du timbre et la subvention territoriale. Le Parlement renâcle. Il est aussitôt exilé à Troyes. C'est l'émeute à Paris. On brûle en effigie les mannequins de l'archevêque-ministre et de la duchesse Jules. Le mannequin qui représente la reine n'échappe au feu que sur intervention de la police. Devant un tel déchaînement, Marie-Antoinette se demande si, en imposant Loménie de Brienne, elle a fait le bon choix.

— Je suis bien malheureuse. Je crains que l'évêque ne soit obligé de partir... et alors... quel homme mettre à la tête de tout ? déclare-t-elle à Mercy.

On envisage le retour de Necker. Le roi n'en veut pas, pour le moment. Il l'aura, l'année suivante. Décidément, les débuts de Marie-Antoinette dans la politique sont ratés. Il ne peut en être autrement. On ne s'improvise pas Marie-Thérèse du jour au lendemain. Marie-Antoinette a tant à découvrir en ce domaine, elle doit même revoir son langage. Des mots nouveaux font intrusion dans son vocabulaire comme « lit de justice ». Pour la reine, un lit, c'est l'œuvre charmante d'un ébéniste. Et voilà qu'en 1787, le 6 août, puis le 12 novembre, Louis-Auguste tient un « lit de justice », c'est-à-dire qu'il fait enregistrer par le Parlement des édits et qu'il les accompagne de la formule « de par mon exprès commandement ». C'est la volonté absolue d'un monarque de droit divin.

Le roi qui ne voulait ni impôts ni emprunts doit s'y résigner. Le 6 août, l'édit sur l'imposition du timbre et celui sur la subvention territoriale sont mal accueillis. Le parlement pousse l'insolence jusqu'à décréter qu'« à l'avenir, le roi ne pourrait obtenir aucun impôt sans au préalable, avoir convoqué, et entendu, des états généraux ». Ces « états généraux », c'est un abbé, l'abbé Sabathier qui, le premier, en a parlé :

— Vous demandez des états particuliers des finances, ce sont des états généraux qu'il faut demander.

Le 19 novembre, un édit sur des emprunts progressifs s'élevant à quatre cent vingt millions, répartis de 1788 à 1792, est proposé. Il est aussi combattu que les édits du timbre et de la convention. Le roi, en exigeant son enregistrement, a oublié de prononcer, volontairement ou non, la formule magique, « de mon exprès commandement ». Le duc de Chartres qui, à la mort de son père en 1785, est devenu duc d'Orléans se lève alors et déclare que cet enregistrement est illégal.

— C'est légal parce que je le veux, réplique Louis-Auguste à son cousin-ennemi.

Ces édits impopulaires sont attribués à la « néfaste influence » de la « reine cruelle ». On le sait, on le dit, on le crie, on l'écrit. Aux pamphlets s'ajoutent des caricatures montrant le roi et la reine en train de se goinfrer quand le peuple meurt de faim.

Le 27 décembre 1787, Fersen résume ainsi la situation à Gustave III : « La reine est assez généralement détestée, on lui attribue tout le mal qui se fait et on ne lui sait pas gré du bien. »

Fersen est là. Pas pour longtemps peut-être puisque la Suède se prépare à déclarer la guerre à la Russie et que, dans ce cas, Fersen devra rejoindre son pays natal. Qu'importent ces rumeurs de guerre ? Axel est là. Il a assisté à l'Assemblée des notables et s'est réjoui du spectacle. Axel de Fersen est là, entre deux voyages, entre deux missions, entre deux ou trois maîtresses. On sait qu'il se promène avec la reine. On n'en sait rien de plus. Ils se promènent. On peut espérer que la présence du Suédois fait oublier à l'« Autrichienne » son échec d'être une Marie-Thérèse, la Marie-Thérèse d'un Loménie de Brienne dont les jours de pouvoir sont comptés.

personne de songe à mettre en doute la réalité. Ja
vérité de ces étreintes entre deux personnes qui ne se
sont jamais rencontrées.

« 15 février 1788. La santé du Dauphin est toujours
chancelante. S'il allait mourir, que deviendrait... ? »

« *Mon sort est*
de porter malheur »
(1788)

« Neuf janvier 1788.

« Les affaires de l'intérieur du royaume sont plus
embrouillées que jamais. [...] La reine a fait ses dévotions avec une grande pompe ces dernières fêtes. Elle
a donné ordre à son maître d'hôtel de ne servir que du
maigre sur sa table les jours d'abstinence prescrits par
l'Église, en ajoutant que si elle s'était jusqu'ici éloignée de cette règle, elle voulait désormais n'en plus
violer l'observation [1]. »

Déçue par la politique, déçue par les Polignac,
déçue par Loménie de Brienne, Marie-Antoinette se
tourne vers la dévotion. Elle y apprend le pardon des
injures. Elle refuse de remettre au roi un mémoire
contenant des « imputations atroces » contre le cardinal de Rohan. Elle a d'autant plus de mérites à pratiquer ce pardon que les *Mémoires,* les ignobles *Mémoires* de Mme de La Motte, imprimés à Londres, commencent à se répandre dans Paris. Selon Pierre de
Nolhac, les « pamphlets de Mme de La Motte firent
accepter définitivement la légende des vices de la
reine ». Leur saveur d'égout enchante les amateurs
ravis de voir la descendante des Habsbourg prodiguer
« partout des baisers de feu » et des « caresses non
équivoques » à la descendante des Valois... En 1788,

1. *Correspondance secrète.*

personne ne songe à mettre en doute la réalité, la véracité de ces étreintes entre deux personnes qui ne se sont jamais rencontrées.

« 15 février 1788. La santé du Dauphin est toujours chancelante. S'il en réchappe, il sera rachitique[1]. »

Après avoir perdu Sophie-Béatrix, Marie-Antoinette va-t-elle perdre Louis-Joseph ? La mortalité infantile, au dix-huitième siècle, n'épargne ni les chaumières ni les palais, Marie-Antoinette le sait et s'en inquiète. Elle avoue à son frère, Joseph II :

« Mon fils aîné me donne bien de l'inquiétude. Quoiqu'il ait été toujours faible et délicat, je ne m'attendais pas à la crise qu'il éprouve. Sa taille s'est dérangée, et pour une hanche qui est plus haute que l'autre, et pour le dos dont les vertèbres sont un peu déplacées et en saillie. Depuis quelque temps, il a tous les jours la fièvre, est fort maigre et affaibli. »

Ayant compris qu'elle ne sera pas une autre Marie-Thérèse, Marie-Antoinette prend quand même une revanche sur sa mère. Elle est, elle, Marie-Antoinette, une mère exemplaire, veillant quotidiennement sur ses enfants, ce que n'a pas été Marie-Thérèse pour qui les affaires de l'État passaient avant celles de la famille. Qu'importent les continuels reproches de Mercy qui trouve que la reine de France s'occupe trop de ses deux fils et de sa fille ? Marie-Antoinette a le sentiment qu'elle ne s'en occupera jamais assez. Elle installe Louis-Joseph à Meudon dont l'air avait été salutaire à Louis-Auguste, « très faible et maladif pendant son enfance ». Ce qui a été bon pour le père le sera pour le fils que sa mère habille en « petit marin », habit blanc et ceinture bleue. Blanc et bleu, les couleurs préférées de Marie-Antoinette qui délaisse les fichus pour les gazes très claires qui laissent « apercevoir une gorge qui passe encore pour être la

1. *Correspondance secrète.*

244

plus belle de la Cour ». La coquetterie, chez la reine, ne perdra jamais ses droits. Elle est, avant tout, femme, et l'une des plus « femmes » que la terre ait portées... Elle ne confond pas dévotion et mortification. Les mortifications, elle en subit assez en ce printemps 1788. Aux soucis de santé de son fils aîné, s'ajoutent les préoccupations causées par l'effervescence qui règne à Paris, comme dans les provinces, et qui se traduit par une recrudescence de libelles que l'on a l'audace d'afficher jusque sur les murs du château de Versailles comme :

Louis XVI interdit, Antoinette au couvent,
D'Artois à Saint-Lazare et Provence régent.

Quel programme ! La reine en aurait souri autrefois. Elle sourit de moins en moins. Le renchérissement du pain provoque de petites émeutes qui éclatent spontanément un peu partout et qu'il faut réprimer, ce que déplore Marie-Antoinette : « Il est triste d'en venir à des voies de rigueur dont on ne peut d'avance calculer l'étendue », écrit-elle à Joseph II le 24 avril 1788.

Le 8 août 1788, Loménie de Brienne annonce la réunion des États généraux pour le 1er mai 1789. Mais Loménie n'a pas d'argent pour aller jusque-là. Le 16, il suspend les paiements de l'État pour six semaines. C'est la banqueroute, l'affolement, et le soulèvement dans certaines provinces. Il faut chasser Loménie et se résigner à rappeler Necker. Marie-Antoinette se charge du renvoi de l'un et du retour de l'autre.

— Je tremble, passez-moi cette faiblesse, de ce que c'est moi qui le fais revenir. Mon sort est de porter malheur, et si des machinations infernales le font encore manquer ou qu'il fasse reculer l'autorité du roi, on m'en détestera davantage, se plaint Marie-Antoinette à Mercy, le 25 août 1788.

Le renvoi de Loménie de Brienne est accueilli par des transports de haine : on brûle son effigie place de

Grève et place Dauphine. Le retour de Necker est reçu avec des transports de joie.

« 6 septembre 1788. [...] C'est la reine qui a présenté M. Necker au roi après sa nomination. Elle y a mis ses grâces ordinaires, en disant à son auguste époux : "Sire, voici votre meilleur ami[1]". »

Les rapports entre Marie-Antoinette et Necker, quand il avait été un ministre prêchant trop l'économie, avaient été assez orageux. Maintenant, ils semblent au beau fixe. Chacun se fait des grâces, « ordinaires » ou non. La reine, qui n'a pas perdu sa mauvaise habitude de distribuer des faveurs imméritées, demande à Necker de prendre l'un de ses protégés au contrôle général. Necker esquive la demande : il a besoin d'un homme plus capable que ne l'est le protégé de la reine. Marie-Antoinette insiste :

— Vous me refusez donc ?

— Ah ! Madame, ce n'est point le nom que Votre Majesté doit donner à mes observations !

— C'est me refuser, mais je ne vous en estime pas moins.

Sur les conseils de Necker, Marie-Antoinette envisage même de se débarrasser du château de Saint-Cloud, objet de tant de ressentiments populaires, et de le revendre au duc d'Orléans à qui elle l'avait acheté. Le duc paierait les 300 000 livres de réparations qui y ont été faites. Le projet n'aura pas de suite. Les Parisiens continueront à aller à Saint-Cloud « voir les eaux et l'Autrichienne ».

2 novembre 1788. Marie-Antoinette a trente-trois ans. Pour son anniversaire, elle se contente d'une bonne nouvelle : la santé de Louis-Joseph s'améliore. Il a retrouvé un peu d'appétit et avoue à sa mère une nette préférence pour ces pommes de terre dont Parmentier a répandu la culture en France.

— Je préfère cet aliment à tout autre parce que je l'ai cultivé moi-même, dit le Dauphin qui, comme son

1. *Correspondance secrète.*

246

père, aime se livrer, quand sa santé le permet, à des travaux manuels.

Louis-Joseph ajoute, faisant des projets d'avenir :

— Je veux l'été prochain, si je me porte mieux, semer du blé, le soigner et le faire moudre.

Pour son trente-troisième anniversaire, Marie-Antoinette reçoit en cadeau un peu d'espoir. Et si elle s'était trompée, si elle ne portait pas malheur ?

État. Quand on a décidé de la convocation des États généraux, le clergé, la noblesse et le Tiers État devaient y être représentés à parts égales. Le Tiers a été doublé. Necker a lui tout le mérite de cette mesure populaire à laquelle le roi et surtout la reine avaient largement contribué, à la fois par esprit de justice et par crainte que les deux premiers ordres. Le Tiers montre envers les deux une ingratitude de façon la plus ...

Les députés du Tiers arrivaient à Versailles avec les plus fortes préventions contre la Cour. [...] Ils croyaient que le roi se permettait les plaisirs de la table jusqu'à des excès honteux ; ils étaient persuadés

La mort d'un fils
(4 juin 1789)

A Paris, le 10 décembre 1788, Fersen écrit à son père : « La fermentation des esprits est générale [...] c'est, dans ce moment, une affaire de mode, et vous savez, comme moi, l'empire qu'elle a. » Il est probable que Fersen a parlé avec Marie-Antoinette de cette « fermentation des esprits » et de cette mode que ni la reine, ni Mlle Bertin, ni le coiffeur Léonard n'ont inspirée. On n'y échappe pas. L'excitation croît de jour en jour.

« 2 janvier 1789 [...] Les esprits s'aigrissent journellement, l'opinion ajoute sans cesse aux maux réels, et l'opiniâtreté des divers partis devient de plus en plus inquiétante [1]. »

La chaleur des discussions fait oublier, un instant, le froid intense de l'hiver et les privations qu'il provoque, « une misère affreuse dans le peuple ; mais ses rigueurs sont diminuées par la quantité d'actes de bienfaisance ». Marie-Antoinette se distingue particulièrement par ses charités. Cela ne diminue en rien son impopularité. Elle est le monstre à abattre, celle par qui le scandale, le déficit et la ruine arrivent. Plus rien ne doit être mis à son avantage, et surtout pas son intervention généreuse dans le doublement du Tiers

1. *Correspondance secrète.*

État. Quand on a décidé de la convocation des États généraux, le clergé, la noblesse et le Tiers État devaient y être représentés à parts égales. Le Tiers a été doublé. Necker a tiré tout le mérite de cette mesure populaire à laquelle le roi et surtout la reine avaient largement contribué, à la fois par esprit de justice, et par méfiance pour les deux premiers ordres. Le Tiers manifeste à Marie-Antoinette son ingratitude de façon la plus éclatante :

« Les députés du Tiers arrivaient à Versailles avec les plus fortes préventions contre la Cour. [...] ils croyaient que le roi se permettait les plaisirs de la table jusqu'à des excès honteux ; ils étaient persuadés que la reine épuisait les trésors de l'État pour satisfaire au luxe le plus déraisonnable ; presque tous voulurent visiter le petit Trianon. L'extrême simplicité de cette maison de plaisance ne répondant pas à leurs idées, quelques-uns insistèrent pour qu'on leur fît voir jusqu'aux moindres cabinets, disant qu'on leur cachait des pièces richement meublées. Enfin, ils en indiquèrent une qui, selon eux, devait être partout ornée de diamants, avec des colonnes torses mélangées de saphir et de rubis. La reine ne pouvait revenir de ces folles idées [1]... »

Les députés du Tiers sont persuadés que cette « drôlesse d'Antoinette » leur cache les plus belles salles, les plus luxueuses, celles où elle se livre aux pires débauches avec les Polignac, les Rohan et les autres. Tel est le pouvoir de la calomnie. Le Hameau, avec ses moutons, ses poules, ses pigeons, paraît aux députés un mensonge, une illusion. La réalité est ailleurs dans ces pièces tapissées de diamants que l'on cache à leur curiosité d'honnêtes citoyens. Marie-Antoinette sourit de leurs préventions. Sourire sans aucun pouvoir sur ces députés du Tiers bardés de préjugés. Et c'est pour ces messieurs vêtus de noir que Marie-Antoinette va jouer son rôle de reine, se parer,

1. Mme Campan.

250

resplendir pour la procession solennelle qui, le 4 mai, précède l'ouverture des États généraux à Versailles.

À dix heures du matin, Louis-Auguste et Marie-Antoinette, suivis de la famille royale, quittent le château pour l'église Notre-Dame où les attendent les représentants de la noblesse, du clergé et du Tiers État. On va en procession de l'église Notre-Dame à l'église Saint-Louis où l'on entendra la messe. Le Saint-Sacrement porté par l'archevêque de Paris est abrité par un dais dont les cordons sont tenus par le comte de Provence (le futur Louis XVIII), le comte d'Artois (le futur Charles X), le duc d'Angoulême (pendant trois minutes, en 1830, Louis XIX), le duc de Chartres (futur Louis-Philippe). Quatre futurs rois pour un roi présent, Louis XVI, en habit d'or, et une reine, Marie-Antoinette, en habit d'or et d'argent. Mais le roi du jour, c'est le duc d'Orléans : il se croit « peuple », le déclare hautement et il n'en faut pas plus pour que la populace l'idolâtre. C'est de son Palais-Royal, à Paris, que partent, on le sait, les plus féroces pamphlets contre la reine et c'est à son instigation qu'éclate, pendant la procession du 4 mai, un incident :

« [...] Des femmes du peuple, en voyant passer la reine, crièrent : ''Vive le duc d'Orléans !'' avec des accents si factieux qu'elle pensa s'évanouir. On la soutint et ceux qui l'environnaient craignirent un moment qu'on ne fût obligé d'arrêter la marche de la procession. La reine se remit et eut un vif regret de n'avoir pas pu éviter les effets de ce saisissement[1]. »

Le lendemain, 5 mai, ouverture solennelle des États généraux dans la salle des Menus-Plaisirs qui avait déjà servi à l'Assemblée des notables. Le duc d'Orléans est aussi applaudi que la veille. Il doit sup-

1. Mme Campan.

251

porter d'entendre les mêmes applaudissements saluer l'arrivée de son cousin Louis-Auguste. Il se réjouit ensuite du parfait silence qui accueille Marie-Antoinette. « Pas une voix ne s'élève pour elle », rapporte Gouverneur Morris.

La reine est « mise à merveille, un seul bandeau de diamants, avec la belle plume de héron, l'habit violet et la jupe blanche en pailleté d'argent ». Elle se tient d'autant plus droite qu'elle veut éviter toute défaillance, et comme la veille, tout effet de « saisissement ».

Prévenant, et plus galant qu'on ne le dit généralement, le roi, avant de commencer son discours, invite la reine à s'asseoir. Belle marque d'amour que donne là Louis-Auguste face à cette assemblée qu'il sent hostile à sa bien-aimée Marie-Antoinette. La reine refuse et accompagne son refus de l'une de ces révérences dont elle a le secret et dont ses contemporains ont gardé le souvenir ébloui. Elle écoutera, debout, comme le reste de l'Assemblée, le discours du roi. On attribue la tristesse de son air à l'incident de la veille, à ce « Vive le duc d'Orléans ! ». Marie-Antoinette n'est pas triste : elle est désespérée. Seul son sens du maintien l'empêche de montrer davantage son désespoir qui est immense : son fils aîné, le Dauphin, Louis-Joseph, se meurt à Meudon. Il est au dernier degré du rachitisme et de l'affaiblissement. Il n'est plus que souffle, esprit, tendresse :

« Tout ce que dit ce pauvre petit est incroyable ; il fend le cœur de la reine, il est d'une tendresse extrême pour elle. L'autre jour, il la supplia de dîner dans sa chambre. Hélas, elle avalait plus de larmes que de pain [1]. »

Ce printemps 1789, ce n'est pas pour Marie-Antoinette la convocation des États généraux, c'est l'interminable agonie d'un fils qu'elle chérit et qui

1. Mme de Lage de Volude.

doit fêter le 22 octobre son huitième anniversaire, si Dieu le veut... Elle s'efforce d'être le plus souvent à son chevet pour conjurer cette mort qu'elle sent rôder. Elle en devient superstitieuse et tire de sinistres présages de quatre bougies qui s'éteignent successivement.

Le Dauphin s'éteint dans la nuit du 3 au 4 juin, vers une heure du matin.

« La Reine était à Meudon au moment où Monsieur le Dauphin entra en agonie. Elle se tenait au pied de son lit, plongée dans la douleur et versant des larmes[1]. »

Marie-Antoinette est accablée de peine, prostrée. Louis-Auguste ne l'est pas moins, mais il *doit*, deux jours après la mort de son fils aîné, recevoir des représentants du Tiers État qui veulent lui remettre une « adresse sur la situation des affaires ». Louis-Auguste demande :

— Il n'y a donc pas de pères, dans l'assemblée des Tiers ?

Il n'y en a visiblement pas. La parade *doit* continuer. Louis-Auguste et Marie-Antoinette *doivent* y participer. On ne pardonne rien aux puissants de ce monde, et surtout pas la faiblesse de montrer du chagrin pour la mort d'un fils. Et puis, le Dauphin est mort, vive le Dauphin !

« Le duc de Normandie a pris le nom de Dauphin de France et a été salué le 7 sous ce titre. Il donne de grandes espérances. C'est un très bel enfant[2]. »

En ce très bel enfant qu'elle a surnommé le « Chou d'Amour », Marie-Antoinette puise sa consolation. Elle sent maintenant la vanité de toutes choses et ne

1. *Correspondance secrète.*
2. *Ibid.*

veut plus être que la mère d'un Chou d'Amour et d'une Mousseline. Elle est décidée à consacrer toutes les journées de cet été 1789 à ses enfants. Mercy ne sera pas content. Tant pis. Comme elle regrette le temps perdu avec ces messieurs du Tiers alors que son fils se mourait à Meudon ! A cette pensée, elle avale, à nouveau, « plus de larmes que de pain ».

Le Da...

Vers une heure du matin.

« La Reine était à Meudon au moment où Mon-sieur le Dauphin était en agonie. Elle se tenant au pied de son lit, plongée dans la douleur et versant des larmes... »

Marie-Antoinette est accablée de peine; pourtant Louis-Auguste ne l'est pas moins, mais il doit, deux jours après la mort de son fils aîné, recevoir des repré-sentants du Tiers État qui veulent lui remettre une « adresse » sur la situation des affaires ». Louis-Auguste demande :

— Il n'y a donc pas de pères, dans l'assemblée des Tiers ?

« Il n'y en a évidemment pas. La parade doit conti-nuer. Louis-Auguste et Marie-Antoinette doivent y participer. On ne pardonne rien aux puissants de ce monde, et surtout pas la faiblesse de montrer du cha-grin pour la mort d'un fils. Et puis, le Dauphin est mort, vive le Dauphin !

« Le duc de Normandie a pris le nom de Dau-phin de France et a été salué le ? sous ce titre. Il donne de grandes espérances. C'est un très bel enfant. »

En ce très bel enfant qu'elle a surnommé le « Chou d'Amour », Marie-Antoinette puise sa consolation. Elle veut maintenant la vanité de toutes choses et ne

1. Correspondance secrète.
Ibid.

Une interminable journée
(17 juillet 1789)

Toute la Révolution de 89 se résume en ceci :
acquérir les biens nationaux, ne pas les rendre.

George SAND.

À travers les larmes causées par la mort de son fils, Marie-Antoinette regarde les événements qui se précipitent et qui sont pour elle autant de motifs de nouveaux chagrins. Le 17 juin, les députés du Tiers État se déclarent Assemblée nationale. Le 20, ces mêmes députés se réunissent dans la salle du Jeu de Paume et font le serment de ne pas se séparer avant d'avoir donné une constitution à la France.

Le 23 juin, le roi déclare illégale la décision prise par les députés du Tiers le 17. Il laisse entendre qu'il est prêt à accomplir seul les réformes qui s'imposent :

— Toute défiance de votre part, dit-il, serait une grande injustice. C'est moi, jusqu'à présent, qui ai fait tout pour le bonheur de mes peuples, et il est rare peut-être que l'unique ambition d'un souverain soit d'obtenir de ses sujets qu'ils s'entendent enfin pour accepter ses bienfaits.

Il ordonne ensuite à l'Assemblée de se séparer. Le clergé et la noblesse obéissent. Le Tiers reste dans la salle.

— Messieurs, j'avoue que ce que vous venez d'entendre pourrait être le salut de la patrie, si les présents du despotisme n'étaient pas toujours dangereux, s'écrie Mirabeau qui, en ce jour, va accumuler ces mots que l'on appelle historiques.

Au grand maître des cérémonies, le marquis de Dreux-Brézé qui vient rappeler les ordres du roi, le tribun d'Aix-en-Provence répond :

— Nous sommes ici par le vœu de la nation : la force matérielle seule pourrait nous faire désemparer.

Ce qui est devenu le fameux « Allez dire à votre maître que nous sommes ici par la volonté du peuple et que nous n'en sortirons que par la force des baïonnettes ! ». Après quoi, l'Assemblée nationale déclare que la personne de chaque député est inviolable. Échec au roi... et à la reine que l'on continue à accuser de tous les crimes. Les députés du Tiers n'ont pas surmonté la déception causée par la modestie du Hameau de Trianon et croient ferme en l'existence de pièces tapissées de diamants, abritant toutes les débauches.

Pendant ce temps, les députés de la noblesse se présentent chez la reine qui porte son fils dans ses bras.

— Jamais je ne vis plus de dignité dans la douleur, plus de douceur dans l'affliction, rapporte le comte de Ségur.

Dix-neuf jours après la mort de Louis-Joseph, Marie-Antoinette réussit à cacher sa peine et s'efforce de reprendre part à la vie politique.

Au soir de ce mémorable 23 juin, Necker veut démissionner. Le roi refuse cette démission qu'il demandera le 11 juillet, la présentant alors comme une « faveur ».

Un nouveau ministère se constitue sous la présidence du baron de Breteuil pendant que Necker s'éloigne sans retard vers Bruxelles, mais non sans bruit. À Paris, on porte en triomphe les bustes de Necker et du duc d'Orléans, on conspue la reine et le comte d'Artois auxquels on attribue le renvoi du ministre. Le peuple, en signe de deuil, ordonne la fermeture des salles de spectacle.

Dans les jardins du Palais-Royal, on écoute pérorer un jeune avocat, Camille Desmoulins, qui s'écrie :

— M. Necker est renvoyé. Ce renvoi est le tocsin d'une Saint-Barthélemy des patriotes. Ce soir même, tous les bataillons suisses et allemands sortiront du Champ-de-Mars pour nous égorger. Il ne nous reste qu'une ressource ; c'est de courir aux armes.

Invention pure : le renvoi de Necker ne donne lieu à aucune « Saint-Barthélemy des patriotes », et les bataillons restent tranquillement dans leurs casernes. Mais les mensonges de Desmoulins font leur effet. Le 13 juillet, on s'empare de piques, de sabres, de fusils. On dresse des barricades dans les rues. Le 14 juillet, on se porte aux Invalides pour y prendre d'autres armes. Puis des bandes s'élancent, au bruit du tocsin, à la conquête de ce symbole de l'arbitraire, la Bastille, qui capitule. On libère les sept prisonniers qui s'y trouvaient et on égorge les principaux officiers, le gouverneur de la forteresse, M. de Launay, et son major, M. de Losme. Leurs têtes mises au bout d'une pique sont promenées dans les rues comme autant de trophées. Lamentables trophées, c'est le règne des cannibales qui commence, Français égorgeant d'autres Français, prélude d'une guerre civile, d'une Terreur qui, déjà, compose ses listes de condamnés. Au Palais-Royal on peut voir ces listes où figurent le comte d'Artois, les Polignac, les Condé, le baron de Breteuil, le maréchal de Broglie.

— Prince, dit au comte d'Artois le duc de La Rochefoucault-Liancourt qui est revenu de Paris à Versailles, en toute hâte, votre tête est proscrite, j'ai lu l'affiche de cette terrible proscription.

Le duc va ensuite prévenir le roi de la prise de la Bastille. Louis-Auguste s'en étonne :

— Mais c'est donc une révolte ?

— Non, sire, c'est une révolution.

Atterré, Louis-Auguste veut quitter Versailles. Il se retirera à Metz, comme le suggère Marie-Antoinette. Bien qu'il soit convaincu de l'excellence de la suggestion de la reine, le roi ne peut s'empêcher de demander conseil au maréchal de Broglie qui déclare :

— Oui, nous pourrons aller à Metz, mais que ferons-nous quand nous y serons ?

Incapable de trouver une réponse à cette question, et de prendre une décision, Louis-Auguste renonce au départ.

— J'ai manqué le moment, dira-t-il à Fersen, trois ans après, et depuis je ne l'ai plus retrouvé.

Le 15 juillet, le roi se rend à l'Assemblée à laquelle il se confie, provoquant un délire d'enthousiasme. Les députés raccompagnent le roi au château. La reine paraît au balcon, entourée de ses enfants. L'enthousiasme ne faiblit pas et l'on remarque, au balcon, l'absence de la gouvernante des Enfants de France, Mme de Polignac.

Cette absence qui ne passe pas inaperçue est ainsi commentée par un inconnu :

— La duchesse est comme les taupes. Elle travaille en dessous, mais nous saurons piocher pour la déterrer.

Propos qui suscitent l'approbation générale et qui, rapportés à la reine, la « percent d'un frisson d'horreur ».

Le 16 juillet, à huit heures du soir, Marie-Antoinette adjure M. et Mme de Polignac de partir dans la nuit même. Ils résistent, ou font semblant de résister, pour sauver la face. La reine supplie celle qui fut son « cher cœur » :

— Le roi va demain à Paris ; si on lui demandait... Je crains tout ; au nom de notre amitié, partez ! Il est encore temps de vous soustraire à la fureur de mes ennemis ; en vous attaquant, c'est bien plus à moi qu'on en veut qu'à vous-même, ne soyez pas la victime de votre attachement et de mon amitié.

Survient Louis-Auguste à qui Marie-Antoinette suggère :

— Venez, monsieur, m'aider à persuader à ces honnêtes gens, à ces fidèles sujets qu'ils doivent nous quitter.

Le roi appuie la volonté de la reine en disant :

— Mon cruel destin me force d'éloigner de moi tous ceux que j'estime et que j'aime. Je viens d'ordonner au comte d'Artois de partir ; je vous donne le même ordre. Plaignez-moi, mais ne perdez pas un seul moment, emmenez votre famille. Comptez sur moi dans tous les temps, je vous conserve vos charges.

À minuit, Marie-Antoinette, oubliant les ingratitudes de la duchesse, envoie à celle qui redevient, à l'instant de la séparation, la comtesse Jules d'autrefois, le billet suivant : « Adieu, la plus tendre des amies ! Que ce mot est affreux ! Mais il est nécessaire. Adieu ! je n'ai que la force de vous embrasser. »

Elle s'en va donc, la duchesse Jules, et elle n'est pas la seule. La prise de la Bastille et le massacre de ses défenseurs ont terrorisé la Cour. Les Artois, les Polignac, Vaudreuil, les Castries, les Breteuil, les Coigny, le duc de Bourbon, le prince de Condé, ils partent tous, sans demander leur reste. Les plus grands noms de France roulent dans la poussière des chemins. Même l'abbé de Vermond s'en va. Les amis des beaux jours de la reine ne sont pas ses amis dans l'adversité. Les fanatiques de la douceur de vivre ne sont pas les partisans du malheur d'exister en ce 16 juillet 1789. Et pourquoi resteraient-ils avec Marie-Antoinette ? Elle n'a plus rien à donner, même pas son sourire. Marie-Antoinette reste seule. Et dès le 17 juillet, elle va faire l'apprentissage de cette solitude.

Le 17 juillet, le roi quitte Versailles à dix heures du matin pour s'en aller à Paris. Il a décidé de rappeler Necker, de calmer les esprits :

« Son départ causa une douleur égale aux alarmes auxquelles on était livré, malgré le calme qu'il fit paraître. La reine retint ses larmes et s'enferma dans ses cabinets avec toute sa famille. Elle envoya chercher plusieurs personnes de sa Cour : on trouva des cadenas à leurs portes. La terreur les avait éloignées. Le silence de la mort régnait dans tout le palais, les craintes étaient extrêmes ; à peine espérait-on le retour du roi[1]. »

1. Mme Campan.

Ces cadenas sur les portes, ce silence de mort, ce palais désert, quelle révélation pour Marie-Antoinette ! Elle vivait dans un univers qu'elle croyait immuable et qui a changé en quelques jours, en quelques heures, en quelques instants. Elle est comme une naufragée parmi les épaves de ses certitudes abolies, de ses bonheurs passés. Cadenas sur les portes, silence de mort, désert du palais, voilà son nouveau décor, voilà ses nouveaux amis. Comme ses anciens compagnons l'ont vite abandonnée à son sort, comme ils galopent maintenant vers les frontières, vers la liberté !

En ce 17 juillet, Marie-Antoinette se sent prisonnière à Versailles, et craint que l'on ne retienne Louis-Auguste en otage, à Paris. Elle veut se rendre à l'Assemblée pour y prononcer un discours qui commencerait par ces mots :

— Messieurs, je viens vous remettre l'épouse et la famille de votre souverain ; ne souffrez pas que l'on désunisse sur la terre ce qui a été uni dans le ciel.

« En répétant ce discours, sa voix était entrecoupée par ses larmes et par ses mots douloureux : ''Ils ne le laisseront pas revenir''[1]. »

Ils le laisseront revenir au prix d'une humiliation[2]. À l'Hôtel de Ville, le roi reçoit des mains de Bailly la cocarde rouge et bleu de la ville de Paris qu'il doit mettre à son chapeau déjà orné par la cocarde blanche. La Fayette est là. Celui qui était hier le héros de la guerre d'Indépendance est aujourd'hui le médiateur entre la Cour et la rue. Celui que Marie-Antoinette avait surnommé M. Blondinet est grisé. Sa griserie augmente quand le roi le nomme général en chef de la garde nationale. Après quoi, Louis-Auguste reprend le chemin de Versailles où il arrive à neuf heures du soir. Il est brisé de fatigue, mais content :

1. Mme Campan.
2. On pourrait parler d'une double humiliation : le roi doit faire bonne figure aux émeutiers — impunis — du 14 juillet (N.D.E.).

— Heureusement, il n'a pas coulé de sang ; je jure qu'il n'y aura jamais une goutte de sang français versé sur mon ordre, promet-il.

Dommage que les vainqueurs de la Bastille ne puissent en dire autant !

Au mépris de l'étiquette, mais qui pense encore à l'étiquette en ce 17 juillet au soir ? Marie-Antoinette se précipite dans les bras de son mari, comme n'importe quelle épouse retrouvant un époux qu'elle n'espérait plus revoir. L'interminable journée s'achève. C'est la première. D'autres suivront qui n'auront pas un aussi heureux dénouement.

Une nuit trop courte
(4 août 1789)

Votre Majesté vient jouir de la paix qu'elle a rétablie dans sa capitale », avait dit Bailly, maire de Paris, au roi, en l'accueillant le 17 juillet. La paix ne dure guère. Cinq jours plus tard, Joseph-François Foullon, adjoint au ministre de la Guerre, et son gendre, l'intendant Bertier de Sauvigny, accusés d'être des « affameurs du peuple », sont la proie des cannibales, de ceux que Marie-Antoinette nomme les « enragés du Palais-Royal ». Foullon et Bertier sont égorgés, leurs têtes sont promenées sur des piques, comme l'ont été celles de M. de Launay et de M. de Losme. C'est une mode — puisque tout est mode à Paris — qui commence, affreuse, sanglante et qui se répand dans les provinces qui, elles aussi, veulent prendre leur Bastille et en assassiner les occupants. On démolit les châteaux, on pille les couvents, on brûle les églises. On assistera aux mêmes scènes en juillet 1936 en Espagne.

Le 23 juillet, Mercy écrit au prince de Kaunitz :

« J'avais annoncé une catastrophe, mais ne la prévoyais alors ni aussi prochaine ni aussi violente que l'est celle qui vient d'éclater. [...] On ne peut assigner les causes de la frénésie qui dans cette occasion s'est emparée des esprits contre la reine ; les absurdités qu'on lui impute et auxquelles le bon sens répugne ne peuvent en être les seuls motifs ; il faut que quelque cabale secrète y ait donné lieu [...]. »

Cabale dévoilée par Soulavie :

« Le duc d'Orléans, les clubs du Palais-Royal et les premiers révolutionnaires [...] ne semblaient occupés que de rejeter sur Marie-Antoinette, exclusivement, les causes des malheurs de l'État. [...] L'opinion que la reine avait résolu la perte de la France en faveur de la Maison d'Autriche, prévalut bientôt dans le royaume. On entendit assurer de toutes parts que Marie-Thérèse nous avait donné cette reine, dans son ressentiment, pour se venger de la France ; et sous ce point de vue, la reine était le fléau de la France. »

Mercy s'en va à Versailles conjurer le « fléau de la France » de suivre la politique de Necker dont on attend le retour. Mais ni la « grande peur » qui ravage Paris et les provinces, ni le retour de Necker ne préoccupent Marie-Antoinette. Son principal souci, en ces jours très sombres, c'est de trouver une remplaçante à Mme de Polignac. Sa volonté d'être mère avant que d'être reine n'a jamais été aussi évidente. Ses enfants d'abord, le sort de la France, après. Qui sera la gouvernante des Enfants de France ? Voilà un problème à résoudre, plus important que ceux posés par la prise de cette vieille Bastille !

— Madame, j'avais confié mes enfants à l'amitié, aujourd'hui, je les confie à la vertu.

Par ces paroles, Marie-Antoinette accueille Mme de Tourzel qui devient gouvernante des Enfants de France et pour qui elle trace, le 24 juillet, ce portrait de Louis-Charles :

« Mon fils a quatre ans quatre mois moins deux jours ; je ne parle pas ni de sa taille ni de son extérieur : il n'y a qu'à le voir. Sa santé a toujours été bonne ; [...] Il est, comme tous les enfants forts et bien portants, très étourdi, très léger et violent dans ses colères ; mais il est bon enfant, tendre et caressant même, quand son étourderie ne l'emporte pas. [...] Il est d'une grande fidélité quand il a promis quelque chose ; mais il est très indiscret ; il répète aisément ce qu'il a entendu dire ; et souvent, sans vouloir mentir, il y ajoute ce que son imagination lui fait voir. C'est son plus grand défaut et sur lequel il faut bien le corriger. »

A chacune de ses lignes, éclate l'amour maternel de Marie-Antoinette, un amour proche de la perfection puisqu'il n'est pas aveugle. Lucide, Marie-Antoinette reconnaît le défaut majeur de son fils, « il répète aisément ce qu'il a entendu dire ». Défaut dont, plus tard, ses geôliers du Temple ne profiteront que trop pour composer l'ultime, et la plus terrible, des calomnies contre la reine.

En juillet 1789, Mme de Tourzel a quarante ans. Louise-Élisabeth-Félicité-Françoise-Armande-Anne-Marie-Jeanne-Joséphine de Croÿ-Havré avait épousé en 1764 M. de Tourzel, grand prévôt de France. Il est mort en novembre 1786 des suites d'un accident survenu pendant une chasse à courre en compagnie du roi. Mme de Tourzel avait dit alors à son fils : « J'ai tout perdu ; il ne me reste plus qu'un seul espoir en ce monde, c'est que vous soyez aussi vertueux que l'homme dont vous embrassez le cadavre. » Le roi s'est montré à la hauteur de tant de stoïcisme en conservant à ce fils, encore mineur, la charge de son père. Mme de Tourzel s'est ensuite retirée de la Cour pour se consacrer à l'éducation de sa fille, Pauline. Cette retraite, la réussite de cette éducation ont déterminé Marie-Antoinette à rappeler Mme de Tourzel que Louis-Charles qui, comme sa mère, a le goût des surnoms, baptisera « Mme Sévère ».

Mme Sévère ne plaisante pas et ne perd pas son temps en futilités comme Mme de Polignac à qui Marie-Antoinette annonce la nouvelle :

— Vous savez sûrement la nomination de Mme de Tourzel ; elle a bien coûté à mon cœur.

On s'en doute un peu. Passer de Mme Légère à Mme Sévère, ce n'est pas drôle...

Le problème de l'éducation de ses enfants réglé, Marie-Antoinette peut, le 28 juillet, se consacrer à Necker qui revient, flanqué de sa femme, et de leur fille, Germaine de Staël. Mercy a recommandé à la reine d'être « aimable et accueillante » avec Necker. Elle l'est puisqu'il se présente comme un sauveur et qu'il est reçu partout comme tel :

« 1er août. M. Necker est venu avant-hier à l'Hôtel de Ville, et a reçu du peuple l'hommage le plus éclatant. [...] La journée du 4 de ce mois ne sera pas la moins honorable ni la moins célèbre de nos annales. On verra s'élever sur la base qu'elle a établie une constitution qui fait du peuple français une société de frères »,

écrit l'auteur de la *Correspondance secrète*, avec un optimisme confondant. Mais, comment ne pas être optimiste après cette admirable nuit du 4 août qui, à la place du 14 juillet, devrait être notre fête nationale ? Pendant cette nuit du 4 août 1789, à l'Assemblée nationale, les Français découvrent qu'ils peuvent être frères et, dans un élan de générosité que l'on n'a jamais revu depuis, abolissent les privilèges. On offre, pêle-mêle, l'extinction des justices seigneuriales, la suppression des prévôtés, des droits de chasse, des dîmes, l'« affranchissement des serfs dans tout le royaume et l'adoucissement du sort des esclaves dans les colonies ». C'est la féodalité, ou plus exactement ce qu'il en reste, qui se détruit de ses propres mains. Le sacrifice s'accomplit aux cris de « Vive le roi ! Vive Louis XVI, restaurateur de la liberté française ! ».

La nuit du 4 août n'aura été que trop courte. Dès le lendemain, ses effets, qui auraient dû être bénéfiques, se révèlent néfastes. Toutes les institutions viennent d'être détruites. C'est la rue qui dicte sa loi. On confond la suppression des privilèges avec la suppression des impôts. L'argent ne rentre plus dans les caisses de l'État. La France plonge dans le chaos. « Le roi et la reine ne pouvaient voir sans effroi les décrets désorganisateurs de l'Assemblée se succéder avec une rapidité effrayante », note Mme de Tourzel dans ses *Mémoires*. Le 12 août, la reine écrit à la duchesse Jules : « Je ne vous parle point d'affaires : elles ne seraient qu'affligeantes pour toutes deux. » Il est aisé de déduire que Marie-Antoinette n'a pas considéré la nuit du 4 août comme une nuit admirable...

caisses de l'État. La France plonge dans le chaos. « Le roi et la reine ne pouvaient voir sans effroi les décrets désorganisateurs de l'Assemblée se succéder avec une rapidité effrayante », note Mme de Tourzel dans ses *Mémoires*. Le 12 août, la reine écrit à la duchesse Jules : « Je ne vous parle point d'affaires ; elles ne seraient qu'affligeantes pour toutes deux. » Il est aisé de déduire que Marie-Antoinette n'a pas considéré la nuit du 4 août comme une nuit admirable...

La reine au couvent
(1er septembre 1789)

Vingt-cinq août 1789. Fête de Saint-Louis. Les échevins et les poissardes de Paris viennent à Versailles souhaiter la « bonne fête » au roi. Ils sont ensuite reçus par la reine. Marie-Antoinette s'attend à ce que le maire de Paris, Bailly, mette un genou à terre, comme il l'a fait, les années précédentes. Bailly se contente d'exécuter une « profonde révérence ». Depuis la nuit du 4 août, on ne s'agenouille plus devant personne, et c'est tant mieux. Cela, la reine ne l'a pas compris. Choquée, elle congédie le maire d'un signe de tête par lequel elle espère manifester son mécontentement. Mme de Noailles avait-elle donc raison quand elle voulait maintenir cette étiquette qui importunait tant Marie-Antoinette ?

26 août. L'Assemblée nationale qui avait décrété l'abolition des droits féodaux vote la *Déclaration des droits de l'homme*. L'article premier comprenant ces mots véritablement magiques, « les hommes naissent et demeurent libres et égaux en droit », va bouleverser l'ordre du monde. A cette sublime déclaration, le roi oppose, hélas, un refus. Pour Louis-Auguste, et pour Marie-Antoinette, cette *Déclaration* n'est qu'une suite d'insolences et de mensonges.

27 août. Necker poursuit sa tâche et met au point un nouveau plan d'emprunt. Il est surmené, il a de la fièvre.

269

« La reine, attentive à plaire à la nation et au roi, envoie deux fois par jour chez lui pour savoir de ses nouvelles [1]. »

« Depuis quelques jours, les affaires paraissent prendre une meilleure tournure ; mais on ne peut se flatter de rien : les méchants ont si grand intérêt et tous les moyens de retourner et empêcher les choses les plus justes [...]. Mais comptez toujours que les adversités n'ont pas diminué ma force et mon courage »,

écrit Marie-Antoinette, le 31 août, à Mme de Polignac à qui l'absence rend ses attraits perdus.

Entre les deux amies, le dialogue reprend. Marie-Antoinette termine sa lettre du 31 par « Adieu mon cher cœur ; vous savez combien je vous aime, et que jamais je ne peux changer ». Évidemment, ce n'est pas à Mme de Tourzel que la reine pourrait dire : « Mon cher cœur, vous savez combien je vous aime. » Elle a ainsi, dans ses lettres, fréquentes, à la duchesse Jules, l'illusion de retrouver cette intimité facile, rieuse, légère de jadis, et de croire que jamais rien ne peut changer.

De cette constance, Axel de Fersen peut témoigner. Fersen est en garnison à Valenciennes et, d'après Saint-Priest, vient souvent à Versailles. Contrairement aux Polignac, Vaudreuil, Coigny et compagnie, Fersen est l'ami des mauvais jours. Toujours d'après Saint-Priest, « la reine demeura plus isolée que jamais. Il ne lui resta que le comte de Fersen, lequel continua de jouir des entrées libres chez elle et d'avoir de fréquents rendez-vous au petit Trianon ».

Fersen est alors l'unique, l'incomparable ami de la reine. Il règne entre ces deux êtres la plus amoureuse des amitiés. Changer ce sentiment en une liaison physique — laquelle n'aurait pu commencer qu'en cet été 1789, à la faveur de la confusion qui règne à la Cour et qui relâche un peu l'incessante surveillance

1. *Correspondance secrète.*

dont la reine est l'objet —, à quoi bon ? Marie-Antoinette et Fersen ont tant d'autres plaisirs à partager. Leurs sensibilités s'accordent, leurs nostalgies s'amalgament. Ils préfèrent contempler la terre promise plutôt que d'y pénétrer. On ne se lasse pas de ce que l'on n'a pas atteint...

Pour être plus proche de son amie en détresse, Fersen décide de prendre un appartement à Versailles. Cet aristocrate est aussi accablé que la reine par la tournure que prennent les événements :

« Il n'y a plus dans le royaume ni lois, ni ordre, ni justice, ni discipline, ni religion, tous les liens sont rompus, et comment les rétablira-t-on ? C'est ce que j'ignore ; mais voilà les effets du progrès des Lumières, de l'anglomanie et de la philosophie, la France est ruinée pour longtemps »,

écrit-il à son père.

Toujours soucieuse de combler ses amis, Marie-Antoinette voudrait que le baron de Staël, ambassadeur de Suède à Paris, soit remplacé par Fersen. Gustave III fait la sourde oreille à cette demande. Fersen se contentera de jouer les agents secrets. Il y excelle. Il écoute, il observe, il prévient Marie-Antoinette qu'elle est de plus en plus menacée. Informée par Fersen, et par Mercy, Marie-Antoinette n'ignore pas qu'elle est l'ennemie à abattre. On parle de l'enfermer dans un couvent, ce qui mettrait des « entraves » à l'influence qu'elle a sur le roi.

Ce projet d'enfermer la reine dans un couvent suscite de nombreux partisans. Dans la nuit du 31 août au 1er septembre, 1 500 fanatiques s'en vont de Paris à Versailles. Ils ne cachent pas leur intention de ramener le roi et le Dauphin dans la capitale, et de conduire la reine au couvent de Saint-Cyr. La garde nationale de Saint-Cloud, en occupant le pont de Sèvres, empêche les 1 500 forcenés de passer. Ils se dispersent, avec l'espoir de réussir une prochaine fois.

Marie-Antoinette n'a aucune envie de s'enterrer à Saint-Cyr, comme une Maintenon finissante. Elle ne supporte pas la pensée d'être séparée de son mari, de ses enfants, de Fersen. Elle reprend son projet de fuite à Metz. Oui, il faut fuir, réunir des fonds, appeler des troupes. Il faut éviter cette absurdité, ce crime de lèse-majesté, Marie-Antoinette jetée au couvent par 1 500 émeutiers en délire. Au soir de ce 1er septembre 1789, la fille de Marie-Thérèse est prête à tout pour éviter une telle avanie.

peut reconquérir au roi son royaume; les traître lui en
a d'orduire les moyens; ils sont seuls possibles. Elle
peut inter son auguste mère, sinon je me tais. Je supplie Votre Majesté de m'accorder une audience pour
un des jours de cette semaine. »

Marie-Antoinette accorda l'audience et rassure du
mieux qu'elle peut. Il n'est pas
question de partir; il faut pren-
dre des mesures pour reprendre les routes de Paris
Marie-Antoinette veut bien juillet son « augure
tière » à condition que les hommes qui l'entourent
ressemblent à ceux qui entouraient Marie-Thérèse; et
montrent le même courage, la même détermination.

Une drôle d'orgie
(1er octobre 1789)

« Trois septembre 1789. Nous avons passé huit
jours dans la crainte de manquer de pain. Cette
crainte a jeté de nouvelles alarmes dans la populace.
[...] Des esprits chauds et brouillons ont profité de ce
moment de fermentation pour faire des motions
insensées au jardin du Palais-Royal. On a dit que la
moitié de l'Assemblée était corrompue par l'aristocratie. C'est en conséquence de ces idées que l'on s'est
porté tumultueusement au Palais-Royal, qu'on a osé y
rédiger une proposition tendant à empêcher l'Assemblée d'accorder au roi le droit de veto, [...][1]. »

Après d'ardentes, d'interminables discussions, ce
droit a été voté. Mirabeau préconisait pour le roi un
droit de veto absolu. On a préféré accorder un simple
veto suspensif qui permet au souverain la possibilité
d'interdire, pendant deux législations consécutives, la
promulgation d'une loi.

Tout cela renforce Marie-Antoinette dans ses idées
de fuite que combat le maréchal d'Estaing, commandant de la garde nationale à Versailles :

« Je supplie la reine de calculer dans sa sagesse tout
ce qui pourrait arriver. [...] Rien n'est perdu. La reine

1. *Correspondance secrète.*

peut reconquérir au roi son royaume, la nature lui en a prodigué les moyens, ils sont seuls possibles. Elle peut imiter son auguste mère, sinon je me tais. Je supplie Votre Majesté de m'accorder une audience pour un des jours de cette semaine. »

Marie-Antoinette accorde l'audience et rassure du mieux qu'elle peut le maréchal d'Estaing : il n'est pas question de partir, pour le moment. Mais il faut prendre des mesures pour réprimer les désordres de Paris. Marie-Antoinette veut bien imiter son « auguste mère » à condition que les hommes qui l'entourent ressemblent à ceux qui entouraient Marie-Thérèse, et montrent le même courage, la même détermination. Le maréchal d'Estaing promet de prendre des mesures pour arrêter les mouvements de la populace. Il est décidé, le 18 septembre, « qu'il était indispensable, pour la sûreté de la ville, pour celle de l'Assemblée nationale, et pour celle du roi, d'avoir le plus promptement possible un secours de mille hommes de troupes réglées qui seront aux ordres du commandant général de la garde nationale de Versailles [1] ».

On fait venir le régiment de Flandres qui arrive à Versailles le 23 septembre. Il compte onze cents hommes qui se joignent à ceux de la milice versaillaise. Régiment et milice fraternisent et jurent fidélité à la nation, à la loi, et au roi. On sent que leur serment de fidélité va surtout au roi. Rassurée, sachant qu'avec de tels hommes elle ne court plus le risque d'être conduite de force au couvent de Saint-Cyr, Marie-Antoinette veut offrir un témoignage de sa gratitude. Le 29 septembre, elle annonce elle-même à l'état-major qu'elle veut donner un drapeau à chaque division. Le 30, les drapeaux sont bénits en l'église Notre-Dame, à Versailles. Après la cérémonie, un banquet est offert et l'on porte un toast au roi, à la reine, au Dauphin et à la nation.

Le 1er octobre, nouveau banquet, moins improvisé que le précédent et plus traditionnel : il s'agit du ban-

1. Le Roy, *Histoire de Versailles*.

quet de bienvenue offert au régiment de Flandres par les gardes du corps. Y participent les autres troupes stationnées à Versailles. La salle du manège et celle du théâtre ne pouvant contenir autant d'invités, le banquet se déroule, avec la permission du roi, dans la salle de l'Opéra du château. Musiques, fanfares, vins coulent à flots. Une franche gaieté règne. Par curiosité, par désir aussi de goûter un peu à une telle gaieté, le roi, la reine et le Dauphin paraissent dans une loge. Dès que l'on aperçoit ce royal trio, les ovations, les « Vive le roi ! », les « Vive la reine ! » fusent, en même temps que des invitations à descendre dans la salle. Le roi, la reine, le Dauphin acceptent, pendant que l'orchestre joue un air entraînant dont on reprend le refrain en chœur :

> *Ô Richard, ô mon roi,*
> *L'univers t'abandonne,*
> *Sur la terre il n'est donc que moi*
> *Qui m'intéresse à ta personne.*

Ce 1er octobre, Marie-Antoinette se livre à l'un de ses jeux préférés : traîner tous les cœurs après soi. « Parée de son enfant qu'elle porte dans ses bras », elle fait le tour des tables, ayant un mot, un sourire pour chacun. Ce tour de table, digne, décent, délicieux, sera présenté comme une véritable « orgie » par les suppôts du duc d'Orléans qui n'hésiteront pas à présenter la reine comme une bacchante ivre — elle qui ne boit que de l'eau — au milieu de soldats également saouls. Drôle d'orgie qui voit une femme se réjouir simplement des applaudissements que reçoivent son époux et son fils.

Orgie, c'est le mot qu'emploiera également Fouquier-Tinville à propos de ce banquet. Il accusera aussi la reine d'avoir foulé aux pieds la cocarde tricolore. Ce qui est faux : depuis le 31 juillet, le roi ne porte plus que cette cocarde tricolore[1] :

— Il n'est pas à croire, répondra Marie-Antoinette,

1. C'est le 31 juillet que La Fayette et Bailly ont adjoint le blanc aux couleurs de Paris pour atténuer la domination parisienne. (N.D.E.)

que des êtres aussi dévoués foulassent aux pieds et voulussent changer la marque que leur roi portait lui-même.

Le 3 octobre, la reine reçoit une députation venue la remercier des drapeaux distribués le 30 septembre.

— Je suis fort aise d'avoir donné des drapeaux à la garde nationale de Versailles, réplique-t-elle, la nation et l'armée doivent être attachées au roi comme nous le leur sommes nous-mêmes. J'ai été enchantée de la journée de jeudi.

Ces paroles de la reine, innocentes s'il en fut, ce « j'ai été enchantée de la journée de jeudi », journée du banquet, sont colportées dans Paris comme une provocation. Le banquet devient une « complète orgie » et une vaste conspiration contre-révolutionnaire... Décidément, Marie-Antoinette aura été la femme la plus calomniée de l'histoire ! Comme elle avait raison de dire à Mme Campan qui craignait une tentative d'empoisonnement contre la reine :

— Souvenez-vous qu'on n'emploiera pas un grain de poison contre moi. Les Brinvilliers ne sont pas de ce siècle-ci : *on a la calomnie qui vaut beaucoup mieux pour tuer les gens ; et c'est par elle qu'on me fera périr.*

C'est moi qui souligne ces prophétiques paroles de Marie-Antoinette que l'on a tuée d'abord par la calomnie, avant de l'assassiner sur l'échafaud.

Il en est du banquet d'octobre comme du lever de l'aurore : on remplace la simple vérité par des mensonges auxquels tout le monde croit, si absurdes soient-ils. Dès le 4 octobre, on ne songe plus qu'à stigmatiser l'« ignoble conduite » de la reine et à mettre fin aux débordements de cette « Messaline anti-patriotique ». « La fable aida au soulèvement général, aussi bien que la vérité », reconnaît froidement Camille Desmoulins. La fable de l'orgie accomplit ses ravages à une vitesse surprenante. En plus, le pain manque à Paris, momentanément. C'est ce que Lally-Tolendal appelle une « famine docile [1] ».

1. Le pain reparaîtra « en abondance » le jour même de l'insurrection, selon le témoignage des députés de Strasbourg le 7 octobre 1789.

On manque de pain à Paris et on se goberge à Versailles. Il faut aller à Versailles demander du pain au roi. Des femmes, des prostituées pour la plupart, et des hommes, des bandits ou des mendiants, se rassemblent dans les jardins du Palais-Royal et y reçoivent l'or prodigué par le duc d'Orléans qui croit l'heure venue d'abattre enfin Louis-Auguste et Marie-Antoinette. C'est certainement au duc d'Orléans et à ses acolytes que pense Taine, quand il écrit, à propos de ces journées d'octobre 1789 : « Des Machiavel de place publique et de mauvais lieu ont remué les hommes du ruisseau et les femmes du trottoir. »

À ce honteux troupeau, s'ajoutent quelques braves ménagères égarées, et les inévitables poissardes. Elles crient dans les rues : « Allons chercher le boulanger, la boulangère et le petit mitron ! »

Le 5 octobre au matin, on pille les magasins d'armes, on brise les portes et les enseignes des marchands de vin qui refusent de donner du vin, et on s'élance vers Versailles.

Pendant ce temps-là, une mutinerie éclate à l'Hôtel de Ville. Les gardes nationaux ordonnent à leur général, La Fayette, d'aller aussi à Versailles pour y « exterminer les gardes du corps et le régiment des Flandres qui ont foulé aux pieds la cocarde nationale ». La Fayette parlemente, harangue, essaie de transiger, puis, à six heures du soir, se résigne à prendre, avec ses hommes, la route de Versailles.

L'émeute du trottoir, la mutinerie de la garde nationale s'accomplissent avec la bénédiction de l'Assemblée nationale. Il faut punir l'« orgie indécente » du 1er octobre. Mirabeau hurle :

— Que l'Assemblée décide que la personne du roi seule est inviolable !

C'est condamner la reine aux poignards des poissardes et des poivrots qui s'approchent de Versailles en brandissant leurs armes et en criant :

— Voilà de quoi exécuter l'Autrichienne, elle est la cause de tous nos maux !

Dans leur ivresse, ils croient la voir, cette Autrichienne qu'ils ne cessent d'injurier.

— Ta peau, pour en faire des rubans, ton sang dans mon encrier, hurlent-ils.

Celle sur qui s'abattent tant de malédictions est, en ce 5 octobre, à Trianon, dans une grotte dont l'architecte Mique a soigneusement édifié l'agrément et le mystère, une grotte perdue dans la verdure. « Cette grotte, rapporte d'Hézecques, alors jeune page à la Cour, toute tapissée de mousse était rafraîchie par le cours d'eau qui la traversait. Un lit également en mousse invitait au repos. Mais, soit par l'effet du hasard soit par une disposition volontaire... une crevasse qui s'ouvrait à la tête du lit laissait apercevoir toute la prairie et permettait de découvrir au loin tous ceux qui auraient voulu s'approcher de ce réduit... »

En ce commencement d'après-midi du 5 octobre 1789, Marie-Antoinette repose dans sa grotte. Elle y goûte une paix végétale, la seule paix qui subsiste encore dans son royaume déchiré... Par la « crevasse », elle voit un page qui accourt à la hâte. Il y a longtemps que les pages n'accourent plus pour apporter de bonnes nouvelles. Que se passe-t-il encore ? Le page annonce que M. de Saint-Priest demande à la reine de rentrer au château, de toute urgence. La reine obéit, en déplorant une telle importunité. Tout est si calme. Ce que confirmera plus tard Mousseline, quand elle sera devenue duchesse d'Angoulême : « Le matin de cette mémorable journée, tout le monde était encore tranquille à Versailles. Mon père avait été à la chasse à Meudon, [...] ma mère était allée seule à son jardin de Trianon. »

Marie-Antoinette en quittant son « jardin de Trianon » ne sait pas qu'elle y est venue pour la dernière fois. C'est en rentrant au château qu'elle apprend de M. de Saint-Priest que des émeutiers parisiens se dirigent vers Versailles. Le roi n'est pas encore retourné de la chasse. Que faire ?

Le roi revient enfin, le Conseil s'assemble, on délibère. Comment affronter cette émeute ? Necker veut céder. Saint-Priest veut résister et dit au roi :

— Sire, si vous êtes conduit demain à Paris, votre couronne est perdue.

278

La reine partage cet avis. Le roi hésite, puis décide de partir pour Rambouillet. Marie-Antoinette dit aux dames de son service :

— Faites vos paquets, dans une demi-heure, nous partons.

Le roi, repris par ses hésitations, répète : « Un roi fugitif ! Un roi fugitif ! » et ne peut se résigner à fuir. On ne part plus. Marie-Antoinette annonce à ses dames :

— Tout est changé, nous restons.

Saint-Priest, sachant combien la reine est particulièrement menacée, suggère qu'elle pourrait, avec ses enfants, se mettre à l'abri, à Rambouillet. Refus péremptoire de la fille de Marie-Thérèse :

— Je sais qu'on vient de Paris pour demander ma tête ; mais j'ai appris de ma mère à ne pas craindre la mort ; je l'attendrai avec fermeté... Non, non, ma place est ici, près du roi, j'y resterai.

Et elle ajoute :

— Tout me retient ici, mon départ donnerait un corps à la calomnie. Elle est coupable, dirait-on, puisqu'elle se sauve.

Le soir tombe. Il pleut à verse. On peut penser que la violence de la pluie aura suffi à disperser les émeutiers. Le temps passe en discussions, sans qu'aucune décision ne soit prise. Necker affirme que rien n'est à craindre. Saint-Priest assure le contraire. On va savoir qui des deux a raison puisque les émeutiers arrivent, trempés de pluie et de boue. Les femmes crient :

— Voyez comme nous sommes arrangées, mais la bougresse nous le paiera cher.

Marie-Antoinette est évidemment responsable de la pluie qui tombe et de la boue qui imprègne les chemins. Les femmes hurlent :

— Nous emmènerons la reine morte ou vive, les hommes se chargeront du roi.

Quelques-unes tirent de leur poche un morceau de pain moisi et expliquent :

— Nous ferons avaler cela à l'Autrichienne, nous lui couperons le cou.

La première visite de ces harpies est pour l'Assemblée nationale. Pour se débarrasser de ces encombrantes visiteuses, le président Mounier en emmène quelques-unes au palais avec la promesse de les introduire auprès du roi. Louis-Auguste en reçoit une douzaine avec tant de rondeur et de bonhomie qu'elles se déclarent conquises. Quand elles rejoignent leurs consœurs, et parlent de la bonté du roi, c'est la bagarre. On les traite de « vendues à la Cour », on veut les pendre, les gardes du corps accourent. La mêlée devient générale, et la confusion aussi. Ordre et contrordre se succèdent.

« Au milieu de tant de perfidies de tout genre, écrira Rivarol, sur ce théâtre où la peur et la lâcheté conduisaient la faiblesse à sa perte, il s'est pourtant rencontré un grand caractère, et c'est une femme, c'est la reine qui l'a montré. Elle a figuré, par sa contenance noble et ferme, parmi tant d'hommes éperdus et consternés, et par une présence d'esprit extraordinaire, quand tout n'était qu'erreur et vertige autour d'elle. On la vit, pendant cette soirée du 5 octobre, recevoir un monde considérable dans son grand cabinet, parler avec force et dignité à tous ceux qui l'approchaient et communiquer son assurance à ceux qui ne pouvaient lui cacher leurs alarmes... On la verra bientôt, quand les périls l'exigeront, déployer la magnanimité de sa mère ; et si, avec le même courage, elle n'a pas eu de succès pareil, c'est que Marie-Thérèse avait affaire à la noblesse de Hongrie et que la reine n'a parlé qu'à la bourgeoisie de Paris. »

N'en déplaise à Rivarol, ce n'est pas à la bourgeoisie de Paris que parle la reine en ce 5 octobre, c'est aux poissardes et aux prostituées, aux bandits et aux mendiants.

Vers minuit, La Fayette se présente au château et déclare au roi, avec une emphase qui se veut rassurante :

— Je viens, sire, vous apporter ma tête pour sauver celle de Votre Majesté. Si mon sang doit couler, que ce soit pour le service de mon roi.

Après ces bonnes paroles, La Fayette prend des dispositions afin que rien de fâcheux n'arrive et se retire, à une heure du matin, à l'hôtel de Noailles pour y prendre un repos qu'il estime mérité. À peine « M. Blondinet » a-t-il tourné le dos, que Marie-Antoinette cède à un mouvement d'humeur bien compréhensible et reproche au maréchal d'Estaing qui l'avait tant suppliée de ne pas partir :

— Eh bien, à qui sommes-nous abandonnés ? La garde que vous commandiez laisse envahir Versailles. Vous répondiez du château, saurez-vous le garantir ?

À deux heures du matin, Marie-Antoinette consent à regagner son appartement. À Mme de Chimay qui s'obstine à rester debout pour « repousser les assassins », elle conseille doucement d'aller se coucher et prend congé d'un « soyez tranquille, s'il y a du danger, je vous appellerai ».

Pour ce qui se passe ensuite dans cette nuit du 5 au 6 octobre, on peut parfaitement en reconstituer les moments grâce au très exact témoignage de Mme Campan :

« La reine se coucha à deux heures du matin et s'endormit, fatiguée par une journée aussi pénible. Elle avait ordonné à ses deux femmes de se mettre au lit, pensant toujours qu'il n'y avait rien à craindre, du moins pour cette nuit, mais l'infortunée princesse dut la vie au sentiment d'attachement qui les empêcha de lui obéir. Ma sœur, qui était l'une de ces deux dames[1], m'apprit le lendemain tout ce que je vais en citer.

« Au sortir de la chambre de la reine, ces dames, appelèrent leurs femmes de chambre et se réunirent toutes quatre, assises contre la porte de la chambre à coucher de Sa Majesté. Vers quatre heures et demie du matin, elles entendirent des cris horribles et quelques coups de fusil ; l'une d'elles entra chez la reine pour la réveiller et la faire sortir de son lit ; ma sœur vola vers l'endroit où lui paraissait être le tumulte ;

1. Mme Auguié, la sœur de Mme Campan, et Mme Thiébaut.

elle ouvrit les portes de l'antichambre qui donne dans la grande salle des gardes et vit un garde du corps, tenant son fusil en travers de la porte et qui était assailli par une multitude qui lui portait des coups ; son visage était déjà couvert de sang ; il se retourna et lui cria : "Madame, sauvez la reine, on vient pour l'assassiner." Elle ferma soudain la porte sur cette malheureuse victime de son devoir, poussa le grand verrou et prit la même précaution en sortant de la pièce suivante, et, après être arrivée à la chambre de la reine, elle lui cria : "Sortez du lit, Madame, ne vous habillez pas ; sauvez-vous chez le roi." La reine épouvantée se jette hors du lit, on lui passe un jupon, sans le nouer, et ces deux dames la conduisent vers l'Œil-de-Bœuf. Une porte du cabinet de toilette de la reine qui tenait à cette pièce, n'était jamais fermée que de son côté. Quel moment affreux ! elle se trouva fermée de l'autre côté. On frappe à coups redoublés ; un domestique d'un valet de chambre du roi vient ouvrir ; la reine entre dans la chambre de Louis XVI et ne l'y trouve pas. Alarmé pour les jours de la reine, il était descendu par les escaliers et les corridors qui régnaient sous l'Œil-de-Bœuf et le conduisaient habituellement chez la reine sans avoir besoin de traverser cette pièce. Il entre chez Sa Majesté et n'y trouve que des gardes du corps qui s'y étaient réfugiés. Leur roi leur dit d'attendre quelques instants, craignant d'exposer leur vie, et leur fit dire ensuite de se rendre à l'Œil-de-Bœuf. Mme de Tourzel, alors gouvernante des Enfants de France, venait de conduire Madame et le Dauphin chez le roi. La reine revit ses enfants. On peut se peindre cette scène d'attendrissement et de désolation. »

L'attendrissement a dû l'emporter sur la désolation. Louis-Auguste et Marie-Antoinette volant chacun l'un vers l'autre, et ne se trouvant pas. Cher Louis-Auguste ! Chère Marie-Antoinette ! Et leur fils et leur fille qui sont là. Tous quatre réunis. Sauvés. Sauvés ? Pas encore. La Fayette, enfin, réveillé par le tumulte, arrive, fait cesser le massacre des gardes, le pillage du château, mais non les cris et les exigences de la foule. Cette foule qui gronde sous les fenêtres :

— Le roi ! Le roi ! Nous voulons le voir !

Le roi se présente. Des cris, « Vive le roi ! Vive la Nation ! », éclatent. D'autres s'y mêlent, moins enthousiastes, nettement plus sinistres :

— La reine ! La reine au balcon !

Cela résonne comme les « aristocrates à la lanterne ». La reine prend ses enfants et paraît.

— Sans les enfants, vocifère la foule.

La reine obéit, en apparence très calme, et fait rentrer son fils et sa fille. Elle reste seule. Elle est vêtue d'une redingote de toile rayée jaune. Elle est offerte au désordre, aux injures, aux balles. Deux minutes, deux siècles de silence. Vaincue par une telle attitude, la foule acclame la reine. La Fayette apparaît alors et baise la main de Marie-Antoinette. Les acclamations redoublent. Marie-Antoinette n'a aucune illusion sur son éphémère victoire. Quand elle quitte le balcon, elle dit à Necker :

— Ils vont nous conduire à Paris, avec les têtes de nos gardes plantées au bout de leurs piques.

Sur l'intervention de La Fayette, les gardes sont épargnés. Mais, comme Marie-Antoinette l'avait prévu, il faut prendre la route de Paris. Au début de l'après-midi, à une heure vingt-cinq, la famille royale descend le grand escalier de marbre « encore teint du sang de ses défenseurs » et monte en voiture.

Le voyage dure sept heures. Par une ironie du sort, il fait beau. À la pluie d'hier, succède le soleil d'aujourd'hui. Un soleil radieux qui éclaire cet incroyable cortège de gardes désarmés, de femmes avinées, de fiacres débordant de furies, de canons chevauchés par des Théroigne de Méricourt, de charrettes contenant des sacs de farine. On ne crie plus « Vive le roi ! » mais « À bas la calotte ! Tous les évêques à la lanterne ! » On ne crie plus « Vive la reine ! » mais « Foutue garce, foutue putain ! » Marie-Antoinette semble ne rien entendre, ne rien voir. On lui trouve un « air effronté ». Quelques poissardes s'en impatientent et disent à la reine :

— Voyons, Madame, voyons, aimez-nous un peu.

La reine se contente de répondre :

— Nous aimons tous les Français.

On brandit une corde pour pendre l'insolente, on tire des coups de feu, l'« odeur de la poudre nous suffoquait », et les carrosses sont tellement pressés par la foule qu'ils tanguent, faisant éprouver à leurs occupants le « mouvement d'un bateau ».

« J'ai été témoin de ce spectacle déchirant, raconte Bertrand de Molleville, j'ai vu ce sinistre cortège. Au milieu de ce tumulte, de ces clameurs, de ces chansons ininterrompues par de fréquentes décharges de mousqueterie que la main d'un monstre ou d'un maladroit pouvait rendre si funestes, je vis la reine conservant la tranquillité d'âme la plus courageuse, un air de noblesse et de dignité inexprimable. »

Plus tard, quand on ouvrira une enquête sur ces journées d'octobre, Marie-Antoinette fera cette belle réponse :

— J'ai tout vu, tout su, tout oublié.

Et en plus, elle dit la vérité. La reine sait oublier. On parvient à Paris. Les cris de « Nous ramenons le boulanger, la boulangère et le petit mitron » s'intensifient. En entrant au palais des Tuileries abandonné depuis 1665, Louis-Charles, le « petit mitron », ne peut s'empêcher de remarquer :

— Tout est bien laid ici, maman.

— Mon fils, Louis XIV y logeait et s'y trouvait bien ; nous ne devons pas être plus difficiles que lui, répond Marie-Antoinette.

Elle se tourne alors vers ses dames et soupire, en écho à la remarque de son fils :

— Vous savez que je ne m'attendais pas à venir ici.

À vrai dire, personne ne s'y attendait !

— Quel beau jour, Sire, que celui où les Parisiens vont posséder dans leur ville Votre Majesté et sa famille, déclare le maire de Paris, Bailly, en présentant au roi les clefs de la ville.

— C'est toujours avec plaisir et confiance que je me vois au milieu des habitants de ma bonne ville de Paris, s'efforce de répliquer le roi.

La reine ne dit rien. Elle a retrouvé l'usage de ce silence dont elle accablait une du Barry, un Rohan. Comme c'est loin tout cela...

Quelques moments de bonheur
(24 décembre 1789)

Le 7 octobre 1789 au matin, quand elle se réveille au palais des Tuileries, Marie-Antoinette peut se prendre pour la Belle au Bois qui s'éveilla, dit-on, après un sommeil de cent ans. Voilà cent trente-quatre ans que le palais est en sommeil, que ses tentures se fanent ou tombent en lambeaux, que ses meubles se délabrent, que ses portes ne ferment plus... La reine n'a pas le temps de se lamenter sur la vétusté du décor. À peine réveillée, elle doit paraître. La foule des mégères qui l'a conduite ici, hier, est déjà là.

« Le réveil de la famille royale fut affreux : les cours et les terrasses des Tuileries étaient remplies d'une foule de peuple, qui demandait à grands cris de voir le roi et la famille royale », rapporte Mme de Tourzel. Ce qui fait dire au Dauphin :

— Bon Dieu, maman, est-ce que aujourd'hui serait encore hier ?

Un dialogue s'engage entre l'ex-reine de Versailles et les reines des rues de Paris :

— Il faut chasser ces courtisans qui perdent les rois et aimer un peu ces bons habitants de Paris.

— Je les aimais à Versailles, je les aimerai ici.

— Hier, vous avez essayé de fuir aux frontières.

— Vous l'avez cru parce qu'on vous l'a dit et c'est ce qui fait notre malheur.

Pour bien montrer que l'on ne croit pas aux paroles de l'Autrichienne, on l'apostrophe en allemand :

— Je ne le sais plus, je suis devenue Française, dit-elle avec une patience qui désarme les harpies.

À cette foule succèdent les députations des représentants de la municipalité, de l'Université, du Parlement que Marie-Antoinette reçoit, en tenant son fils sur ses genoux, comme un bouclier. Aux discours, la reine répond invariablement :

— Je reçois avec plaisir les hommages de la ville de Paris ; je suivrai le roi avec satisfaction partout où il ira, et surtout ici.

Qui osera encore parler de la « faiblesse » des femmes ? Voilà une femme, Marie-Antoinette, qui vient de vivre quarante-huit heures de cauchemar et qui est là, à recevoir, comme si rien ne s'était passé ! Ce qui ne l'empêche pas de confier à Mme de Lamballe accourue aux Tuileries :

— J'entends encore leurs hurlements, et les cris de mes gardes. Ces horribles scènes se renouvelleront, mais j'ai vu la mort de trop près pour la craindre, je me suis crue déchirée.

Déchirée, Marie-Antoinette l'aura été par les insultes, les « foutue putain, foutue garce » qu'elle ne mérite pas, elle est pratiquement la seule à le savoir... Elle écrit à son frère Joseph II :

« Mes malheurs vous sont peut-être déjà connus, j'existe et je ne dois cette faveur qu'à la Providence et au courage d'un de mes gardes qui s'est fait hacher pour me sauver. [...] J'ai besoin d'une circonspection et d'une prudence au-dessus de tout, pour ramener la confiance en moi ; mon rôle à présent est de me renfermer absolument dans mon intérieur, et de tâcher, par une inaction totale, de faire oublier toute impression qui m'a été défavorable, en ne leur laissant que celle de mon courage, qu'ils ont si bien éprouvé, et qui saura leur imposer encore dans l'occasion... Le mal est fait, la position est affreuse. »

Cette prudence, cette sagesse ne plaisent guère à son autre frère, Léopold, qui affirme : « Mieux vaut la mort qu'une pareille soumission. »

La mort ? Elle n'effraie plus Marie-Antoinette qui

confesse à Mme de Polignac : « Si mon cœur ne tenait pas par des liens aussi forts à mon mari, à mes enfants, à mes amis, je désirerais succomber. »

Le 7 au soir, Marie-Antoinette trouve encore la force de rassurer Mercy — qu'elle imagine dans l'angoisse — par une lettre qui se veut optimiste : « Je me porte bien, soyez tranquille. En oubliant où nous sommes et comment nous y sommes arrivés, nous devons être contents du mouvement du peuple, surtout ce matin. »

Et le matin suivant, le 8 octobre, la foule est encore là, réclamant son jouet, son spectacle, la reine. Celle qui faisait tant la fière se doit d'être à leur entière disposition. Marie-Antoinette consent à répondre aux questions les plus saugrenues. « Toute cette journée se passa à causer avec les poissardes et le petit peuple », rapporte le ministre de Saxe, M. de Salmour.

Pour en finir avec ces palabres, pour céder à son habitude — « je veux toujours que l'on me quitte content » —, Marie-Antoinette annonce imprudemment (elle est incorrigible) qu'elle va fournir des fonds pour que l'on retire du mont-de-piété tous les gages qui ne dépassent pas un louis. Un louis, pour l'époque, c'est une jolie somme. On se rue aussitôt aux guichets du mont-de-piété. Les employés, n'ayant pas reçu d'ordre, refusent de rendre quoi que ce soit. Fureur des poissardes et du petit peuple qui envahissent les locaux, brisent tout sur leur passage et s'en retournent aux Tuileries hurler leur déception et dénoncer les mensonges de l'Autrichienne.

L'émeute va-t-elle recommencer ? Marie-Antoinette s'est engagée à la légère, sans réfléchir. Si l'on exécute sa promesse de retirer les gages ne dépassant pas un louis, il faudrait trouver sur-le-champ trois millions. Les caisses sont vides. Louis-Auguste vole au secours de son épouse, explique que c'est un malentendu et que l'on a abusé des propos de la reine. Il proclame que

« ayant égard aux motifs qui doivent l'engager à respecter jusqu'aux espérances qu'on a pu concevoir des paroles de bonté de la reine, son auguste épouse, Sa Majesté, après avoir pris connaissance de la somme à laquelle pourraient s'élever les dépôts, [...] s'est déterminée à exercer cet acte de bienfaisance, se réservant d'en prendre les fonds sur les deniers destinés à ses dépenses personnelles et à celles de la reine ».

Poissardes et petit peuple n'en sont pas moins déçus et en gardent rancune à l'Autrichienne qui est accablée par tant d'incompréhension. Au soir de ce 9 octobre, elle écrit : « L'âme a un furieux travail à faire pour supporter les peines de cœur et pour renfermer tout ce que l'on sent. »

Le 10, Marie-Antoinette prévient Mercy de ne plus paraître aux Tuileries : on pourrait croire à un complot. Depuis cinq jours qu'elle s'entend traiter d'Autrichienne, Marie-Antoinette a compris le danger — mortel — que fait courir un tel surnom. Et, comme elle a voulu fuir le château de Versailles, la reine veut fuir ce palais des Tuileries. Elle en parle à l'un de ses secrétaires, et homme de confiance, Augeard. Ce dernier approuve ce projet. Oui, la reine doit quitter la France et se réfugier, seule, en Autriche, chez son frère. Elle laisserait à son époux une lettre dont elle compose, avec Augeard, le brouillon :

« D'après les assassinats commis sur ma personne les 5 et 6 octobre de ce mois, il m'est impossible de me dissimuler que j'ai le malheur effroyable de déplaire à vos sujets. Ils s'imaginent que je m'oppose à la constitution nouvelle qu'ils veulent donner à votre Empire. [...] J'aime mieux me condamner à une retraite profonde hors de vos États. »

Le 19 octobre, Marie-Antoinette renonce à ce projet de retraite. Quitter son époux, son fils, sa fille, c'est se condamner à ne plus les revoir. Marie-Antoinette préfère rester à Paris, à la merci de ces enragés qui aboient quotidiennement sous ses fenêtres.

Ce courage dans l'infortune pare Marie-Antoinette,

la reine, d'un charme nouveau. Quand elle visite une manufacture de glaces au faubourg Saint-Antoine, la fin de sa visite est marquée par des « Vive Marie-Antoinette ! Vive notre bonne reine ! ».

« La reine qui a eu un courage incroyable commence à être mieux vue par le peuple. J'espère donc qu'avec le temps, une conduite soutenue, nous pourrons regagner l'amour des Parisiens, qui n'ont été que trompés[1]. »

Marie-Antoinette peut croire à une accalmie. Elle organise tant bien que mal sa vie aux Tuileries. Une vie aussi monotone que celle qu'elle menait à Versailles quand elle était dauphine. Elle déjeune seule. Elle reçoit la visite du roi. Elle va à la messe puis elle s'enferme dans ses appartements. Elle dîne à une heure avec le roi. Après dîner, elle joue au billard avec Louis-Auguste, travaille à une tapisserie jusqu'à huit heures et demie, heure à laquelle son beau-frère et sa belle-sœur, le comte et la comtesse de Provence, arrivent pour souper. Chacun se retire à onze heures. C'est ce que Mme Campan appelle « ses habitudes ordinaires » :

« Lorsque le roi, la reine et les enfants furent convenablement établis aux Tuileries, ainsi que Madame Élisabeth et Mme la princesse de Lamballe, la reine reprit ses habitudes ordinaires. »

La princesse de Lamballe se révèle l'amie des mauvais jours. Elle n'est pas la seule. Mme de Tarente, Mme de Chimay, Mme de La Roche-Aymon et Mme d'Ossun sont là qui entourent Marie-Antoinette de soins et de prévenances. La conversation de ces dames n'est pas aussi variée que celle de la duchesse Jules qui savait amuser la reine avec mille petits riens. Le temps des petits riens est aboli. Marie-Antoinette y a renoncé et « ses entretiens n'avaient, comme on

1. Madame Élisabeth à l'abbé Lubersac, le 16 octobre 1789.

peut bien le croire, que la révolution pour unique objet ; elle cherchait à connaître les véritables opinions des Parisiens sur son compte, et comment elle avait pu perdre si totalement l'amour du peuple, et même de beaucoup de gens qui étaient placés dans des rangs supérieurs[1] ».

Le drame — ce n'est pas encore la tragédie — de Marie-Antoinette est complet. Elle a réussi à s'aliéner à la fois le peuple et la noblesse. Le peuple par ses légèretés. La noblesse par son abus de favoritisme à outrance dont les Polignac sont les premiers responsables. Il y a de quoi en pleurer. Et Marie-Antoinette, malgré son courage et sa vaillance, se laisse aller à des crises de larmes qui affligent son fils. Un jour, le Dauphin entendant une femme dire « elle est heureuse comme une reine » rectifia aussitôt :

— Heureuse comme une reine ? Ce n'est pas de maman que vous voulez parler alors, elle pleure toujours.

Oui, il y a de quoi pleurer. En triste cadeau, pour son trente-quatrième anniversaire, la reine a reçu une très mauvaise nouvelle. On en trouve l'annonce dans une lettre adressée le 9 novembre par le comte de La Marck à Mercy. On y apprend que La Fayette « a eu, il y a peu de jours, une longue conférence avec la reine : il a employé les moyens les plus odieux pour jeter le trouble dans son âme, et il a été jusqu'à lui dire que, pour obtenir le divorce, on la recherchait en adultère. La reine a répondu avec la dignité, la fermeté et le courage que vous lui connaissez ».

Le « héros des deux mondes » ne se conduit pas en gentilhomme vis-à-vis de celle qui l'avait comblé de tant de bienfaits, mais qui, aussi, avec ce fatal penchant à la moquerie tant condamné par Marie-Thérèse, l'avait affublé, dès qu'il avait paru à la Cour, d'un surnom : M. Blondinet.

M. Blondinet n'avait pas pardonné de voir ainsi raillés ses cheveux roussâtres et son air dégingandé. La rancune se changea en une antipathie partagée. Le

1. Mme Campan.

rôle de La Fayette, pendant les journées d'octobre, sa suffisance, son imprévoyance avaient transformé l'antipathie de Marie-Antoinette en un violent ressentiment. La Fayette, qui n'ignorait pas que ces journées avaient été commanditées par le duc d'Orléans, osa demander à la reine si le duc n'aspirait pas au trône.

— Monsieur, dit-elle en le regardant fixement, est-il nécessaire d'être prince pour prétendre à la couronne ?

M. Blondinet ne se le tint pas pour dit. Il voulait diriger la reine, et, à travers elle, le roi. Il ne cessait d'accabler Marie-Antoinette de conseils et de suggestions qu'elle écartait toujours avec une implacable politesse. Cela exaspérait La Fayette qui résumait la situation d'un « le roi est un bon homme qui n'a nul courage, ni caractère, et dont je ferais ce que je voudrais, sans la reine qui me gêne beaucoup ».

Pour se débarrasser de cette « gêneuse », La Fayette, et il n'était pas le seul, envisageait le divorce pour adultère...

Pour conjurer cette menace, ou l'oublier, Marie-Antoinette se consacre à ses enfants. Elle ne se lasse pas d'assister aux leçons de Mousseline qu'elle appelle maintenant Mousseline la Sérieuse. Car la jeune Marie-Thérèse est aussi sérieuse que sa grand-mère, et marraine, la défunte impératrice d'Autriche. Et comme Marie-Antoinette enfant s'était fait reprocher par sa mère de ne pas savoir lire, c'est à son fils que Marie-Antoinette adresse les mêmes reproches. À quatre ans, le Dauphin ne sait pas lire.

— Eh bien, maman, je le saurai pour vos étrennes, affirme Louis-Charles qui, à la fin novembre, demande à son précepteur, l'abbé d'Avaux, « il faut que je sache combien j'ai de temps jusqu'au jour de l'An puisque j'ai promis à maman de savoir lire pour ce jour-là ».

Apprenant qu'il n'a plus qu'un mois, Louis-Charles décide :

— Donnez-moi, mon bon abbé, deux leçons par jour et je m'appliquerai tout de bon.

Il tient promesse et le 1er janvier 1790, entre chez sa mère, tenant un livre à la main et disant :

— Voilà vos étrennes, j'ai tenu ma promesse, je sais lire à présent.

Le 29 décembre, Marie-Antoinette écrit à Mme de Polignac à propos de ses deux enfants :

« Vous devez avoir reçu une lettre de ma fille. Cette pauvre petite est toujours à merveille pour moi. En vérité, si je pouvais être heureuse, je le serais par ces deux êtres. Le *Chou d'amour* est charmant et je l'aime à la folie. Il m'aime aussi beaucoup à sa manière, ne se gênant pas. »

Quelques jours auparavant, la veille de Noël, Fersen a passé une journée entière avec Marie-Antoinette. « Enfin le 24, j'ai passé une journée entière avec Elle, c'était la première, jugez de ma joie, il n'y a que vous qui puissiez la sentir », écrit-il à sa sœur, et confidente, Sophie. Dans les lettres qu'il envoie à Sophie, Fersen prend l'habitude de désigner la reine par « Elle », avec un E majuscule, évidemment. La précaution n'est pas inutile. En cette fin de 1789, le règne de la suspicion et de la délation se lève et s'étend chaque jour. Qu'importent ces importunités ? En ce 24 décembre 1789, Marie-Antoinette, entourée de tous ceux qu'elle aime, Louis-Auguste, Louis-Charles, Mousseline, Axel, connaît quelques moments de bonheur.

« *Il est si doux d'espérer...* »
(printemps 1790)

> *Dans quelle affreuse situation est ce beau royaume, sans force à l'intérieur et sans considération à l'extérieur. [...] On a appris au peuple à sentir sa force et il en use avec férocité. La noblesse, le clergé et les parlements, qui ont donné les premiers l'exemple de la désobéissance et de la résistance, en sont les premières victimes : ils sont détruits, et leurs châteaux sont brûlés. La haute bourgeoisie, qui avait été séduite, se repent à présent, mais trop tard. Les ouvriers, les manufacturiers, les artisans, tous sont ruinés et mécontents, car toutes les bourses se sont resserrées ; tous désirent un autre ordre des choses ; mais la populace est armée, et, n'ayant rien à perdre, elle a tout à gagner.*
>
> FERSEN, le 1er février 1790.

Pendant que Marie-Antoinette se croit en sécurité aux Tuileries et essaie de limiter son univers à son mari, ses enfants, ses amis, son canevas de tapisserie, l'Histoire, elle, ignore les haltes heureuses et les paradis provisoires. L'Assemblée nationale qui, à la suite du roi, a quitté Versailles, en octobre, pour Paris, s'est installée à la salle du Manège, près des Tuileries. Elle y travaille sans désemparer. Pressée par la crainte de la banqueroute, elle déclare les biens du clergé à la

295

disposition de la nation, créant, en décembre 1789, des « assignats », c'est-à-dire des billets de mille livres qui portent intérêt à 5 p. cent et qui sont gagés, ou « assignés », sur les biens ecclésiastiques. Les assignats deviennent du simple papier-monnaie et se déprécieront de mois en mois.

À mots nouveaux comme « assignats », hommes nouveaux comme Barnave, Duport, Lameth, Mirabeau, Pétion, Robespierre, Danton, Marat, Fabre d'Églantine. Necker fait figure de vieille lune. Face à tant de changements, Louis-Auguste pense volontiers que l'on ne peut guère aller plus loin et que la révolution est sur le point de finir. Marie-Antoinette apprend que l'on plante des arbres d'une variété qu'elle ignorait : l'arbre de la liberté.

« 5 février 1790. Hier, le roi s'est rendu [...] à l'Assemblée nationale. Il y a prononcé le discours le plus touchant, le plus paternel, le plus digne d'un citoyen dont les intérêts sont confondus dans un profond sentiment d'amour de la patrie. [...] L'enthousiasme de la nation pour son roi et le retour de son attachement pour la reine, qui a parfaitement secondé la démarche de son auguste époux, ne permettent point de douter que tous les nuages qui s'étaient élevés sur notre alliance avec la Maison d'Autriche ne se dissipent promptement [...]. La voix générale va imposer silence aux faiseurs de libelles. Marat, l'Ami du peuple, s'est caché. [...] On rougit de lire dans *les Révolutions* de Desmoulins que l'épouse du monarque n'est point reine des Français et qu'elle doit être simplement appelée : ''Antoinette, femme du roi des Français''[1]. »

Un discours aurait-il suffi à engendrer un tel miracle ? Il est vrai que, dans son discours du 4 février, le roi a annoncé aux députés :

« Je défendrai donc, je maintiendrai la liberté cons-

1. *Correspondance secrète.*

296

titutionnelle, dont le vœu général, d'accord avec le mien, a consacré le principe ; je ferai davantage, et, de concert avec la reine qui partage tous mes sentiments, je préparerai de bonne heure l'esprit et le cœur de mon fils au nouvel ordre de choses que les circonstances ont amené. »

Ces paroles provoquent un enthousiasme général, Paris illumine et Marie-Antoinette écrit à la princesse de Lamballe qui est momentanément absente :

« Pends-toi, brave Crillon, disait Henri IV à son frère d'armes ; et moi je vous dis, mon amie, plaignez-vous de ne pas avoir été à Paris hier ; jamais depuis un an nous n'avons eu une journée plus délicieuse… *Il est si doux d'espérer* que je me livre aux sentiments que j'éprouve ; ne fût-ce que des illusions, elles sont chères à mon cœur, puisqu'elles me tranquillisent sur le sort à venir de mes enfants. »

Hélas, ce ne sont que des illusions ! Quelques jours plus tard, le marquis de Favras, accusé, entre autres projets contre-révolutionnaires, d'avoir voulu enlever le roi et sa famille, est pendu place de Grève. Le roi et la reine sont profondément affligés par cette mort. « Je fus témoin de leur douleur, raconte Mme de Tourzel, et je ne puis encore penser à l'état où je vis la reine quand elle apprit que M. de Favras n'existait plus. »

Au surlendemain de cette exécution, un maître des requêtes, M. de La Villeurnoy, a la malencontreuse idée de présenter aux Tuileries, au dîner du roi et de la reine, la veuve et le fils de Favras, en grand deuil. Surveillés par les gardes nationaux, Louis-Auguste et Marie-Antoinette ne peuvent témoigner publiquement leur sympathie à ces malheureux puisque Favras a été pendu comme « ennemi de la nation », et affectent une parfaite impassibilité. Sitôt le dîner terminé, Marie-Antoinette se précipite chez Mme Campan à qui elle explique :

« Il faut périr quand on est attaqué par des gens qui réunissent tous les talents et tous les crimes, et défendu par des gens fort estimables, mais qui n'ont aucune idée juste de notre position. Ils m'ont compromise vis-à-vis des deux partis en me présentant la veuve et le fils de Favras. Libre dans mes actions, je devais prendre l'enfant d'un homme qui vient de se sacrifier pour nous et le placer à table entre le roi et moi ; mais, environnée des bourreaux qui viennent de faire périr son père, je n'ai pas même osé jeter les yeux sur lui. Les royalistes me blâmeront de n'avoir pas paru occupée de ce pauvre enfant ; les révolutionnaires seront courroucés en songeant qu'on a cru me plaire en me le présentant. »

Marie-Antoinette envoie à la veuve de Favras quelques rouleaux de cinquante louis, et cela, dans le plus grand secret. Aux Tuileries, la famille royale vit dans une surveillance sans relâche et les permissions de promenade sont accordées comme une « grande grâce ».

À la perte du marquis de Favras, défenseur de la royauté, s'en ajoute une autre, encore plus cruelle pour Marie-Antoinette. Le 27 février, elle apprend la mort de son frère Joseph II, survenue le 20, à Vienne. « J'ai été bien malheureuse par la perte que je viens de faire ; mais au moins la force et le courage que celui que je regrette a mis dans ses derniers moments forcent tout le monde à lui rendre justice et à l'admirer, et j'ose dire, il est mort digne de moi », écrit Marie-Antoinette à Mme de Polignac.

Ce sera l'une des dernières lettres que la duchesse Jules recevra de son amie. Espionnée sans trêve, Marie-Antoinette renonce à écrire sur une enveloppe ce nom de Polignac que la publication du *Livre rouge* jette alors en pâture au public.

Ce *Livre rouge*, dont la parution a été décidée par l'Assemblée nationale, explique que les prodigalités de la reine et de ses favoris sont les « véritables sources de la dette immense de l'État ». C'est oublier volontairement les autres sources, l'aide apportée aux insurgés américains, etc. Cette publication provoque un retour de haine contre Marie-Antoinette. Elle en a conscience. « On ne sait pas jusqu'où iront les factieux, dit-elle, le danger augmente de jour en jour. » Elle s'efforce de conjurer ce danger en s'occupant de la première communion de Mousseline qui se déroule le 31 mars, sans faste aucun, à l'église de Saint-Germain-l'Auxerrois. Selon le témoignage de l'abbé Rudemare qui y était vicaire, Marie-Antoinette garde les yeux fixés sur sa fille pendant toute la cérémonie.

Le 13 avril 1790, divers orages ont agité l'Assemblée nationale et se sont communiqués à la rue. On craint une attaque des Tuileries. Dans la nuit, des coups de feu éclatent sur les terrasses. Réveillé en sursaut, Louis-Auguste se précipite — réflexe habituel — chez Marie-Antoinette. Elle n'est pas dans sa chambre. Le cauchemar de la nuit du 5 au 6 octobre va-t-il recommencer ? Le roi court chez le Dauphin qu'il trouve dans les bras de la reine.

— Madame, je vous cherchais, vous m'avez inquiété, dit Louis-Auguste, éperdu.

— J'étais à mon poste, répond Marie-Antoinette avec ce sourire qui suffit à faire oublier à son époux son inquiétude et les derniers coups de feu.

Fausse alerte.

Ces alarmes, cette surveillance rendent insupportable à la reine le palais des Tuileries. Confinée entre ses murs depuis le 6 octobre, elle aspire à un peu de paix, à un peu d'air pur. Le 29 mai, elle écrit à son frère Léopold qui a succédé à Joseph II sur le trône d'Autriche :

« Notre santé à tous se maintient bonne, c'est un miracle, au milieu des peines d'esprit et des scènes affreuses dont tous les jours nous avons le récit et dont souvent nous sommes les témoins. Je crois qu'on va nous laisser profiter du beau temps en allant quelques jours à Saint-Cloud, qui est aux portes de Paris.

Il est absolument nécessaire pour nos santés de respirer un air plus pur et plus frais ; mais nous reviendrons souvent ici. Il faut inspirer de la confiance à ce malheureux peuple ; on cherche tant à l'inquiéter et à l'entretenir contre nous. Il n'y a que l'excès de la patience et la pureté de nos intentions qui puissent le ramener à nous. »

Patience et pureté ne serviront pas à grand-chose... Le 4 juin Marie-Antoinette part pour Saint-Cloud. Ce sera son dernier bel été.

Un été miraculeux
(juin - novembre 1790)

Marie-Antoinette est à Saint-Cloud. Elle respire, elle reprend son souffle. Biche aux abois, elle peut avoir l'illusion que les arbres de Saint-Cloud la protègent des chiens lancés à sa poursuite. Loin de la meute des enragés, elle n'entend plus les insultes des poissardes, les titres des libelles que l'on ose vendre sous les fenêtres de ses appartements, en criant les titres comme *Soirées amoureuses du général Mottier et de la Belle Antoinette par le petit épagneul de l'Autrichienne* ou *la Confession de Marie-Antoinette ci-devant reine de France, au peuple de France, sur ses amours et intrigues avec M. de La Fayette.*

Puisqu'on invente qu'elle est la maîtresse de La Fayette, l'un des hommes que, présentement, elle déteste le plus, on peut aussi inventer qu'elle est l'amante de Fersen ou de Mme de La Motte !

Marie-Antoinette est à Saint-Cloud. Ceux qui l'approchent sont unanimes à célébrer sa beauté, sa grâce, sa démarche. D'après Mme Eloff, sa couturière, la reine a alors 58 centimètres de tour de taille et 109 de tour de poitrine. Elle est le plus souvent vêtue d'une robe de linon blanc et porte un « fichu bouffant, un grand chapeau de paille dont les larges rubans se rattachaient par un gros nœud au croisement du fichu ». Ces détails vestimentaires ne sont pas dus à Mme Eloff, mais à Charlotte-Louise-Adélaïde d'Osmond, future comtesse de Boigne, qui a alors neuf ans et qui se souvient d'une rencontre avec la reine, pendant cet été 1790 :

« [...] je la trouvai sur la terrasse entourée de gardes nationaux. Mon petit cœur se gonfla à cet aspect et je me mis à sangloter. La reine s'agenouilla, appuya son visage contre le mien, et les voila tous deux de mes longs cheveux blonds, en me sollicitant de cacher mes larmes. Je sentis couler les siennes. [...] On m'a dit depuis qu'elle s'était crue obligée d'expliquer à sa suite que le premier Dauphin m'aimait beaucoup ; qu'elle ne m'avait pas vue depuis sa mort et que c'était là le motif de notre mutuelle sensibilité. »

On en est là, Marie-Antoinette doit rendre compte de sa « sensibilité » à ces gardes nationaux qui ne la lâchent pas d'une semelle et que commande La Fayette. Toujours galant homme, M. Blondinet se vante d'avoir laissé une « issue non gardée » afin de permettre à Marie-Antoinette de recevoir, à son aise, Fersen. Témoignage de Saint-Priest :

« La Cour obtint de passer l'été à Saint-Cloud, mais Leurs Majestés n'étaient jamais sans surveillants de leurs démarches. Des aides de camp de La Fayette les suivaient partout et l'un d'eux couchait dans l'antichambre de la reine sous prétexte d'être en mesure de recevoir des ordres à porter à La Fayette. "Quand je regarde dans le parterre, disait la reine à Saint-Cloud, j'aperçois cet homme sur les hauteurs qui dominent ; si je vais où je l'ai vu, je l'aperçois sur la hauteur voisine." À la promenade, soit à pied soit à cheval, il la suivait constamment. Cela n'empêchait pas que les visites de Fersen étaient toujours admises. Il s'était établi au village d'Auteuil chez un de ses amis d'où il se rendait à Saint-Cloud sur la brune. Je fus averti qu'un sergent des gardes françaises, [...] avait dit que, rencontrant Fersen à trois heures du matin, il avait été sur le point de l'arrêter. Je crus devoir en parler à la reine et lui observai que la présence du comte de Fersen et ses visites au château pouvaient être de quelque danger. "Dites-le-lui, répondit-elle, si vous le croyez à propos. Quant à moi, je n'en tiens compte." Et, en effet, les visites continuèrent comme de coutume. »

A-t-on assez glosé sur cette sortie à trois heures du matin ! Et pourtant rien de plus naturel que la présence de Fersen, à Saint-Cloud, même à des heures avancées de la nuit. Depuis le drame des journées d'octobre, Fersen était devenu l'un des familiers des Tuileries, admis dans l'intimité des souverains, chiffrant et déchiffrant les dépêches secrètes, possédant la confiance entière du roi et de la reine, confiance, expliquera-t-il à son père, « concentrée entre trois ou quatre personnes dont je suis la plus jeune ». Fersen, conseiller de Louis-Auguste et ami de Marie-Antoinette, voilà qui est clair et net. Fersen a, avec Marie-Antoinette et son époux, des entretiens qui se terminent tard et qui portent sur le déroulement des événements, la politique à tenir, la possibilité de voir les choses revenir dans leur ordre. C'est ce que souhaitait Marie-Antoinette aux veilles de quitter les Tuileries pour Saint-Cloud :

« Je ne désire qu'un ordre des choses qui remette le calme et la tranquillité dans ce malheureux pays et prépare à mon pauvre enfant un avenir plus heureux que le nôtre, [...] C'est une guerre d'opinions, et elle est loin d'être finie. »

Se distingue particulièrement dans cette « guerre d'opinions » Mirabeau dont un contemporain a dit qu'il « aimait la liberté par sentiment, la monarchie par raison et la noblesse par vanité ». Effrayé par l'anarchie croissante, il se pose maintenant en sauveur de cette monarchie qu'il a tant combattue.

— Nous ne serons jamais assez malheureux, je pense, pour être réduits à la pénible nécessité de recourir à Mirabeau, avait répondu Marie-Antoinette en apprenant le revirement, et les avances, du tribun.

Le temps de cette « pénible nécessité » est venu. Il

faut avoir recours aux services de celui que Marie-Antoinette, dans une lettre à un ami de Fersen, le baron de Flachsland, nomme le monstre, le « monstre, passez-moi le mot ». Fersen, Mercy pressent la reine de recevoir le monstre. À l'idée de devoir adresser la parole à Mirabeau, Marie-Antoinette manifeste encore plus de répugnance que s'il s'agissait de Mme du Barry ! Mercy calme les appréhensions de la reine qui consent à recevoir le député du Tiers État le 3 juillet, à Saint-Cloud. L'entretien dure trois quarts d'heure. Trois quarts d'heure ont suffi à la Belle pour conquérir la Bête. Mirabeau se range en quarante-cinq minutes, parmi les dévots de Marie-Antoinette à qui il promet, en la quittant : « Madame, la monarchie est sauvée. » A son neveu, le comte de Saillant, qui l'a accompagné et qui l'attend à la porte du parc de Saint-Cloud, il dit, extasié :

— Elle est bien grande, bien noble, bien malheureuse, mais je la sauverai.

Il écrira aux lendemains de cette rencontre :

« Le roi n'a qu'un homme, c'est sa femme. Il n'y a de sûreté pour elle que dans le rétablissement de l'autorité royale. J'aime à croire qu'elle ne voudrait pas de la vie sans la couronne ; mais ce dont je suis bien sûr, c'est qu'elle ne conservera pas sa vie, si elle ne conserve pas sa couronne. Le moment viendra bientôt où il lui faudra essayer ce que peuvent une femme et un enfant à cheval ; c'est pour elle une méthode de famille. »

Il a reconnu en Marie-Antoinette, la digne fille de Marie-Thérèse. Amateur de femmes, il a été sensible à la séduction de la reine. Une irrésistible séduction qui conquiert et attache en quelques minutes. Faut-il voir en Marie-Antoinette la reine des séductrices ? Mirabeau n'est pas loin d'en être persuadé. Et que pense Marie-Antoinette du monstre qu'elle a réussi à enchaîner ? Témoignage du comte de La Marck :

« La première fois que je revis la reine après cette

entrevue, elle m'assura tout de suite qu'elle et le roi y avaient acquis la conviction du dévouement sincère de Mirabeau à la cause de la monarchie et à leurs personnes. Elle me parla ensuite de la première impression qu'avait faite sur elle l'apparition de Mirabeau [...] et [...] un mouvement d'horreur et d'effroi s'empara d'elle et elle en fut tellement agitée qu'elle en ressentit plus tard une légère indisposition. Quant à Mirabeau, il ne parlait que de l'agrément de cette entrevue. »

Mystères de la séduction...

À peine remise de son indisposition, Marie-Antoinette devra quitter Saint-Cloud pour assister à Paris, le 14 juillet, à la fête de la Fédération. L'Assemblée nationale avait décidé, par un décret du 27 mai, que l'anniversaire de la prise de la Bastille serait célébré au Champ-de-Mars par une fédération solennelle comprenant tous les représentants du royaume. Le roi et sa suite, les députés, les délégués des départements, la garde viendraient prêter serment de fidélité à la Nation, à la Loi, à la Constitution.

Marie-Antoinette appréhende cet anniversaire, et, dès le 12 juin, elle a écrit à Mercy : « Je ne pense pas sans frémir à cette époque, elle réunira pour nous tout ce qu'il y a de plus cruel et de plus douloureux, et avec cela il y faut y être. C'est un courage plus que surnaturel qu'il faut avoir pour ce moment. » Marie-Antoinette aura ce « courage plus que surnaturel ».

La reine qui devait figurer sur l'estrade aux côtés du roi a été reléguée à l'Ecole militaire d'où elle contemplera le spectacle. Cette décision de séparer ostensiblement la reine du roi pendant une cérémonie officielle a été prise le 9 juillet. Louis XVI s'en montre affecté. Décision qui ne produit pas l'effet d'ostracisme souhaité : dès qu'elle paraît à une fenêtre de l'Ecole militaire, Marie-Antoinette, accompagnée de son fils qu'elle a enveloppé de son châle pour le protéger de la pluie, entend crier : « Vive la reine ! Vive le dauphin ! »

Il pleut, en ce 14 juillet 1790. Le peuple baptise

cette pluie les « pleurs de l'aristocratie », comme on peut le lire dans la *Correspondance secrète* :

« On avait appréhendé que le Champ-de-Mars ne fût inondé du sang des Français ; il ne l'a été réellement que de torrents de pluie, que le peuple a appelés gaiement les pleurs de l'aristocratie. Nul autre accident n'a troublé cette fête : elle a été belle, tranquille, majestueuse. »

Fersen n'est pas du tout d'accord avec cette interprétation de la fête de la Fédération :

« La cérémonie — qui aurait dû être très auguste, très belle et très imposante, par la foule énorme des assistants et la beauté de la scène — a été, par suite du désordre et de l'indécence qui y ont régné, tout à fait ridicule. »

Réussi ou ridicule, ce 14 juillet 1790 demeure l'un des grands jours de la Révolution française. Comme le 4 août 1789 dans lequel on peut voir son préliminaire nocturne, les Français peuvent se croire libres, égaux, frères. Un certain folklore ajoute beaucoup à la fête : l'évêque d'Autun, Mgr de Talleyrand-Périgord, dit une messe, puis bénit les 83 bannières représentant les 83 départements. Un *Te Deum* est exécuté par 1 200 musiciens. La Fayette monte à l'autel pour jurer fidélité, au nom de l'armée, à la Nation, à la Loi et au Roi. Acclamé, le roi quitte le Champ-de-Mars avec Marie-Antoinette et le Dauphin aux cris de « Vive le roi ! Vive la reine ! Vive le dauphin ! ». Vouloir séparer le roi de la reine n'a servi à rien qu'à les unir dans ces acclamations finales.

Dans les jours qui suivent cette fête de la Fédération, l'illusion de la réconciliation continue. Les délégués des provinces pressent la famille royale de venir les visiter : « Venez dans notre province du Dauphiné, nous saurons bien vous défendre », clament les fédérés de Grenoble. « N'oubliez pas que vous avez porté le nom de notre province et que les Normands ont toujours été et seront toujours fidèles », disent les Normands au Dauphin. De la Normandie au Dauphiné, ce n'est qu'un seul cri lancé au roi et à la reine : « Venez nous voir, nous vous aimons. » Un cri que le roi et la reine n'entendront pas, ou dont ils méconnaîtront l'urgence. « Si le roi eût profité de cette circonstance pour voyager dans ses provinces et pour annoncer à cette revue qu'il allait se rendre au vœu qu'elle lui exprimait par l'organe de ses députés ; qu'il ne voulait point d'autre garde que celle des habitants des lieux qu'il allait parcourir, et qu'il ne voulait être accompagné dans ces voyages que par les bons fédérés qui lui témoignaient tant d'attachement, il eût déconcerté l'Assemblée et l'aurait mise dans la position d'avoir recours à ses bontés », commente Mme de Tourzel. C'est exactement ce que dira Barnave à Madame Élisabeth, pendant le retour de Varennes.

— Ah ! Madame, ne vous plaignez pas de cette époque, car si le roi en eût su profiter, nous étions tous perdus.

Au lieu d'aller dans ses provinces, Louis-Auguste se contente de passer en revue, à l'Étoile, chaque députation de l'armée. Marie-Antoinette, qui y assiste en calèche, remporte un triomphe personnel :

« Elle parlait à ceux qui en approchaient avec une bonté et une affabilité qui lui gagna tous les cœurs [...] C'était une ivresse de sentiments ; ce fut le dernier jour de la reine, [...] [1]. »

Quel acharnement à vouloir que la reine soit malheureuse et que chacun de ses beaux jours soit le dernier ! Non, ce ne sera pas le dernier beau jour de Marie-Antoinette puisqu'elle revient à Saint-Cloud, après la fête de la Fédération. La vie y coule, simple et tranquille. Le roi reprend ses promenades à cheval, accompagné par un aide de camp de La Fayette. Marie-Antoinette erre dans le parc, plus souvent avec ses enfants qu'avec Fersen. On se promène beaucoup,

1. Mme de Tourzel.

on pousse de plus en plus loin les promenades, sans éveiller l'attention de la garde nationale. La tentation de s'évader est grande. Louis-Auguste y résiste, à la consternation de Marie-Antoinette qui sait, elle, que à Saint-Cloud, comme aux Tuileries, elle est en prison. Ce que Louis-Auguste n'a pas encore compris, et ne comprendra qu'au printemps suivant, en 1791. Trop tard.

Vu de Saint-Cloud, Paris a l'air tranquille, comme Marie-Antoinette se plaît à le souligner dans une lettre à Mercy :

« Paris a l'air tranquille, mais je voudrais voir les départements formés et tranquilles en activité, je voudrais voir les lois achevées, je voudrais que tous ceux qui perdent au nouveau régime réfléchissent qu'ils perdront encore plus, s'ils ne se consolent pas ; je voudrais qu'on aimât la patrie et le repos public plus que les intérêts de la fortune et de l'amour-propre, je voudrais bien des choses et je ne puis rien. »

Elle pouvait tant de choses, Marie-Antoinette, et elle en a tant gaspillé... Ce gaspillage, ce proche passé, tout est allé si vite... Marie-Antoinette ne peut se défendre d'en avoir la nostalgie. Un jour qu'elle se promène dans le parc de Saint-Cloud, suivie des gardes nationaux, elle chuchote à Mme de Tourzel :

— Que ma mère serait étonnée, si elle voyait sa fille, fille femme et mère de roi, ou du moins d'un enfant destiné à le devenir, entourée d'une pareille garde ! Il semblait que mon père eût un esprit prophétique le jour où je le vis pour la dernière fois.

Et d'évoquer ensuite ce père trop tôt perdu, et leur ultime entrevue :

— J'étais la plus jeune de mes sœurs. Mon père me prit sur ses genoux, m'embrassa à plusieurs reprises et toujours les larmes aux yeux, paraissant avoir une peine extrême de me quitter. Cela parut singulier à tous ceux qui étaient présents, et moi-même ne m'en serais peut-être plus souvenue, si ma position actuelle, en me rappelant cette circonstance, ne me faisait voir, pour le reste de ma vie, une suite de malheurs qui n'est que trop facile à prévoir.

Marie-Antoinette clôt ces moments de nostalgie en regardant vers Paris et en soupirant :

— Cette vie de Paris faisait jadis mon bonheur ; j'aspirais à l'habiter souvent. Qui m'aurait dit alors que ce désir ne serait accompli que pour y être abreuvée d'amertume, et voir le roi et sa famille captifs d'un peuple révolté !

De Paris tombent les notes de Mirabeau, de plus en plus nombreuses, de plus en plus impérieuses, de plus en plus alarmantes, comme celle que reçoit la reine le 13 août :

« Quatre ennemis arrivent au pas redoublé : l'impôt, la banqueroute, l'armée, l'hiver. Il faut prendre un parti ; je veux dire qu'il faut se préparer aux événements en les dirigeant. En deux mots, la guerre civile est certaine et peut-être nécessaire. »

Mirabeau conclut en demandant une nouvelle entrevue. Marie-Antoinette est stupéfaite. Elle n'a pas l'habitude d'un style pareil. Elle est — comme Louis-Auguste, et c'est à leur honneur — hostile à la guerre civile. Elle envoie la note de Mirabeau à Mercy, en l'accompagnant de ce commentaire :

« Comment Mirabeau ou tout autre être pensant peut-il croire que jamais, mais surtout dans cet instant, le moment soit venu pour que nous, nous provoquions la guerre civile ? »

Sa belle-sœur, Élisabeth, qui n'a pas de tels scrupules, écrit à son amie, Mme de Bombelles :

« Tu crains la guerre civile, moi je t'avoue que je la regarde comme nécessaire, [...] et je crois que plus on retardera, plus il y aura de sang répandu. »

Emportée par la fougue de ses vingt-six ans, Élisabeth prêche la guerre civile à Louis-Auguste et à Marie-Antoinette qui ne veulent même pas en entendre parler !

Mirabeau multiplie les notes et s'impatiente de ne pouvoir revoir Marie-Antoinette. On commence à soupçonner le tribun d'avoir un faible pour l'Autrichienne. Et n'aurait-on mis la famille royale à Saint-Cloud que pour la laisser conspirer à son aise ?

« 28 août 1790. [...] La Cour de Saint-Cloud est dans la plus grande agitation : on y écrit jour et nuit ; les courriers se succèdent sans interruption. C'est la reine qui dirige tous ses mouvements, et qui, au sortir des bureaux, reparaît en public en affectant l'air de la plus grande tranquillité.

« 18 septembre. Le roi vient le plus rarement qu'il peut à Paris. La capitale s'aperçoit de sa répugnance ; elle en accuse en grande partie la reine, mais elle murmure aussi contre le roi et cela produit un mauvais effet[1]. »

Ce qui n'a produit aucun effet, c'est la démission de Necker, le 4 septembre. Les journaux se sont contentés d'annoncer : « M. Necker est allé en Suisse. » Quant à Fersen, il exulte : « M. Necker [...] n'est regretté de personne, pas même de sa société. » Exultation que doit partager sûrement Marie-Antoinette qui, au fond, n'aimait pas beaucoup ce Necker.

« 9 octobre 1790. La reine, les ministres, les courtisans ont engagé le roi à rester tout l'hiver à Saint-Cloud. [...] La reine voudrait à quelque prix que ce fût que le roi s'éloignât davantage de la capitale.

1. *Correspondance secrète.*

« 5 novembre. La Cour [...] s'est décidée à revenir à Paris le 1er novembre ; mais la reine, toujours sous le prétexte de son mal à la gorge, n'a voulu voir personne et a si bien intrigué auprès du roi, qu'il a annoncé qu'il retournerait demain à Saint-Cloud, en promettant qu'il reviendrait le 13[1]. »

Marie-Antoinette ne rentre à Paris qu'à la mi-novembre. Cet été qu'elle a réussi à prolonger au-delà de ses limites habituelles peut être considéré, de cette façon, comme véritablement miraculeux...

1. *Correspondance secrète.*

Dieu abandonnerait-il
les siens ?
(18 avril 1791)

À son retour à Paris, une mauvaise nouvelle, encore une, attend, et assombrit, Marie-Antoinette. M. de La Motte est revenu d'Angleterre pour demander la révision du procès de sa femme, Jeanne de La Motte-Valois. Il présente par deux fois sa pétition à l'Assemblée nationale. Mirabeau voit immédiatement le danger que représenterait pour la reine cette résurrection de l'affaire du Collier. Il le dénonce dans l'une de ses notes :

« Cette intrigue, que le duc d'Orléans en soit le promoteur ou qu'il soit simplement un agent de La Fayette, n'est dangereuse que si nous paraissons avoir peur de la tirer au clair. L'agitation par laquelle on cherche à faire revenir le cas La Motte devant la cour pour une révision du procès a un but plus sinistre que d'émouvoir la curiosité et l'émotion publiques : l'intention est d'attaquer directement la reine. La fermeté et la lucidité de Sa Majesté étant bien connues des conspirateurs, ils la considèrent comme la première et la plus solide défense du trône ; *ergo* il faut qu'elle soit éliminée la première. Si ces hommes, habiles politiquement, réussissent à faire réviser publiquement le procès La Motte, en transformant les accusations calomnieuses de la femme La Motte en "preuve légale", ils pourront alors s'en servir pour se justifier, s'ils posent à la tribune de l'Assemblée la question d'une procédure de divorce du couple royal, qui ne laisserait le choix au roi qu'entre la régence et l'abdication. Vu sous cet angle, le cas La Motte devient une menace précise, qui est à la base même de la conspiration. »

Cette fois, Marie-Antoinette serait l'accusée et Mme de La Motte, l'accusatrice. Quelle tentation pour la descendante des Valois d'obliger la descendante des Habsbourg à se présenter devant un tribunal. On prouverait la culpabilité de la reine dans l'affaire du Collier. Marie-Antoinette serait, à son tour, enfermée à la Salpêtrière, et qui sait ? fouettée, marquée à l'épaule du M de Menteuse ? L'imagination de Mme de La Motte, quand il s'agissait de Marie-Antoinette, n'avait plus de bornes. Il suffit, pour s'en persuader, d'ouvrir au hasard ses *Mémoires* que chacun peut lire ouvertement en cet automne 1791, pour tomber sur des passages comme : « La voluptueuse princesse m'attendait impatiemment entre deux draps et je puis assurer qu'elle mit à profit les cinq heures que lui laissait de liberté le voyage de son époux à Rambouillet. »

Mme de La Motte oserait-elle répéter de telles accusations, de telles élucubrations, à haute voix, devant un tribunal ? Cela dut paraître hasardeux à cette femme qui, réfugiée en Angleterre, se sentait à l'abri. Robespierre, Marat, Hébert invitaient la fugitive à revenir à Paris et à paraître dans l'« arène ». Ils promettaient que l'Assemblée prendrait une « proclamation publique des services éminents rendus à la nation par Mme de La Motte ». Invitations pressantes, promesses alléchantes ne suffirent pas à convaincre Mme de La Motte qui, trouvant le danger trop grand, préféra rester en Angleterre où elle mourut le 23 août 1791. Son mari, dûment circonvenu et habilement acheté, renonça à ses prétentions de révision d'un procès qui, comme pour le premier, aurait été le procès de la reine, mais, cette fois, sans ménagement aucun. « Je périrai sur la brèche dans une telle affaire et dans tout ce qui touchera l'auguste et intéressante victime que convoitent tant de scélérats », s'indigna Mirabeau qui sut éviter à Marie-Antoinette la pire des humiliations : être déclarée coupable pendant que Mme de La Motte aurait été innocentée !

La rapidité de Mirabeau à conjurer un tel danger plut à la reine qui souhaita, enfin, revoir son défenseur. La prudence empêcha leur rencontre. Marie-Antoinette était mieux surveillée aux Tuileries que ne l'avait été Mme de La Motte à la Salpêtrière. Cette extrême surveillance devenait intenable et, à la fin de 1790, la reine écrivit au nouvel empereur d'Autriche, Léopold :

« Oui, mon cher frère, notre situation est affreuse, je le sens, je le vois, et votre lettre a tout deviné. [...] L'assassinat est à nos portes ; je ne puis paraître à une fenêtre, même avec mes enfants, sans être insultée par une populace ivre, à qui je n'ai jamais fait le moindre mal, bien au contraire, et il se trouve là assurément des malheureux que j'aurais secourus de ma main. Je suis prête à tout événement et j'entends aujourd'hui de sang-froid demander ma tête... »

Seul l'espoir de fuir un tel enfer soutenait Marie-Antoinette. Louis-Auguste hésitait à s'enfuir, craignant que son départ ne déclenche une guerre civile. Pour expliquer cette hésitation, Marie-Antoinette disait : « Je sais que c'est le devoir d'un roi de souffrir pour les autres, mais aussi le remplissons-nous bien. » Louis-Auguste souffrait particulièrement d'avoir dû accepter, le 26 décembre 1790, la Constitution civile du clergé. L'Assemblée nationale considérait les évêques, curés et vicaires comme des fonctionnaires publics qui devaient, comme tels, prêter serment à la Constitution. Ceux qui s'y refusaient étaient révoqués. Tous les évêques, sauf sept dont Talleyrand, refusèrent l'engagement. Dans le bas clergé, une moitié seulement prêta serment. Ce furent les « assermentés », l'autre moitié constitua les « réfractaires ». Cette division du clergé en « assermentés » et en « réfractaires » désolait le roi, ce qui ajoutait aux tourments de la reine.

Au début de 1791, Marie-Antoinette avait eu le chagrin de voir partir Mercy qui avait obtenu de Léopold la permission de quitter Paris et d'occuper un poste moins dangereux, celui de ministre des Pays-Bas. On ne cessait de fuir la reine comme une pestiférée. Bientôt, ce fut le tour de Mesdames qui partirent le 19 février. Elles n'étaient plus que deux, Madame Sophie était morte en 1782, et Madame Louise en 1787. Leurs décès étaient passés complètement inaperçus. Le départ de Madame Adélaïde et de Madame Victoire fut, en revanche, des plus remarqués. Une députation de sections se rendit aux Tuileries, voulant forcer le roi à interdire à ses tantes de s'éloigner. Le roi refusa. Mesdames prirent le chemin de Rome et furent arrêtées à Arnay-le-Duc. On débattit gravement à l'Assemblée de leur possible retour.

— L'Europe sera vraiment émerveillée quand elle saura qu'une grande Assemblée a mis plusieurs jours à décider si deux vieilles femmes entendraient la messe à Rome ou à Paris, se moqua le général Menou.

Là-dessus, on laissa aller Madame Adélaïde et Madame Victoire entendre la messe à Rome où mènent tous les chemins...

On ne tarda pas à affirmer, dans Paris, que le départ de Mesdames n'était que le prélude à celui du roi et de la reine, et à celui du comte et de la comtesse de Provence. Le 24 février, la populace se porta en tumulte aux Tuileries et exigea de voir le Dauphin que l'on disait parti avec Mesdames.

Le 28 février, à la suite d'une émeute à Vincennes, matée par La Fayette, quelque trois cents gentilshommes craignant une attaque des Tuileries coururent au palais pour y défendre la famille royale. On prétendit que ces gentilshommes n'étaient là que pour enlever le roi et opérer une contre-révolution. Averti de cette intrusion, La Fayette somma les défenseurs de la royauté de rendre leurs armes. Ils obéirent à cet ordre, à la prière instante du roi. Cet incident, auquel on donna le nom de journée des Chevaliers du poignard, eut pour résultat de resserrer encore plus étroitement la surveillance des Tuileries. Dès le lendemain,

La Fayette ordonnait de n'y plus laisser entrer d'hommes armés et animés d'un « zèle très justement suspect ». On peut juger comment Marie-Antoinette accueillit cette mesure et combien son antipathie pour le « héros des deux mondes, et de Vincennes » s'accrut.

Le 27 mars 1791, Mirabeau tombe malade. Il meurt le 2 avril, en disant :

— J'emporte avec moi le deuil de la monarchie ; après ma mort les factieux s'en disputeront les lambeaux.

On ignore la réaction de Marie-Antoinette à la mort de ce « monstre » qu'elle avait subjugué et qu'elle avait fini par trouver aimable depuis son énergique intervention contre les menées de M. de La Motte. On peut penser que la reine, face à cette mort subite, aura eu les mêmes réactions que sa belle-sœur, Élisabeth qui, le 3 avril, écrit à l'une de ses amies :

« Mirabeau a pris le parti d'aller voir dans l'autre monde, si la Révolution y était approuvée. [...] Depuis trois mois il s'était montré pour le bon parti ; on espérait pour ses talents. Pour moi, quoique très aristocrate, je ne puis m'empêcher de regarder sa mort comme un trait de la Providence sur ce royaume. Je ne crois pas que ce soit par des gens sans principes et sans mœurs que Dieu veuille nous sauver. »

Mais Dieu veut-il sauver Marie-Antoinette et les siens en ce printemps 1791 ?

Dieu, et son Église, sont au centre des préoccupations du roi et de la reine. Pâques approche. Louis-Auguste et Marie-Antoinette souhaitent passer la semaine sainte à Saint-Cloud où ils auront plus de liberté, pensent-ils, pour accomplir leurs devoirs religieux. Il n'est pas question de recevoir la communion des mains d'un prêtre « assermenté ». C'est un prêtre « réfractaire » qu'il leur faut. Le pape ne vient-il pas de condamner la Constitution civile du clergé ? On ne peut servir Dieu et l'État.

Le lundi saint, 18 avril, jour prévu pour le départ de la famille royale à Saint-Cloud, une foule se porte aux Tuileries. Lorsque vers onze heures du matin, le roi et la reine paraissent pour monter en voiture, le roi est traité de « gros cochon » et la reine de « foutue bougresse ». Ces insultes ne les empêchent pas de prendre place dans la voiture où les attendent déjà leurs enfants, Élisabeth et Mme de Tourzel. On crie alors :

— A bas les valets ! A bas les chevaux ! On ne doit pas sortir de Paris avant la fin de la Constitution !

On se jette sur les rênes, on coupe les traits, on grimpe sur les marchepieds. Pendant deux heures, ce ne sont qu'insultes et menaces. En vain, La Fayette harangue ses troupes : elles refusent de laisser partir la voiture. En vain, Louis-Auguste proteste :

— Il serait étonnant qu'après avoir donné la liberté à la nation, je ne fusse pas libre moi-même.

Écœuré par un tel excès de pouvoir populaire, Fersen raconte la fin de la scène à son ami, Taube :

« [...] après deux heures et un quart d'attente, et d'efforts inutiles de M. de La Fayette, le roi fit retourner la voiture. En descendant, les soldats se pressèrent en foule autour, il y en eut qui disaient : "Oui, nous vous défendrons." La reine leur répondit, en les regardant fièrement : "Oui, nous y comptons, mais avouez à présent que nous ne sommes pas libres."

« Comme ils serraient beaucoup et entraient en foule dans le vestibule, la reine prit le Dauphin dans ses bras, [...] Madame Élisabeth se chargea de Madame[1] et elles les emmenèrent le plus vite qu'elles purent ; le roi ralentit alors sa marche et lorsqu'elles furent entrées dans l'appartement de la reine, le roi se retourna et dit d'une voix ferme : "Halte-là, grenadiers". Tous s'arrêtèrent comme si on leur avait coupé les jambes. »

Louis-Auguste doit se rendre à l'évidence : la remarque de Marie-Antoinette est fondée : ils ne sont plus libres. Dieu abandonnerait-Il les siens ?

1. Mousseline.

C'est la faute à Léonard
(21 juin 1791)

> *Il semble que l'Assemblée ait pris à tâche de ruiner tout à fait ce malheureux royaume. Les révolutionnaires ont tout détruit et n'ont rien mis à la place. [...] Le crédit est perdu, tout le monde est ruiné ; la suppression des droits féodaux dérange toutes les fortunes et les diminue de plus de moitié, [...] ce royaume gémit sous le despotisme de la multitude qui est le plus affreux de tous, [...]. La situation du roi, et surtout de la reine, fait pitié ; [...].*

> FERSEN, le 10 avril 1791.

Les paroles de Marie-Antoinette, « vous avouerez à présent que nous ne sommes pas libres », continuent à résonner aux oreilles de Louis-Auguste, comme résonnent ces autres paroles que la reine a lancées à ses agresseurs en regagnant le palais :

— Malgré tout ce que l'on nous fait souffrir, nous aimons mieux rester que causer la moindre violence.

De retour au palais, le roi et la reine, d'après Fersen, « parlèrent tous deux avec beaucoup de fermeté et de sang-froid et eurent un maintien parfait ». Le moment n'est plus à l'hésitation et à la supputation. Il faut agir et préparer, sans tarder, la fuite. S'agira-t-il d'un départ en plein jour ou d'une fuite secrète ? Tout le problème est là.

319

Avant sa mort, Mirabeau préconisait un éloignement de Paris, sans dissimulation aucune, avec appel au peuple, et explication de cet éloignement : puisque l'autorité du roi, et sa personne, n'étaient plus respectées, il fallait quitter la capitale et s'installer à Fontainebleau, ou à Rouen. Cet ultime projet de Mirabeau n'est plus réalisable depuis le 18 avril. Comment pourrait-on gagner Fontainebleau, ou Rouen, alors que l'on ne peut pas parvenir jusqu'à Saint-Cloud ? Ne reste plus que la fuite secrète.

Depuis les journées d'octobre 1789 et l'emprisonnement aux Tuileries, les projets d'évasion s'étaient succédé. En mars 1790, le comte d'Hinnisdal avait tout organisé pour l'enlèvement du roi. On avait gagné la garde nationale de service, disposé les relais. On avait tout prévu, sauf le consentement du roi. Louis-Auguste, inconscient du danger, mais conscient de sa dignité royale, refusa de donner son accord à cet enlèvement.

— Dites à M. d'Hinnisdal que je ne puis consentir à me laisser enlever, fit-il dire au comte qui renonça à son projet.

Pendant le dernier été à Saint-Cloud, deux tentatives, au moins, selon M. de La Tour du Pin et le comte Esterhazy, avaient échoué par la seule volonté du roi qui, au dernier moment, tournait bride et donnait l'ordre de retourner au château alors que la liberté était là, au bout d'un bois, de l'autre côté d'une rivière, qu'il suffisait de traverser. A chaque ratage, Marie-Antoinette disait à Mme Campan : « Il faudra pourtant bien s'enfuir. »

Il faut maintenant s'enfuir. En ce 18 avril 1791, Louis-Auguste en est aussi persuadé que sa femme. Le 20, Marie-Antoinette écrit à Mercy : « L'événement qui vient de se passer nous confirme plus que jamais dans nos projets. La garde qui est alentour de nous est celle qui nous menace le plus. Notre vie même n'est plus en sûreté... Notre position est affreuse ; il faut absolument en finir dans le mois prochain. Le roi le désire encore plus que moi. »

Marie-Antoinette que le danger, l'adversité stimulent et qui abandonne complètement cette paresse tant critiquée par Marie-Thérèse, se dépense en activités les plus diverses. Elle dépêche courrier sur courrier, demande des conseils à Mercy, des secours au roi d'Espagne, des troupes à Léopold, de l'argent aux Suisses et aux Hollandais.

— L'argent est ce qu'il y a de plus difficile à trouver, constate Fersen qui répète certainement des mots qu'il doit souvent entendre dire à Marie-Antoinette. Cette fuite que l'on veut secrète prend rapidement l'ampleur d'une affaire européenne. L'Espagne, la Sardaigne, la Prusse, la Suède, l'Autriche y sont mêlées. L'opération porte un nom : *le plan de Montmédy.* Il semble des plus simples. Marie-Antoinette et les siens quittent Paris pour gagner Montmédy, ville-frontière et place forte aux confins de la Champagne. Là, les attend M. de Bouillé qui commande à Metz des troupes dont quelques-unes sont encore fidèles au roi. En mai 1791, le général de Bouillé peut compter sur une dizaine de bataillons allemands ou suisses, et une trentaine d'escadrons de cavalerie. L'infanterie et l'artillerie sont passées à la Révolution. Exemple suivi par les populations voisines des frontières que la proximité des émigrés, réfugiés de l'autre côté du Rhin et menaçants, exaspèrent. Pour ces populations, la complicité de Louis-Auguste, et de son Autrichienne d'épouse, avec ces émigrés ne laisse aucun doute. Ce qui est faux. Marie-Antoinette précise à son frère Léopold :

« Les émigrations se multiplient, elles sont un malheur ; si la noblesse s'était fortement groupée autour de nous, elle aurait formé un noyau précieux dans la retraite. La noblesse nous perdra en nous abandonnant à tous les dangers ; nous sommes forcés de nous sauver sans elle. Il y a à Coblence trop d'intrigues et nulle intelligence de la situation de la France, et des véritables intérêts du roi et de sa famille ; c'est un foyer au milieu duquel je n'aime pas voir un jeune homme aussi bouillant. »

Ce jeune homme, c'est le comte d'Artois, dont Marie-Antoinette dit, toujours à son frère, le « comte d'Artois et tous ceux qui l'entourent veulent absolument agir ; ils n'ont pas de véritables moyens et nous perdrons sans que nous soyons d'accord avec eux ».

Réunis à Coblence, le comte d'Artois et les émigrés souhaitent une intervention armée, une action immédiate qui délivrera le roi et la reine. Ce n'est pas l'avis de ces derniers qui savent qu'ils seront assassinés avant même que les troupes autrichiennes n'atteignent Paris. N'a-t-on pas essayé déjà, plusieurs fois, d'attenter à leurs vies ? Les cris de « mort au gros cochon » et « mort à l'Autrichienne » remplacent, quotidiennement, les musiques de Gluck et de Grétry.

A l'abri, à Coblence, ou à Bruxelles, il est facile aux émigrés de décider ce que le roi et la reine doivent, ou ne doivent pas, faire. On accuse le roi de pactiser avec l'émeute, on juge la reine trop démocrate. « C'était un cloaque d'intrigues, de cabales, de bêtises, de singeries de l'ancienne Cour », estime fort justement l'un des hommes de confiance de Marie-Antoinette, Augeard.

Si, à Coblence, Marie-Antoinette est « trop démocrate », à Paris, elle est « trop aristocrate ». Cela aussi, c'est intenable. Il faut fuir Paris, non pour se réfugier à l'étranger et imiter les émigrés, mais rester en France pour y rétablir l'ordre, y établir une constitution qui tiendrait compte des volontés du roi. Le despotisme pratiqué par Louis XIV n'est plus possible, cela, le roi et la reine en sont persuadés. « Nous sommes décidés à prendre pour base de la Constitution la déclaration du 23 juin, avec les modifications que les circonstances et les événements ont dû y apporter », écrit à Mercy Marie-Antoinette qui n'est pas non plus hostile à la liberté, pourvu que cette liberté soit « telle que le roi l'a toujours désirée lui-même pour le bonheur de son peuple, loin de la licence et de l'anarchie qui précipitaient le plus beau royaume dans tous les maux possibles. »

Marie-Antoinette refuse de confondre liberté et licence, liberté et anarchie, liberté pour les uns et prison pour les autres. Ces belles idées sur la Constitution, ce beau désir de liberté qui justifient la fuite s'accompagnent, en même temps, chez Marie-Antoinette, de préoccupations nettement plus frivoles. Elle ne peut concevoir cette fuite sans nouveaux vêtements, sans nécessaire de toilette, sans femmes de chambre, et même, sans coiffeur. Une reine se doit d'être toujours impeccable, et surtout bien coiffée. Pour cela, Léonard est a-bso-lu-ment indispensable. Né à Pamiers en 1758, le Gascon a, au moment de la fuite à Varennes, quarante-sept ans. Il est à la coiffure ce que Rose Bertin est à la mode. Un monarque absolu.

Dans *le Drame de Varennes*[1], Lenotre écrit : « Que vient donc faire ce perruquier dans cette aventure ? Une seule réponse paraît plausible : la reine ne pouvait supporter la pensée de ne pas être attifée à Thonnelles aussi élégamment qu'elle l'était aux Tuileries. »

Ce capital problème capillaire réglé, Marie-Antoinette se livre alors à une frénésie d'achats qu'essaie, vainement, de combattre Mme Campan :

« Dès le mois de mars [...], la reine s'occupa des préparatifs de son départ. Je passai ce mois auprès d'elle et j'exécutai une grande partie des ordres secrets qu'elle me donna à ce sujet. Je la voyais avec peine occupée de soins qui me semblaient inutiles et même dangereux et lui fis observer que la reine de France trouverait des chemises et des robes partout. Mes observations furent infructueuses : elle voulut avoir à Bruxelles un trousseau complet, tant pour elle que pour ses enfants. [...] Elle voulait aussi emporter son nécessaire de voyage. »

Et quel nécessaire, « énorme pour sa dimension et qui contenait depuis une bassinoire jusqu'à une écuelle d'argent » ! Le témoignage de Mme Campan sur les préparatifs de cette fuite est irréfutable, confirmé par d'autres témoignages contemporains.

1. Perrin.

323

On est quand même confondu de trouver en Marie-Antoinette une telle inconscience, une telle frivolité que l'on pourrait croire issues de l'imagination d'une Mme de La Motte... C'est que, il y a chez Marie-Antoinette, un côté « femme pratique » qui ne se dément pas, une maîtresse de maison qui se veut toujours parfaite. Ses fêtes à Trianon ont été des réussites célébrées dans toute l'Europe. Il ne sera pas dit que sa fuite à Varennes ne sera pas aussi remarquablement, fastueusement organisée, et dans ses moindres détails, vestimentaires ou culinaires. Cette reine de la mode se croit obligée d'inventer le « chic fuite à Varennes ». Elle portera une robe de soie grise, un mantelet et un chapeau noirs, avec une large voilette tombante également noire.

Dans ses préparatifs, Marie-Antoinette est aidée par Fersen qui trouve là une façon de manifester son amitié et sa reconnaissance aux souverains. Comme il l'explique à son père, « Je suis attaché au roi et à la reine, [...] par la manière pleine de bonté dont ils m'ont toujours traité lorsqu'ils le pouvaient ; et je serais vil et ingrat, si je les abandonnais, quand ils ne peuvent plus rien faire pour moi et que j'ai l'espoir de pouvoir leur être utile ».

C'est Fersen qui obtient, par l'intermédiaire du ministre de Russie, les passeports d'une dame russe, la baronne de Korff, et des domestiques qui l'accompagnent. C'est Fersen qui commande une vaste berline, tellement vaste que M. de Bouillé s'en alarme. Ne pourrait-on pas en commander une plus petite ? Ou prendre deux voitures plus légères ? Le choix de ces deux voitures légères permettrait de voyager plus rapidement et la rapidité est la condition de la réussite de la fuite. Si l'on optait pour les deux voitures, il faudrait se séparer en deux groupes. Marie-Antoinette s'y refuse. Elle ne veut pas se séparer de Louis-Auguste, de Mousseline et du Chou d'Amour. Ils voyageront tous les quatre ensemble, accompagnés d'Élisabeth et de Mme de Tourzel. Il faut donc une berline où l'on ne souffre d'aucune « importunité ».

La berline est peinte en vert et en jaune — on aurait

pu choisir des couleurs plus discrètes —, son intérieur est tendu de velours d'Utrecht blanc. Ses coffres sont amplement pourvus de nécessaires en argent, de « vases de toilette et de nécessités », et de provisions.

C'est également Fersen qui commande les provisions. Marie-Antoinette a prévu que l'on mangerait du bœuf à la mode, et du veau froid. Comme boissons, une bouteille de vin de Champagne et cinq bouteilles d'eau de Ville-d'Avray, puisque c'est l'eau préférée de la reine. Fersen a prévu aussi un sac de monnaie nécessaire pour payer les relais et distribuer les pourboires. Sans ses occupants, la berline est déjà très chargée...

Tant de préparatifs divers ne peuvent pas ne pas éveiller l'attention. Des indiscrétions alertent l'opinion publique. On parle d'une possible évasion du roi et de sa famille, dans les journaux, dans les comités, dans les clubs, dans les rues. On en parle à Madrid, à Londres, à Bruxelles, à Vienne. On en parle partout. L'attention est tellement éveillée que le 21 mai, une femme de la garde-robe dénonce, à l'indignation de Mme Campan, un projet de fuite. Le 11 juin, La Fayette veut doubler les sentinelles et contrôler les voitures qui entrent et sortent des Tuileries.

Pour échapper un peu à sa prison des Tuileries, en attendant d'en échapper, espère-t-elle, définitivement, Marie-Antoinette va se promener, avec ses enfants et sa belle-sœur, au bois de Boulogne. Elle en rentre tard. La Fayette lui fait observer qu'elle devrait se méfier du brouillard.

— Du brouillard au mois de juin ? plaisante la reine. Je ne saurais vraiment en trouver, à moins d'en faire exprès pour cacher notre fuite, car je pense qu'on en parle toujours ?

— Plus que jamais, répond La Fayette.

La reine éclate d'un rire qui se veut rassurant et qui devrait dissiper les craintes de M. Blondinet.

On a enfin arrêté la date de cette fuite qui est de moins en moins secrète : on partira dans la nuit du 20 au 21 juin.

Le 20 juin 1791, à une heure moins le quart de

l'après-midi, Marie-Antoinette appelle son coiffeur Léonard.

— Léonard, je puis compter sur vous ?

— Ah ! Madame, disposez de moi, je vous suis tout dévoué !

— Je suis aussi bien sûre de votre dévouement ; voilà une lettre ; portez-la au duc de Choiseul, rue d'Artois, ne la remettez qu'à lui, obéissez-lui exactement comme à moi-même, sans réflexion et sans la moindre résistance.

Léonard va chez M. de Choiseul, neveu du défunt duc. Un Choiseul fut l'artisan de l'entrée de Marie-Antoinette, un autre Choiseul sera l'artisan de sa sortie, ou essaiera de l'être...

M. de Choiseul, après avoir lu la lettre, monte avec le coiffeur dans un cabriolet fermé. De relais en relais, l'anxiété de Léonard ne cesse de croître : il a laissé sa clef sur la porte de son appartement, et l'une de ses clientes, Mme de Lage, attend d'être coiffée. De relais en relais, le duc et le coiffeur se retrouvent à Montmirail. Là, Choiseul révèle à Léonard qu'il est chargé de transporter une cassette contenant les diamants de la reine et de sa belle-sœur. Léonard fond en larmes. On verse beaucoup de larmes en ce 20 juin 1791. A cette date, dans le *Journal* de Fersen, on lit :

« En me quittant, le roi me dit : ''Monsieur de Fersen, quoi qu'il puisse m'arriver, je n'oublierai pas tout ce que vous faites pour moi.'' La reine pleura beaucoup. À six heures je la quittai ; elle alla avec les enfants à la promenade. »

Ce n'est pas le départ de Fersen qui cause un tel excès de larmes puisque Marie-Antoinette sait qu'elle va retrouver son ami quelques heures plus tard. À quoi sont dues ces larmes ? À la proximité du départ ? Au sentiment du danger ? À quelque pressentiment ? Mystère des pleurs de la reine, en cette fin d'après-midi du 20 juin.

La promenade qui suit l'entrevue avec Fersen est racontée par la fille de Marie-Antoinette :

« Dans la promenade, ma mère me prit à part, me dit que je ne devais pas m'inquiéter de tout ce que je verrais, et que nous ne serions jamais longtemps séparées, que nous nous retrouverions bien vite... Mon esprit était bouché, et je ne compris rien du tout à tout cela. »

En rentrant de promenade, à huit heures, Louis-Auguste et Marie-Antoinette se font présenter les trois gentilshommes qui leur serviront de garde du corps pendant leur fuite : M. de Valory, M. de Malden, M. de Moustier. Ils n'ont jamais rencontré le roi ni la reine. Ils connaissent mal Paris, et pas du tout la route qui conduit à Montmédy. Valory est d'une grande maigreur. Moustier et Malden sont d'une grande taille. Ils sont revêtus de livrées jaunes achetées chez un fripier, ces livrées appartenaient aux serviteurs des princes de Condé qui ont émigré dès juillet 1789. Ces trois escogriffes vêtus de jaune ne risquent guère de passer inaperçus. En plus, Moustier est myope.

À neuf heures, Madame Élisabeth, le comte et la comtesse de Provence, arrivent pour souper.

— Prenez garde de m'attendrir, je ne veux pas qu'on voie que j'ai pleuré, chuchote Marie-Antoinette à Provence.

« Le roi qui, jusque-là, ne m'avait pas fait part du lieu où il allait, me déclara qu'il allait à Montmédy et m'ordonna positivement de me rendre à Longwy en passant par les Pays-Bas autrichiens », se souviendra plus tard Monsieur quand il sera devenu Louis XVIII.

Après ce bref entretien, on passe dans la salle à manger. Vers dix heures, la famille royale se retire dans ses appartements.

— Nous approchons du terrible quart d'heure, murmure Marie-Antoinette qui, à dix heures, va chercher sa fille qu'elle habille d'une robe d'indienne mordorée à fleurs bleues et blanches, puis son fils qu'elle déguise en petite fille. « Il était charmant, racontera Mousseline, comme il tombait de sommeil, il ne savait pas ce qu'il faisait. Je lui demandai ce qu'il croyait qu'on allait faire ; il me dit qu'il croyait que nous allions jouer la comédie, puisque nous étions déguisés. »

— On part, on va dans une place de guerre où il y a beaucoup de soldats, rectifie Marie-Antoinette.

Ce qui, visiblement, enchante Louis-Charles.

— On part, répète Marie-Antoinette à Mme Brunier, première femme de chambre de Mousseline, et à Mme de Neuville, première femme de chambre de Louis-Charles.

N'étant pas dans le secret de la fuite, Mme Brunier et Mme de Neuville laissent voir une stupéfaction qu'elles répriment aussitôt. Il n'y a pas à discuter les ordres de la reine.

À onze heures, La Fayette se présente pour assister au coucher du roi. Les deux hommes parlent de la procession de la Fête-Dieu et du reposoir qu'on dressera dans la cour du Louvre.

À onze heures et demie, La Fayette s'en va. Louis-Auguste se met au lit. Dès que ses valets de chambre sont sortis, il quitte à son tour sa chambre. Il gagne, à l'étage inférieur, l'appartement de la reine où l'attendent « un costume très simple, un chapeau rond et une perruque grise ». Ces divers déguisements donnent à la fuite à Varennes, en son début, une allure de comédie.

On quitte le palais par groupes séparés. D'abord, Mme de Tourzel et les deux enfants. Puis Élisabeth, puis le roi, et enfin, la reine accompagnée de l'un de leurs gardes du corps, Malden.

Mme de Tourzel, les enfants, Madame Élisabeth, Louis XVI parviennent rue de l'Échelle où stationne la voiture de Fersen, une « antique diligence ressemblant à un fiacre ». Fersen, déguisement oblige, est travesti en cocher, si bien qu'un cocher de fiacre le prend pour un confrère et engage avec lui la conversation. Il y aurait de quoi rire, et on en rirait si la reine était là. Mais où est Marie-Antoinette ? Pendant une demi-heure, on attend. Interminables ces trente minutes. Nul n'a plus envie de rire, la comédie peut se changer en drame si la reine ne paraît pas. Faudra-t-il l'attendre encore, ou partir sans elle ? Enfin, voilà Marie-Antoinette. Elle s'était trompée de direction. Au lieu de se diriger vers la rue de l'Échelle, elle s'était retrouvée rue du Bac. Elle a dû revenir sur ses pas, et, à ce moment-là, elle a croisé le carrosse où se trouvait La Fayette quittant les Tuileries, après sa visite d'inspection pour s'assurer que plus personne ne sortirait du palais, cette nuit-là. Il sera bien attrapé demain, M. Blondinet de ce que Beaumarchais aurait appelé une « précaution inutile ».

Celle qui fut Rosine explique son retard, on s'embrasse et vite, vite, fouette cocher, on est déjà en retard. « À minuit partis, joint la voiture barrière Saint-Martin. À une heure et demie à Bondy, pris la poste », notera Fersen dans son *Journal*.

Ce que Fersen ne dit pas, c'est que, à la barrière Saint-Martin, il a, à nouveau, perdu du temps pour chercher la berline jaune et vert qui n'était pas à l'endroit prévu. Dès qu'on la trouve, on passe de l'« antique diligence ressemblant à un fiacre » à la trop pimpante berline. On a déjà deux heures de retard sur l'horaire prévu. Fersen presse les chevaux. En trois quarts d'heure, on atteint Bondy. On change de monture et Fersen prend congé. Louis-Auguste « embrassa le Suédois avec effusion de cœur et le remercia avec une bonté touchante ». Fersen se contente de saluer Marie-Antoinette d'un « Adieu, Madame de Korff ».

En fait, c'est à Mme de Tourzel qu'a été attribué le rôle de Mme de Korff. Marie-Antoinette est sa gouvernante sous le nom de Mme Rocher, Louis XVI est son intendant sous le nom de Durand, Élisabeth est Rosalie, sa dame de compagnie, et ses deux fillettes répondent aux prénoms d'Amélie et d'Aglaé.

Après Bondy, les occupants de la berline peuvent estimer que le pire est passé, on a quitté les Tuileries et Paris sans encombre. Il est deux heures et demie. On peut s'accorder un peu de repos et s'endormir puisque la nuit du 20 au 21 juin est la plus courte de l'année.

Il ne va pas tarder à faire jour. On arrive vers quatre heures du matin à Claye où, dans un cabriolet, attendent Mme Brunier et Mme de Neuville qui, comme Léonard, sont parties sans prendre congé de personne.

Nouveau relais. Les postillons de Bondy demandent aux postillons de Claye qui peuvent être ces voyageurs qui donnent d'aussi somptueux pourboires (quatre livres six sols). Du danger de donner des pourboires excessifs quand on ignore la valeur de l'argent... Les postillons de Claye avouent leur ignorance et espèrent être aussi bien récompensés que leurs confrères.

La berline descend vers la Marne. On change de chevaux à Meaux. Il est six heures du matin.

— Soyez bien persuadée qu'une fois le cul sur la selle, je serai bien différent de ce que vous m'avez vu jusqu'à présent, affirme rondement Louis-Auguste à Marie-Antoinette qui ne demande qu'à croire à une telle promesse de changement.

Pour célébrer cet espoir, on se restaure. Les corps des personnes royales n'étant pas des corps célestes, on s'arrête par deux fois pour satisfaire aux plus naturels des besoins. On s'arrête encore au petit village de Viels-Maison, vers dix heures du matin. Louis-Auguste reste « assez longtemps hors de sa voiture, causant avec beaucoup de monde qui l'entoure, sur les moissons ». Le roi prend goût à cette halte improvisée et la renouvelle à la poste de Fromentières. La reine s'inquiète de ce temps perdu, du danger d'être reconnu. Le roi fanfaronne :

— Je ne crois plus ces précautions nécessaires. Mon voyage me paraît à l'abri de tout accident.

Les douze coups de midi sonnent à l'horloge de la poste de Fromentières. À partir de là, ce qui devrait être une fuite précipitée, et Dieu sait si Bouillé et Fersen ont recommandé la rapidité, prend les allures d'une aimable partie de campagne. On monte les côtes à pied « pour se délasser », on admire, après Étoges, le pittoresque du paysage. Pour les prisonniers de Versailles, et des Tuileries, tout est découverte et prétexte à amusement. On s'amuse donc à imaginer le dépit de La Fayette découvrant la disparition de la famille royale. On espère que la princesse de Lamballe et Mme d'Ossun, les deux seules personnes que Marie-Antoinette ait prévenues de son départ par des billets les invitant à fuir, ont pu se sauver. Elles l'ont pu.

Au relais du Petit-Chaintry, le maître de poste, Jean-Baptiste de Lagny a un gendre, Gabriel, qui a assisté, l'an dernier, à la fête de la Fédération. Gabriel reconnaît le roi et la reine. Quel émoi ! quel honneur ! si Leurs Majestés voulaient se donner la peine d'entrer et de se rafraîchir. Leurs Majestés entrent et se rafraîchissent. Il est deux heures. Dieu que cette fuite est agréable et que ces gens sont de braves gens !

À deux heures trente, on se sépare. Lagny refuse toute rémunération. Touchée, Marie-Antoinette tire de son nécessaire de voyage deux écuelles d'argent que Mme de Tourzel remet au maître des postes ébloui. Les postillons qui ont assisté à cette scène savent maintenant qui sont les voyageurs occupant la berline jaune et vert. Éblouis à leur tour, les postillons font du zèle et vont si grand train que les chevaux s'abattent par deux fois. Ils les relèvent à coups de fouet et réparent les traits rompus. Encore une perte de temps.

Vers quatre heures, on entre dans Châlons où « on fut reconnu tout à fait, beaucoup de monde louait Dieu de voir le roi et faisait des vœux pour sa fuite », témoignera Mousseline.

Reconnus au Petit-Chaintry, reconnus à Châlons, les fugitifs ne pouvaient que l'être aux relais suivants. Qu'importe ? Dans moins de deux heures, on sera à Pont-de-Somme-Vesles où les attendent, comme convenu, M. de Choiseul et ses quarante hussards. On arrive à Pont-de-Somme-Vesles. Personne. Pas de Choiseul, pas de hussards. Le roi a l'impression que « toute la terre lui manquait », c'est sa propre expression. La reine aussi sent la terre s'entrouvrir sous ses pieds. Que faire ? On ne peut même pas interroger les gens de Pont-de-Somme-Vesles, sans risquer de donner l'alerte. Il faut, au plus vite, gagner Sainte-Menehould où doivent attendre, comme prévu, quarante dragons. On ne plaisante plus. On se tait, le cœur serré. On traverse un plateau où se dresse le cabaret de la Lune. On passe à Auches devant l'auberge du Soleil. Lune et Soleil semblent se désintéresser du sort des fugitifs. Le soleil, le vrai, en ce jour de solstice, ne se montre que vers six heures et demie du soir, comme s'il ne voulait pas éclairer le désastre qui est en train de s'accomplir.

Sainte-Menehould est en effervescence. Depuis quelques jours, des troupes de dragons et de hussards passent, chargées, dit-on, d'escorter, ou d'attendre, un trésor. Le trésor serait-il contenu dans cette immense berline qui vient de s'arrêter au relais des postes et dont les courriers portent la livrée — bien connue dans cette région — des domestiques du prince de Condé ? Le prince de Condé serait-il revenu en France pour en émigrer à nouveau ? Et ces trente hussards que dirige un M. d'Andoins ne seraient-ils là que pour escorter le prince ? Leur présence inquiète la population qui, résolue à se défendre, se presse à l'hôtel de ville pour y demander des armes. M. d'Andoins s'approche de la berline et dit tout bas à ses occupants :

— Les mesures sont mal prises ; je m'éloigne pour ne donner aucun soupçon.

« Ce peu de paroles nous perça le cœur ; mais il n'y avait pas d'autre chose à faire que de continuer notre route et l'on ne se permit pas la plus légère incertitude », rapporte Mme de Tourzel qui ajoute que c'est là que le maître des postes, Jean-Baptiste Drouet, reconnaît le roi « en comparant la figure de ce prince avec un assignat qu'il avait dans sa poche ». Ce qui est faux. Drouet n'a remarqué que l'excès de bagages surchargeant l'impériale de la berline et a recommandé à ses postillons « de ne pas crever les chevaux pendant la traversée de l'Argonne ».

Un peu plus tard, à neuf heures, Drouet reçoit Viet, maître des postes à Châlons. Entre maîtres des postes, on n'a rien à se cacher. Viet montre à son confrère le billet dont il est porteur : « De la part de l'Assemblée nationale, il est ordonné à tous les bons citoyens de faire arrêter la berline à six chevaux dans laquelle on soupçonne être le roi, la reine, Madame Élisabeth, le Dauphin et Madame Royale. [...]. » Drouet comprend alors que cette berline surchargée traînée par six chevaux ne peut être que celle qui contient ces six personnes, ces six trésors vivants, qu'il faut à tout prix récupérer !

Accompagné de son ami, le cabaretier Guillaume, Drouet se lance dans une poursuite éperdue sur la route de Verdun où il apprend que la berline a pris la route de Varennes. Les deux hommes rebroussent chemin et se dirigent vers Varennes où il importe d'arriver avant les fugitifs. Ils y arrivent, trouvent à l'auberge du Bras-d'Or des jeunes gens à qui ils donnent l'alarme et qui courent avertir les autorités. En l'absence du maire, retenu à Paris par sa charge de député, c'est le procureur de la commune, Sauce, un épicier, que l'on prévient de la fuite de la famille royale, comme ont été prévenus, à Paris, le matin même de ce 21 juin, les députés de l'Assemblée nationale. Les députés ont aussitôt ordonné l'arrestation des fugitifs. Un aide de camp de La Fayette, M. de Romeuf, est parti, porteur de ce décret, et a rencontré à Châlons Bayon, porteur d'un décret analogue, mais émanant celui-là de Bailly, le maire de Paris.

Romeuf, Bayon, Viet, Drouet, autant d'hommes-relais qui, semblables aux coureurs des stades, se transmettent l'ordre d'« arrêter les individus de la famille royale » et de faire appel, le cas échéant, à la force publique. Il ne s'agit pas d'un sport. Le sort de la monarchie est entre les mains de ces cavaliers.

Ignorant qu'ils sont poursuivis par Drouet et son compagnon, les occupants de la berline somnolent. Marie-Antoinette s'est franchement endormie. Un « affreux cahot » la réveille. On est arrivé à Varennes. Il est dix heures quarante. Comme à Pont-de-Somme-Vesles, pas un dragon, pas un hussard. Personne. Que s'est-il passé ? Comment justifier une telle absence ? Le plan de Montmédy aurait-il échoué ? Explications de Mme de Tourzel dans ses *Mémoires* :

« Pour éviter tout soupçon de la part des troupes qu'on avait placées par échelons depuis Pont-de-Somme-Vesles jusqu'à Clermont, on les avait averties qu'elles étaient destinées à escorter un trésor dont l'arrivée avait été retardée jusqu'au lundi 21. Quelques propos tenus sur le retard de l'arrivée de ce trésor inquiétèrent M. de Choiseul, qui, s'apercevant que l'heure de l'arrivée du roi était outrepassée de deux heures, se persuada que le roi avait changé d'avis et que le projet était avorté. »

La conduite du duc de Choiseul est inconcevable. Devant un retard de deux heures, ce qui n'est pas extraordinaire pour un aussi long parcours et en tenant compte des difficultés de la route, il oublie toutes les consignes reçues : attendre l'arrivée du roi, envoyer aussitôt un courrier aux autres détachements annonçant la venue prochaine des voyageurs, suivre la berline jusqu'à la laisser sous la protection des dragons de M. d'Andoins. Prenant prétexte de ce retard de deux heures, le duc de Choiseul abandonne son poste. Et, en l'abandonnant, il commet une ultime faute : il charge Léonard d'avertir les détachements de Sainte-Menehould et de Clermont que le roi ne passerait pas. Léonard, qui n'en est plus à un étonnement près, obéit. Après avoir averti les chefs des détachements de Sainte-Menehould et de Clermont, comme l'avait commandé M. de Choiseul, il va prendre, de sa propre initiative, une décision qui aura les pires conséquences.

Arrivé à Varennes, Léonard dit à Bouillé, le fils du général, et à son ami, Raigecourt, que le roi et la reine, après avoir quitté Paris, n'avaient pas pu continuer leur voyage. Il conseille à ces deux officiers de partir. Les deux officiers jugent alors inutile de placer des relais à l'entrée de Varennes, comme cela était prévu. Les retards, les lenteurs, les imprudences ne sont pas les seules causes de l'échec de la fuite à Varennes. Cet échec doit être imputé principalement à l'inconséquence du duc de Choiseul — qu'avait dénoncée Fersen qui craignait que le duc ne fût pas à la hauteur de la situation — et à la légèreté de Léonard qui, outrepassant sa mission, conseille à Bouillé fils, et à Raigecourt, de quitter Varennes. C'est la faute à Choiseul, c'est la faute à Léonard, si, en ce 21 juin, Marie-Antoinette se retrouve, aux portes de Varennes, face à un vide qui va l'engloutir.

La reine et l'épicière
(nuit du 21 au 22 juin 1791)

Varennes, 21 juin 1791. Dix heures quarante-cinq. Le roi et la reine descendent de la berline, ne rencontrent que la nuit, le silence, et une maison avec une écurie. Louis-Auguste frappe, demande « si ce n'est pas là que sont les chevaux ? », et n'obtient pour réponse qu'un rude, peu encourageant, « passez votre chemin ». Les postillons refusent, malgré l'offre de cinquante louis de récompense, de continuer leur route sans changer de chevaux : ils acceptent seulement de pousser jusqu'à l'hôtel du Grand Monarque où l'on trouvera, peut-être, un relais. Espoir de courte durée. Des cris résonnent, des « arrêtez, arrêtez » s'adressant à Mme de Neuville et à Mme Brunier blotties dans leur cabriolet.

— Vos passeports ?

— C'est la seconde voiture qui les a.

Celui qui a posé cette question et qui se dirige vers la berline, c'est Sauce, l'épicier-procureur.

— Où allez-vous ?

— À Francfort.

Sauce remarque que l'on est en train de « se dévoyer » et demande les passeports.

— Qu'on se dépêche, nous avons hâte d'arriver ! dit Marie-Antoinette en tendant les documents.

On ne se dépêche pas, on prend son temps. Sauce, qui est entouré de deux gardes nationaux en armes, sait qu'il a pour lui la force et le droit. Il examine les documents qui sont en règle, comme il le fera observer à Drouet qui, au Bras-d'Or, attend ses victimes, et affirme :

— Je suis sûr que la voiture arrêtée par vous contient le roi et sa famille ; si vous la laissez passer en pays étranger, vous vous rendez coupable de crime et de trahison.

L'épicier-procureur en frémit. Il décide de temporiser, d'attendre le lendemain. Il est onze heures et demie du soir, il est trop tard pour viser les passeports. Les occupants de la berline se récrient, tentent de forcer le passage, les gardes nationaux brandissent leurs armes, prêts à tirer... Il faut se résigner à quitter la berline et à se réfugier dans la maison de Sauce, toute proche. Au silence ont succédé le bruit du tocsin, les cris de « au feu » que l'on lance pour ameuter la population, les exclamations des curieux accourus. Curieux qui peuvent, d'un moment à l'autre, se changer en furieux.

Marie-Antoinette et les siens se retirent au premier étage de la maison Sauce, dans une chambre garnie d'un lit, de quelques chaises et de marchandises. On couche les enfants mourant de sommeil dans un lit.

Voilette baissée, la reine se tient dans un coin obscur de la chambre. Son époux affronte Sauce et Drouet qui le pressent d'avouer qu'il est le roi de France avec une insistance, une insolence telles que Marie-Antoinette ne peut se retenir d'intervenir et lance un « si vous le reconnaissez pour votre roi, respectez-le » qui est — presque — un aveu. Ce presque aveu ne suffit pas. Sauce se souvient qu'il y a, à Varennes, un juge, Destez, qui, pendant un séjour à Paris, a vu plusieurs fois le roi et la reine. Il fait appeler Destez qui non seulement reconnaît le roi, mais s'incline et le salue d'un « Bonjour, sire ». Touché, vaincu, Louis XVI répond :

— Oui, je suis votre roi ; voici la reine et la famille royale. Placé dans la capitale au milieu des poignards et des baïonnettes, je viens chercher en province, au milieu de mes fidèles sujets, la liberté et la paix dont vous jouissez tous. Je ne puis vivre à Paris, sans y mourir, ma famille et moi.

L'attendrissement est général, on se presse, on s'embrasse. L'attendrissement ne dure pas. Sauce et Drouet somment le roi de reprendre la route de Paris. Louis-Auguste explique à nouveau que c'est impossible, qu'il ne peut pas exposer sa famille aux humiliations et aux périls qu'ils ont fuis. « La reine qui partageait ses inquiétudes, les exprimait dans une extrême agitation. »

À l'agitation de Marie-Antoinette correspond celle de Mme Sauce qui craint pour la vie de son mari s'il laisse échapper ses prisonniers.

— Bon Dieu, Madame, ils feraient périr M. Sauce ! J'aime bien mon roi, mais, écoutez, j'aime bien mon mari, dit Mme Sauce.

La reine et l'épicière discutent, s'affrontent, s'opposent. Ce duel oratoire pourrait être une divertissante scène de l'une de ces comédies que l'on jouait au théâtre de Trianon s'il ne constituait le commencement du calvaire qui conduira Marie-Antoinette à l'échafaud. Mme Sauce est aussi inflexible que son époux et que Drouet. Le roi et la reine doivent regagner Paris.

À ce moment de la discussion arrivent Choiseul et Goguelat, avec les hussards qui auraient dû se trouver à Pont-de-Somme-Vesles. Marie-Antoinette se croit sauvée.

— Eh bien, quand partons-nous ? demande Louis-Auguste.

— Sire, nous attendons vos ordres, répondent le duc et l'officier.

Des ordres, le roi ne sait pas en donner. Il pèse le pour, il pèse le contre alors qu'il faudrait partir, sans perdre un instant, comme le propose un autre officier qui vient d'arriver, M. de Damas. Ce dernier préconise que le roi, la reine, Madame Élisabeth, Mme de Tourzel et les enfants montent à cheval et s'enfuient.

— Mais, répondez-vous que dans cette lutte inégale une balle ne viendra pas frapper la reine, ou ma sœur, ou mes enfants ? s'inquiète Louis XVI.

Marie-Antoinette, comme sa mère Marie-Thérèse, ne craint ni les balles ni le danger. Elle pousse le roi à accepter cette proposition de Damas. Mais ce qui était possible il y a un moment a cessé de l'être. Pendant cette discussion, les hussards ont fraternisé avec la population, et des barricades ont été dressées dans les rues. Il ne reste plus qu'à gagner le plus de temps possible pour permettre au général de Bouillé, prévenu par son fils, de se porter sur Varennes avec ses troupes pour y délivrer le roi et sa famille.

On attend Bouillé. A sa place, ce sont les délégués de l'Assemblée nationale, Bayon et Romeuf, qui arrivent. Ils remettent au roi le décret de l'Assemblée, l'« ordre à tous les fonctionnaires de faire arrêter les individus de la famille royale ».

— Les « individus » ! Les insolents ! dit la reine, après avoir lu ce décret que l'on a posé sur le lit où repose le Dauphin et qu'elle jette à terre d'un « je ne veux pas qu'il souille le lit de mon fils ».

Réflexion qui en dit long sur l'état d'esprit de Marie-Antoinette. Fille, épouse et mère de roi, elle n'admettra jamais d'être traitée de cette façon, ravalée au rang d'individu. Louis-Auguste montre plus de résignation et murmure :

— Il n'y a plus de roi de France.

Espérant encore en la venue de Bouillé, il cherche à gagner du temps. Ses enfants dorment, on ne saurait les réveiller. Secondant les efforts du roi, Mme de Neuville simule une crise de nerfs. Marie-Antoinette annonce qu'elle n'abandonnera pas l'une de ses femmes en un pareil état. La reine veut, par tous les moyens, échapper au piège tandis que, dehors, la populace ameutée crie :

— À Paris, à Paris, nous les ferons partir par la force, nous les traînerons par les pieds.

« Après huit mortelles heures d'attente à Varennes, M. de Bouillé n'arrivait pas, et nous n'en avions aucune nouvelle. Le roi, ne voyant aucune possibilité de se tirer des mains de cette multitude, qui grossissait à vue d'œil, ne crut pas de pouvoir différer plus longtemps son départ, et se détermina à retourner à Paris. Avant de partir, il embrassa les officiers qui ne l'avaient pas quitté et les recommanda aux autorités de Varennes ; mais à peine étions-nous montés en voiture, que nous entendîmes crier : "Arrête Choiseul !" On se saisit de sa personne, ainsi que de celles de MM. de Damas, de Florac, capitaine de son régiment, et on les mena à Verdun, où ils furent mis en prison[1]. »

Marie-Antoinette et les siens sont mis dans cette prison ambulante qu'est devenue la berline. Il est sept heures du matin. On quitte Varennes. Comme ultime touche de cette fatalité qui n'a pas cessé d'accompagner cette fuite, Mme de Tourzel précise :

« M. de Bouillé arriva sur les hauteurs de cette ville au moment où Sa Majesté venait de la quitter ; et il eut la douleur de voir cheminer sa voiture entourée de son affreuse escorte. La mauvaise disposition du pays et des troupes, jointe à la fureur des meneurs de cette populace, lui fit craindre pour les jours du roi et de la famille royale s'il tentait un effort pour la délivrer. Il se retira pénétré de douleur, et quitta sur-le-champ la France, ne pouvant mettre en doute le sort qui l'attendait[2]. »

On ne peut s'empêcher de penser que, dans certains cas, le sort, le destin, appelez cela comme vous voudrez, se révèle un cruel metteur en scène. Bouillé arrive enfin sur les hauteurs de Varennes alors que Marie-Antoinette s'en éloigne. C'est le couronnement de l'échec porté à sa perfection, ce qui faisait dire, plus tard, à mon amie Louise de Vilmorin, quand quelque fatalité l'accablait, « c'est encore la fuite à Varennes qui recommence ».

1. Mme de Tourzel.
2. Lire *Enquête sur l'échec de Varennes*, de Michel de Lombarès, Perrin, 1988. (N.D.E.).

temps son départ, et se détermina à rejoindre à Paris. Avant de partir, il embrassa les officiers qui ne l'avaient pas quitté et les recommanda aux autorités de Varennes ; mais à peine eûtions-nous montés en voiture, que nous entendîmes crier : "Arrête Choiseul !". On se saisit de sa personne, ainsi que de celle de MM. de Damas, de Floriac, capitaine de son régiment ... et on les mena à Verdun, où ils furent mis en prison.

Marie-Antoinette et les siens sont mis aux soins d'un garde ambulante qu'est devenu un lit berline. Il est sept heures du matin. On quitte Varennes. Comme ultime touche de cette tragédie qu'il a pressenti d'accomplir, une autre farce, Mme de Tourzel précise :

« M. de Bouillé arriva sur les hauteurs de cette ville au moment où Sa Majesté venait de la quitter ; et il put à douleur de voir chemine sa voiture entourée de son affreuse escorte. La mauvaise disposition du pays et des troupes, jointe à la frayeur des meneurs de cette populace, lui fit comprendre pour les heures du roi et de sa famille royale ; il tenta un effort pour la délivrer, il se retira pénétré de douleur, et quitta sur-le-champ la France, ne pouvant mettre au doute le sort qui l'attendait. »

On ne peut s'empêcher de penser que, dans certaines vues, le sort de cette, appelez cela comme vous voudrez, se révèle un cruel metteur en scène. Bouillé arrive enfin sur les hauteurs de Varennes alors que Marie-Antoinette s'éloigne. C'est le couronnement de l'échec porté à sa perfection, ce qui faisait dire plus tard à mon amie Louise de Vilmorin quand quelque fatalité l'accablait, « c'est encore la farce à Varennes qui recommence. »

1. Mme de Tourzel.
2. *Les Araignées du Château de Varenne*, éd. Michel de Pontbriant, Paris, 1895. (M.D.G.)

Les cheveux blancs de la reine
(25 juin 1791)

« Vers sept heures et demie, je vois avancer la voiture royale suivie des officiers municipaux et entourée d'une troupe de gens armés ; elle passe près de moi, et allait si lentement que je distingue la reine me rendre mon salut... Le roi fit un mouvement qui marquait la douleur la plus profonde et le plus grand accablement, la reine paraissait plus souffrante encore... Je n'ai de ma vie rien éprouvé de semblable, et cette scène déchirante ne s'effacera jamais de mon souvenir »,
écrit un sous-officier de dragons, Remy, témoin du départ de Varennes[1].

Cette « scène déchirante » n'est que le prélude à d'autres qui le seront encore plus.

Le soleil qui ne s'est guère montré la veille, jour du solstice, brille de tous ses feux en ce 22 juin. La chaleur, la poussière que soulèvent des centaines de personnes accourues pour ne rien perdre du spectacle, accablent les occupants de la berline. Salie de sueur et d'insultes, Marie-Antoinette suffoque de désespoir. Dans cette berline, elle est comme une bête en cage offerte aux regards, livrée à la dérision.

« Ceux qui entouraient la voiture du roi interpel-

1. Rapporté par André Castelot dans *le Rendez-vous de Varennes*, Perrin.

laient Leurs Majestés avec une insolente familiarité, toutes les fois que cela leur convenait, et répondaient à leurs questions avec une grossièreté révoltante [1]. »

Cette familiarité, cette grossièreté, cette vulgarité, que Marie-Antoinette a fuies toute sa vie, sont là, sur la route qui conduit à Châlons où l'on arrive vers onze heures et demie du soir. L'arc de triomphe, élevé en l'honneur de l'entrée de la Dauphine en France, voilà vingt et un ans, est encore là, avec son inscription : « Qu'il dure autant que notre amour ! » Cet arc de triomphe prouve à la reine qu'elle n'a pas rêvé son brillant cortège, son voyage enchanté. Elle va même loger au palais de l'Intendance où elle avait été tant acclamée. « Il y existait encore des personnes qui avaient été témoins de cette réception et qui fondaient en larmes en considérant le contraste de sa situation actuelle [2]. » Un instant, Marie-Antoinette a l'illusion que le présent est aboli : elle reçoit, comme en mai 1770, des bouquets de fleurs offerts par des jeunes filles. La ville de Châlons est royaliste. « Les autorités de la ville témoignèrent secrètement au roi la peine qu'elles ressentaient de ne pouvoir le délivrer [3]. » Ne pourrait-on pas profiter d'aussi bonnes résolutions et rester à Châlons ? Attendre l'arrivée de ces « bons Rémois » qui ont frénétiquement applaudi le roi lors de son sacre ?

Jeudi 23 juin 1791. Les « bons Rémois » sont là, à neuf heures du matin, réclamant leurs proies et criant : « Capet est assez gras pour ce qu'on veut en faire », « nous confectionnerons des cocardes avec les boyaux de Louis et d'Antoinette », « nous mangerons le cœur et le foie de l'Autrichienne ».

Il n'est plus question de séjourner davantage à Châlons. Comme à Paris, les cannibales y sont les maîtres. Leurs huées ne cessent pas. Louis-Auguste doit essuyer un crachat qu'il reçoit en plein visage.

1. Mme de Tourzel.
2. *Ibid.*
3. *Ibid.*

À Épernay, la berline s'arrête devant l'hôtel de Rohan. Rohan, Marie-Antoinette n'en est plus à sursauter en entendant ce nom honni. C'est son nom à elle que la foule hurle en l'accompagnant d'épithètes dont on ose espérer que Mousseline et son frère n'en comprennent pas le sens. En guise de garde d'honneur, la reine a droit à des poings tendus, ou tendant des piques et des haches. Devant un tel déchaînement, elle hésite à quitter la berline. Un homme dit à l'un de ses voisins :

— Cache-moi bien pour que je tire sur la reine, sans que l'on sache d'où le coup sera sorti.

La fille de Marie-Thérèse, si elle a horreur des injures et des crachats, ne craint pas la mort. Elle s'élance vers cette marée humaine qui peut l'anéantir et en sort, le front haut et la robe déchirée. À l'hôtel de Rohan, une jeune fille, Mlle Vallée, répare la déchirure.

— Voilà ce que l'on gagne à voyager, lance l'un des municipaux d'Épernay.

Louis-Auguste a beau assurer que « son intention n'était pas de sortir de France, mais qu'il ne pouvait plus rester à Paris, où sa famille était en danger », on ne le croit plus.

Un repas est servi à la famille royale au rez-de-chaussée, toutes fenêtres ouvertes. L'exhibition continue, face à une foule qui commente chaque geste, chaque bouchée. Ensuite, il faut à nouveau affronter cette meute vociférante. De remous en remous, Marie-Antoinette est pressée, poussée, portée jusqu'à la berline. À peine y est-elle assise qu'une femme d'Épernay monte sur le marchepied et jette cet adieu menaçant :

— Allez, ma petite belle, on vous en fera voir bien d'autres.

Cette promesse sera amplement tenue.

Une horde succède à une autre qui traite la reine de tous les noms, y compris de celui d'empoisonneuse. À un garde national qui se plaint de la faim, Marie-Antoinette offre un morceau de bœuf à la mode.

— N'y touche pas, ne vois-tu pas qu'elle veut t'empoisonner, crie l'un de ses camarades.

Outrée, Marie-Antoinette en avale une bouchée et en fait avaler une autre à son fils.

Une heure après le départ d'Épernay, de brusques acclamations de joie remplacent les cris de haine. Que se passe-t-il ? Ce sont les trois commissaires, Barnave, Pétion et La Tour-Maubourg que l'Assemblée a délégués « pour ramener le roi à Paris, veiller à sa sûreté et à ce que le respect dû à Sa Majesté fût maintenu ».

Devant ses nouveaux maîtres, la populace se tait et réclame le silence. « Place ! Silence ! Voilà les députés de l'Assemblée nationale ! » Barnave, Pétion, La Tour-Maubourg parviennent à la portière de la voiture. La reine, « avec précipitation, oppressée », dit : « Messieurs ! Messieurs ! Ah ! monsieur de Maubourg ! » Elle prend la main de Maubourg, puis celle de Barnave et demande :

— Ah ! monsieur ! monsieur... qu'aucun malheur n'arrive, que les gens qui nous ont accompagnés ne soient pas les victimes ! qu'on n'attente pas à leurs jours !

Celle qui a manqué être massacrée dans la cour de Rohan pense d'abord au sort des autres, de ses fidèles suivants et suivantes.

Barnave, Pétion, La Tour-Maubourg représentent un espoir de salut. Ils ont déjà obtenu le silence. Ils vont certainement protéger Marie-Antoinette et les siens des excès de la foule. Justement Pétion lit un décret de l'Assemblée donnant pleins pouvoirs à ses commissaires.

— Il est dans les convenances que nous prenions place dans la berline, ajoute Pétion.

Les convenances, voilà un mot que l'oreille de la reine reçoit avec gratitude. Elle en a été tellement sevrée de convenances, depuis ces dernières heures...

La berline ne pouvant contenir trois passagers supplémentaires, La Tour-Maubourg décide de voyager en compagnie de Mme de Neuville et de Mme Brunier, dans le cabriolet.

À peine installés, Pétion et Barnave remarquent la gêne qu'ils causent et se livrent à un assaut de politesse avec le roi.

— Sire, nous allons vous incommoder, il est impossible de trouver de la place ici.

— Nous allons nous pousser, vous trouverez place.

On peut se gêner un peu pour des gens qui vous appellent « sire » et non « gros cochon de Capet ».

— Le roi n'a pas voulu sortir de France, dit Marie-Antoinette pour rompre la glace.

— Non, messieurs je ne sortais pas, cela est vrai, je l'ai déclaré, renchérit le roi.

Messieurs les députés se taisent. Marie-Antoinette — où en trouve-t-elle la force ? — déploie ses grâces et plaisante :

— Messieurs, ce matin, à Reims, nous avons entendu une messe, mais une messe constitutionnelle, précise-t-elle.

— Ces messes sont les seules que le roi doit entendre, répond gravement Pétion qui n'a pas compris la plaisanterie.

La conversation tombe. On n'a pas grand-chose à se dire.

Marie-Antoinette a mis le Dauphin sur ses genoux. Barnave est assis à côté du roi tandis que Pétion s'est insinué, comme il a pu, entre Élisabeth et Mme de Tourzel qui a pris Mousseline entre ses jambes. Ils sont tellement serrés les uns contre les autres que Pétion a pu prétendre, dans ses *Mémoires*, qu'il s'était livré sur une Élisabeth consentante « à ces caresses délicates qui vainquent la pudeur sans l'offenser et qui amènent la défaite sans que la délicatesse s'en alarme ».

L'imagination de Pétion égale celle de Jeanne de La Motte-Valois !

Ce même Pétion est émerveillé, et cette fois il n'invente pas, par l'« aisance et le bonheur domestique » qui unit les Bourbons. Marie-Antoinette et Élisabeth se traitent mutuellement de « ma petite sœur ». Louis-Auguste fait pisser son fils « dans une espèce de grande tasse d'argent ». Pour un peu, Pétion clamerait son ravissement de constater que les personnes royales respirent et suent comme le commun des mortels. On transpire beaucoup dans cette berline, on y étouffe. On étouffe davantage quand Pétion ose demander à la reine le nom de l'un des complices de leur fuite, un Suédois déguisé en cocher.

— Je ne suis pas dans l'usage de savoir le nom des cochers de remise, réplique Marie-Antoinette sur un ton qui coupe court à toute autre tentative d'investigation. Elle ne prononce pas le nom de celui dont le sort l'inquiète. La veille, à Varennes, elle a demandé à M. de Choiseul :

— Croyez-vous M. de Fersen sauvé ?

Fersen est sauvé, et quand il apprendra que son amie n'a pas réussi à l'être, il écrira : « Tout est perdu, je suis au désespoir. Jugez de ma douleur et plaignez-moi. »

Depuis que les députés de l'Assemblée nationale ont pénétré dans la berline, les hordes se sont éloignées, le temps a passé, la nuit est tombée. On arrive à Dormans illuminé. Aux cris de « Vive la Nation ! », la famille royale pénètre, sans encombre, à l'hôtel du Louvre, tenu par Jean Landrieux, gendre du maire de Dormans qu'Élisabeth « avait vu à Sénart et à Maupertuis ». Elle le reconnaît. Landrieux supplie la princesse de parler au roi d'un projet d'évasion qu'il a mis au point avec la complicité de son beau-père. Projet qui a des chances de succès. Marie-Antoinette est pour. Louis-Auguste est contre et refuse. La reine, « appuyée sur le lit, se leva vivement et témoigna au roi, avec la plus grande mauvaise humeur, combien il lui en coûtait de renoncer à cette dernière chance de salut ». Louis-Auguste est inébranlable, d'autant plus qu'il a sommeil, et que son sommeil, c'est sacré. Il s'endort. Il est le seul à dormir cette nuit-là.

« Il fut impossible de fermer l'œil de la nuit par le bruit qui se faisait dans la ville. Les cris de : ''Vive la Nation et l'Assemblée nationale !'' qui commencèrent avec le jour, firent une telle impression sur l'esprit du petit Dauphin, qu'il rêva qu'il était dans un bois avec les loups et que la reine y était en danger, et il se réveilla en pleurant et en sanglotant. On ne put le calmer qu'en le conduisant chez cette princesse ; et la voyant bien portante, il se laissa recoucher et dormit tranquillement jusqu'au moment du départ [1]. »

Dormans. Vendredi 24 juin 1791. Cinq heures du matin. On part. Pétion se place entre le roi et la reine. Il prend le Dauphin sur ses genoux. Mme de Tourzel frémit de tant de « familiarité indécente ». Il fait déjà très chaud et des tourbillons de poussière pénètrent dans la berline. Marie-Antoinette baisse un store. Dehors, les hordes protestent. Élisabeth veut obéir à ces protestations et relever le store. Marie-Antoinette s'y oppose d'un « Non ! Il faut avoir du caractère. » Quand les protestations cessent, la reine consent à remonter le store.

— Il faut avoir du caractère jusqu'au bout, dit-elle.

Et elle en a. Elle va jusqu'à taquiner Barnave :

— Dites donc, je vous prie, à M. Barnave qu'il ne regarde pas tant à la portière quand je lui pose une question, demande-t-elle en riant à Pétion.

Barnave essaie de se défendre, en regardant par la portière, d'une soudaine inclination pour cette reine de trente-six ans. Barnave, né à Grenoble, a juste trente ans. Avocat, député du Tiers, brillant orateur, il s'est opposé plusieurs fois à La Fayette, ce qui n'est pas pour déplaire à Marie-Antoinette...

À La Ferté-sous-Jouarre, le maire, Régnard, a demandé d'avoir l'honneur de recevoir la famille royale. Honneur accordé. Mme Régnard, « ne voulant point, par délicatesse, manger avec la famille royale, s'habilla en cuisinière et la servit avec autant de zèle que de respect [2] ». Touchée, Marie-Antoinette s'enquiert de la maîtresse de maison.

— Je l'étais avant que Votre Majesté y entrât, répond Mme Régnard.

1. Mme de Tourzel.
2. *Ibid.*

On quitte La Ferté-sous-Jouarre pour Meaux où l'on arrive à huit heures du soir. Ciel d'orage. L'orage est aussi dans la rue. Les vociférations et les menaces fusent sur le passage de la berline qui s'arrête à l'évêché. Le repas n'est pas prêt, et, après une heure d'attente, « Leurs Majestés » gobent quelques œufs frais et mangent des fraises. Incommodé par la chaleur, le roi se retire de bonne heure.

La reine s'attarde avec Barnave et Pétion. Elle se soucie du traitement que l'on réserve aux trois gardes du corps, Malden, Valory et Moustier, qui, depuis le départ de Varennes, ont vu la mort de près. Tantôt, on veut « les garrotter aux roues du carrosse », tantôt les écraser sous la voiture en marche. Qu'ils soient encore en vie tient du miracle. Marie-Antoinette sait maintenant combien les miracles durent peu. Elle discute avec Barnave et Pétion des moyens d'éviter le pire à ces trois malheureux. Elle insiste aussi pour savoir par quel chemin, demain, on parviendra aux Tuileries.

— La voiture du roi suivra les boulevards extérieurs pour entrer par la barrière de l'Étoile, les Champs-Élysées et le jardin.

— Pourquoi ce détour ?

— Par la certitude de déjouer les projets des malveillants en arrivant plus promptement par un chemin où il n'y a pas de maisons.

Marie-Antoinette soupire un éloquent « je vous comprends ». Elle n'ignore pas ces « projets des malveillants ». On n'en finira donc jamais de vouloir attenter à sa vie, à celles du roi et de ses enfants. Heureusement que le roi et les enfants dorment. La reine veille.

Samedi 25 juin. On se met en route à six heures du matin, avec une chaleur de vingt-deux degrés qui présage une journée accablante. Accablant, ce 25 juin le sera pour Marie-Antoinette, et pas uniquement à cause de la canicule. Vers midi, à l'entrée du bois de Bondy, une troupe de forcenés et de mégères, un rebut des journées d'octobre, s'élance vers la berline

350

aux cris de « À mort l'Autrichienne, la bougresse, la gueuse, la putain, à mort chienne d'Autrichienne ! ». Pour mettre fin à ces cris, Marie-Antoinette montre son fils, et elle entend alors cette phrase qui domine le tumulte :

— Elle a beau nous montrer son enfant, on sait bien qu'il n'est pas du gros Louis.

Le roi blêmit. La reine ne peut retenir ses larmes. Le Dauphin, effrayé, y joint les siennes. À l'augmentation des horreurs et des insultes, on sent que Paris est proche.

La chaleur est si forte que plusieurs grenadiers s'évanouissent. « Nous fûmes obligés de leur faire respirer des sels pour les faire revenir », conte Mme de Tourzel. Quelles femmelettes ces grenadiers ! Qu'ils prennent exemple sur la reine qui, depuis qu'elle a entendu ce « elle a beau nous montrer son enfant, on sait bien qu'il n'est pas du gros Louis », observe une immobilité, et un silence de statue !

À trois heures, on atteint le village de Pantin où La Fayette attend avec son état-major. Un semblant de cortège se forme derrière la berline « ornée de grappes de patriotes », suivie d'un « char de triomphe » couvert de palmes pour honorer les héros du jour, Drouet, Guillaume, et un petit groupe de Varennais qui a contribué à l'arrestation de la famille royale. Ferment la marche Mme de Neuville et Mme Brunier qui, dans leur cabriolet, se demandent si leur dernière heure n'est pas venue.

« Nous trouvâmes à la barrière de Paris un peuple immense rassemblé sur le chemin où devait passer notre malheureux roi. Chacun avait la tête couverte, par l'ordre de M. de La Fayette, qui avait, de plus, enjoint de garder le silence le plus profond, pour montrer au roi, disait-il, les sentiments que faisait éprouver son courage. Ses ordres furent si strictement observés, que plusieurs marmitons sans chapeau se couvrirent la tête de leur serviette sale et crasseuse [1]. »

1. Mme de Tourzel.

351

La Fayette a fait placarder sur les murs de Paris l'avis suivant : « Celui qui applaudira le roi sera bâtonné ; celui qui l'insultera, pendu. »

Au vacarme qui n'a pas cessé depuis la sortie de Varennes succède le silence de Paris. Un silence de mort pour cet enterrement de la monarchie, et, comme pour un enterrement, les soldats de la garde nationale tiennent leur fusil renversé, la crosse levée.

À sept heures du soir, en arrivant aux Tuileries, le silence est rompu par des cris : « À mort, les gardes, à mort. » Moustier, Malden, Valory n'échappent que de justesse aux fureurs de la foule. Le silence revient. La porte de la berline s'ouvre. Le roi en descend, posément, sans se presser. Nul ne dit mot. La reine paraît, et sa seule vue provoque des murmures. Deux députés entraînent Marie-Antoinette, comme on emmène une coupable. Mousseline et son frère recueillent de maigres applaudissements et quelques rares « voilà l'espérance, le soutien des Français ».

Le roi et la reine montent le grand escalier qui conduit à leurs appartements. Là, Louis XVI montre un calme qui provoque l'admiration de Pétion, « il semblait que le roi revenait d'une partie de chasse ».

À La Fayette qui survient, Marie-Antoinette offre, avec un air de suprême mépris, les clefs des cassettes restées dans la berline. Vexé, M. Blondinet refuse de les recevoir, protestant que « personne ne pense à ouvrir ces cassettes ». Marie-Antoinette insiste et jette les clefs dans le chapeau du « héros des deux mondes », qui répète qu'il n'y touchera pas.

— Eh bien, je trouverai des gens moins délicats que vous, lance Marie-Antoinette en quittant la pièce.

Trouvant « fort mauvais » un tel accueil, La Fayette se retire à son tour, en demandant au roi s'il a des ordres à donner.

— Il me semble que je suis plus à vos ordres que vous n'êtes aux miens, répond Louis-Auguste.

Décidément, entre le couple royal et La Fayette, ce

ne sera jamais l'entente cordiale. Et dire qu'on croit le général complice de la fuite à Varennes ; « Il est presque impossible que La Fayette ne soit pas complice », a écrit Mme Roland, au lendemain de la fuite du roi.

Délivrée de l'odieuse présence de La Fayette et des délires de la populace, Marie-Antoinette se retrouve dans sa chambre. Elle va pouvoir se changer, se laver, se nettoyer de tant de poussière et de tant d'affronts. Elle ôte d'abord son chapeau, sa voilette, puis se regarde dans un miroir. Elle y voit une étrangère aux cheveux blancs « comme ceux d'une femme de soixante-dix ans », une inconnue aux cheveux « blanchis par le malheur ». Cinq jours d'extrême tension et d'infortune ont suffi à changer cette chevelure d'un blond cendré en une chevelure couleur de cendre.

ne sera jamais l'entente cordiale. Et dire qu'on croit le général complice de la fuite à Varennes ; il est presque impossible que La Fayette ne soit pas complice », a écrit Mirabeau. Quand, au lendemain de la fuite du roi, délivrée de l'odieuse menace de ? la ? majesté ? des défiais de la populace, Marie-Antoinette se retrouve dans sa chambre. Elle va pouvoir se changer, se laver, se nettoyer de tant de poussière et de tant d'affronts. Elle ôte d'abord son chapeau, sa voilette, puis se regarde dans un miroir. Elle y voit une étrangère aux cheveux blancs : « comme ceux d'une femme de soixante dix ans », une inconnue aux cheveux « blanchis par le malheur ». « Cinq jours d'extrême tension q. d'infortune ont suffi à changer cette chevelure d'un blond cendré en une chevelure couleur de craie ».

A côté figure Marie-Antoinette assise sur une
chaise. Fait installer les députés dans des fauteuils.
« Cet instant renversement de l'enquête lui sévèrement interprété : « la reine n'a rien à dire, on ne veut
rien dire, sur la fuite de Varennes. Les députés enregistrent la déclaration que voici :

La « vie végétale »
(25 juin - 14 septembre 1791)

Le 25 juin au soir, quand elle parvient à s'arracher à
son miroir, et à sa nouvelle image, Marie-Antoinette
prend un bain. Elle dicte un billet pour Mme Campan :
« Je vous fais écrire de mon bain où je viens de me mettre
pour soulager au moins mes forces physiques. Je ne puis
rien dire sur l'état de mon âme ; nous existons, voilà
tout. Ne revenez ici que sur une lettre de moi, cela est
bien important. » La reine redoute pour sa femme de
chambre un interrogatoire sur la fuite de Varennes, une
possible accusation de complicité. Quand ce danger sera
écarté, Mme Campan reprendra son service aux Tuileries, aux premiers jours d'août.

Le 26 juin, trois délégués de l'Assemblée se présentent à six heures et demie du soir pour enregistrer les
déclarations du roi et de la reine, sur les motifs et les
circonstances de leur départ. Le roi répète qu'il n'a
pas voulu quitter son royaume. Les trois délégués
demandent alors à voir la reine. Louis-Auguste dit à
sa sœur qui paraît à ce moment :

— Élisabeth, va donc voir si la reine peut recevoir
ces messieurs et qu'elle ne les fasse pas attendre.

Ces messieurs attendront puisque la reine vient de
se mettre au bain. Depuis son retour de Varennes,
Marie-Antoinette ne se lasse pas de se laver, comme
pour essayer d'effacer toutes les souillures dont on l'a
accablée. Elle recevra ces messieurs le lendemain
matin, à onze heures.

355

À onze heures, Marie-Antoinette, assise sur une chaise, fait installer les députés dans des fauteuils. « Cet ironique renversement de l'étiquette fut sévèrement interprété. » La reine n'a rien à dire, ou ne veut rien dire, sur la fuite de Varennes. Les députés enregistrent la déclaration que voici :

« Je déclare, que le roi désirant partir avec ses enfants, rien dans la nature n'eût pu m'empêcher de le suivre. J'ai assez prouvé depuis deux ans, dans plusieurs circonstances que je ne le quitterais jamais, et j'ai été surtout déterminée à le suivre par confiance et la persuasion que j'avais qu'il ne quitterait jamais le royaume. S'il eût voulu en sortir, toutes mes forces auraient été employées pour l'en empêcher. »

Quand le public lit cette déclaration, ce n'est qu'un cri contre l'Autrichienne : « Comment peut-on mentir à ce point ? »

Marie-Antoinette n'a rien à dire sur la fuite de Varennes, ou ne veut rien en dire. Parler, ce serait donner le nom de ses complices, ce serait dénoncer Fersen à qui, le 28 juin, elle écrit : « Rassurez-vous sur nous ; nous vivons. Les chefs de l'Assemblée ont l'air de vouloir mettre de la douceur dans leur conduite. » Puis, le 29 juin :

« [...] J'existe... que j'ai été inquiète de vous et que je vous plains de tout ce que vous souffrez de n'avoir point de nouvelles. Le ciel permettra-t-il que celle-ci vous arrive ? Ne m'écrivez pas, car ce serait vous exposer et surtout ne revenez pas ici sous aucun prétexte. On sait que c'est vous qui nous avez sortis d'ici, tout serait perdu si vous paraissiez. Nous sommes gardés à vue jour et nuit, cela m'est égal... Soyez tranquille, il ne m'arrivera rien. [...] Adieu... je ne pourrais plus vous écrire. »

Elle écrira encore et c'est le fameux billet, le seul où se trouvent ces lignes que l'on a voulues révélatrices de l'amour de Marie-Antoinette pour Fersen :

« Je ne puis vous dire que je vous aime et n'ai même le temps que de cela. [...] Adieu le plus aimé et le plus aimant des hommes. Je vous embrasse de tout cœur. »

Voilà ce qu'en dit Nesta Webster dans son *Marie-Antoinette intime*[1] :

« Etait-ce enfin le témoignage qu'attendaient depuis si longtemps les ennemis de Marie-Antoinette ? Personne n'avait trouvé jusqu'alors une seule ligne de son écriture montrant qu'elle aimait Fersen. La preuve essentielle était-elle maintenant découverte ? Malheureusement pour ses détracteurs, le témoignage s'effondrait de lui-même — *la lettre n'est pas de son écriture, mais seulement d'après son chiffre.* [...] Les seules explications possibles semblent être que la lettre fût l'œuvre soit d'une autre femme qui se serait procuré le chiffre secret de la reine, soit de quelqu'un qui, pouvant avoir les documents entre les mains et désirant nuire à la reine sans toutefois oser imiter son écriture, aurait écrit cette lettre chiffrée et l'aurait glissée avec les autres. »

Ce qui est certain, c'est que Marie-Antoinette souffre d'être — et cela pendant plusieurs mois — sans nouvelles de Fersen à qui elle fera dire par un ami commun, Esterhazy, « si vous lui écrivez, dites que bien des lieues et bien des pays ne peuvent jamais séparer les cœurs ; je sens cette vérité chaque jour davantage ». La vérité sur l'affaire Fersen est peut-être contenue dans ces dernières lignes. Les corps sont prisonniers, les cœurs s'en évadent comme ils veulent, « bien des lieues et bien des pays ne peuvent jamais séparer les cœurs ». On ne saurait nier le sentiment de la reine pour son chevalier servant. Et pour ce sentiment, pas d'impossibilité, pas d'échec de Varennes, pas de garde à vue. Car Marie-Antoinette, comme elle

1. La Table Ronde, p. 224.

l'annonce à Fersen, est gardée à vue. Si elle dit « cela m'est égal », c'est uniquement pour rassurer son ami. Cela ne lui est pas égal du tout ! Deux gardes nationaux se tiennent en permanence à ses côtés. Tels sont les ordres de La Fayette et de Bailly. La reine se lève, s'habille, se couche devant ses deux geôliers. L'importunité de cette perpétuelle présence dépasse toutes celles que Marie-Antoinette a supportées. Non, cela ne lui est pas égal et elle s'en plaint tant qu'elle obtient, après de longues négociations, que ses deux gardes ne couchent plus dans sa chambre. Ils se contenteront de dormir devant sa porte entrouverte. Ce qui permet une surveillance telle que le moindre espoir de fuite est banni.

Aucun des mouvements de la reine ne peut échapper à ses gardiens. Par exemple, une nuit d'insomnie, Marie-Antoinette allume une bougie et se met à lire. L'un des deux gardes arrive aussitôt et dit :

— Je vois que vous ne pouvez dormir, causons ensemble, cela vaudra mieux que lire.

La reine « contint son indignation et lui fit comprendre avec douceur qu'il devait la laisser tranquille ».

En apparence, la « tranquillité » imprègne la vie aux Tuileries, ou plutôt, la monotonie de la vie réduite à des habitudes. Messe à midi. Dîner à une heure et demie. Souper à neuf heures et demie. Coucher à onze heures. Plus de promenades, plus de divertissements. Une vie immobile. Une « vie végétale », comme l'écrit le cardinal de Bernis, « on ne laisse au roi que la vie végétale, on admire qu'il s'en contente ».

Si, dans sa passivité innée, Louis-Auguste s'en contente, il n'en est pas de même pour Marie-Antoinette. Elle se déploie en activités diverses. Elle veille, plus que jamais, à l'éducation de ses enfants. Elle reçoit ses partisans fidèles quand elle en a obtenu la permission de La Fayette. La princesse de Tarente qui s'est présentée aux Tuileries, sans cette permission, s'entend dire par un serviteur : « Madame, la reine vous fait dire que tel plaisir qu'elle aurait à vous recevoir, si vous n'avez pas la permission de M. de La Fayette, elle ne peut risquer de vous permettre d'entrer chez elle. »

Marie-Antoinette supporte ses chaînes parce qu'elle espère pouvoir en être délivrée par son frère Léopold, qui, le 2 juillet, croyant à la réussite de la fuite à Varennes, lui écrivait : « Que ne puis-je me trouver dans ce moment avec vous et le roi, pour vous embrasser et vous témoigner la joie d'un frère, ami et allié, [...]. Tout ce qui est à moi est à vous ; argent, troupes, enfin tout, disposez-en librement ! »

Dès qu'il apprend l'échec de la fuite, et l'emprisonnement de sa sœur aux Tuileries, Léopold adresse une circulaire aux principales puissances — Espagne, Russie, Angleterre, Prusse, Sardaigne — oubliant la Suède, ce qui froisse Gustave III et Fersen. Il invite ces puissances à organiser une intervention commune en faveur des prisonniers, à rédiger un manifeste énergique qui en imposerait aux révolutionnaires et suffirait à les ramener dans le droit chemin.

De son côté, Gustave III, dès le 30 juin, assure Louis-Auguste et Marie-Antoinette de sa sympathie et de son aide. Plus expéditif que Léopold, il ne se contente pas d'un manifeste, si énergique soit-il, et souhaite une intervention armée. Il incite le comte de Provence à se proclamer régent puisque le roi n'est plus libre. Car Monsieur a réussi où son frère a échoué. Avec discrétion et rapidité, sans luxe inutile, sans berline jaune et vert, il est parvenu à Bruxelles où il est considéré comme le chef de l'émigration. Il aspire à être davantage. Marie-Antoinette n'en doute pas. Elle écrit à Mme de Lamballe, également réfugiée, pour le moment, en Belgique :

« Soyez sûre qu'il y a dans ce cœur-là plus d'ambition personnelle que d'affection pour son frère et certainement pour moi. Sa douleur a été toute sa vie de n'être pas né le maître et cette fureur de se mettre à la place de tout n'a fait que croître depuis nos malheurs, qui lui donnent l'occasion de se mettre en avant. »

On ne saurait mieux dire. Marie-Antoinette n'envoie pas à Mme de Lamballe que des considérations politiques. Elle écrit des phrases comme : « Adieu mon cher cœur ; j'ai besoin de votre tendre amitié et la mienne est à vous depuis que je vous ai vue... ». Grâce à l'adversité, Mme de Lamballe, comme sa rivale, Mme de Polignac, a retrouvé sa place dans le cœur de la reine. Un cœur innombrable qui bat au rythme de sentiments, en apparence, divers et pourtant semblables. On pourrait établir de subtils rapprochements entre ce « Adieu mon cher cœur ; j'ai besoin de votre tendre amitié » et ce « Adieu le plus aimé et le plus aimant des hommes ». Les sentiments, pour Marie-Antoinette, n'ont pas de visages définis. Elle a besoin d'aimer, elle aime et se laisse entraîner en des formules dont l'exaltation est purement formelle...

Les actions conjuguées de Léopold, de Gustave III, et des émigrés, effraient les chefs du parti des constitutionnels, Lameth, Duport et Barnave. Ils forment un triumvirat et sont à la tête du club des Feuillants opposé à celui des Jacobins. Ce triumvirat demande à la reine d'intervenir auprès de Léopold et de ses amis pour les avertir du danger de telles actions. Le 30 juillet, Marie-Antoinette écrit à son frère :

« On est ici déterminé à se défendre. L'armée est en mauvais état par le défaut de chef et de subordination ; mais le royaume est couvert d'hommes armés, et leur imagination est tellement exaltée qu'il est impossible de prévoir ce qu'ils pourraient faire et le nombre des victimes qu'il faudrait immoler pour pénétrer au sein de la France. On ne saurait calculer d'ailleurs, quand on voit ce qui se passe ici, quels seraient les effets de leur désespoir. Je ne vois, dans les événements que présente une telle tentative, que des succès douteux, et la certitude de grands maux pour tout le monde. »

Cette demande de non-intervention peut surprendre et laisserait croire que Marie-Antoinette prend plaisir à la « vie végétale » à laquelle elle est condamnée. Il n'en est rien. Le 31 juillet, elle dévoile à Mercy que sa soumission n'est qu'apparente :

« J'ai cru devoir céder aux désirs des chefs du parti ici, qui m'ont donné eux-mêmes le projet de lettre. [...] J'en serais humiliée, si je n'espérais pas que mon frère jugera que, dans ma position, je suis obligée de faire et d'écrire tout ce qu'on exige de moi. »

Ce « on » désigne le triumvirat, et particulièrement Barnave. Depuis son retour de Varennes, Marie-Antoinette est en coquetterie politique avec Barnave. Comment un petit avocat de Grenoble pourrait-il résister aux avances épistolaires d'une reine de France ? Il lit les billets de Marie-Antoinette « avec transport et plusieurs fois ». Il cherche à faire partager son enthousiasme à Lameth, plus réticent. Les deux amis mettent au point un plan qu'ils soumettent à la reine. Elle doit, avec son époux, renoncer à quitter la France, obtenir que Léopold, et les autres souverains, reconnaissent le principe de la nouvelle Constitution, et provoquer le retour des émigrés qui, eux aussi, doivent participer à la rénovation du pays. En proposant ce plan, les « deux amis n'ont pas caché qu'ils me croyaient très légère, capable d'entreprendre et même capable de ne mettre aucune suite à mes idées », commente Marie-Antoinette. Très légère, en effet, elle promet à Barnave et à Lameth tout ce qu'ils veulent. Là-dessus, Gustave III et Fersen recommandent la résistance à la Constitution, et aux constitutionnels. « Vos amis ne vous abandonnent pas. Soutenez avec fermeté votre état présent... Ne souffrez surtout pas qu'on avilisse en votre personne la dignité royale, et les rois viendront à votre secours », écrit le roi de Suède au roi de France.

Entre ce que souhaite un Barnave et ce que désire un Fersen, Marie-Antoinette ne saurait hésiter. Elle choisit la solution du second, tout en ayant l'air de suivre les avis du premier. C'est un parfait double jeu dont Barnave se rend compte le 5 août :

« Que la reine n'oublie point qu'elle seule dispose de sa destinée, que les moments sont décisifs, qu'il ne faut surtout pas placer dans deux systèmes sa conduite et ses espérances, que tout dans sa marche doit être clair et ne pas donner jour à diverses interprétations ! »

Accusée de duplicité, Marie-Antoinette s'en indigne et répond assez vertement à Barnave le 7 août : « Quand on marche aussi droit que moi et qu'on désire autant et sincèrement le bien général, on ne craint personne et on ne peut que gagner à être connue. »

Le 16 août, comme si elle était encore la Dauphine persécutée par Mme du Barry, Marie-Antoinette appelle Mercy au secours :

« Nous sommes au moment où l'on apportera cette constitution à l'acceptation ; elle est par elle-même si monstrueuse, qu'il est impossible qu'elle se soutienne longtemps. [...] Quant à l'acceptation, il est impossible que tout être pensant ne voie pas que, quelque chose qu'on fasse, nous ne sommes pas libres ; [...]. Voilà l'état déplorable où nous nous trouvons : ajoutez à cela que nous n'avons pas un ami, que tout le monde nous trahit, les uns par haine, les autres par faiblesse ou par ambition [...] J'ai écouté, autant que je l'ai pu, des gens des deux côtés, et c'est de tous leurs avis que je me suis formé le mien ; [...]. »

Le moment d'accepter la Constitution approche : il est fixé au 14 septembre. « Il est impossible, vu la position ici, que le roi refuse son acceptation. Croyez que la chose doit être bien vraie, puisque je le dis. Vous connaissez assez mon caractère pour croire qu'il se porterait plutôt à une chose noble et pleine de courage ; mais il n'en existe point à courir un danger plus que certain », écrit Marie-Antoinette à Mercy, le 26 août. Cette Constitution, selon la reine, est tellement mauvaise qu'elle ne saura s'imposer au peuple. Faire semblant de l'accepter, « c'est le seul moyen pour que le peuple, revenu de son ivresse, soit par le malheur qu'il éprouvera à l'intérieur, soit par la crainte du dehors, revienne à nous, en désertant les auteurs de ses maux », précise Marie-Antoinette à son frère Léopold, le 8 septembre.

Le 14 septembre 1791, le roi accepte la Constitution. Il se rend à l'Assemblée à midi pour y prêter serment. La reine qui s'est jointe spontanément à son époux assiste à la cérémonie dans une tribune, en compagnie de sa fille, de son fils et de sa belle-sœur.

Dès que le roi prête serment, c'est l'enthousiasme. L'Assemblée entière raccompagne la famille royale aux Tuileries. On peut croire, en cet instant, que la fuite à Varennes est oubliée et que la France a un roi constitutionnel.

À peine sont-ils seuls que Louis-Auguste et Marie-Antoinette se jettent dans les bras l'un de l'autre, en pleurant. Louis-Auguste, accablé, s'écrie :

— Tout est perdu. Ah ! Madame, vous avez été témoin de cette humiliation. Quoi ! vous êtes venue en France pour voir...

Le 26 septembre, Marie-Antoinette commente, pour Fersen, cette acceptation :

« Refuser eût été plus noble, mais cela était impossible dans les circonstances où nous sommes. J'aurais voulu que l'acceptation fût simple et plus courte ; mais c'est le malheur que de n'être entourés que de scélérats ; encore que je vous assure que c'est le moins mauvais projet qui a passé. Les folies des princes et des émigrants nous ont aussi forcés dans nos démarches ; il était essentiel, en acceptant, d'ôter tout doute que ce n'était pas de bonne foi. »

On croit à la « bonne foi » du roi et de la reine. Paris accompagne la proclamation de la Constitution de feux de joie, d'arcs de triomphe. Quand le roi, la reine et leurs enfants se montrent aux Champs-Elysées, ce sont des « Vive la Nation ! », certes, mais aussi, des « Vive le roi ! ». Faut-il sur ces « Vive le roi ! » fonder quelque espoir de salut ?

La Sévigné des Tuileries
(fin 1791)

Alors qu'on crie « Vive le roi ! » sur les Champs-Élysées, la voix d'un inconnu hurle aux oreilles de la reine : « Non, ne les croyez pas, c'est *Vive la Nation !* qu'il faut entendre. » Marie-Antoinette est frappée par cette anonyme mise en garde. En rentrant aux Tuileries, elle avoue à Mme de Tourzel à qui elle raconte l'incident, « qu'il est triste que quelque chose d'aussi beau ne laisse dans nos cœurs qu'un sentiment de tristesse et d'inquiétude ». Ce sentiment de tristesse et d'inquiétude sera rapidement justifié.

L'Assemblée constituante annonce que sa mission est terminée et cède la place, le 1er octobre 1791, à l'Assemblée législative. La Fayette, béat, part en Auvergne annoncer que la révolution est finie.

La Législative va vivement mener l'assaut contre le roi et la reine. Aux Tuileries, la « vie végétale » s'achève.

Le 28 octobre, des mesures sont prises contre les émigrés. Le 9 novembre, un décret les déclare suspects, prononce la séquestration de leurs biens et annonce que ceux qui ne seront pas rentrés en France avant le 1er janvier 1792 seront passibles de la peine de mort. Cela provoque un tollé à Coblence.

Le 29 novembre, un autre décret édicte des peines sévères contre les prêtres qui n'ont pas prêté le serment prescrit par la Constitution civile.

Le roi oppose son veto à ces deux décrets. Ces deux

refus sont attribués à Marie-Antoinette qui, de Madame Déficit, devient Madame Veto.

La Constituante a décidé que ses membres ne pouvaient pas être réélus à la Législative. C'est une erreur. Trois ans de vie politique avaient donné quelque expérience aux députés. La nouvelle assemblée est composée de nombreux petits inconnus de province. Pas un grand, pas un seul Mirabeau n'y figure. Et ces nouveaux députés commencent par des petitesses. Ils ne veulent plus que l'on donne au roi du « Sire » ou de la « Majesté ». La bourgeoisie parisienne, la garde nationale s'en indignent et protestent avec une telle énergie que le décret prévu pour l'abolition de ces titres doit être reporté. Dans cette persécution mesquine, le roi et la reine gagnent un regain de popularité. Le 8 octobre, au théâtre, Marie-Antoinette est aussi vivement applaudie qu'autrefois...

Regain aussi d'ennuis domestiques pour la reine :

« La nouvelle constitution détruisait ce qu'on appelait les honneurs et les prérogatives qui y étaient attachés. La duchesse de Duras donna sa démission de la place de dame du palais, ne voulant pas perdre à la Cour son droit au tabouret. Cette démarche affligea la reine qui se voyait abandonnée pour des privilèges perdus, quand ses droits étaient si violemment attaqués[1]. »

Mme de Chimay démissionne à son tour. Devant la désorganisation de sa maison que provoquent de telles démissions, Marie-Antoinette estime qu'elle aurait besoin de sa surintendante, Mme de Lamballe. Elle repousse d'abord cette pensée, et, le 4 octobre, elle écrit à son ancienne favorite :

« Je suis bien triste et affligée ; le désordre ne cesse point. Je vois l'audace s'augmenter chez nos ennemis

1. Mme Campan.

366

et le courage diminuer chez les honnêtes gens. On ne peut penser qu'au jour le jour avec la crainte d'un lendemain affreux. Non, encore une fois, ne revenez pas, mon cher cœur. *Ne vous jetez pas dans la gueule du tigre...* »

Un mois plus tard, changement de ton complet, Marie-Antoinette presse celle qui est redevenue son « cher cœur » de revenir. Les « tigres » seraient-ils enfuis ? Pas du tout, ils sont là, plus menaçants que jamais, exigeant le retour des émigrés. La princesse de Lamballe, en revenant, ne pourrait-elle donner le signal de ce retour ? Quelle leçon pour les Polignac, les Vaudreuil, et toute la « clique abominable » réfugiée à Coblence !

Le 15 octobre, vingt-quatre heures après avoir reçu l'appel de la reine, la princesse se déclare prête à obéir, en toute connaissance de cause. Elle dit :

— Il n'est que temps de partir. La reine m'attend, je dois vivre et mourir près d'elle.

Comme elle sait qu'elle va se jeter « dans la gueule du tigre », Mme de Lamballe rédige son testament où dès le deuxième paragraphe il est question de Marie-Antoinette :

« Je supplie la reine de recevoir une marque de confiance de celle à qui elle avait donné le titre de son amie, titre précieux qui a fait le bonheur de ma vie et dont je n'ai jamais abusé que pour lui donner des témoignages d'attachement et des preuves de mon sentiment pour sa personne que j'ai toujours aimée et chérie jusqu'à mon dernier soupir. Je lui demande donc, pour dernière grâce, d'accepter ma montre à réveil, pour lui rappeler l'heure de notre séparation et celles que nous avons passées ensemble... »

Le 4 novembre, la princesse arrive à Paris. Elle reçoit, pour prix de sa fidélité, un anneau fait avec les cheveux de Marie-Antoinette, ces cheveux « blanchis par le malheur ». Ce retour donnera l'occasion aux libellistes de ressusciter les vieilles calomnies. Mme de

Lamballe « est allée à la reine pour se livrer à une ancienne habitude pour laquelle les deux princesses ont du penchant ». Lesbos aux Tuileries, telle est la conclusion des enragés pour qui les sentiments, et leur pureté, n'existent pas.

Si Marie-Antoinette ne se fait aucune illusion sur les députés qui composent l'Assemblée législative, Barnave non plus.

Il écrit à la reine, le 12 octobre :

« Le parti républicain se trouve représenté dans l'Assemblée actuelle d'une manière si dégradante que, bientôt, les mots de républicains et de brigands seront synonymes dans la conversation même du peuple. [...] L'aristocratie [...] est aujourd'hui le seul ennemi sur lequel il soit nécessaire de veiller. »

Entre la Cour des Tuileries et la Cour de Coblence, la situation s'aggrave. Les princes souhaitent venir détruire la Constitution, comme on a détruit la Bastille. Le roi désire temporiser et essayer d'être un roi constitutionnel en améliorant cette Constitution selon ses désirs... « Vous connaissez les mauvais propos et les mauvaises intentions des émigrés. Les lâches, après nous avoir abandonnés, veulent exiger que seuls nous nous exposions et seuls nous servions leurs intérêts », s'indigne Marie-Antoinette. Elle ajoute : « Si mes beaux-frères parvenaient à nous rendre quelques services, la reconnaissance en serait bien pesante, et nous aurions ces maîtres-là de plus qui seraient les plus gênants et les plus impérieux. »

Outre les agissements néfastes de ses beaux-frères, la reine doit affronter sa belle-sœur, Élisabeth, qui, elle, appartient, de cœur et d'esprit, au parti des émigrés. Le 31 octobre, Marie-Antoinette s'en plaint à Fersen : « C'est un enfer que notre intérieur, il n'y a pas moyen d'y rien dire avec les meilleures intentions du monde. Ma sœur est tellement indiscrète, entourée d'intrigants et surtout dominée par ses frères au-dehors, qu'il n'y a pas moyen de se parler, ou il faudrait quereller tout le jour. »

Les querelles avec Élisabeth avaient éclaté en août dernier, le 27, lors de la déclaration de Pillnitz par laquelle l'empereur d'Autriche et le roi de Prusse invitaient les souverains d'Europe à se tenir prêts à soutenir la royauté française en péril depuis le retour de Varennes. Cette déclaration, en apparence anodine, avait été changée par Provence et par Artois, en un manifeste menaçant. Quand Marie-Antoinette vit leurs signatures au bas de ce manifeste, elle n'eut qu'un mot : « Caïn. » Il est facile d'imaginer comment Élisabeth reçut ce « Caïn ». Depuis, les querelles ne cessent plus.

Fersen lui-même, à force d'entendre dire que Marie-Antoinette est du parti des enragés, finit par y croire et demande des éclaircissements que fournit aussitôt son amie :

« Rassurez-vous ; je ne me laisse pas aller aux enragés, et si j'en vois ou j'ai des relations avec quelques-uns d'entre eux, ce n'est que pour m'en servir, et ils me font trop horreur pour jamais me laisser aller à eux. [...] il faut s'en servir pour empêcher de plus grands maux ; mais pour le bien, je sais bien qu'ils ne sont pas capables de le faire. »

Marie-Antoinette pense que sa conduite est la sagesse même, comme elle l'expose à Mercy :

« Je voudrais bien que tout le monde réglât sa conduite d'après la mienne, [...]. Mon Dieu, est-il possible que née avec du caractère, et sentant si bien le sang qui coule dans mes veines, je sois destinée à passer mes jours dans un tel siècle et avec de tels hommes ? Mais ne croyez pas pour cela que mon courage m'abandonne ; non pour moi, pour mon enfant, je me soutiendrai, et je remplirai jusqu'au bout ma longue et pénible carrière. »

Sauver son fils, assurer son avenir, voilà ce qui

obsède véritablement Marie-Antoinette, et non ses sentiments pour Fersen, ou pour Lamballe. Pour ce fils, elle échafaude un plan qu'elle croit très simple : feindre de croire aux vertus de la Constitution pour gagner du temps, le temps de permettre aux puissances étrangères de s'unir en un congrès et de réunir leurs troupes en une unique armée dont la puissance suffirait à mettre en fuite les enragés. Pour ce fils, elle se révèle une Sévigné des Tuileries. De jour, comme de nuit, elle écrit non seulement à Fersen, à Mercy, à Barnave, à Léopold, mais à l'impératrice de Russie, à la reine d'Espagne, à la reine du Portugal. A qui n'écrirait-elle pas pour préserver son fils des abîmes où elle-même s'engloutit ? Elle considère chacune de ses lettres comme un essai de sauvetage, ignorant que ces efforts sont reçus avec indifférence, ou pis encore, avec ironie.

Du haut de sa puissance, Catherine, la Grande Catherine, inscrit en marge d'une lettre de Marie-Antoinette : « Qu'on est malheureux, quand on est réduit à avoir pour tout espoir un roseau pour s'accrocher ! Mais qu'attendre de gens qui agissent sans discontinuer avec deux avis divers parfaitement contradictoires ? » On ne saurait être plus méprisant. C'est à qui accablera Marie-Antoinette, y compris, et surtout, ceux qu'elle a comblés de ses bienfaits, comme l'amant de Mme de Polignac, Vaudreuil. Le 31 octobre 1791, il ose écrire à Léopold II que la reine s'« abuse » et « présume trop de ses forces et de son habileté dans des temps aussi orageux et dans des circonstances aussi graves ». Même Fersen cède à ce mépris général pour Marie-Antoinette et note, dans son *Journal* intime : « On dit que la reine couche et se laisse mener par Barnave, qu'elle retient l'empereur, qu'elle est contre les princes. Tout cela va mal. » Pour « le plus aimant des hommes », voilà une curieuse absence de réaction ! Fersen gobe, comme les autres, n'importe quel mensonge débité sur le compte de son amie. Marie-Antoinette maîtresse de Barnave ! Et pourquoi pas de Pétion, ou de Robespierre ?

Aux Tuileries, on supporte les humiliations, les injures, et parfois, le dénuement. Marie-Antoinette reste neuf jours sans un sou. Elle est désespérément isolée. Louis-Auguste semble errer sur une autre planète. Élisabeth ne pense qu'à Coblence. Provence et Artois se déclarent prêts à envahir la France et à rendre massacre pour massacre. Ces bruits de guerre, et de tuerie, ne servent qu'à accentuer la haine contre Marie-Antoinette, cette « chienne d'Autrichienne » vendue à son pays natal et prête à vendre la France.

« Notre position est tous les jours plus embarrassante. Avec cela, l'Assemblée est si mauvaise, tous les honnêtes gens si las de tous les troubles, qu'avec la sagesse, je crois, l'on pourra s'en tirer, mais pour cela, j'insiste toujours pour le Congrès armé, comme j'en ai déjà parlé. Il n'y a que lui qui puisse arrêter les folies des princes ou des émigrés, et je vois de tous les côtés qu'il viendra, peut-être avant peu, un tel degré de désordre ici, que hors les républicains, tout le monde sera charmé de trouver une force supérieure pour arriver à une composition générale »,

écrit Marie-Antoinette à Mercy, le 25 novembre. Elle s'illusionne, mais pas suffisamment pour ignorer qu'elle ne sait plus... où elle en est ! « Comprenez-vous ma position et le rôle que je suis obligée de jouer toute la journée ? Quelquefois je ne m'entends pas moi-même et je suis obligée de réfléchir pour voir si c'est bien moi qui parle », confesse-t-elle à Fersen. Elle est seule, et sans pouvoir. Quand Fouquier-Tinville reprochera à Marie-Antoinette, lors de son procès, d'avoir mené le roi, elle répondra :

— Il y a loin de conseiller une chose à la faire exécuter.

La faiblesse de Louis-Auguste est la fable de l'Europe. Marie-Antoinette le sait et en souffre. De quoi ne souffre-t-elle pas en cette fin 1791 ? La présence de Mme de Lamballe ne lui a apporté qu'un réconfort momentané. Installée aux Tuileries, la princesse y tient un semblant de salon. Quand elle en sort, c'est pour y revenir épouvantée des atrocités que l'on débite sur la reine dans Paris. Un orateur déclare publiquement que « Marie-Antoinette est une gourgandine, qu'il faut lui couler du plomb sur la poitrine et qu'elle mérite le fouet ».

« La bonne Lamballe qui n'attendait que le danger pour montrer ce qu'elle vaut, est un peu malade de ne pouvoir sortir sans entendre les plus atroces propos ; pour moi, je n'ai pas besoin de sortir, je jouis de tout cela dans ma propre maison, et il suffit que je me mette à la fenêtre »,

écrit Marie-Antoinette à Mme de Polignac. On ose espérer que la duchesse Jules aura rougi, ou blêmi, en lisant ce « la bonne Lamballe qui n'attendait que le danger pour montrer ce qu'elle vaut ». La duchesse n'a pas attendu le danger pour montrer qu'elle ne valait rien. Elle en a simplement donné une preuve supplémentaire, et définitive, dans la nuit du 16 au 17 juillet 1789.

Comme elle le raconte à Mme de Polignac, Marie-Antoinette n'a pas besoin de sortir pour « jouir » des horreurs qu'elle inspire. On vend sous ses fenêtres d'abominables brochures comme *les Crimes des reines de France, depuis le commencement de la monarchie jusqu'à Marie-Antoinette,* ou comme *les Fureurs utérines de Marie-Antoinette.* On y vend aussi des caricatures représentant la reine en sphinx, en paon, en panthère, en aspic, en sorcière, en chauve-souris tenant entre ses griffes la Constitution. On pourrait rire de ces outrances si elles n'étaient mortelles. Quand le peuple voit, sur une estampe, une Marie-Antoinette surgir d'une boîte de Pandore, avec ce commentaire : « De tous les maux, voici le pire », le peuple croit aisément que la reine est le pire des maux.

En 1791, Marie-Antoinette est le point de mire vers lequel tout converge. On dirait aujourd'hui « c'est la vedette de l'année ». Olympe de Gouges, qui vient de terminer sa *Déclaration des droits de la femme,* la dédie à la reine, et en quels termes : « Lorsque tout l'Empire vous accusait et vous rendait responsable de ses calamités, moi seule, dans un temps de trouble et d'orage, j'ai eu la force de prendre votre défense. Je n'ai jamais pu me persuader qu'une princesse, élevée au sein des grandeurs, eût tous les vices de la bassesse. » Malheureusement, il y a de moins en moins de personnes, en France, pour penser comme Olympe de Gouges... Et la « bonne » Lamballe, quand elle entend traiter la reine de « bête féroce », a raison d'en être « un peu malade ». On le serait à moins...

Le 4 décembre 1791, Fersen écrit à la reine :

« Je sens parfaitement toute l'horreur de votre position, mais jamais elle ne changera sans un secours étranger et par l'excès du mal seul. Le mal actuel fera place à un autre, mais vous serez toujours malheureuse, et le royaume tombera en dissolution. Jamais vous ne gagnerez les factieux, ils ont trop à craindre de vous et de votre caractère. »

Marie-Antoinette répond le 7 décembre :

« Pour moi, je me soutiens mieux que je ne devrais, par la prodigieuse fatigue d'esprit que j'ai sans cesse en sortant peu de chez moi ; je n'ai pas un moment à moi, entre les personnes qu'il faut voir, les écritures, et le temps que je suis avec mes enfants. Cette dernière occupation, qui n'est pas la moindre, fait mon seul bonheur... et quand je suis bien triste, je prends mon petit garçon dans mes bras, je l'embrasse de tout mon cœur, et cela me console dans ce moment. »

« Dans ce moment », la reine a plus que jamais besoin de consolation. Provence et Artois, sommés par le roi de revenir d'émigration pour bien prouver qu'ils ne sont pas des ennemis de la France, refusent catégoriquement, hypocritement, en prétextant que cet « ordre » n'est pas la « libre expression » de Sa Majesté et que cela constitue une « nouvelle preuve » de sa « captivité morale et physique ». Atterrés par ce double refus, Louis-Auguste et Marie-Antoinette envoient un messager, M. de Goguelat, pour persuader Provence et Artois que leur retour est vraiment désiré et qu'il serait des plus souhaitables pour que cesse l'accusation de « complot avec l'ennemi » dont les enragés accusent toute la famille royale.

La mission de Goguelat tourne au superbe ratage. « Jamais je n'ouïs parler de Louis XVI avec autant d'irrévérence que dans cette soirée : *le pauvre homme, le soliveau, le béat* ; c'était ainsi qu'on le nommait, et ces qualifications injurieuses, c'était, m'assura-t-on, les courtisans de Monsieur qui les avaient mises à la mode », rapporte Goguelat. Quand il retourne aux Tuileries, fin décembre, rendre compte de son échec, « le roi, quand je le revis, avait tout prévu, tout deviné. Sans proférer un seul mot, il joignit les mains en les levant au ciel ; la reine baissa tristement les yeux et Madame Élisabeth répandit un torrent de larmes ».

Ainsi se termine 1791, dans la désolation, dans la crainte d'une guerre sur les frontières qui dégénérait immédiatement en guerre civile, fratricide. Une guerre qui ruinerait tous les espoirs de Marie-Antoinette et décimerait sa famille entière.

Catherine de Russie, revenue un peu de ses préjugés, reconnaît que les « intentions de la reine sont pures, qu'elle désire la contre-révolution plus que personne, mais qu'elle voudrait auparavant sauver les jours de son époux, de son enfant, et les siens ». La pratique, la cynique Catherine a vu juste. C'est exactement ce que souhaite Marie-Antoinette en ce 31 décembre 1791 : sauver la vie des siens d'abord, la sienne ensuite. C'est le sens du message qu'elle confie, au commencement de 1792, à Simolin, ambassadeur de Russie à Paris, qui sera son porte-parole auprès de Léopold et de Catherine :

« Dites à l'empereur que la nation a trop besoin du roi et de son fils, pour qu'ils aient rien à craindre ;

c'est eux qu'il est intéressant de sauver. Quant à moi, je ne crains rien ; pourvu qu'ils soient sauvés, tout m'est indifférent, et j'aime mieux courir tous les dangers possibles que de vivre plus longtemps dans l'état d'avilissement et de malheur où je suis. »

Le 31 décembre 1791, la princesse de Tarente présente ses vœux à la reine.

— La fin de la dernière année fut bien différente : j'avais de grandes espérances ; cette année, je n'aperçois que des malheurs et point de moyen de les éviter, dit Marie-Antoinette à la princesse qu'elle quitte brusquement.

Faiblesse d'un moment que la reine regrette aussitôt. Elle est de la race des indomptables. Et 1792 ne peut être pire que 1791 avec l'échec de la fuite à Varennes et les horreurs qui s'ensuivirent. 1792 sera pire pourtant...

c'est ce qu'il est intéressant de savoir. Quant à moi, je ne crains rien... pourvu qu'ils soient sauvés. Tout m'est indifférent, et j'aime mieux courir tous les dangers possibles que de vivre plus longtemps dans l'état d'avilissement et de malheur où je suis. »

Le 31 décembre 1791, la princesse de Tarente présente ses vœux à la reine :
« — En fin de la dernière année fut bien différente. J'avais de grandes espérances cette année, je n'aperçois que des malheurs et point de moyen de les éviter, dit Marie-Antoinette à la princesse qu'elle quitte brusquement.
— Faiblesse d'un moment que la reine regrette aussitôt. Elle est de la race des indomptables. En 1792, ne peut-être pire que 1791 avec l'échec de la fuite à Varennes et les horreurs qui s'ensuivront. 1792 sera pire pourtant. »

Il faut encore les ménager et sartout leur inspirer confiance par notre conduite. »

Ce sera la dernière tentative de Barnave. Peu après, il quitte Paris et retourne à son Grenoble natal, avec un espoir plein de « lassitude et de sagesse ». Avant son départ, il obtient une dernière entrevue avec Marie-Antoinette. « Vos affaires vont mal, je prévois pour la France un avenir que nul ne me dévoue à vous servir. Je vois que mes avis ne répondent pas aux vœux de Votre Majesté. J'augure peu de succès du plan que l'on vous fait suivre ; vous êtes trop loin des secours ; vous serez perdus avant qu'ils parviennent à... »

Plus de théâtre pour la reine
(20 février 1792)

Premier janvier 1792. Les princes de la famille royale, et plusieurs autres nobles émigrés, sont décrétés d'accusation par l'Assemblée législative. Jolies étrennes pour Marie-Antoinette, même si elle n'aime plus guère ses beaux-frères, Provence et Artois. L'Assemblée veut la guerre. Une guerre, c'est pratique, cela détourne l'attention, cela permet d'oublier les problèmes essentiels au profit des combats inutiles. Le son du canon rend sourd aux récriminations, et même les fait taire. À Paris, comme dans les provinces, on est las de cette interminable Révolution. C'est chaque jour le 14 juillet 1789, c'est chaque jour la prise de la Bastille, c'est fastidieux. On aspire à un peu de calme, à une reprise des affaires. On craint la banqueroute. Si une minorité, les enragés, appelle à la guerre contre l'Autriche, contre les puissances étrangères coalisées, la majorité du pays, les silencieux, les terrorisés, forment des vœux pour la paix.

Barnave continue à pousser la reine à engager son frère, Léopold II, à condamner les menées bellicistes des émigrés et à se déclarer ouvertement pour la paix. Il a rédigé un mémoire, encore un, pour Marie-Antoinette qui, le 4 janvier 1792, s'en plaint à Fersen :

« Le mémoire est bien mal fait, et on voit que les gueux ont peur ; mais pour notre sécurité personnelle, il faut encore les ménager, et surtout leur inspirer confiance par notre conduite ici. »

Ce sera la dernière tentative de Barnave. Peu après, il quitte Paris et retourne à son Grenoble natal, avec un esprit plein de « lassitude et de satiété ». Avant son départ, il obtient une dernière entrevue avec Marie-Antoinette à laquelle il dit :
— Vos malheurs, Madame, et ceux que je prévois pour la France m'avaient déterminé à me dévouer à vous servir. Je vois que mes avis ne répondent pas aux vues de Votre Majesté. J'augure peu de succès du plan que l'on vous fait suivre ; vous êtes trop loin des secours ; vous serez perdue avant qu'ils parviennent à vous. Je désire ardemment me tromper dans une si douloureuse prédiction ; mais je suis bien sûr de payer de ma vie l'intérêt que vos malheurs m'ont inspiré et les services que j'ai voulu vous rendre. Je demande pour toute récompense l'honneur de baiser votre main.
Mme Campan qui rapporte ces paroles raconte ensuite dans ses *Mémoires* la suite de l'entretien : « La reine lui accorda cette faveur, les yeux baignés de pleurs, et conserva l'idée la plus favorable de l'élévation de sentiments de ce député. Madame Élisabeth les partageait, et les deux princesses s'entretenaient souvent de Barnave avec intérêt. »
Barnave, voilà au moins un sujet sur lequel Marie-Antoinette et Élisabeth ne se disputent pas. Barnave ne reverra jamais la reine. Arrêté peu après le 10 août 1792, il paiera de sa vie, comme il le pressentait, son dévouement à la reine et sera guillotiné fin 1793.
Le départ de Barnave libère Marie-Antoinette de la contrainte du double jeu. Elle n'a plus qu'à suivre aveuglément les avis de Fersen qui lui recommande : « Il faut absolument vous tirer de l'état où vous êtes, et il n'y a que les moyens violents qui puissent vous en tirer. » Ces « moyens violents » répugnent à la reine qui ne sait plus à quel saint se vouer. Ah ! si Mercy était là !

« J'avais mis, en arrivant en France, ma confiance dans M. de Mercy. Je le regardais comme un père et j'ai la douleur de voir combien j'ai été trompée par le peu de part qu'il prend aujourd'hui à ma triste situation »,

confie Marie-Antoinette à Mme de Tourzel et à Mme de Tarente. Elle accuse Mercy d'abandon, mais il reste l'irremplaçable Mercy dont elle écoute les conseils depuis 1770. Mercy, oui, Mercy saura certainement trouver un remède à cette « triste situation ». En février 1792, la reine, très « petite fille », très « Marie-Antoinette 1770 », écrit à celui qui demeure son mentor :

« Je ne sais quelle contenance faire ni quel ton prendre ; tout le monde m'accuse de dissimulation, de fausseté, et personne ne peut croire — avec raison — que mon frère s'intéresse assez peu à l'affreuse position de sa sœur pour l'exposer sans cesse, sans lui rien dire. Oui, il m'expose et mille fois plus que s'il agissait ; la haine, la méfiance, l'insolence sont les trois mobiles qui font agir dans ce moment ce pays-ci. Ils sont insolents par excès de peur, et parce que, en même temps, ils croient qu'on ne fera rien au-dehors. »

Mercy, qui est à Bruxelles en compagnie de Fersen et de Breteuil, reçoit cette lettre désespérée le 9 février. Deux jours après, le 11 février, Fersen part à Paris pour convaincre la reine, et le roi, d'agir. Ou de fuir encore. Pourquoi pas ? Fersen est porteur de deux projets de fuite. L'un par voie de mer, avec embarquement sur un bateau anglais, et débarquement à Ostende. L'autre, par voie de terre, à partir de Compiègne et de sa forêt. On suivrait le chemin des « forêts de chasse » et, guidés par des contrebandiers, on gagnerait la frontière. Plus de berline, plus de femme de chambre, plus de coiffeur, plus rien que la fuite d'arbre en arbre, ou de vague en vague... L'évasion par les forêts devrait tenter Marie-Antoinette qui, depuis son enfance, a vécu en compagnie des arbres. Arbres de Schönbrunn, arbres de Trianon, arbres des bords de la Seine...

Le 13 février, Fersen arrive à Paris et note dans son *Journal* : « Allé chez la reine, passé par mon chemin ordinaire, peur des gardes nationaux ; pas vu le roi. » Suit une rature qui, d'après Alma Söderjhelm [1], pourrait signifier « resté là ». Et qu'est-ce que cela prouve ? Que la surveillance est telle que, par « peur des gardes nationaux », Fersen n'a pu quitter les Tuileries, cette nuit-là, et a dû y rester, dissimulé dans un cagibi, ou dans un placard, en tout cas, pas dans le lit de la reine ni dans sa chambre à la porte entrebâillée où veillent deux gardes que l'on change toutes les deux heures. Charmante intimité pour une nuit d'amour. Et dire que cette nuit du 13 au 14 février 1792 a tant fait rêver. Changer ces retrouvailles en étreintes passionnées, il faudrait que la reine soit une nymphomane exacerbée, ce qu'elle est loin d'être, et Fersen, affamé de sexe, ce qu'il n'est pas non plus, étant comblé de ce côté-là puisqu'il loge à Paris chez Mrs. Sullivan, une dame très galante et aussi experte en voluptés inédites qu'une Mme du Barry. Oui, vraiment, on peut se demander si les « nuits d'amour » de Marie-Antoinette et de Fersen ne participent pas d'une hallucination collective.

Le 14, le roi, la reine et Fersen sont réunis aux Tuileries. Leurs propos sont essentiellement politiques, ou concernent les possibilités de fuite que récusent Louis-Auguste et Marie-Antoinette, paralysés par la possibilité d'un nouvel échec.

Le 14, Fersen note dans son *Journal* :

« Très beau et doux. Vu le roi à six heures du soir ; il ne veut pas partir, et il ne peut pas à cause de l'extrême surveillance ; mais dans le vrai, il s'en fait un scrupule, ayant si souvent promis de rester, car c'est un honnête homme. [...] Il portait le cordon

1. Alma Söderjhelm, *Fersen et Marie-Antoinette, Journal intime et correspondance du comte Axel de Fersen*, Grasset, 1930.

rouge. [...] La reine me dit qu'elle voyait Alex. Lameth et Duport, qu'ils lui disaient sans cesse qu'il n'y avait de remède que des troupes étrangères, sans cela tout était perdu ; que ceci ne pouvait durer [...]. »

On chercherait vainement, dans ce *Journal,* dans les pages qui suivent cette rencontre, la moindre trace d'émotion ou de nostalgie. Tout ce qui préoccupe Axel, ce sont les importunités du retour, la crainte d'être reconnu, les mauvais soupers dans les mauvaises auberges où l'on dort tout habillé dans des chambres pour charretier, le froid des soirées.

Revenu à Bruxelles, le 24 février, Fersen rend compte, le 29, de sa mission à Gustave III :

« En tout, j'ai trouvé le roi et la reine très décidés à supporter tout, plutôt que l'état où ils sont, et, d'après la conversation que j'ai eue avec Leurs Majestés, je crois pouvoir vous assurer, Sire, qu'elles sentent fortement que toute composition avec les rebelles est inutile et impossible et qu'il n'y a pas de moyen pour le rétablissement de leur autorité que la force et des secours étrangers. »

Pendant que Fersen était encore à Paris dans les bras de Mrs. Sullivan, Marie-Antoinette assiste, le 20 février, au Théâtre Italien, à une représentation des *Événements imprévus* de Grétry. Mme Dugazon, en chantant, *Ah ! comme j'aime ma maîtresse*, s'incline devant la reine. Cela provoque un beau charivari.

— Pas de maître ! Pas de maîtresse ! Vive la liberté ! crient les Jacobins du parterre.

— Vive le roi ! Vive la reine ! crient les monarchistes dans les loges.

On se bat dans la salle, la garde doit intervenir pour rétablir l'ordre. Pendant la bagarre, Marie-Antoinette montre le « maintien le plus noble et le plus grand calme ». A la sortie, elle est acclamée et entend, encore une fois, « Vive la reine ! ». Après quoi, pour n'avoir plus à affronter des événements aussi imprévisibles, pour ne plus provoquer de tels incidents, Marie-Antoinette n'ira plus au théâtre, elle qui l'aimait tant... Plus de théâtre pour la reine qui a, maintenant, à sa disposition, le théâtre de l'Histoire où elle devra jouer les premiers rôles. Et c'est autre chose que ceux qu'elle interprétait dans son théâtre de Trianon.

Une reine en guerre
(printemps 1792)

Si Marie-Antoinette évite les apparitions en public pour ne pas déchaîner des incidents ou des commentaires malveillants, le public n'en propage pas moins sur son compte des rumeurs absurdes.

« 1er février 1792. Un triumvirat femelle conduit maintenant toutes les opérations du ministère. Il est composé de la reine, de Mme de Lamballe et de Mme de Staël. La reine, dit-on, a pris dans son département les Affaires étrangères ; Mme de Lamballe a le département de l'Intérieur, [...] la Guerre est échue en partage à Mme de Staël [...] [1]. »

Cet amas de mensonges successifs donne naissance à une caricature montrant le roi métamorphosé en girouette sur laquelle souffle le « triumvirat femelle »... D'autres bruits, sans fondement aucun, sur une fuite du roi à Metz provoquent un rassemblement devant les Tuileries, avec son lot habituel d'insultes et de boue. Louis-Auguste s'étonne d'une telle effervescence :

« Le peuple compte donc bien peu sur ma promesse ? Je n'ai nul dessein de l'abandonner, ni même de quitter la capitale tant que ma présence pourra

1. *Correspondance secrète.*

contribuer à maintenir la confiance, l'ordre et la tranquillité publique. »

Il y a longtemps que la « confiance, l'ordre et la tranquillité publique » ne sont plus que des souvenirs.

« La France était livrée dans toutes ses provinces aux brigandages les plus affreux. Les bois étaient dévastés, les greniers pillés, la circulation des grains arrêtée, [...]. Le roi à qui cette nouvelle Assemblée avait ôté le peu d'autorité qui lui restait, n'avait aucun moyen de s'opposer à ces excès. [...] La position du roi était affreuse et s'aggravait journellement[1]. »

Ce qui s'aggrave aussi, c'est — conséquence de tant d'épreuves — le mauvais état de santé de la reine. Il est curieux de constater que si Fersen a noté, dans son *Journal* intime, à la date du 14 février, que le roi portait le « cordon rouge », il n'a pas eu un seul mot sur le visible délabrement physique de Marie-Antoinette qui frappe tous ceux qui l'approchent : ses cheveux blanchis, l'inflammation de son teint, le rougissement de ses paupières causé par les larmes et les veilles, son amaigrissement. Non, le « plus aimant des hommes » n'a rien vu, rien noté de tout cela. C'est comme si la reine, pour Fersen, n'était pas une femme de chair, mais une entité, un symbole, une statue que l'on vénère de loin...

Deux coups terribles, à quinze jours d'intervalle, vont faire chanceler la statue sur son piédestal.

Le 1er mars, Léopold II meurt. On lui prêtait ce mot : « J'ai une sœur en France, mais la France n'est pas ma sœur. » N'empêche que Marie-Antoinette perd en Léopold l'un de ses derniers — si faible soit-il — soutiens. Il est remplacé sur le trône d'Autriche par son fils, François, qui assure que ses dispositions

1. Mme de Tourzel.

envers la France seront les mêmes que celles de son père. Marie-Antoinette en doute.

En apprenant la mort de Léopold, survenue en quarante-huit heures et accompagnée de fortes « douleurs d'entrailles », la reine pense, et elle n'est pas la seule, à un empoisonnement organisé par les Jacobins. Pour confirmer ses soupçons, les Jacobins organisent une fête dans les jardins des Tuileries. Léopold y est pendu en effigie et sa tête en carton est promenée au sommet d'une pique, sous le balcon de Marie-Antoinette.

Le 16 mars, Gustave III de Suède est assassiné. Nouveau sujet de réjouissance pour les Jacobins, et de douleur pour la reine :

« Nous faisons une grande perte ; il avait conservé pour nous un véritable attachement, et nous fit dire, la veille de sa mort, qu'un de ses regrets, en quittant la vie, était de sentir que sa perte pourrait nuire à nos intérêts »,

dit Marie-Antoinette à Mme de Tourzel.

Ce même 16 mars, Dumouriez est nommé ministre des Affaires étrangères. Il gagne la confiance du roi. Il ne parvient pas à gagner celle de la reine.

— Madame, laissez-vous sauver, supplie Dumouriez.

En vain. Marie-Antoinette ne croit pas à la sincérité de ce ministre qu'elle estime trop lié avec Robespierre.

Entre la mort de Léopold II et celle de Gustave III, le 10 mars apporte un autre sujet de chagrin pour la reine. Ce jour-là, à l'Assemblée, reprenant l'appel que Mirabeau avait lancé aux veilles des journées d'octobre — « Que l'Assemblée décide que la personne du roi seule est inviolable ! » —, Vergniaud, en regardant dans la direction des Tuileries, s'écrie :

— L'épouvante et la terreur sont souvent sorties, dans les temps antiques, de ce palais fameux. Qu'elles y pénètrent aujourd'hui au nom de la loi ; qu'elles y pénètrent tous les cœurs ; que tous ceux qui l'habitent sachent que notre Constitution n'accorde l'inviolabilité qu'au roi ! Qu'ils sachent que la loi y atteindra sans distinction les coupables, et qu'il n'y aura pas une seule tête, convaincue d'être criminelle, qui puisse échapper au glaive !

On ne saurait menacer plus clairement Marie-Antoinette. On parle à nouveau de divorce et de couvent. Consciente de la gravité du danger, la reine brûle, aidée de Mme Campan, des papiers qu'elle juge compromettants pour ses amis.

En ce printemps 1792, Marie-Antoinette voit se succéder les peines et les chagrins, presque sans interruption. Elle apprend qu'une nouvelle édition des *Mémoires* de Mme de La Motte va se répandre dans Paris, elle s'en alarme, en prévient Louis-Auguste qui, avec une promptitude, un esprit de décision inattendus, en fait aussitôt acheter et brûler les volumes. L'éclat du bûcher est tel que les Jacobins en sont avertis, exigent une explication et mènent une enquête. Un exemplaire a échappé à la destruction, que le Comité de salut public réclame et donne à imprimer. Louis-Auguste et Marie-Antoinette n'ont vraiment pas de chance en ce printemps 1792...

À la flamme trop vive de ce bûcher en succède une autre, plus modeste, celle d'une bougie qui éclaire les Pâques clandestines de Marie-Antoinette. Grâce à la complicité de Mme Campan, elle peut recevoir la communion, à cinq heures du matin, à la chapelle des Tuileries, des mains d'un prêtre non assermenté...

« Je suis bien tourmentée pour le gouverneur de mon fils. Nous sommes décidés pour M. de Fleurieu, mais nous ne savons pas encore le moment où nous le dirons », écrit Marie-Antoinette à Fersen, le 30 mars 1792.

Louis-Charles a atteint l'âge où il doit passer du « gouvernement » des femmes à celui des hommes. Il va avoir sept ans. Comme toutes les mères, Marie-Antoinette trouve que son fils est le plus beau. Il est sa joie et sa consolation. « Sa gaieté et son amabilité étaient les seules diversions aux peines journalières dont la reine était accablée[1]. » Marie-Antoinette devrait s'en séparer ? Ne plus entendre celui qui chantonne « Maman est la plus aimable des mamans » ? Et pour le livrer à qui ? À des hommes désignés par l'Assemblée, à un Pétion, à un Sieyès, on a même avancé le nom d'un Robespierre. Marie-Antoinette en frémit. Elle persuade son époux que seuls les parents ont le droit de choisir qui élèvera leurs enfants, et que ce droit est inaliénable. Louis-Auguste et Marie-Antoinette ont élu, avec prudence, M. de Fleurieu qui, « étant lié avec tous les membres du parti constitutionnel, donnerait moins d'ombrage que tout autre ».

Le 18 avril, le roi écrit au président de l'Assemblée :

« Je vous prie, monsieur le Président, de prévenir l'Assemblée nationale, que mon fils ayant atteint l'âge de sept ans, j'ai nommé pour son gouverneur M. de Fleurieu : sa probité et ses lumières généralement reconnues, ainsi que son attachement à la Constitution, ont déterminé mon choix. »

Encore une précaution inutile : la nomination de M. de Fleurieu — qui n'occupera jamais son poste — passera complètement inaperçue puisque deux jours après, le 20 avril, le roi déclare la guerre à l'Autriche. Il y est poussé par ses ministres qui, la plupart, appartiennent au parti des Girondins. Le roi, « pour couvrir sa responsabilité dans une mesure si grave à laquelle il répugnait extrêmement, avait tenu à se faire remettre par chaque ministre son avis motivé et signé ». Si le roi répugne à cette guerre, la reine y voit l'espoir de réaliser son plan. Elle est toujours persuadée qu'il suffira au « congrès armé » de déployer ses forces, pour que tout rentre dans l'ordre, sans effusion de sang. Mme de Tourzel n'est pas loin de partager cet avis :

« La France commençait la guerre sans argent, avec

1. Mme de Tourzel.

une armée désorganisée, des places sans défense, et si les alliés n'eussent pas laissé aux Français le temps de revenir de leur première frayeur, il est plus que probable qu'ils eussent terminé la Révolution et forcé la France à un gouvernement raisonnable. »

Bien avant la déclaration de guerre du 20 avril, Mercy a prévenu Marie-Antoinette que « si la guerre éclate, il sera bien important que l'on sache aux Tuileries les mouvements de chaque jour et les intrigues de tous les partis ». L'habitude qu'a la reine d'obéir à ce guide imposé par sa mère est plus forte que tout. Marie-Antoinette révèle à Mercy, et à Fersen, ce qu'elle sait des mouvements de troupes. Le 5 juin, « il y a des ordres pour que l'armée de Luckner attaque incessamment ; il s'y oppose, mais le ministère le veut. Les troupes manquent de tout et sont dans le plus grand désordre ». Le 11 juillet, « Luckner prend l'armée du Rhin, La Fayette passe à celle des Flandres ; Biron et Dumouriez à celle du centre ».

A-t-elle conscience de trahir la France ? Non. D'abord ces troupes « qui manquent de tout » sont composées de ces enragés dont elle a tout à craindre. Ensuite, elle considère la guerre comme une affaire de famille où elle a son mot à dire puisque son mari, ses beaux-frères, son neveu, pour ne nommer que ceux-là, y sont engagés. Et de cette guerre dépendent l'avenir, et le salut, de son fils.

« Le début de la guerre ne fut cependant pas heureux pour la France. Un détachement de l'armée du Nord fut battu près de Tournay et rentra à Lille dans un désordre épouvantable[1]. »

La Fayette est obligé de se replier, Dumouriez est repoussé, Rochambeau donne sa démission. C'est la débandade. On voit déjà les uhlans aux portes de Paris. C'est la panique. On s'en prend au roi, à ses ministres et, surtout, à la reine avec une violence

1. Mme de Tourzel.

accrue. « Ne vous étonnez pas, si je vous écris quelque jour pour vous apprendre l'assassinat du malheureux roi et de sa femme », écrit, le 1er mai, Coray, un savant grec qui habitait la France.

Le 16 mai, dans les *Annales patriotiques,* un ami des Girondins, Carra, dénonce les agissements des Tuileries. Le salon qu'y tient Mme de Lamballe y est présenté comme un « comité autrichien », la reine est accusée de préparer une « Saint-Barthélemy des patriotes » et le roi de vouloir prendre la fuite en livrant les places fortes, et l'armée, aux émigrés. On se demande par quel pouvoir ?

Trop, c'est trop. Devant de telles extravagances, le roi sort de sa réserve, ou de son apathie, jugeant que l'« intérêt de l'État et sa tranquillité au-dedans ne permettaient pas de laisser passer de telles calomnies sous silence ». Il voulait que « toute cette affaire fût parfaitement éclaircie ». Elle ne le fut pas. Ami des Girondins, Carra était intouchable.

Pétion, devenu maire de Paris à la place de Bailly, profite de cette agitation pour multiplier les patrouilles, ce qui maintient les Parisiens dans un état d'alarme constante. Pour n'être pas en reste, les Girondins font dissoudre la garde constitutionnelle accordée au roi puisque cette garde n'est composée, d'après eux, que de prêtres réfractaires et d'aristocrates. Le roi est sans défense.

Le 26 mai, l'Assemblée décrète que les prêtres insermentés seront condamnés à la déportation. Le 8 juin, elle décide de la formation d'un camp de vingt mille hommes près de la capitale. Le 19 juin, le roi oppose son veto à ces deux décrets. Le premier était une atteinte à la liberté de conscience proclamée par la Constitution et le second, une menace pour l'ordre public. Le roi cesserait-il d'être un fantoche ? Il a déjà renvoyé, le 13, trois ministres girondins, Roland, Clavière et Servan. Ces trois renvois, ce double veto produisent de « grands mouvements » dans Paris. Ce même 19 juin, le roi envoie à son confesseur le billet suivant :

« Venez me voir ; je n'eus jamais autant besoin de vos consolations. J'ai fini avec les hommes ; c'est vers le ciel que se portent mes regards. On annonce pour demain de grands malheurs ; j'aurai du courage. »

Louis-Auguste a d'autant plus de courage que Marie-Antoinette en montre, chaque jour, davantage. Cette buveuse d'eau se grise de courage, comme elle se grisait autrefois de l'éclat de ses diamants. Les cris permanents de « A bas Mme Veto ! » ne l'atteignent pas. Mme Veto, Mme Déficit, Chienne d'Autrichienne, la reine refuse de se reconnaître dans ces caricatures que l'on vend sous ses fenêtres...

Trop... roi sont de sa réserve ou de son apathie, jugent que l'intérêt de l'État et sa tranquillité au-dedans ne permettaient pas de laisser passer de telles calomnies sous silence s'. Il voulait que « toute cette affaire fût parfaitement éclaircie ». Elle ne le fut pas. Ami des Orphelins, César était introuvable.

Pétion devenu maire de Paris, à la place de Bailly, profite de cette agitation pour multiplier les patrouilles, « ce qui maintient les Parisiens dans un état d'alarme continuelle ». Pour n'être pas en reste, les Girondins font dissoudre la garde constitutionnelle accordée au roi puisque cette garde n'est composée, d'après eux, que de prêtres réfractaires et d'aristocrates. Le roi est sans défense.

Le 26 mai, l'Assemblée décrète que les prêtres insermentés seront condamnés à la déportation. Le 8 juin, elle décide de la formation d'un camp de vingt mille hommes près de la capitale. Le 19 juin, le roi oppose son veto à ces deux décrets. Le premier était une atteinte à la liberté de conscience proclamée par la Constitution et le second une menace pour l'ordre public. Le roi cesserait-il d'être un fanatique ? Il a déjà renvoyé, le 13, trois ministres girondins, Roland, Clavière et Servan. Ces trois renvois, ce double veto provoquent de « grands mouvements » dans Paris. Ce même 19 juin, le roi envoie à son confesseur le billet suivant : «

ne d'ÉVER des les Tuileries. Le commandant de la
Garde nationale, Romainvilliers, sera introuvable pendant toute la journée du 20 juin.

Une journée qui commence tôt. Dès cinq heures du
matin, on bat le rappel. Les « faubourgs » se mettent
en marche... Le nombre des manifestants s'accroît,
s'augmente, et... se complique aussi. De sorte que, quel
que soit... de bras-nus, des rôdeurs, des
bras-de Paris, ...
poissardes, des prostituées, bourgeois et bourgeoises,
commerçants et commerçantes, pressentant le pillage, ferment portes et fenêtres. Devant la populace,
le peuple se terre.

Une députation d'enragés est admise à l'Assemblée.

« *Des outrages le jour,*
des assassins la nuit... »
(été 1792)

La manifestation du 20 juin 1792 n'a pas été spon-
tanée, c'est le moins que l'on puisse dire ! Déjà, les
enragés se préparaient à fêter, à leur façon, le double
anniversaire du Serment du Jeu de Paume et de la
fuite à Varennes. C'est un 20 juin 1789 que le Tiers
État avait résisté au « despote » et c'est un 20 juin
1791 que le « despote » s'était enfui. Ce double anniversaire coïncidait, quelle aubaine, avec le double
veto. M. et Mme Veto verraient de quel bois les enragés se chauffaient : ils viendraient, en ce 20 juin,
planter sur la terrasse des Tuileries un arbre de la
Liberté. Ce qu'ils annoncent à l'Assemblée avec
l'adresse suivante : « Le jour de la colère du peuple
est arrivé. »

Dès l'annonce du double veto, le 19 au soir, Paris
s'agite. Les enragés se réunissent aussitôt, faubourg
Saint-Antoine, chez le brasseur Santerre, où, avec la
bénédiction de Danton, se retrouvent généralement les
meneurs habituels ; le boucher Legendre, le capucin
Chabot, Fournier l'Américain. Il faut amener le roi à
rappeler ses « bons ministres » girondins et à approuver ces « bons décrets » qu'il a eu l'audace de rejeter.
Pour obtenir cela, il faut montrer sa force aux Tuileries. C'est une insurrection qui se prépare, avec l'aide
de diverses complicités. La municipalité, Pétion en
tête, ferme les yeux et se contente d'envoyer son
procureur-syndic, Rœderer, prévenir l'Assemblée. On

ne prévient pas les Tuileries. Le commandant de la garde nationale, Ramainvilliers, sera introuvable pendant toute la journée du 20 juin.

Une journée qui commence tôt. Dès cinq heures du matin, on bat le rappel. Les « faubourgs » se mettent en marche et les 1 500 enragés réunis par Santerre s'augmentent rapidement de nouvelles recrues, quelque quinze mille hommes et femmes sortis des basfonds de Paris, des crocheteurs, des rouleurs, des poissardes, des prostituées. Bourgeois et bourgeoises, commerçants et commerçantes, pressentant le grabuge, ferment portes et fenêtres. Devant la populace, le peuple se terre.

Une députation d'enragés est admise à l'Assemblée et y défile aux sons du *Ça ira* et aux cris de « Vive la Nation ! Vive les sans-culottes ! À bas le veto ! ». Ce cortège se porte de l'Assemblée aux Tuileries où, dit-on, des chevaliers de Saint-Louis sont prêts à défendre le roi, en attendant de massacrer le peuple. Les émeutiers

« proposaient de chasser des appartements du roi les fidèles sujets de Sa Majesté qui étaient venus servir de rempart à sa personne et défendre sa vie aux dépens de la leur. Le roi, pour ôter tout prétexte d'insurrection à la garde nationale, prit le parti de les faire retirer ; et elle, de son côté, forçait de sortir des cours tout ce qui ne portait pas son habit [1] ».

Il est trois heures de l'après-midi. Le tumulte, le désordre ne font que croître dans les cours et dans les alentours des Tuileries

« où le roi, la reine et la famille royale étaient dans la petite chambre à coucher de Sa Majesté, entourés de quelques serviteurs fidèles auxquels elle avait permis de rester auprès de sa personne. Le roi, voyant que les portes allaient être forcées, veut aller au-devant des factieux, essayer de leur en imposer par sa présence. Il

1. Mme de Tourzel.

392

s'élance en avant ; un garde national s'approche, le conjure de ne pas s'avancer davantage, et de lui permettre de rester auprès de lui. Le roi, touché du dévouement de ce brave homme, le prie de ne pas se séparer de lui, mais d'être calme. Il demande qu'on éloigne la reine et ses enfants, voulant s'exposer seul au danger. Cette princesse, quittant le roi les yeux baignés de larmes, adresse avec un ton plein d'âme et de confiance ces mots touchants à ceux qui l'entouraient : "Français, mes amis, grenadiers, sauvez le roi !" [1] ».

La porte qui sépare le roi des envahisseurs ne tarde pas à être brisée à coups de hache. Les grenadiers se placent devant le roi. L'un d'entre eux dit :

— Sire, n'ayez pas peur.

— Mon ami, mettez la main sur mon cœur et voyez s'il bat plus vite, répond Louis XVI.

Après avoir brisé les portes, la foule va de pièce en pièce, saccageant tout sur son passage, se comportant « comme s'il s'agissait de faire le siège et le pillage des Tuileries ». Les glaces volent en éclats, et les meubles en morceaux.

— Monsieur, dit le boucher Legendre au roi, vous êtes un perfide, vous nous avez toujours trompés, vous nous trompez encore. Mais prenez garde à vous. La mesure est à son comble, le peuple est las d'être votre jouet.

— Je ne ferai que ce que la Constitution et les décrets m'ordonnent de faire, réplique le roi qui doit se coiffer du bonnet rouge.

À ce geste, des forcenés applaudissent et crient « Vive la Nation, vive la liberté ! » puis, apercevant dans l'embrasure d'une fenêtre, Madame Élisabeth, qu'ils prennent pour Marie-Antoinette, se précipitent en s'écriant :

— Ah ! voilà l'Autrichienne, il nous faut la tête de l'Autrichienne !

On les détrompe.

1. Mme de Tourzel.

— Pourquoi les détromper ? Leur erreur pouvait sauver la reine, dit, simplement, Élisabeth qui accepte de mettre une cocarde tricolore à son bonnet.

Mais si ce n'est pas l'Autrichienne qui est là, où est-elle donc cette chienne d'Autrichienne ?

Marie-Antoinette est auprès de ses enfants. Les grenadiers protègent le roi. Elle protège son fils et sa fille. De la chambre du Dauphin où elle se tient, on entraîne Marie-Antoinette et ses enfants, par un passage secret, dans la chambre du roi, puis dans la chambre du Conseil.

La table du Conseil est poussée devant la reine, comme un dérisoire rempart devant lequel les grenadiers se placent en trois rangs. Entourée de Louis-Charles, de Mousseline, de Mme de Tourzel, de Mme de Lamballe, de Mme de Tarente et de Mme de La Roche-Aymon, Marie-Antoinette va, comme pendant le retour de Varennes, affronter les fureurs de la foule. C'est le même cauchemar qui recommence, un an plus tard. Tout est prêt pour une deuxième représentation.

C'est Santerre qui entre le premier dans la salle du Conseil et interpelle les grenadiers :

— Faites place, il faut que le peuple voie la reine.

Il s'adresse ensuite à Marie-Antoinette :

— Madame, vous êtes trompée. Le peuple ne vous veut pas de mal. Si vous vouliez, il n'y aurait pas un d'eux qui ne vous aimât autant que cet enfant (il désigne le Dauphin). Au reste, n'ayez pas peur, on ne vous fera pas de mal.

— Je ne suis ni égarée ni trompée, rectifie la reine, et je n'ai pas peur ; on ne craint jamais rien lorsqu'on est avec de braves gens.

Et c'est vrai qu'elle n'a pas peur. Elle est au-delà de la peur. Elle a franchi les degrés qui conduisent à cette espèce d'absence polaire, de froid intérieur où elle puise la force de paraître insensible à ce qui l'entoure. Elle a beau être au pilori. Elle ne se donnera pas en spectacle. Ils sont venus pour la voir et pour l'insulter. Qu'ils la voient et qu'ils l'insultent ! La fille de Marie-Thérèse ne bronchera pas.

Le défilé, l'absurde défilé commence. On brandit des verges avec cette inscription : « Pour Marie-Antoinette », on porte une potence d'où pend une poupée, avec ces mots : « Marie-Antoinette à la lanterne », une guillotine ornée d'une pancarte : « Justice nationale pour les tyrans ! À bas Veto et sa femme ! » Santerre dirige le mouvement et joue les guides :

— Regardez, regardez, voilà la reine, voilà le prince royal.

Le Chou d'Amour est là, assis sur la table du Conseil. Éberlué de ce qu'il voit, abasourdi par ce qu'il entend, il imite l'attitude de sa mère et ne bronche pas.

— Si tu aimes la nation, mets ce bonnet sur la tête de ton fils, dit l'un des émeutiers à Marie-Antoinette.

Elle obéit. Que faire d'autre ? La chaleur de juin, la chaleur de Varennes, est fidèle au rendez-vous. On suffoque aux Tuileries, comme on suffoquait dans la berline. Sous sa coiffure, le Dauphin ruisselle.

— Otez le bonnet à cet enfant, il a trop chaud, dit Santerre à Marie-Antoinette qui obéit encore.

Sa patience semble sans bornes, ce qui ne l'empêche pas de se retourner ensuite vers ses dames et de leur chuchoter :

— C'est trop fort aussi, cela va au-delà de toute patience humaine.

Sa patience va devoir durer encore. Une femme s'arrête devant la reine vers qui elle tend le poing en disant :

— Tu es une infâme, Antoinette, nous te pendrons.

— Vous ai-je jamais fait aucun mal ?

— Non, mais tu as fait le malheur de la nation.

— On vous trompe ; j'ai épousé le roi de France ; je suis la mère du Dauphin, je suis française ; jamais je ne reverrai mon pays ; je ne puis être heureuse ou malheureuse qu'en France ; j'étais heureuse quand vous m'aimiez.

— Pardonnez-moi, je ne vous connaissais pas, je vois que vous êtes bonne.

Santerre, qui connaît sa populace et qui sait qu'elle peut passer en une seconde de la violence à l'attendrissement, bouscule cette femme et l'invite rudement à circuler d'un « tu es saoule, va-t'en ». Le défilé continue.

« Si un de ces scélérats avait osé frapper la reine, dans ce moment, ont raconté des témoins de ces horribles scènes, tous eussent suivi son exemple, et tout ce qui était dans la chambre eût été massacré. Heureusement la majesté de la reine, peut-être sa beauté, son maintien si noble et si fier, son air d'assurance leur imposa à tous », rapportera la marquise de Lage dans ses *Souvenirs d'émigration*.

Marie-Antoinette ne se laisse pas avilir par le malheur. Au contraire. Elle resplendit. C'est son rayonnement qui, autant que sa beauté, a tenu en respect ces monstres qui défilent jusqu'à huit heures et demie du soir.

À huit heures et demie du soir, les Tuileries cessent d'être les égouts des faubourgs de Paris et se vident. À travers les pièces dévastées, Marie-Antoinette s'élance vers Louis-Auguste. Dès qu'elle l'aperçoit, elle verse des larmes qu'elle a réussi à réprimer pendant les cinq heures qu'a duré le défilé. Les députés qui assistent à ces retrouvailles en sont émus. L'un d'entre eux, Merlin, ne cache pas ses pleurs.

— Vous pleurez, monsieur Merlin, dit la reine, vous pleurez de voir le roi et sa famille traités si cruellement par un peuple qu'il a toujours voulu rendre heureux.

— Oui, je pleure, répond Merlin, je pleure sur le malheur d'une femme belle, sensible et mère de famille ; mais ne vous y méprenez point, il n'y a pas une de mes larmes pour le roi ni pour la reine. Je hais les rois et les reines, c'est le seul sentiment qu'ils m'inspirent, c'est ma religion.

Pour faire diversion, un autre député demande à Marie-Antoinette, en montrant Madame Royale, « quel âge a Mademoiselle ? ». Il s'attire cette foudroyante réponse :

— Ma fille a l'âge où l'on ne sent que trop de pareilles scènes.

Mousseline a treize ans.

À dix heures et demie du soir, tout est terminé. Marie-Antoinette peut murmurer ce qu'elle écrira à Fersen quelques jours plus tard, « j'existe encore, mais c'est un miracle. La journée du 20 a été affreuse ». Elle croit l'émeute finie. Ce n'est pas l'avis des émeutiers qui se répandent dans Paris en se plaignant hautement : « On nous a amenés pour rien, mais nous reviendrons et nous aurons ce que nous voudrons. » Santerre partage leurs conclusions :

— Le coup a été manqué, le roi a été difficile à émouvoir aujourd'hui, nous reviendrons demain, nous le ferons évacuer.

Le 21 juin, c'est Pétion qui vient aux Tuileries protester de sa bonne foi, et de celle de la municipalité auprès du roi :

— Je sais, sire, que la municipalité a été calomniée, mais sa conduite sera connue de vous.

— Elle doit l'être de la France entière, je n'accuse personne en particulier, j'ai tout vu.

— Sans les précautions prises par la municipalité, il serait arrivé des événements beaucoup plus fâcheux, non pas contre votre personne... Vous devez savoir, sire, que votre personne sera toujours respectée.

— Taisez-vous ! Est-ce respecter ma personne que d'entrer chez moi en armes, de briser mes portes et de forcer ma garde ?

— Sire, je connais l'étendue de mes devoirs et de ma responsabilité.

— Faites votre devoir ! Vous répondez de la tranquillité de Paris ! Adieu !

Pétion est congédié comme un domestique malhonnête. Il est vrai qu'il a eu l'imprudence, ou l'impudence, en prononçant son « il serait arrivé des événements plus fâcheux, non pas contre votre personne... » de lancer un regard éloquent vers Marie-Antoinette. C'est plus que n'en peut supporter Louis-Auguste. Son indignation d'époux s'ajoute à son indignation de roi. Le 23 juin, il adresse une proclamation aux Français :

« Le roi n'a opposé aux menaces et aux insultes des factieux que sa conscience et son amour du bien public. Le roi ignore quel sera le terme auquel ils voudront s'arrêter ; mais il a besoin de dire à la nation française que la violence, à quelque accès qu'on veuille la porter, ne lui arrachera jamais son consentement à tout ce qu'il croira contraire à l'intérêt public... Comme représentant héréditaire de la nation française, il a des devoirs sévères à remplir, et s'il peut faire le sacrifice de son repos, il ne fera jamais le sacrifice de ses devoirs. »

Soixante-dix départements répondent à cet appel, et protestent contre ce qu'ils considèrent comme un « crime de lèse-majesté ». Les provinces ont encore gardé un sentiment de respect pour le roi.

Le 28 juin 1792, La Fayette revient à Paris pour exiger le châtiment des émeutiers. Il doit y renoncer. Et, comme réponse à son intervention, les Girondins licencient, le 1er juillet, l'état-major de la garde nationale. Le 4, Marie-Antoinette lance à Mercy un ultime appel au secours :

« Vous connaissez déjà les événements du 20 juin ; notre position devient tous les jours plus critique. Il n'y a que violence et rage d'un côté, faiblesse et inertie de l'autre. L'on ne peut compter sur la garde nationale ni sur l'armée. On ne sait s'il faut rester à Paris ou se jeter ailleurs.

« Il est plus que temps que les Puissances parlent fortement. Le 14 juillet et les jours suivants peuvent être l'époque d'un deuil général pour la France et de regrets pour les Puissances qui auront été trop lentes à s'exprimer.

« Tout est perdu, si l'on n'arrête pas les factieux par la crainte d'une punition prochaine. Ils veulent à tout prix la république ; pour y arriver, ils ont résolu d'assassiner le roi. Il serait nécessaire qu'un manifeste rendît l'Assemblée nationale et Paris responsables de ses jours et de ceux de sa famille.

« Malgré tous ces dangers, nous ne changerons pas de résolution ; vous devez y compter, autant que je compte sur votre attachement. Je me plais à croire que je partage les sentiments qui vous attachaient à ma mère. Voilà le moment de m'en donner une grande preuve, en sauvant moi et les miens, moi, s'il en est temps. »

C'est la dernière lettre que recevra Mercy-Argenteau de celle dont il disait, devant le triomphe qu'elle remportait à son arrivée en France, « notre Archiduchesse Dauphine a surpassé toutes mes espérances »...

La lettre de la reine à Mercy reflète la plus stricte réalité. L'Assemblée, les clubs, la rue se déchaînent contre Marie-Antoinette et les siens. Marat tonne contre les Tuileries « où une reine perverse » fanatise un « roi imbécile » et élève les « louveteaux de la tyrannie ».

On prêche ouvertement l'insurrection, l'assassinat des souverains et, comme pour encourager de nouvelles émeutes, Pétion, suspendu de ses fonctions le 6 juillet, redevient maire de Paris, le 13. Chaque jour, Marie-Antoinette entend chanter :

Madame Veto avait promis
De faire égorger tout Paris.

Elle ne peut même plus se montrer à ses fenêtres sans déclencher les chansons ignobles, les insultes, et pis encore, le rire. On rit de Marie-Antoinette, on se moque de celle qui s'est moquée de tout... Parfois, elle voudrait s'élancer vers ses détracteurs et les convaincre qu'elle n'est pas celle qu'ils pensent par un discours qu'elle répète devant Mme Campan, « Français, on a eu la cruauté de vous persuader que je n'aimais pas la France ! Moi ! mère d'un Dauphin qui doit régner sur ce beau pays ! Moi ! que la Providence a placée sur le trône le plus puissant d'Europe ! ». Quels rires, quels quolibets, ce discours n'aurait-il pas provoqués... La reine ne le prononcera pas, convaincue de son impuissance.

Une nuit qu'elle ne dort pas, elle dort de moins en moins, une nuit de juillet 1792, Marie-Antoinette s'entretient avec Mme Campan. Toutes deux entendent le bruit d'une lutte. C'est un garçon de toilette du roi qu'un valet de chambre maîtrise et à qui il arrache « deux excellents pistolets » destinés à tuer la reine qui ordonne :

— Lâchez-le, ouvrez-lui la porte, il venait pour m'assassiner, il serait demain porté en triomphe par les Jacobins.

Puis Marie-Antoinette soupire :

— Quelle position ! Des outrages le jour, des assassins la nuit !

De quoi devenir folle...

La reine garde sa raison et domine ses nerfs, se bornant à constater que les « maux de nerfs, c'était bon pour les femmes heureuses ».

En apprenant cet incident, Louis-Auguste exige que son épouse quitte le rez-de-chaussée où elle loge et où elle peut être trop facilement insultée, agressée, pour s'installer au premier étage dans l'appartement du Dauphin. Marie-Antoinette cède, davantage à la joie de son fils, quand il apprend la nouvelle, qu'aux craintes de son mari. Louis-Charles est enchanté de ce rapprochement. Dès qu'il apprend que sa mère est réveillée, il court vers son lit, « la serrait dans ses petits bras, en lui disant les choses les plus tendres et les plus aimables. C'était le seul moment de la journée où cette princesse éprouvât quelque consolation ; son seul courage la soutenait[1] ».

Son courage, et quelques preuves d'attachement de ses fidèles... L'une de ses amies d'enfance, Louise de Hesse-Darmstadt, envoie son frère, le prince Georges de Hesse, à Paris, avec mission de ramener a-bso-lu-ment la reine. La reine résiste. Elle ne veut pas, elle ne voudra jamais se sauver seule. Perdre son époux et ses enfants, plutôt mourir ! C'est ce qu'elle explique dans sa lettre de refus à Louise :

1. Mme de Tourzel.

400

« Non, ma princesse, en sentant tout le prix de vos offres, je ne puis les accepter. Je suis vouée pour la vie à mes devoirs et aux personnes chères dont je partage les malheurs, et qui, quoi qu'on en dise, méritent tout intérêt par le courage avec lequel elles soutiennent leur position. [...] Puisse un jour tout ce que nous faisons et souffrons rendre heureux nos enfants. C'est le seul vœu que je me permette. Adieu, ma princesse. Ils m'ont tout ôté, hors mon cœur qui me restera toujours pour vous aimer. N'en doutez jamais ; c'est le seul malheur que je ne pourrais supporter. »

On remarque, au passage, l'exacte similitude des fins de lettres de Marie-Antoinette quand elle s'adresse aux personnes qu'elle aime, que ce soit une duchesse de Polignac, une princesse de Hesse, ou un comte de Fersen. Chacune et chacun ont droit à la totalité de ce cœur. Ce « Adieu, ma princesse. Ils m'ont tout ôté, hors mon cœur qui me restera toujours pour vous aimer » contient autant d'affectivité que le « Adieu le plus aimé et le plus aimant des hommes. Je vous embrasse de tout mon cœur ». On peut aussi y voir l'expression du style sentimental de l'époque, avec toutes ses conventions...

En confiant à Mme de Tourzel le projet de la princesse de Hesse, la reine confirme sa décision :

— Mon parti est pris ; je regarderais comme la plus insigne lâcheté d'abandonner dans le danger le roi et mes enfants. Que serait d'ailleurs la vie pour moi sans des objets aussi chers et qui peuvent seuls m'attacher à une vie aussi malheureuse que la mienne ? Convenez qu'à ma place vous prendriez le même parti.

Au projet de Louise de Hesse-Darmstadt, en succède un autre, celui de Germaine de Staël, puis un autre, celui de Malouet. Ces deux projets prévoyaient que Marie-Antoinette pourrait s'enfuir avec son mari et leurs enfants. Le roi et la reine refusent, accompagnant leur refus d'un catégorique : « L'affaire de Varennes est une leçon. » Leçon, hélas, inoubliable !

Cette frénésie de projets de fuite qui saisit les fidèles de Marie-Antoinette gagne l'un de ses ennemis, La Fayette-M. Blondinet, enfin conscient de la situation désespérée — à laquelle il a contribué — de la famille royale, voudrait se racheter et offre un plan de fuite qui pourrait être réalisable. Au lendemain de la prochaine fête de la Fédération, Marie-Antoinette et les siens quitteraient Paris, en plein jour, protégés par la garde nationale. Les gardes suisses escorteraient leur marche de Paris à Compiègne. À Compiègne, quinze escadrons seraient là pour défendre leur liberté retrouvée.

Ce projet est pris au sérieux. Mais le roi, et surtout la reine, ont une telle aversion pour M. Blondinet qu'ils refusent d'y donner suite.

— Plutôt que d'être sauvé par lui, il vaut mieux périr, dit Marie-Antoinette.

Paroles que la fatalité enregistre avec satisfaction.

Et puis l'espoir, le fol espoir du salut venant de l'autre côté du Rhin, renaît, plus fort que jamais. Les coalisés, le duc de Brunswick en tête, quand ils daigneront envahir la France, estiment qu'ils ne rencontreront aucune résistance. C'était compter sans le « courage si naturel aux Français, qui finirent par se défendre comme des lions et devenir invincibles ». Cet hommage aux soldats de la Révolution est dû à quelqu'un que l'on ne peut absolument pas suspecter de sentiments prorépublicains : Mme de Tourzel.

Partageant la conviction du duc de Brunswick, Mercy écrit à Marie-Antoinette le 9 juillet 1792 : « Les armées sont déjà à Coblence et à Fribourg, elles entreront les premiers jours d'août [...] alors en un mois on sera sauvé. » Avec une telle promesse Marie-Antoinette se croit proche du salut, Mme Campan en témoigne :

« Vers le milieu d'une de ces nuits où la lune éclairait sa chambre, elle la contempla et me dit que dans un mois elle ne verrait pas cette lune sans être dégagée de ses chaînes et sans voir le roi libre. »

Cette nuit-là, la reine confie à Mme Campan qu'elle

« avait l'itinéraire de la marche des princes et du roi de Prusse, que tel jour ils seraient à Verdun, tel autre dans un autre endroit, que le siège de Lille allait se faire ». Elle ne cache pas qu'elle « était aussi très inquiète de ce qui se passerait à Paris pendant cet intervalle ». Elle parle ensuite du peu d'énergie du roi :

« Le roi n'est pas un poltron ; il a un très grand courage passif, mais il est écrasé par une mauvaise honte, une méfiance de lui-même qui vient de son éducation autant que de son caractère. Il a peur du commandement et craint plus que tout autre chose de parler aux hommes réunis. Il a vécu enfant et toujours inquiet sous les yeux de Louis XV, jusqu'à vingt et un ans ; cette contrainte a influé sur sa timidité. Dans la circonstance où nous sommes, quelques paroles bien articulées, adressées aux Parisiens qui lui sont dévoués, centupleraient les forces de notre parti ; il ne les dira pas. Que pouvons-nous attendre de ces adresses au peuple qu'on lui a conseillé de faire afficher ? Rien que de nouveaux outrages. Pour moi, je pourrais bien agir et monter à cheval, s'il le fallait. Mais, si j'agissais, ce serait donner des armes aux ennemis du roi ; le cri contre l'Autrichienne, contre la domination d'une femme serait général en France et d'ailleurs j'anéantirais le roi en me montrant. Une reine qui n'est pas régente doit dans ces circonstances rester dans l'inaction et se préparer à mourir. »

La mort, la mort, la mort, il n'est guère de propos tenus par Marie-Antoinette en ce mois de juillet 1792, dans lesquels n'apparaisse pas la mort. Celle qui est née un jour des morts voit la mort partout. Et elle est partout, la mort, à Paris, comme aux frontières de la France, triomphante, sûre de ses hécatombes. On se bat et ce n'est plus une guerre en dentelles.

Vaincues au début de la guerre, en avril, nos troupes ont remporté le 19 juin la victoire de Menin, puis le 20, les victoires de Coutrai et d'Ypres. Puis il a fallu céder du terrain aux Autrichiens et aux Prussiens, infiniment plus nombreux, et se retirer au camp de Famars, sous Valenciennes. Cette retraite, l'arrivée des armées coalisées à Coblence que Mercy signalait à Marie-Antoinette, affolent l'Assemblée nationale qui, le 11 juillet, dans une adresse au peuple français, déclare que « *la patrie est en danger*. Votre constitution repose sur les bases de la justice éternelle ; une ligue de rois s'est formée pour la détruire ; leurs bataillons s'avancent ; ils sont nombreux, soumis à une discipline rigoureuse, et depuis longtemps exercés dans l'art de la guerre. Ne sentez-vous pas une noble ardeur enflammer votre courage ? »

Cet appel est entendu, l'Union sacrée s'opère, Girondins et Jacobins cessent de se combattre pour affronter les Autrichiens, et leur représentante à Paris, l'Autrichienne. Dans la nuit du 11 au 12 juillet, une rumeur sur une possible fuite des souverains se répand parmi les gardes de service aux Tuileries. A deux heures du matin, ils réveillent le roi, puis la reine, pour s'assurer de leur présence. Quelle importunité, mon Dieu, quelle importunité !

14 juillet 1792. Au Champ-de-Mars, le roi et le président de l'Assemblée montent à l'autel de la patrie pour y prêter serment de fidélité à la Constitution pendant que l'on procède à l'enrôlement volontaire des citoyens.

Des fenêtres de l'École militaire, comme l'an dernier, Marie-Antoinette regarde, observe, guette, s'attend au pire.

« L'expression du visage de la reine ne s'effacera jamais de mon souvenir ; ses yeux étaient abîmés de pleurs ; la splendeur de sa toilette, la dignité de son maintien contrastaient avec le cortège dont elle était entourée ; quelques gardes nationaux la séparaient seuls de la populace [1]. »

À partir de ce 14 juillet, Marie-Antoinette va vivre

1. Mme de Staël, *Considérations sur la France.*

dans une angoisse incessante : « À chaque instant on nous disait que le faubourg Saint-Antoine se mettait en mouvement pour marcher sur le palais. Un des derniers jours de juillet, à quatre heures du matin, on vint me donner cet avis », rapporte Mme Campan qui se garde bien d'éveiller la reine, ce dont la remercie le roi qui ajoute : « J'étais éveillé, tout le palais l'était ; elle ne courait aucun risque : c'est bien heureux de la voir prendre un peu de repos. Oh ! ses peines doublent les miennes ! » Quand elle se réveille et qu'elle apprend cette (fausse) alerte, Marie-Antoinette reproche à Mme Campan de ne pas l'avoir réveillée : « Élisabeth était près du roi, et je dormais ! moi qui veux périr à ses côtés : je suis sa femme et je ne veux pas qu'il coure le moindre péril sans moi. » Qu'il est touchant ce « je suis sa femme » dans la bouche de celle qui le traitait de « pauvre homme »...

Fin juillet, Marie-Antoinette envoie à Fersen ce cri d'alarme :

« Dans le courant de la semaine, l'Assemblée doit décréter sa translation à Blois et la suspension du roi. Chaque jour produit une scène nouvelle, mais tend toujours à la destruction du roi et de sa famille ; des pétitionnaires ont dit, à la barre de l'Assemblée, que, si on ne le destituait pas, ils le massacreraient. Ils ont eu les honneurs de la séance. Dites donc à M. de Mercy que les jours du roi et de la reine sont dans le plus grand danger, [...]. La troupe des assassins grossit sans cesse. »

En effet, en marche vers Paris où ils arriveront le 29 juillet, des Marseillais, ou se prétendant tels, des échappés des bagnes de Toulon et de Gênes, au nombre de six cents, viennent apporter à la capitale leur expérience du crime. Le 1er août, Marie-Antoinette écrit à Fersen une lettre, la dernière qu'il recevra,

« La vie du roi est évidemment menacée depuis longtemps, ainsi que celle de la reine. L'arrivée d'environ six cents Marseillais et d'une quantité d'autres députés de tous les clubs des Jacobins augmente bien nos inquiétudes, malheureusement trop fondées. On prend des précautions de toute espèce pour la sûreté de Leurs Majestés ; mais les assassins rôdent continuellement autour du château ; on excite le peuple ; dans une partie de la garde nationale, il y a mauvaise volonté, et dans l'autre, faiblesse et lâcheté. [...] Vous avez pu juger par ma précédente lettre combien il est intéressant de gagner vingt-quatre heures ; je ne ferai que vous le rappeler aujourd'hui, en ajoutant que, si l'on n'arrive pas, il n'y a que la Providence qui puisse sauver le roi et sa famille. »

À cette date du 1er août, les armées coalisées sont en marche et Paris connaît, ce jour-là, le manifeste lancé par le général en chef de ces armées, Charles Guillaume Ferdinand de Brunswick. Cédant aux instances des émigrés, Brunswick a publié le 25 juillet un manifeste menaçant les Parisiens d'une « vengeance exemplaire, et à jamais mémorable, en livrant la ville de Paris à une exécution militaire et à une subversion totale » si la moindre insulte est faite au roi ou à la reine.

Paris sera-t-il brûlé ? Ce n'est pas Paris qui sera anéanti, mais Marie-Antoinette et les siens. Provence et Artois peuvent se réjouir, la place sera bientôt libre et la course au trône pourra commencer.

Après la proclamation du manifeste de Brunswick, l'attaque des Tuileries et la déposition du roi sont décidées. Seul le jour de leur exécution est incertain. Il est successivement fixé au 4, puis au 6, et enfin au 9. Aux Tuileries, le roi brûle ses correspondances et la reine ne se couche plus qu'une fois sur deux. Dans la nuit du 4 au 5, le roi attend ses assassins.

— Ah ! qu'ils viennent ! Dès longtemps je me suis préparé, mais qu'on n'éveille pas la reine ! s'exclamet-il.

Autrement dit, que l'on m'égorge, mais sans bruit, et surtout, sans réveiller Marie-Antoinette. Amour, amour fou de Louis-Auguste. Que ne s'est-il propagé dans la capitale où l'on ne parle plus maintenant que de promener la reine dans une cage en fer, avant de l'enfermer dans la prison de la Force. La reine, sa reine en cage !

La reine en cage
(9-13 août 1792)

« Cette journée qui devait être si vive, si terrible, est le plus calme possible », écrit Madame Élisabeth à son amie, Mme de Bombelles, qu'elle appelle « ma Bombe », au soir du 9 août. Élisabeth est persuadée que l'insurrection n'aura pas lieu. Pourtant, devant son imminence, dès le 7 août, les fidèles, les plus-que-fidèles — les Malouet, les Malesherbes, les Morris — ont présenté au roi un ultime plan d'évasion vers Pontoise ou Compiègne. Le roi a refusé, une fois de plus.

Élisabeth a rassuré les amis : l'insurrection n'aura pas lieu puisque, pour sept ou huit cent mille livres, Pétion et Santerre, très corruptibles comme la plupart de leurs collègues, ont promis de ramener les Marseillais dans le droit chemin et de les détourner de celui qui conduit aux Tuileries.

Aux Tuileries, pour prévenir l'insurrection prévue pour le 9, il y a neuf cents Suisses, deux cents gentilshommes, et quelques compagnies de gardes nationaux dont on soit sûr, sous la direction d'un ancien capitaine aux gardes françaises, Galiot de Mandat. Ces troupes et leur chef ne partagent pas l'optimisme de Madame Élisabeth. Galiot de Mandat, pendant la journée du 9, a appelé, à plusieurs reprises, Pétion, afin que les désordres du 20 juin ne se renouvellent pas. Vers onze heures du soir, Pétion paraît enfin au palais. Il y est interpellé par le roi :

— Monsieur, vous êtes maire de Paris, il paraît

qu'il y a beaucoup de mouvement, veut-on recommencer le 20 juin ?

— Sire, la fermentation est grande, mais je cours à l'Hôtel de Ville rétablir la tranquillité.

Face à tant de duplicité et d'hypocrisie, Marie-Antoinette intervient :

— Non, monsieur, c'est sous vos yeux que tout a été organisé ; vous allez, comme maire, signer l'ordre de repousser la force par la force ; vous resterez près de la personne du roi.

Pétion signe l'ordre, apeuré. Il l'est encore plus quand il entend l'un des gardes nationaux du bataillon des Filles-Saint-Thomas dire à haute et intelligible voix :

— Nous le tenons enfin ici, il n'en sortira pas, et sa tête nous répondra de la personne de Sa Majesté.

Encore plus effrayé par ces propos, Pétion « trouva le moyen de faire connaître à l'Assemblée le danger qu'il courait, et elle le manda à sa barre par un décret. On n'osa s'opposer à son exécution, et il sortit ainsi du château pour se rendre à l'Assemblée, qu'il assura de sa vigilance pour le maintien de la tranquillité publique. Et, bien assurée qu'elle pouvait compter sur lui, elle le renvoya à ses fonctions[1] ».

Vers minuit, le tocsin sonne, les faubourgs s'agitent, les sections s'arment. L'insurrection se met en marche et sa rumeur parvient aux Tuileries où chacun s'attend au pire. Étendues sur un canapé, Marie-Antoinette et Élisabeth évoquent ce pire avec Mme Campan, quand, vers une heure du matin, retentit un premier coup de feu.

— Voilà le premier coup de feu, ce ne sera pas malheureusement le dernier, allons chez le roi, dit la reine.

Elle fait lever et habiller le Dauphin. Les enragés ne doivent pas trouver l'héritier du trône en chemise de nuit !

Autour du roi et de la reine, ne tardent pas à se réunir la princesse de Lamballe, la princesse de Tarente,

_____
1. Mme de Tourzel.

410

Mme de Tourzel et sa fille, Pauline, Mme de La Roche-Aymon, Mme de Ginestoux, des ministres, le procureur général syndic du département, Rœderer et les ultimes fidèles, les derniers restes des multiples splendeurs de la Cour de Versailles. Tout le monde est assis, sans souci d'étiquette ou de préséance, dans des fauteuils, sur des tabourets, ou gît à même le parquet.

Dans la nuit, Rœderer propose de se réfugier à l'Assemblée qui, à deux pas, délibère sur la traite des Noirs. La reine s'y refuse :

— Monsieur, il y a des forces ici, il est temps de savoir qui l'emportera du roi et de la Constitution, ou de la faction.

Elle est prête à résister, à affronter la foule. Le roi lui ne l'est pas. Il est paralysé par sa crainte — qui l'honore, on ne le répétera jamais assez — de verser une goutte de sang français.

Vers quatre heures du matin, Marie-Antoinette quitte la chambre du roi pour annoncer à Mme Campan, et aux dames de service, que Galiot de Mandat, « qui s'était rendu à l'Hôtel de Ville pour avoir de nouveaux ordres, venait d'être assassiné et que sa tête était promenée dans les rues ». La tuerie commence avec le soleil qui se lève et qui semble se mettre de la partie puisqu'il est rouge sang.

Élisabeth propose à Marie-Antoinette :

— Ma sœur, venez donc voir lever l'aurore.

Cette aurore que la reine aimait tant et qu'elle avait accueillie, une fois, en musique, en joignant les mains en murmurant : « Que c'est beau, mon Dieu, que c'est beau ! »... Devant cette aurore du 10 août 1792, se souvient-elle de celle de l'été 1774 ? A la place des symphonies d'autrefois, elle entend la rumeur de la mort en marche, avec accompagnement de tocsin et de tambour.

Vers cinq heures du matin, la reine supplie le roi de se montrer à ses défenseurs, de les inciter par sa présence et ses propos, à résister aux hordes qui s'approchent. Elle l'entraîne ; ils sont suivis par leurs enfants, par Élisabeth et par la princesse de Lamballe. En traversant la galerie de Diane occupée par le bataillon des Filles-Saint-Thomas, des cris de « Vive le roi ! » éclatent. Peu sûr de l'accueil des hommes stationnés à l'extérieur des Tuileries, le roi demande à la reine de ne pas l'accompagner davantage. Il s'en va seul à la rencontre de ces gardes placés par Pétion, et dévoués à ce dernier.

Le roi porte un habit violet. Il a les yeux rougis par l'insomnie. Il n'a rien d'un invincible guerrier, il est l'image du vaincu d'avance. Il est reçu aux cris de « Vive la Nation ! À bas le Veto. À bas le gros cochon ! ».

« [...] Je vis des canonniers quitter leurs postes et s'approcher du roi, lui mettant le poing sous le nez en l'insultant par les plus grossiers propos. [...] Le roi était pâle, comme s'il avait cessé d'exister. La famille royale rentra ; la reine me dit que tout était perdu, que le roi n'avait montré aucune énergie et que cette espèce de revue avait fait plus de mal que de bien[1]. »

Vers sept heures, la foule envahit la place Vendôme, la terrasse des Feuillants et l'avant-garde de l'émeute débouche sur la place du Carrousel. Vers sept heures et demie, Rœderer revient à la charge :

— Sire, Votre Majesté n'a pas cinq minutes à perdre, il n'y a de sûreté pour elle que dans l'Assemblée nationale.

— Mais, je n'ai pas vu grand monde au Carrousel.

— Sire, il y a douze pièces de canons et il arrive un monde énorme des faubourgs. Le danger est imminent, les autorités constituées sont sans force, et la défense est impossible. Votre Majesté et sa famille courent les plus grands dangers ainsi que tout ce qui est au château. Elle n'a d'autres ressources pour éviter l'effusion de sang que de se rendre à l'Assemblée.

Alors on entend Marie-Antoinette s'écrier :

— Clouez-moi sur ces murs avant que je consente à les quitter.

Belles, mais inutiles paroles...

1. Mme Campan.

Dauphine, Marie-Antoinette se souciait de ses gens et soignait ses postillons blessés. Reine, elle a gardé les mêmes préoccupations et représente à Rœderer « qu'on ne pouvait abandonner tant de braves gens qui n'étaient venus au château que pour la défense du roi ».

— Si vous vous opposez à cette mesure, vous répondrez, Madame, de la vie du roi et de celle de vos enfants, réplique Rœderer avec une cruauté efficace.

En entendant cela, « cette pauvre princesse se tut, et éprouva une telle révolution que sa poitrine et son visage devinrent, en un instant, tout vergetés[1] ». Marie-Antoinette, qui ne peut supporter d'être responsable de la mort des siens, accepte la proposition de Rœderer qu'elle a tant combattue.

« Rœderer flatta la famille royale du succès de cette démarche et de son prompt retour au château. La reine, quoique loin d'y croire, répéta ces paroles à ceux qu'elle était si affligée d'abandonner ; et le roi, profondément affecté, se tournant vers cette troupe fidèle, ne put que leur adresser ces paroles : ''Messieurs, je vous prie de vous retirer et de cesser une défense inutile ; il n'y a plus rien à faire ici, ni pour vous ni pour moi[2]''. »

Consternation générale devant cet abandon. Le roi, la reine, leurs enfants, Mme de Tourzel et la princesse de Lamballe[3] quittent les Tuileries.

Des huées accueillent leur sortie. « Ils étaient si pressés par la foule que pendant ce court trajet la reine fut volée de sa montre et de sa bourse[4]. »

Aux approches de l'Assemblée, un homme dit au roi :

1. Mme de Tourzel.
2. *Ibid.*
3. Il ne faut pas s'étonner de la présence, dans ce cortège, de Mme de Lamballe : par son mariage, la princesse était arrière-petite-fille de Louis XIV et appartenait donc à la famille royale.
4. Mme Campan.

413

— Donnez-moi la main, je vais vous conduire à l'Assemblée, mais pour votre femme, elle n'y entrera pas, c'est elle qui a fait le malheur de la France.

Aidée par Rœderer, la reine parvient, dans un fracas d'injures et de menaces, à gagner l'Assemblée. Le roi prend place à côté du président. Marie-Antoinette et les siens s'installent derrière eux, sur les bancs des ministres. Le roi déclare :

— Je suis venu pour éviter un grand crime ; je ne saurais être mieux que parmi vous.

— Vous pouvez compter, sire, sur la fermeté de l'Assemblée nationale. Ses membres ont juré de mourir en défendant les droits du peuple et les autorités constituées, répond Vergniaud qui préside.

La Constitution interdit aux députés de délibérer en présence du roi. Il faut respecter la Constitution. Le roi, la reine et leur suite sont conduits à la tribune du logographe, une loge destinée à quelques journalistes. On arrache les grilles de fer qui séparent la loge de la salle. Le roi s'assied sur le devant. La reine dans un coin. Les enfants, Madame Élisabeth, Mme de Tourzel, Mme de Lamballe s'installent sur une banquette. On est aussi à l'étroit, aussi entassés que dans la berline de Varennes, et comme dans la berline, on suffoque. C'est l'éternel retour du retour de Varennes...

Il est dix heures du matin. On entend une fusillade éclater, on se bat aux Tuileries, on ne saura jamais qui a tiré le premier coup de feu. Les Suisses ont l'avantage et font reculer les Marseillais qui refluent vers l'Assemblée en criant : « Les Suisses ! Les Suisses ! Nous sommes forcés ! » Dans son horreur de voir répandre le sang, le roi donne l'ordre aux Suisses de cesser le feu. Et c'est l'hécatombe. Les Suisses, qui obéissent, ne tardent pas à être égorgés. On s'acharne sur leurs cadavres que l'on mutile. Subissent le même sort les derniers fidèles et les serviteurs restés à leur poste. Dans le palais, dans les jardins, dans les rues voisines, on tue. Mme Campan, la princesse de Tarente, Pauline de Tourzel, Mme de La Roche-Aymon, Mme de Ginestoux et autres dames qui entouraient la reine pendant cette nuit du 9 au 10 août, n'échappent, que de justesse, à la mort.

Si l'on sait qu'en ce 10 août, le roi portait un habit violet, aucun des multiples témoignages qui abondent sur cette journée ne fait état de la toilette de la reine. Oubli révélateur. Les témoins ne se souviennent que de la fierté de son maintien et de la fixité de son regard. Marie-Antoinette garde la tête haute et ne l'abaisse que pour regarder les épaves des Tuileries. C'est un grand déballage de la monarchie vaincue. Au Palais, le massacre des objets succède au massacre des personnes. Ce qui en échappe — des bijoux, de l'argenterie, des lettres — est triomphalement apporté à l'Assemblée.

Dans la tribune du logographe — « dont les murs blancs [...] reflétaient l'ardeur du soleil » — on continue à étouffer. On a soif, terriblement soif. Mais qui songerait à apporter un verre d'eau aux prisonniers ? Le Dauphin s'est endormi sur les genoux de sa mère. Mme de Lamballe s'évanouit. On la transporte au premier étage de l'ancien couvent des Feuillants, voisin de l'Assemblée. La princesse reprend ses esprits et insiste pour qu'on la reconduise auprès de la reine. À cet instant précis, Mme de Lamballe joue son destin. Dans la confusion qui règne, elle aurait pu parfaitement demander d'être ramenée chez son beau-père, le duc de Penthièvre. Elle choisit d'être aux côtés de son amie. Elle n'a plus que vingt-deux jours à vivre.

Retour de Mme de Lamballe à l'Assemblée où les décrets se succèdent dans le tumulte, et avec une rapidité « dont on ne peut se faire d'idée ». Marie-Antoinette n'accorde d'attention qu'à un seul de ces décrets, celui qui va décider de la nomination d'un gouverneur pour son fils. Elle obtient que rien ne soit décidé, et cela d'autant plus facilement que l'« Assemblée qui projette l'établissement de la république s'embarrasse peu de donner un gouverneur à Monseigneur le Dauphin ». C'est, pour Marie-Antoinette, la seule victoire de la journée. Elle garde

son fils. Qu'importe si dehors, la foule, inlassable-
ment, réclame la tête de l'Autrichienne ? Elle ne se
demande plus : « Que leur ai-je donc fait ? » C'est
Louis-Auguste qui ne comprend pas que l'on ne
puisse pas idolâtrer Marie-Antoinette et qui gémit, à
son tour : « Mais que leur a-t-elle donc fait ? »

Tumulte au-dehors de l'Assemblée, et tumulte au-
dedans :

« Toutes les pétitions étaient accompagnées, aussi
bien que les décrets, des injures les plus atroces contre
le roi et la reine. Un grand nombre de députés rivali-
saient avec les pétitionnaires dans les reproches qu'ils
se permettaient d'adresser à la malheureuse famille
royale, qui passa douze longues heures à entendre la
répétition de tout ce qui pouvait affliger son cœur et
son esprit »,

rapporte Mme de Tourzel qui poursuit, dans ses
Mémoires, le récit de cette journée :

« Conformément au décret de l'Assemblée, qui
ordonnait que le roi et sa famille resteraient dans son
enceinte jusqu'au moment où la tranquillité régnerait
dans Paris, on prépara des cellules aux Feuillants,
pour y loger la famille royale. Le roi fut seul dans la
sienne, sans pouvoir garder auprès de lui les personnes
qu'on y avait laissées jusqu'alors. La reine et
Madame [1] restèrent ensemble dans une seconde cellule,
et Madame Élisabeth, Mme de Lamballe et moi fûmes
mises dans une troisième avec Monseigneur le Dauphin. Nous passâmes une nuit telle qu'on peut se
l'imaginer, entendant distinctement le vacarme de
l'Assemblée, les applaudissements et les battements
des tribunes ; et à l'exception de Monseigneur le Dauphin et de Madame, qui, accablés de fatigue, s'endor-
mirent sur-le-champ, personne ne put fermer l'œil de
la nuit. »

1. Mousseline.

Marie-Antoinette s'endort à six heures du matin. À la fin de la matinée de ce 11 août, elle reçoit la visite de Mme Campan et de sa sœur, Mme Auguié. Elle leur tend les bras en disant :

— Venez malheureuses femmes, venez en voir une encore plus malheureuse que vous, puisque c'est elle qui fait votre malheur à toutes. Nous sommes perdus, nous voilà arrivés où l'on nous a menés depuis trois ans par tous les outrages possibles ; nous succomberons dans cette horrible révolution ; bien d'autres périront après nous. Tout le monde a contribué à notre perte ; les novateurs comme des fous, d'autres comme des ambitieux pour servir leur fortune, car le plus forcené des Jacobins voulait de l'or et des places et la foule attend le pillage. Il n'y a pas un patriote dans toute cette infâme horde ; le parti des émigrés avait ses brigues et ses projets ; tout le monde a sa part dans nos malheurs.

Triste et lucide bilan.

Marie-Antoinette n'a plus rien et accepte vingt-cinq louis prêtés par Mme Auguié. Elle accepte aussi le linge que l'ambassadrice d'Angleterre envoie au Dauphin.

Pendant trois jours, la famille royale loge au couvent des Feuillants. Chaque matin des 11 et 12 août, Marie-Antoinette et les siens sont conduits dans la loge du logographe. Ils y restent jusqu'au soir à écouter les insultes, la lecture des décrets, les discours qui proclament la déchéance du roi et réclament son emprisonnement. Ceux qui voulaient mettre la reine en cage et la promener dans les rues de Paris n'ont pas à en prendre la peine. Dans la tribune du logographe, Marie-Antoinette est en cage, offerte aux regards et aux injures de la foule.

Pendant deux soirs, Marie-Antoinette et les siens sont reconduits au couvent des Feuillants, dans leur cellule, sous les huées, les « infâme Antoinette, tu voulais faire baigner les Autrichiens dans notre sang, tu le paieras de ta tête ». La nuit, Marie-Antoinette s'entend comparer à Messaline, à Frédégonde et à Brunehaut. La foule a de l'érudition et de l'obstination.

Le 12 août, l'Assemblée décide d'enfermer la famille royale au palais du Luxembourg, puis à l'hôtel du ministre de la Justice, place Vendôme. Palais et hôtel ne semblent pas assez sûrs. Le député Manuel propose alors une propriété du comte d'Artois, le Temple. En entendant ce nom, Marie-Antoinette frémit et dit tout bas à Mme de Tourzel :

— Vous verrez qu'ils nous mettront dans la tour, dont ils feront pour nous une véritable prison. J'ai toujours eu une telle horreur pour cette tour, que j'ai prié mille fois M. le comte d'Artois de la faire abattre, et c'était sûrement un pressentiment de tout ce que nous aurons à y souffrir.

Mme de Tourzel affirme qu'elle ne croit pas possible une telle éventualité !

— Vous verrez si je me trompe, insiste Marie-Antoinette.

Elle ne se trompe pas. Manuel est déjà en train d'exposer son projet qui soulève l'enthousiasme de l'Assemblée :

— Le Temple sera gardé par vingt hommes pris dans chaque section de la ville de Paris. On y conduira demain le roi et sa famille, avec le respect dû au malheur. Les rues qu'ils traverseront seront bordées des soldats de la révolution qui les feront rougir d'avoir cru qu'ils pouvaient y avoir parmi eux des esclaves du despotisme, et leur plus grand supplice sera d'entendre crier : « Vive la Nation et la liberté ! »

Manuel ajoute que le « roi et la reine n'ayant que des traîtres pour amis, toute correspondance leur serait interdite ». Pour n'être pas en reste, l'Assemblée décide que les personnes, qui n'appartiennent pas à la domesticité du roi, en seront éloignées.

— Je suis donc en prison, moins heureux que Charles Ier qui conserva tous ses amis jusqu'à l'échafaud, dit le roi en prenant congé de ses amis parmi lesquels figure le fils de Mme de Tourzel.

À son tour, Marie-Antoinette leur dit :

— Ce n'est que dans ce moment que nous sentons toute l'horreur de notre position ; vous l'adoucissiez par votre présence et votre dévouement, et l'on nous prive de cette dernière consolation.

Magnanime, l'Assemblée fait grâce de la séance du 13 août à la famille royale qui doit se préparer à partir pour le Temple. Pétion déclare au roi qu'il n'a le droit d'y emmener qu'une personne pour son service, et que la reine n'a droit qu'à quatre femmes pour le sien et ceux de son fils, de sa fille et de sa belle-sœur.

La reine offre à Mme de Tourzel la « consolation » d'emmener avec elle sa fille Pauline. Bien que frémissant à l'idée d'exposer sa fille, « jeune et jolie, à la merci de ces furieux », Mme de Tourzel accepte et recommande Pauline à la Providence.

Le 13 août en fin de journée, deux voitures s'arrêtent à la porte du couvent des Feuillants. Mme de Tourzel nous en donne le récit :

« Le roi monta à six heures du soir dans une des grandes voitures de la Cour, [...]. Il était dans le fond de la voiture avec la reine, Monseigneur le Dauphin, Madame ; Madame Élisabeth, Mme la princesse de Lamballe et Pétion sur le devant ; Pauline et moi à une des deux portières, et Manuel à l'autre, avec Colonges, officier municipal. Tous ces messieurs avaient le chapeau sur la tête et traitaient Leurs Majestés de la manière la plus révoltante.

« À peine la voiture eut-elle poussé la porte des Feuillants, que la troupe des fédérés qui l'accompagnaient firent retentir l'air des cris de ''Vive la Nation ! Vive la liberté !'' en y ajoutant les injures les plus sales et les plus grossières ; et ces abominables cris ne cessèrent pas un instant pendant toute la route. »

Voilà trois jours et trois nuits que, presque sans interruption, Marie-Antoinette écoute siffler à ses oreilles ces « bougresse », ces « tigresse » dont la foule ne se fatigue pas de l'accabler. Marie-Antoinette, tout en ne se départant pas de son calme et de sa dignité, qui « étonnèrent même ceux qui se plaisaient à l'abreuver d'amertume », en vient à souhaiter d'arriver au Temple pour ne plus entendre ce concert d'imprécations qui va durer deux heures et demie. Il faudra deux heures et demie pour parvenir à la tour du Temple, c'est-à-dire pour aller, aujourd'hui, de notre place de la Concorde à l'actuel boulevard du Temple. Deux heures et demie, « car cette effroyable escorte, non contente de faire aller au pas la voiture de Sa Majesté, la faisait encore arrêter de temps en temps. Plusieurs d'entre eux s'approchaient avec des yeux étincelants de fureur ; et il y eut même des instants où l'on voyait l'inquiétude peinte sur les visages de Pétion et de Manuel. Ils mettaient alors la tête à la portière, haranguaient la populace et la conjuraient, au nom de la loi, de laisser cheminer la voiture [1] ».

À huit heures et demie du soir, Marie-Antoinette quitte sa cage à quatre roues pour entrer dans une autre cage : le Temple, que l'on a, par une dérision suprême, illuminé comme pour une fête. La reine a suffisamment donné de fêtes pour apprécier, comme il se doit, ce genre de raffinement. Non seulement le Temple est illuminé, mais aussi les maisons voisines, en signe de réjouissance, comme au temps où Paris illuminait pour célébrer la venue de la jeune Dauphine...

1. Mme de Tourzel.

Le massacre de Lamballe
(3 septembre 1792)

À huit heures et demie du soir, le 13 août, Marie-Antoinette et les siens pénètrent dans l'enclos du Temple. L'enclos renferme deux bâtiments : l'hôtel du Grand Prieur[1] et la Tour[2], ou plutôt les tours, une grande à quatre étages, et une autre, plus petite, qui sert de logement au conservateur des archives du Temple, M. Barthélemy. Il en est chassé pour laisser la place à la famille royale qui y restera jusqu'à ce que les appartements de la grande tour soient prêts. Personne n'a osé dire à Marie-Antoinette que ce n'est pas à l'hôtel du Grand Prieur qu'elle sera emprisonnée, mais à la Tour. Elle l'a, de toute façon, compris, comme elle le laisse entendre :

— Ne vous l'avais-je pas bien dit ? lance-t-elle à Mme de Tourzel qu'elle rejoint dans une chambre où le Dauphin « tombant de sommeil et de fatigue » s'est endormi.

« En s'approchant ensuite du lit de cet aimable enfant qui dormait profondément, les larmes lui vinrent aux yeux en le regardant ; mais, loin de se laisser abattre, elle reprit sur-le-champ ce grand courage qui

---

1. Ancienne résidence des Vendôme et des Conti, puis du comte d'Artois qui avait succédé au prince de Conti à la charge de Grand Prieur et qui gouvernait l'enclos du Temple.
2. Elle faisait partie de l'antique monastère des Templiers et fut bâtie par le frère Hubert au douzième siècle.

ne l'abandonna jamais, et elle s'occupa de l'arrangement des chambres de ce triste séjour[1]. »

Ainsi, dès son arrivée au Temple, Marie-Antoinette, maîtresse de maison avant tout, s'occupe de l'arrangement des chambres ! Cela l'occupe mais ne l'empêche pas d'entendre les sentinelles qui l'entourent brailler sur l'air de *Malborough s'en-va-t-en guerre* :

> *Madame à sa tour monte*
> *Ne sait quand descendra.*

Ce refrain enchante les badauds qui, accourus dès le 14 août au Temple pour y contempler la déchéance de leurs anciens maîtres, le reprennent en chœur. C'est l'air du jour.

> *Madame à sa tour monte*
> *Ne sait quand descendra.*

Après toutes les injures qu'elle a essuyées du 10 au 13 août, cet air ne touche guère Marie-Antoinette. Dans sa tour, la reine est à l'abri des regards et, si elle est en cage, elle n'est plus au pilori. Il y a, dans la descente aux enfers, des degrés, et certains sont plus supportables que d'autres. Pour le moment, le Temple est un tolérable enfer...

Marie-Antoinette est installée au deuxième étage, dans l'ancien salon bleu et blanc de M. Barthélemy. Mousseline a un lit dans la chambre de sa mère. Mme de Tourzel et Mme de Saint-Brice — qui est l'une des femmes au service de Louis-Charles et de sa sœur — couchent dans la chambre du Dauphin, et Mme de Lamballe dans une antichambre obscure qui réunit les deux pièces.

Louis-Auguste occupe une partie du troisième étage. Il a ôté lui-même des murs des gravures « indécentes » qui dataient du temps de la Régence.

1. Mme de Tourzel.

— Je ne veux pas laisser cela sous les yeux de ma fille, a-t-il dit.

À ce même troisième étage, dans une cuisine « dont la saleté était affreuse », logent Élisabeth et Pauline de Tourzel.

Le matin, on se réunit dans le salon blanc et bleu de Marie-Antoinette. Cette assemblée familiale se tient sous la surveillance d'un garde municipal que l'on change d'heure en heure. Importune présence qui interdit toute liberté de conversation. On en est réduit à la lecture à haute voix. Dans la bibliothèque qui jouxte la salle à manger, Louis-Auguste a choisi *les Études de la nature* de Bernardin de Saint-Pierre.

Autre sujet de distraction : les travaux qui transforment le Temple en prison. On élève des murs, on creuse des fossés, on abat des arbres, on masque des fenêtres. « On voyait s'élever avec rapidité les murs du jardin du Temple. Palloy, qui avait été nommé architecte de cette prison, montra au roi le plan de l'appartement qui lui était destiné dans la grande tour, ainsi que celui de la famille royale[1]. » Charmante attention.

Dans la nuit du 19 au 20 août, deux municipaux chargés d'emmener « toutes les personnes qui n'étaient pas de la famille Capet » arrachent à Marie-Antoinette, Mme de Lamballe, Mme de Tourzel et sa fille Pauline :

« La reine vint sur-le-champ dans la chambre de Mme la princesse de Lamballe, dont elle se sépara avec une vive douleur. Elle nous témoigna, à Pauline et à moi, la sensibilité la plus touchante et me dit tout bas : ''Si nous ne sommes pas assez heureux pour nous revoir, soignez bien Mme de Lamballe ; dans toutes les occasions essentielles prenez la parole, et évitez-lui, autant que possible, d'avoir à répondre à ces questions captieuses et embarrassantes''[2]. »

1. Mme de Tourzel.
2. *Ibid.*

423

Marie-Antoinette, que l'on a tant accusée d'égoïsme, pense d'abord aux autres, à sa « bonne Lamballe » qu'elle confie à sa « bonne Tourzel ». Lamballe, Tourzel et Pauline, qui vont être conduites à la prison de la Force, embrassent, pour la dernière fois, la reine. Ces tristes adieux, ces premiers adieux au Temple qui en abritera d'autres plus pénibles encore, sont interrompus par les gardes qui trouvent que ces dames, pour se quitter, font bien des manières. Comme le constate Mme de Tourzel, « il n'y avait qu'à obéir, dans la position où nous étions ». Elle n'est pas la seule, Mme Sévère, à obéir. Louis-Auguste et Marie-Antoinette apprennent aussi à se soumettre aux commandements de leurs geôliers, à leurs vexations, à leur espionnage. On va jusqu'à fouiller les poches du roi...

Le 26 août, Cléry, valet de chambre du Dauphin, est admis à rejoindre son jeune maître, et à aider M. Hue, valet de chambre du roi. Grâce au *Journal* de Cléry, on sait quelle atmosphère régnait ce 26 août, au Temple :

« Il me serait difficile de décrire l'impression que fit sur moi cette auguste et malheureuse famille. Ce fut la reine qui m'adressa la parole ; et après des expressions pleines de bonté, ''Vous servirez mon fils, ajouta-t-elle, et vous vous concerterez avec M. Hue pour ce qui vous regarde.'' J'étais tellement oppressé, qu'à peine je pus répondre.

« Pendant le souper, la reine et les princesses, qui depuis huit jours étaient sans leurs femmes, me demandèrent si je pourrais peigner leurs cheveux : je répondis que je ferais tout ce qui leur serait agréable. »

Comme coiffeur, Cléry remplace Léonard, le zèle supplée à la dextérité. Devant le résultat, et prévoyant aussi l'adversité, Marie-Antoinette apprend à sa fille à se coiffer elle-même, sans l'aide de personne.

Dans la petite tour, la vie s'organise. Elle sera toujours la même jusqu'au transfert de la famille royale à la grande tour, le 26 octobre.

Marie-Antoinette et son fils se lèvent tôt, entre six heures et sept heures. À neuf, suivie de ses enfants et de sa belle-sœur, elle monte chez le roi pour y déjeuner. À dix heures, toute la famille revient chez Marie-Antoinette. Là, le roi enseigne au Dauphin le latin, Corneille, Racine, l'histoire, la géographie. La reine apprend à sa fille les principes de la religion et de la musique.

À midi, Marie-Antoinette, Élisabeth et Mousseline quittent leur costume du matin, une robe de basin blanc, pour mettre un vêtement de toile brune à petites fleurs. Être prisonnière au Temple n'implique pas de renoncer aux convenances vestimentaires qui exigent une tenue du matin et une tenue du soir...

À une heure, la famille royale descend dans l'enclos se promener sous les marronniers. Pour y parvenir, on doit passer sous un guichet tellement bas qu'il faut se baisser. Ce qui amuse le gardien du guichet, Rocher, qui en plaisante :

— Marie-Antoinette faisait la fière, mais je l'ai forcée de s'humaniser.

Il fume la pipe et ne manque pas de souffler une bouffée sur Élisabeth qui demande :

— Pourquoi donc Rocher fume-t-il toujours ?

— Apparemment parce que ça lui plaît, répond-on à Élisabeth qui n'insiste pas.

La promenade sous les marronniers n'est agréable que pour le Dauphin qui s'amuse, court, avec l'insouciance de son âge. Elle l'est moins pour ses parents qui sont couverts d'insultes par les ouvriers et les badauds :

« Pendant la promenade, les canonniers se rassemblaient pour danser et chantaient des chansons toujours révolutionnaires, quelquefois obscènes. Lorsque la famille royale remontait dans la tour, elle essuyait les mêmes injures ; souvent on couvrait les murs des apostrophes les plus indécentes, écrites en assez gros caractères pour ne pas échapper à ses regards. On y lisait : Madame Veto la dansera... Nous saurons mettre le gros cochon au régime... À bas le cordon rouge... Il faut étrangler les petits louveteaux [1]... »

Après la promenade, la famille royale dîne, en présence de Santerre qui, parfois, entend la voix du roi. Il n'entendra jamais celle de la reine qui est fidèle à sa politique du silence inaugurée le 1er janvier 1772 avec Mme du Barry (« cette femme n'entendra plus le son de ma voix ») et poursuivie avec le cardinal de Rohan pendant huit ans...

Le repas terminé, on joue au piquet, ou au trictrac, on lit, on essaie de deviner les énigmes proposées par le *Mercure de France,* mais Mme Campan, qui était habile à les résoudre, n'est plus là pour aider à trouver leur solution.

À huit heures, le Dauphin soupe et se couche.

À neuf heures, ses parents soupent à leur tour, puis se séparent. Marie-Antoinette et Élisabeth tardent à se coucher. Elles raccommodent l'habit du roi — il n'en a plus qu'un — ou leurs propres vêtements. Mme d'Ossun, Rose Bertin, Mme Eloff ne sont plus là, non plus, pour s'occuper des toilettes.

L'isolement des prisonniers est aussi extrême que la surveillance qui ne se relâche pas d'une minute. Le pain est coupé en deux, les carafes ne peuvent être remplies qu'en présence des commissaires, on a enlevé au roi son épée, et cela, le jour même de sa fête, le 25 août.

Si Hue et Cléry sont acquis à la famille, au roi et à la reine, il n'en est pas de même pour le ménage Tison.

Tison et sa femme ont été installés au Temple comme domestiques chargés des gros travaux. En réalité, ils sont chargés d'espionner tout ce que peut faire, ou dire, la famille royale.

À ces prisonniers, on a refusé le droit de visite. Pas de visite, et surtout pas de journaux. Hue en est réduit à écouter ce que disent les crieurs de journaux pour tenir ses maîtres au courant des événements. C'est

1. Cléry.

ainsi qu'ils apprennent que des troupes d'Autrichiens, de Prussiens et d'émigrés ont pénétré en France. Le 2 septembre, Verdun capitule devant Brunswick et son armée. L'ennemi est en marche vers Châlons. La route de Paris est ouverte, et ses habitants voient déjà dragons et uhlans pénétrer dans leurs rues, dans leurs maisons. Tout cela, c'est la faute du gros Capet et de sa chienne d'Autrichienne.

Ce 2 septembre, la promenade de la famille Capet est écourtée par des jets de pierres. La famille bat en retraite, sans rien comprendre à ce regain d'animosité. Le tocsin sonne et le canon d'alarme tonne. Vers cinq heures, un municipal, Mathieu, entre chez Marie-Antoinette et dit à Louis-Auguste :

— Monsieur, vous ignorez ce qui se passe. Le tocsin a sonné, le canon d'alarme a été tiré, les émigrés sont à Verdun. S'ils viennent, nous périrons tous, mais vous périrez le premier.

— J'ai tout fait pour le bonheur du peuple, il ne me reste plus rien à faire, se borne à répondre le roi.

La violence de cet incident empêche Marie-Antoinette de dormir dans la nuit qui suit. Pendant cette nuit-là, la populace se porte dans les prisons où sont entassés les « ennemis de la nation » et les massacrent au sabre, à la hache, avec des fusils. Tout est bon pour que coule un « sang impur ».

Le 3 septembre, à huit heures du matin, Manuel vient au Temple pour rassurer Louis-Auguste et Marie-Antoinette sur le sort de Mme de Lamballe et de Mme de Tourzel : elles sont à la prison de la Force où elles « se portent bien ». Cela est vrai pour quelques heures encore.

En fin de matinée, la princesse de Lamballe est massacrée à coups de pique et de hache. Mme de Tourzel et sa fille sont sauvées grâce à l'intervention d'un certain M. Hardy.

À une heure de l'après-midi, Louis-Auguste, qui est un homme d'habitude et qui a déjà pris les siennes au Temple, veut descendre dans l'enclos puisque c'est l'heure de la promenade. Les municipaux s'y opposent. Privé de promenade, le roi s'en console en jouant au trictrac avec la reine.

Vers trois heures, autour du Temple, on entend des hurlements poussés par les assassins de la princesse de Lamballe qui, fiers de leur exploit, se sont fabriqué des moustaches avec les toisons intimes de celle qu'ils nomment la « Sapho de Trianon ». Ces enragés balancent au sommet d'une pique la tête de Marie-Thérèse-Louise de Savoie-Carignan. Horrible spectacle qui interrompt le dîner des Tison et de Cléry. Cléry pousse un cri d'effroi. Mme Tison s'évanouit.

Les enragés crient :

— Si l'Autrichienne ne se montre pas, il faut monter jusqu'à elle et lui faire baiser la tête de Lamballe.

Ils pénètrent dans l'enclos, mais l'entrée de la Tour leur est refusée. A l'intérieur, le municipal de service tire les rideaux des fenêtres. Louis-Auguste s'en inquiète et demande aux gardes nationaux si sa famille est en sécurité :

— On fait courir le bruit que vous et votre famille n'êtes plus dans la Tour ; on demande que vous paraissiez à la croisée ; mais nous ne le souffrirons pas. Le peuple doit montrer plus de confiance en ses magistrats, répondent les gardes nationaux.

Surviennent des gardes municipaux qui ne sont pas d'accord. M. et Mme Capet doivent se montrer aux fenêtres et rassurer le peuple par leur présence. Une altercation éclate entre nationaux et municipaux. Louis-Auguste en demande la raison.

— Eh bien, Monsieur, dit l'un d'entre eux, puisque vous voulez le savoir, c'est la tête de Mme de Lamballe qu'on veut vous montrer. Je vous conseille de paraître si vous ne voulez point que le peuple monte ici.

En entendant ces mots, Marie-Antoinette s'évanouit.

— Monsieur, nous nous attendons à tout ; mais vous auriez pu vous dispenser d'apprendre à la reine ce malheur affreux, proteste Louis-Auguste.

Marie-Antoinette revient à elle : les enragés sont toujours là qui réclament sa présence à la fenêtre. Ils continueront à la réclamer pendant trois longues heures, puis s'éloigneront, mécontents. Marie-Antoinette n'a pas vu la tête de son amie — ils disent de « sa putain » — se balancer au bout d'une pique, et son cœur brandi sur une autre pique. « Mon cher cœur »... Le « cher cœur » est là, réduit à l'état de viscère sanguinolent.

Ensuite Marie-Antoinette passe la nuit « à prier et à sangloter » assurent les mémorialistes. Entre une prière et un sanglot, éprouve-t-elle l'affreux remords d'avoir jeté sa surintendante « dans la gueule du tigre » en lui demandant de revenir d'émigration ?

« Mme de Lamballe était assurément la plus grande complice de la reine. Pourquoi ne pas l'avoir réservée pour la confronter avec la plus coupable, et si on voulait un exemple, ne devait-on pas se borner à la punir de mort, sans exercer des atrocités qui épouvantent la nature ? » lit-on dans la *Correspondance secrète*.

Ces « atrocités qui épouvantent la nature » ne font que commencer pour Marie-Antoinette. Le massacre de Lamballe en donne le signal.

Le trente-septième anniversaire de Madame Capet (2 novembre 1792)

Le 21 septembre 1792, la Convention succède à la Législative, la royauté est abolie, la République est proclamée.

« Le 21 septembre, à quatre heures du soir, le nommé Lubin, municipal, vint entouré de gendarmes à cheval et d'une nombreuse populace, faire une proclamation devant la tour. Les trompettes sonnèrent et il se fit un grand silence. Ce Lubin avait une voix de Stentor. La famille royale put entendre distinctement la proclamation de l'abolition de la royauté et de l'établissement d'une république, Hébert, si connu sous le nom de père Duchesne, et Destournelles, depuis ministre des Contributions publiques, se trouvaient de garde auprès de la famille royale ; ils étaient assis dans ce moment près de la porte, et fixaient le roi avec un sourire perfide : ce prince s'en aperçut ; il tenait un livre à la main et continua à lire : aucune altération ne parut sur son visage. La reine montra la même fermeté ; pas un mot, pas un mouvement qui pussent accroître la jouissance de ces deux hommes [1]. »

Après s'être évanouie en apprenant le massacre de Lamballe, la reine s'est juré de ne plus donner

---

1. Cléry.

de signes extérieurs de faiblesse. Elle s'y applique et y réussit, pour le moment.

Au soir de ce 21 septembre, Cléry demande des couvertures pour le Dauphin, un froid précoce commençant à se faire sentir. Sa requête débute par la formule habituelle : « Le roi demande... »

— Vous êtes bien hardi de vous servir d'un titre aboli par la volonté du peuple, et vous pouvez dire *à ce monsieur,* précise Destournelles à Cléry, en montrant le roi, de cesser de prendre un titre que le peuple ne reconnaît plus.

Le roi ne bronche pas. Le lendemain Élisabeth recommande à Cléry d'écrire, pour ses demandes, « il est nécessaire pour le service de Louis XVI, de Marie-Antoinette, de Louis-Charles, de Marie-Thérèse, de Marie-Élisabeth... ». Les Bourbons sont devenus de simples particuliers.

Cléry se conforme aux recommandations d'Élisabeth. Car nombreuses sont les demandes qu'il doit formuler. Selon lui, la « famille royale manquait surtout de vêtements ; les princesses les raccommodaient chaque jour ; [...] J'obtins cependant, après beaucoup d'instances, qu'on fît un peu de linge neuf ; mais les ouvrières l'ayant marqué de têtes couronnées, les municipaux exigèrent que les princesses ôtassent les couronnes : il fallut obéir ».

Le 29 septembre au matin, des municipaux viennent chez Marie-Antoinette, où toute la famille est réunie, lire un arrêté de la commune qui ordonne d'« enlever papier, encre, plumes, crayons et même les papiers écrits, tant sur la personne des détenus que dans leurs chambres, ainsi qu'au valet de chambre et autres personnes de service à la Tour ; de ne leur laisser aucune arme quelconque, offensive ou défensive ; en un mot de prendre toutes les précautions nécessaires pour ôter tout commerce de *Louis le Dernier* avec autre personne que les officiers municipaux ». Décret exécuté sur-le-champ. Marie-Antoinette et sa fille dissimulent, et conservent, leur crayon.

Au soir de ce 29 septembre, nouvelle épreuve. Après souper, Louis le Dernier s'apprête à regagner sa chambre quand d'autres municipaux, Hébert en tête, surgissent et lisent un décret, plus contraignant que celui du matin, et plus douloureux, ordonnant la séparation des prisonniers. Louis-Auguste est transféré dans la grande tour où son appartement est, paraît-il, prêt. Marie-Antoinette fond en larmes, imaginant que cette séparation présage le pire. Elle qui s'était promis de ne plus rien laisser paraître... L'émotion est trop forte, elle y cède. Les municipaux pourront se vanter d'avoir ENFIN vu pleurer l'Autrichienne.

L'appartement du roi n'est pas prêt, les peintres y travaillent encore, l'odeur y est insoutenable. Le roi y passe la nuit, tant bien que mal. Le lendemain matin, à neuf heures, il n'a qu'une hâte : rejoindre les siens dans la petite tour. Refus des municipaux : « Nous n'avons point d'ordre pour cela », prétendent-ils. Cléry obtient la permission d'aller chez la reine pour y chercher des livres oubliés par le roi :

« Je trouvai la reine dans sa chambre, entourée de ses enfants et de Madame Élisabeth : ils pleuraient tous, et leur douleur augmenta à ma vue ; ils me firent mille questions sur le roi, auxquelles je ne pus répondre qu'avec réserve. La reine, s'adressant aux municipaux qui m'avaient accompagné, renouvela vivement la demande d'être avec le roi au moins pendant quelques instants du jour, et à l'heure des repas. Ce n'étaient plus des plaintes, ni des larmes : c'étaient des cris de douleur... ''Eh bien, ils dîneront ensemble aujourd'hui'', dit un officier municipal [...]. »

Pour cette permission, Marie-Antoinette verse d'autres larmes, de joie, cette fois, imitée par sa fille et par sa belle-sœur. Ce trio offre le « spectacle le plus touchant ». Le cordonnier Simon, membre de la commune, qui, au Temple va prendre de plus en plus d'importance, commente cette scène d'un « je crois que ces bougresses de femmes me feraient pleurer ».

Puis, regrettant cet aveu et voulant montrer qu'il est quand même insensible aux pleurs de ces aristocrates, il dit à Marie-Antoinette :

— Lorsque vous assassiniez le peuple, le 10 août, vous ne pleuriez point.

On accuse, évidemment, la reine du massacre des Tuileries. On n'en est plus à une calomnie près. C'est ce que laisse entendre Marie-Antoinette à Simon à qui elle répond :

— Le peuple est bien trompé sur nos sentiments.

Marie-Antoinette attend l'heure du dîner avec impatience. Qui aurait dit qu'un jour, elle attendrait ainsi Louis-Auguste, elle qui, au temps de Trianon, avançait l'heure de l'horloge pour hâter le départ de son couche-tôt d'époux ?

« Nous descendîmes pour dîner chez mon père, et avec bien de la joie de le revoir », racontera Mousseline. Cette joie ne sera pas sans lendemain : la reine et ses enfants retrouveront le roi aux heures des repas et de la promenade.

« On nous rendit les journaux pour y voir le départ des étrangers et les horreurs contre le roi, dont ils étaient pleins. On nous dit un jour : "Mesdames, je vous annonce une bonne nouvelle : beaucoup de traîtres émigrés ont été pris ; si vous êtes patriotes, vous devez vous en réjouir." Ma mère, comme à l'ordinaire, ne dit mot, et n'eut même pas l'air d'entendre [1]. »

Face à ses geôliers, Marie-Antoinette est soudainement aveugle, sourde, muette.

Le 26 octobre, Cléry jugé trop prévenant, trop déférent, trop complice — ne croit-on pas l'avoir vu glisser une lettre dans sa poche ? — est arrêté et traduit devant un Tribunal révolutionnaire. Il y est acquitté. Il regagne le Temple à minuit. Marie-

1. *Mémoire* écrit par Marie-Thérèse de France.

Antoinette, ses enfants et sa belle-sœur viennent d'être transférés à la grande tour. La reine se réjouit d'être plus près du roi. Joie qu'elle va payer cher puisque son fils bien-aimé doit être conduit chez son père, selon un arrêté, encore un, de la commune, « sur les observations faites par l'un des membres de service au Temple [...], le fils de Louis Capet était jour et nuit sous la direction des femmes, mère et tante ; considérant que cet enfant est dans l'âge où il doit être sous la direction des hommes, le Conseil arrête qu'*à l'instant* le fils de Louis Capet sera retiré des mains des femmes pour être remis et rester entre celles de son père, les jours et nuits ». L'arrêt précise que, chaque jour, le Dauphin montera « dans l'appartement de ses mère et tante, pendant le temps que son père se repose, pour en descendre sur les quatre ou cinq heures ».

On fait comprendre à Marie-Antoinette que cette visite quotidienne de son fils est une faveur, une tolérance, qui montrent bien que les municipaux ne sont pas des monstres sans cœur... Et, *à l'instant,* Louis-Charles est conduit chez son père.

Voilà maintenant la reine en son avant-dernière demeure, la grande tour du Temple qui comprend quatre étages. Au rez-de-chaussée, les municipaux. Au premier, le corps de garde. Au second, le roi, le Dauphin, Cléry. Au troisième, Marie-Antoinette, sa fille, Élisabeth. Le quatrième est vide et ouvre sur une galerie où la famille royale, encore une bonté des municipaux, pourra se promener.

Dans la grande tour, comme dans la petite, Marie-Antoinette se consacre aux mêmes occupations : éducation de sa fille, lecture, tapisserie.

Dans la grande tour, comme dans la petite, les déjeuner, dîner, souper sont pris aux mêmes heures et permettent la réunion de la famille qui doit parler haut, *en bon français,* afin que les gardes puissent tout entendre et comprendre. Interdiction de prononcer une parole à voix basse.

C'est le règne de l'arbitraire, le triomphe du caprice des gardiens. Une fois, ces derniers interdisent à Cléry de coiffer Marie-Antoinette. Une autre fois, comme Marie-Antoinette a cassé son peigne et prié Turgy[1] de lui en acheter un autre, un municipal hurle :

— Achètes-en un en corne, le buis serait trop bon pour elle.

Un volume serait nécessaire pour conter les vexations que l'on a prodiguées à cette « chienne d'Autri-chienne ».

Le 7 octobre, au nom de l'égalité, Louis-Auguste est dépouillé des insignes de ses ordres. Le 1er novembre, une députation de la Convention vient au Temple vérifier l'« état de situation de la personne de Louis Capet et de sa famille, et prendre connaissance des mesures de sûreté adoptées par le conseil général de la Commune et le commandant général de la garde nationale de Paris pour la conservation des otages confiés à leur garde ».

Parmi cette députation, Drouet, l'homme de Varen-nes. A sa vue Marie-Antoinette ne peut retenir un fré-missement.

— Nous venons vous demander si vous vous trou-vez bien, si vous ne manquez de rien, si vous n'avez pas de plaintes à former, dit Drouet.

La reine ne répond pas. Drouet reprend sa question.

— Il importe cependant de savoir si vous avez à vous plaindre de quelque chose ou de quelqu'un.

La reine ne répond pas davantage. Drouet s'en ira, sans avoir entendu la voix de cette Notre-Dame du Silence. Après son départ, Marie-Antoinette retrouve l'usage de la parole et dit à Élisabeth :

— Pourquoi, ma sœur, l'homme de Varennes est-il remonté ? Est-ce parce que c'est demain le jour des Morts ?

Ce silence aux questions de Drouet, c'est le cadeau que la reine s'est offert à la veille de son trente-septième anniversaire. Où sont les joyeux anniver-

---

1. Un ancien serviteur du roi qui, par fidélité à son maître, a réussi à se faire embaucher au Temple. Mme Campan n'a pas eu cette chance et a vu ses offres de service repoussées.

saires de Schönbrunn, les fastueux anniversaires de Versailles ? Ce 2 novembre 1792, « nous entendîmes un grand bruit de gens qui demandaient la tête de mon père et de ma mère, ayant la cruauté de venir crier cela sous nos fenêtres[1] ». Bon anniversaire, Marie-Antoinette, aux sons de *Dansons la Carmagnole* et du *Ça ira*, aux sons des souvenirs des fêtes enfuies...

1. Marie-Thérèse de France.

Un anneau de mariage
et des vêtements de deuil
(21 janvier 1793)

Je n'écoute plus rien : et pour jamais, adieu...
Pour jamais ! Ah ! seigneur ! songez-vous en vous-même
Combien ce mot cruel est affreux quand on aime ?

RACINE. *(Bérénice.)*

En entendant, pour son trente-septième anniversaire, ces cris de mort, Marie-Antoinette ne peut que
se résigner à l'inévitable. Si on a massacré — et de
quelle façon — la princesse de Lamballe, que ne
réserve-t-on à la reine que tous et toutes considèrent
comme la coupable de tous les maux qui accablent la
France ? Coupable du mauvais temps, des mauvaises
récoltes, des victoires remportées par Brunswick, de la
chute des assignats, et de celle des feuilles mortes...
Chaque soir, et chaque matin, Marie-Antoinette
demande à son fils de prier pour la princesse de Lamballe. Elle aussi, elle prie, et de plus en plus. Elle puise
dans la prière un peu de force, un peu d'espoir, un
espoir d'invulnérabilité. Elle se veut, en apparence,
invulnérable. Elle sait qu'elle l'est, intérieurement, de
moins en moins. Parfois, elle se sent aussi faible que
Louis-Auguste. Les horreurs du retour de Varennes,
les horreurs de la prise des Tuileries, et maintenant,
les horreurs quotidiennes du Temple ont ébranlé son

équilibre. Il n'y a pas de tourments que ses geôliers n'inventent. Comment y résister ?

— On ne tuera pas le roi, on veut seulement l'enfermer avec son fils, à Chambord, à perpétuité, dit l'un.

— On va vous séparer, c'est la dernière fois que vous êtes ensemble, renchérit l'autre.

Et par deux fois, des fouilles en pleine nuit. Réveillé, le Dauphin a pleuré dans les bras de sa mère. « C'est le seul moment d'impatience que j'ai vu chez ma mère », rapportera Mousseline.

Cela ne cesse pas. Pendant une promenade dans l'enclos, un ouvrier tend une bêche à Louis-Auguste :

— Tiens, gros Veto, voilà pour abattre la tête de ta femme.

À ce régime d'humiliations quotidiennes, le roi tombe malade d'une forte fluxion, le 14 novembre. Il demande un dentiste. La Commune en délibère pendant trois jours, puis refuse. Le 22, devant un accès de fièvre du roi, son premier médecin, M. Le Monnier, est appelé. Après le roi, c'est au tour de son fils d'être malade. Le Dauphin a la coqueluche. Interdiction à sa mère de le veiller pendant la nuit. Quand le Dauphin guérit, Marie-Antoinette s'alite, puis Élisabeth, puis Mousseline. Ce sont les inévitables misères de la vie carcérale, communes à tous les prisonniers, que subissent Marie-Antoinette et les siens.

Le 3 décembre 1792, Marie-Antoinette, malade, n'a pu absorber aucun aliment de la journée. Elle demande à Turgy qui aide Cléry de son mieux, un bouillon :

« Au moment où je le lui présentai, raconte Turgy, cette princesse apprit que la femme Tison, attachée à son service, se trouvait indisposée. Aussitôt elle ordonna qu'on lui apportât ce bouillon préparé pour elle ; ce qui fut exécuté. Je priai alors l'un des gardes municipaux de me conduire jusqu'à la cuisine pour y prendre un autre bouillon ; mais aucun de ceux qui étaient présents ne voulut m'y accompagner, en sorte que, ce jour, la reine, malade, se coucha sans souper. »

Le 7 décembre, un municipal vient lire un nouvel arrêté qui ordonne d'enlever aux détenus, « couteaux, rasoirs, ciseaux, canifs, et tous autres instruments tranchants dont on prive les prisonniers réputés criminels et d'en faire la plus exacte recherche tant sur les prisonniers que dans leurs appartements ». L'arrêté est exécuté *à l'instant*. Et pendant cet instant-là, Marie-Antoinette redevient cette « petite moqueuse », tant réprimandée par sa mère, en lançant :

— Faut-il aussi donner les aiguilles, car elles piquent bien fort ?

Le nouvel empereur d'Autriche, François, neveu de Marie-Antoinette, ne peut guère se rendre compte de ce qu'est la vie des prisonniers du Temple. Un seul en est véritablement informé, c'est Fersen qui, le 19 novembre 1792, écrit à son ami Taube :

« Dans quel siècle vivons-nous ! Il semble que la Providence épuise les coups les plus funestes pour accabler cette famille bonne et trop infortunée, et mon âme est déchirée de mille manières. Vous étiez déjà au désespoir, mon ami, de la retraite du duc de Brunswick ; eh bien, vous le serez encore plus lorsque vous saurez que les Autrichiens se sont crus obligés d'abandonner les Pays-Bas à l'approche de Dumouriez et d'un tas de bandits, de voleurs et de rebelles. »

Brunswick et ses troupes qui ne devaient effectuer en France qu'une promenade d'agrément ont été repoussés, à leur honte et stupéfaction, par ces « rebelles » qui ont successivement remporté les victoires de Valmy, Spire, Jemmapes, Tournai, Gand, Charleroi, et qui ont aussi envahi la Savoie et pris Nice. La patrie n'est plus en danger.

La Convention peut donc se consacrer à l'extermination de Marie-Antoinette et des siens : elle décide, le 3 décembre, la mise en accusation du roi. On a justement découvert une « armoire de fer » contenant des papiers de Louis le Dernier relatifs aux princes, à la coalition, aux émigrés, aux plans de délivrance, aux conseils secrets donnés aux hommes du jour. Autant profiter de cette aubaine due à Gamain qui a fabriqué l'armoire et qui prétend que, en récompense de son travail, il a reçu de l'Autrichienne une brioche pétrie d'arsenic ! Marie-Antoinette empoisonneuse, cela n'étonne plus personne.

Le 6 décembre, Cléry apprend la mise en accusation du roi et ne sait comment l'annoncer à son maître :

« Je ne savais comment annoncer directement au roi cette affreuse nouvelle : j'aurais voulu en instruire d'abord la reine ou Madame Élisabeth ; mais j'étais dans les plus vives alarmes, et le roi m'avait défendu de lui rien cacher. Le soir, en le déshabillant, je lui rendis compte de tout ce que j'avais appris ; je lui fis même pressentir qu'on avait le projet, pendant le procès, de le séparer de sa famille ; et j'ajoutai qu'il n'y avait plus que quatre jours pour concerter avec la reine quelque manière de correspondre avec elle. »

Le lendemain de cette révélation, le roi réussit à prévenir la reine qui, « par un regard plein de douleur », fait comprendre à Cléry qu'elle est au courant. Pour ne pas compromettre Cléry, Louis-Auguste et Marie-Antoinette s'efforcent de dissimuler leur affliction. Surveillés de près, ils ne peuvent même pas se dire ce qu'un époux et une épouse sur le point d'être séparés se diraient...

« Le 11 décembre 1792, dès cinq heures du matin, on entendit battre la générale dans tout Paris, et l'on fit entrer de la cavalerie et du canon dans le jardin du Temple. Ce bruit aurait cruellement alarmé la famille royale, si elle n'en avait connu la cause ; elle feignit cependant de l'ignorer, et demanda quelques explications aux commissaires de service : ils refusèrent de répondre[1]. »

1. Cléry.

Ce 11 décembre, dernier jour de la vie commune de Louis-Auguste et de Marie-Antoinette, commence au son du tambour. Vingt-deux ans d'une union difficile, vingt-deux ans d'amour-folie pour Louis-Auguste et d'amour-raison pour Marie-Antoinette, approchent de leur fin. Une fin qu'il faut affecter d'ignorer en observant l'emploi du temps habituel. À neuf heures du matin, Louis-Auguste monte, comme de coutume, déjeuner dans la chambre de Marie-Antoinette. Impossible d'échanger un mot en présence des municipaux aux aguets. À dix heures, le roi quitte la reine, suivi du Dauphin à qui il donne une leçon de lecture. À onze heures, la leçon est interrompue : le roi doit être séparé de sa famille. Cléry conduit le Dauphin chez la reine. À une heure, Louis le Dernier quitte le Temple pour la Convention.

Ce qui est terrible dans le destin de Marie-Antoinette, c'est la répétition des abominations. La reine vit deux fois ce que généralement on ne vit qu'une fois, ce qui est déjà suffisant. Le 11 décembre 1792, Marie-Antoinette est envahie par les mêmes angoisses qui l'avaient accablée à Versailles, quand, le 17 juillet 1789, Louis-Auguste était allé à Paris.

« Ma mère avait tout tenté auprès des municipaux qui la gardaient, pour apprendre ce qui se passait ; c'était la première fois qu'elle daignait les questionner. Ces hommes ne voulurent pas le dire ; ce ne fut qu'à l'arrivée de mon père que nous l'apprîmes[1]. »

Louis-Auguste revient au soir du 11 décembre 1792. Marie-Antoinette n'a pas la consolation de se jeter dans ses bras. A sa demande de voir le roi, les gardes ne répondent même pas. La reine se retire dans sa chambre, avec le Dauphin.

« Mon frère passa la nuit chez elle ; il n'avait pas de lit, elle lui donna le sien, et resta toute la nuit debout, dans une douleur si morne que nous ne vou-

---

1. Marie-Thérèse de France.

lions pas la quitter ; mais elle nous força à nous coucher, ma tante et moi. Le lendemain, ma mère redemanda à voir mon père, et à lire les journaux pour connaître son procès ; elle insista au moins pour que, si elle ne pouvait pas le voir, cette permission fût accordée à mon frère et à moi. On porta cette demande au conseil général ; les journaux furent refusés ; on nous permit à mon frère et à moi de voir mon père, mais à condition que nous serions absolument séparés de ma mère. On en fit part à mon père qui dit que, quelque plaisir qu'il eût à voir ses enfants, la grande affaire qu'il avait ne lui permettait pas de s'occuper de son fils, et que sa fille ne pouvait pas quitter sa mère. On fit monter le lit de mon frère dans la chambre de ma mère[1]. »

— Je ne pourrais me résoudre à garder mes enfants avec moi ; je sens tout le chagrin que la reine en éprouverait, il faut consentir à ce nouveau sacrifice, explique le roi qui donne là l'une des ultimes preuves de son amour pour Marie-Antoinette.

— Qu'il se refuse à cette dernière douceur, c'est la preuve la plus déchirante et la plus douce de sa constante tendresse ! soupire la reine qui se rend compte maintenant combien le « pauvre homme » l'aimait infiniment plus que ses prétendus adorateurs, les Besenval, les Coigny, les Tilly, les Esterhazy, les Lauzun...

Trop tard.

Pendant six interminables semaines, Marie-Antoinette va essayer de suivre le procès du roi, grâce à la complicité de Cléry, de Turgy, ou de quelques municipaux moins inhumains que les autres. Elle sait que son époux a choisi trois excellents défenseurs : M. Tronchet, M. de Malesherbes, M. de Sèze. Chaque jour, ils confèrent avec leur client.

Le 25 décembre, Louis-Auguste connaît un Noël de

1. Marie-Thérèse de France.

complète solitude qu'il met à profit pour écrire son testament. C'est l'admirable testament du pardon :

« Je pardonne de tout mon cœur à ceux qui se sont faits mes ennemis, sans que je leur en aie donné aucun sujet, de même qu'à ceux qui, par un faux zèle ou par un zèle mal entendu, m'ont fait beaucoup de mal.

« [...] Je prie ma femme de me pardonner tous les maux qu'elle souffre pour moi et les chagrins que je pourrais lui avoir donnés dans le cours de notre union ; comme elle peut être sûre que je ne garde rien contre elle, si elle croyait avoir quelque chose à se reprocher. »

Ce que lui, évidemment, ne croit pas. Et dire que l'on a voulu voir dans ce dernier paragraphe la preuve même que Marie-Antoinette avait « quelque chose à se reprocher » !

On sait que Louis-Auguste occupe ce 25 décembre 1792 à écrire son testament. On ne sait pas quelles furent les occupations de Marie-Antoinette ce jour-là. Tapisserie et angoisse, comme d'habitude, certainement.

Le 26 décembre, le roi est conduit pour la seconde fois à la Convention. Il y est défendu avec ardeur par ses avocats, surtout par M. de Sèze dont l'éloquence est telle qu'elle indispose les Conventionnels.

Le 27 décembre, M. de Sèze remet au roi plusieurs exemplaires de son plaidoyer. Le roi en fera parvenir un exemplaire à la reine. Ce seront les dernières étrennes de Marie-Antoinette, et les seules : le 1er janvier 1793, les municipaux refusent au couple Capet la permission de se rencontrer. Chacun restera à son étage. S'ils sont séparés, leurs pensées ne se quittent pas. L'un des avocats du roi, Malesherbes en apporte la preuve dans ses *Entretiens de Louis XVI*. Louis-Auguste ne cesse d'y énumérer les qualités de Marie-Antoinette, les calomnies dont elle a été la victime. Il conclut :

« Les factieux ne mettent cet acharnement à décrier et à noircir la reine, que pour préparer le peuple à la voir périr. Oui, mes amis, sa mort est résolue. En lui laissant la vie, on craindrait qu'elle ne me vengeât. Infortunée princesse, mon mariage lui promit un trône ; aujourd'hui quelle perspective lui offre-t-il ? »

Le 15 janvier 1793, la Convention déclare Louis Capet coupable. Le 17, la peine de mort est votée, et parmi ceux qui l'ont votée, figure le cousin du roi, le ci-devant duc d'Orléans, Philippe Égalité. (L'antipathie que Marie-Antoinette avait toujours manifestée à cet individu trouve en ce vote sa justification.)

Le 20, la Convention repousse tout sursis d'exécution. Le roi doit être décapité dès le lendemain, 21 janvier.

Les colporteurs de journaux crient la nouvelle sous les fenêtres du Temple et c'est ainsi que Marie-Antoinette apprend l'imminente exécution de son époux. Elle apprend aussi, le dimanche 20, à huit heures du soir, qu'un décret de la Convention l'autorise à descendre, avec les siens, chez Louis-Auguste. Ils s'y précipitent.

« À huit heures et demie, la porte s'ouvrit : la reine parut la première, tenant son fils par la main ; ensuite Madame Royale et Madame Élisabeth. Tous se précipitèrent dans les bras du roi. Un morne silence régna pendant quelques minutes, et ne fut interrompu que par des sanglots. La reine fit un mouvement pour entraîner Sa Majesté vers sa chambre. "Non, dit le roi ; passons dans cette salle, je ne puis vous voir que là." Ils y entrèrent, et j'en fermai la porte qui était en vitrage. Le roi s'assit, la reine à sa gauche, Madame Élisabeth à sa droite, Madame Royale presque en face, et le jeune prince resta debout entre les jambes du roi : tous étaient penchés vers lui, et le tenaient souvent embrassé. Cette scène de douleur dura sept quarts d'heure pendant lesquels il fut impossible de rien entendre : on voyait seulement qu'après chaque phrase du roi les sanglots des princesses redoublaient, duraient quelques minutes, et qu'ensuite le roi recommençait à parler[1]. »

Grâce à Mme Vigée-Lebrun qui en a demandé les détails vestimentaires à Cléry pour peindre le tableau de cette ultime rencontre, on sait comment le roi et la reine sont habillés. Louis XVI porte un habit brun, et Marie-Antoinette a revêtu une robe blanche de mousseline, un fichu et un bonnet en linon de la même couleur. Elle arbore déjà le deuil blanc des reines de France...

Marie-Antoinette et les siens voudraient passer la nuit auprès du roi. Il refuse. Il a besoin d'être seul pour se préparer à la mort. Marie-Antoinette insiste pour le voir encore un moment, le lendemain matin. Louis-Auguste promet ce dernier moment. Il est dix heures et quart. Le roi se lève. L'entrevue est terminée. Il faut se séparer. Marie-Antoinette tient, par la main droite, son époux qui répète :

— Je vous assure que je vous verrai demain à huit heures.

— Vous me le promettez ?

— Oui, je vous le promets.

— Pourquoi pas à sept ?

— Eh bien, oui, à sept, adieu.

Par deux fois encore, il prononce cet « adieu », ce mot « affreux quand on aime » et dont il est le seul à savoir que c'est un adieu définitif puisque, « quand nous fûmes partis, il dit aux gardes de ne pas nous laisser redescendre, parce que notre présence lui faisait trop de peine[2] ».

En entendant cet « adieu », Mousseline s'évanouit. Pendant que sa mère et sa tante s'en occupent, Louis-Auguste quitte la pièce et s'en va rejoindre son confesseur, l'abbé Edgeworth à qui il confie :

— Ah ! monsieur ! quelle entrevue ! Faut-il donc que j'aime et que je sois si tendrement aimé !

Toute sa vie de mal-aimé se termine sur cet aveu.

1. Cléry.
2. Marie-Thérèse de France.

447

Louis-Auguste est alors âgé de « trente-neuf ans, cinq mois et trois jours », comme le précise sa fille.

21 janvier 1793.

« Le matin de ce terrible jour, nous nous levâmes à six heures. La veille au soir, ma mère avait eu à peine la force de déshabiller et de coucher mon frère ; elle s'était jetée tout habillée sur son lit, où nous l'entendîmes toute la nuit trembler de froid et de douleur. À six heures et un quart on ouvrit notre porte, et on vint chercher un livre de prières pour la messe de mon père ; nous crûmes que nous allions descendre, et nous eûmes toujours cette espérance, jusqu'à ce que les cris de joie d'une populace effrénée vinssent nous apprendre que le crime était consommé[1]. »

21 janvier 1793, à dix heures vingt du matin, un délire de joie retentit dans Paris. Marie-Antoinette comprend qu'elle est veuve. Pas une larme ne sort de ses yeux, pas un mot ne sort de sa bouche. Mutisme de la reine qui n'est plus l'expression de sa politique du silence, mais celle d'une douleur véritablement inexprimable puisque l'on y sent l'inutilité des pleurs et des paroles. Marie-Antoinette ne sort de sa prostration que pour demander à voir Cléry,

« qui était resté avec mon père jusqu'à ces derniers moments, pensant qu'il l'avait peut-être chargé de commissions pour elle. Nous désirions cette secousse pour causer un épanchement à son morne chagrin qui la sauvât de l'étouffement où nous la voyions. En effet, mon père avait ordonné à Cléry de rendre à ma malheureuse mère son anneau de mariage, ajoutant qu'il ne s'en séparait qu'avec la vie ; il lui avait aussi remis un paquet des cheveux de ma mère et des nôtres, en disant qu'ils lui avaient été si chers, qu'il les avait gardés sur lui jusqu'à ce moment. Les municipaux nous apprirent que Cléry était dans un état affreux, et au désespoir qu'on lui refusât de nous

1. Marie-Thérèse de France.

448

voir. Ma mère chargea des commissaires de sa demande pour le conseil général ; elle demandait aussi des vêtements de deuil [1]. »

Cléry a été obligé de remettre ces reliques au Conseil du Temple. Elles parviendront aux mains de la reine, grâce à l'audace de l'un de ses partisans, Toulan.

Un anneau de mariage et des vêtements de deuil, voilà, avec ses enfants, tout ce qui reste à Marie-Antoinette...

1. Marie-Thérèse de France.

« Rien à présent
ne peut me faire du mal »
(nuit du 2 au 3 août 1793)

> *Mais il me reste un fils. Vous saurez quelque*
> *jour, Madame, pour un fils jusqu'où va notre*
> *amour ; Mais vous ne saurez pas, du moins je le*
> *souhaite,*
> *En quel trouble mortel son intérêt nous jette,*
> *Lorsque de tant de biens qui pouvaient nous flatter,*
> *C'est le seul qui nous reste, et qu'on veut nous l'ôter.*

RACINE.

Pour savoir si Marie-Antoinette et les siens auront droit à des vêtements de deuil, la Commune doit en délibérer et décide, après deux jours de débats, de faire livrer ces vêtements.

Quand Marie-Antoinette voit sa fille et son fils vêtus de noir, elle ne peut s'empêcher de dire :

— Mes pauvres enfants, vous, c'est pour longtemps ; moi, c'est pour toujours.

Puis elle retourne à son silence et à sa prostration.

Dans les jours qui suivent l'exécution du roi,

« nous eûmes droit à un peu plus de liberté. Les gardes croyaient qu'on allait nous renvoyer. Mais rien n'était capable de calmer les angoisses de ma mère ; on ne pouvait faire entrer aucune espérance dans son cœur : il lui était devenu indifférent de vivre ou de mourir. Elle nous regardait quelquefois avec une pitié qui faisait tressaillir. Heureusement le chagrin augmenta mon mal, ce qui l'occupa[1] ».

Mousseline la Sérieuse se réjouit d'avoir mal à la jambe puisque sa mère sort de sa « torpeur » pour obtenir l'intervention de l'ancien médecin des Enfants de France, le Dr Brunier. Il guérit Mousseline en un mois.

Marie-Antoinette refuse de descendre dans l'enclos pour n'avoir plus à passer devant la porte où Louis-Auguste a vécu ses derniers jours. Elle refuse tout ce qui n'est pas sa peine, et son attitude touche l'un de ses gardes, Toulan. Ce Toulousain, qui a participé à l'assaut des Tuileries, veut maintenant faire évader la reine et ses enfants. Il n'est pas le seul à avoir ce projet. Paris fourmille encore de royalistes dévoués qui essaient de prouver, après le 21 janvier, leur dévouement à la famille Bourbon, ou à ce qu'il en reste. Le baron de Batz, le chevalier de Jarjayes comptent parmi ces fidèles.

Au commencement de mars 1793, un plan est arrêté entre Jarjayes, Toulan, et un compagnon de ce dernier, Lepitre, que l'on a gagné à la cause de Marie-Antoinette. La fuite vers Le Havre et l'Angleterre est fixée au 8 mars. Le 7, Paris est la proie de trois spectres menaçants : celui de la famine — la farine manque — ; celui d'une guerre civile — la Vendée se soulève — et celui de l'ennemi qui, une fois de plus, s'approche. Les Autrichiens ont reconquis Liège. Les sorties de Paris sont surveillées et la distribution des passeports, restreinte. Dans de telles conditions, la fuite se révèle impossible. Le projet est ajourné, puis, abandonné.

En consolation de cet échec, Marie-Antoinette reçoit le 9 mars les reliques confiées par Louis-Auguste à Cléry, interceptées par la Commune et subtilisées par Toulan. Elle tient enfin l'anneau de mariage de son époux défunt...

1. Marie-Thérèse de France.

Toulan et Jarjayes ne se laissent pas rebuter par l'échec du 8 mars. Ils sont résolus à sauver la reine, *seule,* si elle consent à l'être, c'est-à-dire à s'enfuir sans ses enfants, ce qu'elle a toujours refusé. Marie-Antoinette finit par céder aux prières de Toulan et de Jarjayes, aux supplications d'Élisabeth qui promet de servir de seconde mère à sa nièce et à son neveu.

La veille de l'évasion, le Dauphin est couché et dort. Mousseline ne dort pas et pourra, plus tard, raconter à M. de Beauchesne la scène qui suit. Marie-Antoinette regarde dormir son fils et dit :

— Dieu veuille que cet enfant soit heureux !

— Il le sera, ma sœur, répond Élisabeth.

— Toute jeunesse est courte comme toute joie, on en finit avec le bonheur comme avec toutes choses, soupire la reine qui se met à marcher à grands pas dans la chambre, comme pour fuir cette idée de fuite.

Elle dit encore à Élisabeth :

— Et vous-même, ma bonne sœur, quand et comment vous reverrai-je ?

Puis elle reprend sa marche et s'arrête devant le lit où repose le Dauphin. Elle comprend alors qu'elle ne peut pas abandonner son fils.

— C'est impossible ! Non, c'est impossible, répète-t-elle.

Sa décision est prise, irrévocable. Elle ne partira pas. Le lendemain, elle explique à Toulan :

— Vous allez m'en vouloir, mais j'ai réfléchi. Il n'y a ici que danger ; mieux vaut mort que remords.

Toulan s'incline devant une telle volonté et accepte de transmettre à Jarjayes ce billet :

« Nous avons fait un beau rêve. Voilà tout. *Mais nous y avons beaucoup gagné,* en trouvant dans cette occasion une nouvelle preuve de votre entier dévouement pour moi. Ma confiance en vous est sans bornes. Vous trouverez toujours en moi du caractère et du courage ; mais l'intérêt de mon fils est le seul qui me guide. *Quelque bonheur que j'eusse éprouvé à être hors d'ici,* je ne peux consentir à me séparer de lui. Je ne pourrais jouir de rien sans mes enfants, *et cette idée ne me laisse pas même un regret.* »

Le 27 mars, Robespierre demande le bannissement des Bourbons, à l'exception de Marie-Antoinette qui devrait être traduite devant le Tribunal révolutionnaire, et de son fils qui resterait détenu à la Tour du Temple. Sa demande n'a pas de suite, pour le moment.

Le 19 avril, Mlle Tison vient au Temple et sollicite la permission de voir ses parents. Les municipaux refusent, ce qui rend furieux M. et Mme Tison qui s'en prennent à leurs prisonnières. Ils les dénoncent ; ils ont vu la reine laisser tomber un crayon, ils ont vu Élisabeth cacher de la cire et des plumes dans une boîte. Que n'ont-ils pas vu, et entendu, des conciliabules avec le Dr Brunier, avec Toulan, Lepitre et quelques autres municipaux. Les dénonciations des Tison provoquent une perquisition au Temple. Le 20, ou plutôt, dans la nuit du 20 au 21 avril, Hébert et ses acolytes arrivent, avec ordre de « fouiller à discrétion ». Ils fouillent partout, jusqu'à quatre heures du matin, sans résultat aucun. Pas la moindre trace de « correspondance avec le dehors ». Toulan et Lepitre n'en sont pas moins rayés de la liste des commissaires chargés de la surveillance du Temple. Marie-Antoinette perd ses deux derniers chevaliers servants. Et les autres, et Fersen, et Mercy, que font-ils pendant ce temps ?

Après la mort du roi, l'Autriche avait songé à réclamer la reine. Le 29 janvier 1793, Mercy écrivait à l'un de ses amis : « Faute de n'avoir pas cru possible l'assassinat du roi de France, peut-être n'a-t-on pas fait tout ce qui était faisable pour prévenir cette horreur. Tâchons du moins qu'il n'en soit pas de même à l'égard de cette infortunée reine qui doit devenir maintenant le constant objet de notre sollicitude. » Le 3 février, Fersen s'inquiétait de telles démarches et ne cachait pas son inquiétude à Mercy : « L'intérêt que l'Empereur manifestera pour sa tante, ne sera-t-il pas une raison pour les factieux et un moyen dont ils se serviront pour la perdre, en réveillant les haines contre les Autrichiens et montrant la reine comme étrangère et complice des crimes imputés au roi ? » Fersen préconisait qu'« un autre moyen plus efficace de servir la reine serait, selon moi, des agents intelligents de l'Angleterre qui gagneraient, à force d'argent et de promesses, les meneurs du parti d'Orléans, tels que Laclos, Santerre, Dumouriez ; car il ne faudrait pas s'adresser au duc d'Orléans, il est aussi nul et incapable que scélérat et poltron, et ce n'est que par les autres qu'il faut arriver à lui. Vous êtes plus à portée que moi de savoir jusqu'à quel point ce moyen est possible ».

Ce moyen est possible avec le général Dumouriez qui est indigné de la mort du roi, révolté par la captivité de Marie-Antoinette, dégoûté des atrocités qui se commettent au nom de la liberté. Dumouriez répond favorablement aux avances de l'Autriche :

« Il nous est impossible de rester plus longtemps spectateurs tranquilles de tant d'horreurs. Je veux disperser cette criminelle Convention, rétablir la royauté constitutionnelle, proclamer le Dauphin roi de France, sauver les jours de la reine. »

Autour de cette possibilité de rétablissement, les intrigues renaissent. Qui assurera la Régence ? Marie-Antoinette ou Provence ? La mère ou l'oncle ? Oui, on intrigue autour des prisonniers du Temple, comme s'ils avaient déjà été libérés par Dumouriez ! Mais l'armée refuse de marcher sur Paris et de suivre son général dans sa trahison. Dumouriez s'enfuit et se réfugie à Mons.

Un autre espoir pour Fersen : échanger la reine et ses enfants contre les commissaires de la Convention livrés par Dumouriez aux Autrichiens et détenus à Maëstricht. Des négociations s'établissent puis échouent. Fersen n'en garde pas moins l'espérance que la « malheureuse famille de Bourbon sera délivrée de la captivité où elle languit depuis dix mois ».

En employant ce verbe *languir* dans une lettre datée du 29 avril 1793, Fersen ne croit pas exprimer aussi exactement la réalité. Privés d'air pur et d'exercices, soumis à un régime draconien, Marie-Antoinette et les siens en pâtissent et languissent, surtout le Dauphin dont la santé commence à décliner. Il approche de l'âge où son frère a disparu. Et Marie-Antoinette se meurt d'inquiétude quand, le 9 mai, son fils se plaint d'un point au côté, puis d'un mal à la tête, le tout accompagné d'une violente fièvre. Elle réclame immédiatement le Dr Brunier. On rit de ses alarmes de mère poule, de mère louve. Brunier est suspect : les Tison l'ont dénoncé. La fièvre du Dauphin redouble. Marie-Antoinette est au supplice. A force d'insistance, elle obtient la venue de Thierry, médecin ordinaire des prisons, « attendu que ce serait blesser l'égalité de lui en envoyer un autre », a décrété la Commune. Brave homme, Thierry examine le Dauphin, en confère avec Brunier, et réussit à guérir complètement le mal de tête. La fièvre et le point au côté reparaissent de temps en temps.

De mai à juillet, l'apothicaire Robert fournit de nombreux médicaments pour le Dauphin qui, entretemps, le 11 juin, se blesse en jouant avec un bâton. Il doit s'aliter et Marie-Antoinette lit *Gil Blas* pour le distraire, et se distraire aussi, puisque la trahison de Dumouriez a eu pour effet un redoublement de surveillance, et de vexations. Cela n'empêche pas les amis de la reine — elle en a encore — de rêver à sa délivrance et d'essayer quelques tentatives.

Une fois, une Anglaise, Mrs. Atkyns, offre à Marie-Antoinette de changer de vêtements avec elle et de prendre sa place. Subterfuge qui aurait permis à la reine, de partir, mais seule, ce qu'elle refuse. Une autre fois, le baron Batz et Michonis, un municipal de service au Temple, sont sur le point de réussir leur plan d'évasion quand le cordonnier Simon reçoit ce billet anonyme : « Michonis vous trahira cette nuit, veillez. » Simon bondit et dénonce Michonis qui parvient à échapper à un interrogatoire serré : il est reconnu non coupable. Simon est traité de visionnaire. Simon n'est pas le seul à être accusé d'avoir des visions. Mme Tison donne des marques de dérangement d'esprit. Peu apte à jouer son rôle d'espionne, elle en perd la raison et se précipite, un jour, aux pieds de Marie-Antoinette en criant :

— Madame, je demande pardon à Votre Majesté, je suis une malheureuse, je suis la cause de votre mort et de celle de Madame Élisabeth.

Phrase qu'elle ne cesse plus de répéter. Le 29 juin, Mme Tison, complètement folle, quitte le Temple pour l'Hôtel-Dieu. Marie-Antoinette qui a appris à pratiquer le pardon des injures demande :

— La femme Tison est-elle bien soignée ?

Du coup, l'homme Tison oublie ses préventions contre la reine et arrête ses persécutions.

Le 30 juin, des membres de la section du Pont-Neuf se rendent au Comité de salut public pour dénoncer un complot formé par le général Dillon. Dillon veut renverser la Convention, enlever le Dauphin et proclamer sa mère, régente. Le Comité en frémit et, pour couper court à une telle éventualité, décrète, le lendemain, 1er juillet, que Louis-Charles Capet sera séparé de sa mère, placé dans un appartement à part, le « mieux défendu de tout le local du Temple ». Il sera remis à un instituteur que choisira la Commune. La Convention ratifie le décret du Comité et le 3 juillet, l'arrêt est exécuté.

3 juillet 1793, au Temple. Neuf heures et demie du soir. Louis-Charles dort. Marie-Antoinette et Élisabeth cousent. Mousseline lit à haute voix une *Semaine sainte*. Six municipaux font irruption et, sans ménagement aucun, l'un d'entre eux annonce :

— Nous venons vous notifier l'ordre du Comité portant que le fils de Capet sera séparé de sa mère et de sa famille.

Marie-Antoinette se dresse, et s'écrie :

— M'enlever mon enfant ! cela n'est pas possible ! On ne peut pas songer à me séparer de mon fils. Mes soins lui sont nécessaires.

— Le Comité a pris cet arrêté, la Convention l'a ratifié ; nous devons en assurer l'exécution immédiate, réplique le municipal.

— Non, n'exigez pas de moi cette séparation, supplie Marie-Antoinette qui, pour bien montrer qu'une telle exigence est inacceptable, va se placer comme un rempart devant le lit de son fils.

Le Dauphin se réveille et, voyant ces hommes, se jette dans les bras de sa mère.

— Maman, maman, ne me quittez pas !

Marie-Antoinette serre son fils entre ses bras. Prête à tout pour défendre son dernier bien, elle affirme :

— Vous me tuerez avant de me l'arracher.

Elle est sûre d'avoir trouvé l'argument décisif. Mais le municipal n'est pas impressionné.

— À quoi bon ces criailleries ? On ne le tuera pas ton fils. Livre-le-nous de bonne grâce, ou nous saurons bien nous en rendre maîtres.

Pendant une heure, Marie-Antoinette résiste. Une heure. Ni pendant le retour de Varennes ni en apprenant la mort de son époux, elle n'a souffert ce qu'elle souffre pendant cette heure-là. « Une heure se passa ainsi en résistance de sa part, en injures, en menaces de la part des municipaux, en pleurs et en défenses de nous tous. Enfin, ils la menacèrent si positivement de le tuer, ainsi que moi, qu'il fallut qu'elle cédât encore, par amour pour nous », témoigna la fille de Marie-Antoinette.

Marie-Antoinette s'avoue vaincue. Elle cède au chantage. Elle qui était prête à donner sa vie pour son fils — « Vous me tuerez avant de me l'arracher » — ne peut supporter de voir son fils tué entre ses bras qu'elle ouvre enfin. Eudes, Gagnant, Armand, Véron, Cellier et Devèze — ce sont les noms de ces six municipaux chargés d'exécuter cette ignoble besogne — peuvent saisir leur proie. Il faudra atendre le vingtième siècle, les années quarante et les nazis, pour revoir à Paris de telles scènes, des enfants arrachés de force aux bras de leur mère...

Épuisée, anéantie, brisée, incapable de faire un geste, Marie-Antoinette prie sa fille et sa belle-sœur de bien vouloir habiller le Dauphin, et, « après qu'il fut habillé, elle le prit et le remit entre les mains des municipaux, en le baignant de ses pleurs, prévoyant qu'à l'avenir elle ne le verrait plus. Ce pauvre petit nous embrassa toutes bien tendrement, et sortit en fondant en larmes avec les municipaux[1]. »

Après cette séparation, Marie-Antoinette pense qu'elle ne peut souffrir davantage. Elle va encore souffrir plus, sa « désolation fut au comble quand elle sut que c'était Simon, cordonnier, qu'elle avait vu municipal que l'on avait chargé de la personne de son malheureux enfant[2] ».

Après deux jours passés à écouter les pleurs et les cris de son fils, Marie-Antoinette n'entend plus que le silence, un inexplicable silence. Plus de Cléry, plus personne à interroger. Marie-Antoinette, sa fille et sa belle-sœur ont été privées de leurs domestiques. Elles se servent elles-mêmes, font leurs lits, balaient... Trois fois par jour, des gardes apportent leur repas, s'assurent que les barreaux des fenêtres sont là, solides, empêchant toute évasion, et opposent aux questions de Marie-Antoinette un mutisme absolu.

Le silence du 6 juillet torture Marie-Antoinette. Que fait-on, qu'a-t-on fait à son fils ? Où est-il ? Le 7, comme le bruit s'est répandu dans Paris que le Dauphin n'est plus au Temple, on oblige l'enfant à descendre dans l'enclos afin qu'il soit vu par la garde montante. Présidant à cette exhibition, quatre commissaires parmi lesquels, l'homme de Varennes, Drouet. À peine dehors, Louis-Charles appelle sa mère à grands cris. « On le fit taire », se borne à constater sa sœur qui ne nous indique pas par quel moyen Simon obtint le silence de son élève.

— Silence, Capet, ou je vais montrer aux citoyens comme je te *travaille* quand tu le mérites, dit Simon.

En quittant le fils, Drouet et ses acolytes vont voir la mère. Ils auront un spectacle complet. Marie-Antoinette, surmontant sa répulsion pour l'homme de

1. Marie-Thérèse de France.
2. *Ibid.*

Varennes, se plaint à Drouet « dans les termes les plus touchants, de la cruauté que l'on avait eue de lui ôter son fils ». Drouet qui, lors de sa dernière entrevue avec la prisonnière, n'avait pas entendu le son de sa voix, l'entend cette fois. Celle qui se montrait si fière supplie Drouet d'intervenir, d'obtenir de voir son fils au moins aux heures des repas. Peut-on refuser cela à une mère ? Oui. On le refusera. Marie-Antoinette ne verra plus son fils qu'à travers une petite fente : « Nous montions dans la tour bien souvent, parce que mon frère y allait de son côté et que le seul plaisir de ma mère était de le voir passer par une petite fente. Elle y restait des heures entières pour y guetter l'instant de voir cet enfant ; c'était sa seule attente, sa seule occupation [1]. » Et c'est ainsi que Marie-Antoinette aperçoit un jour son fils « travaillé », c'est-à-dire, battu par Simon. C'en est trop, Marie-Antoinette avoue, en pleurant à sa belle-sœur :

— Mes pressentiments ne me trompaient pas, je savais bien qu'il souffrait ; il serait malheureux à cent lieues de moi que mon cœur me le dirait. Depuis deux jours, je souffrais, je m'agitais, je tremblais ; c'est que les larmes que mon pauvre enfant répand loin de moi, je les sens tomber sur mon cœur. Je n'ai plus de goût à rien ; Dieu s'est retiré de moi ; je n'ose plus prier.

Puis, Marie-Antoinette se repent de sa défaillance — quel mauvais exemple pour sa fille ! — et assure sa belle-sœur qu'elle priera à nouveau :

— Pardon, mon Dieu, et vous, ma sœur, pardon, je crois en vous comme en moi-même ; mais je suis trop tourmentée pour ne pas être menacée par quelque nouveau malheur.

Ce « nouveau malheur » ne tarde pas. Le 1er août 1793, la Convention décide que Marie-Antoinette sera envoyée au Tribunal révolutionnaire et transférée du Temple à la Conciergerie. À l'époque, c'était une banalité de dire que la Conciergerie était l'« antichambre de la mort » : on n'en sortait que pour monter à l'échafaud.

1. Marie-Thérèse de France.

« Le 2 août, à deux heures du matin, on vint nous réveiller pour lire à ma mère le décret de la Convention qui ordonnait que, sur la réquisition du procureur de la Commune, elle serait conduite à la Conciergerie pour qu'on lui fît son procès. Elle entendit la lecture de ce décret sans s'émouvoir et sans leur dire une seule parole ; ma tante et moi nous demandâmes de suite à suivre ma mère ; mais on ne nous accorda pas cette grâce. Pendant qu'elle fit le paquet de ses vêtements, les municipaux ne la quittèrent point ; elle fut même obligée de s'habiller devant eux. Ils lui demandèrent ses poches qu'elle donna ; ils les fouillèrent et prirent tout ce qu'il y avait dedans, quoique ce ne fût pas du tout important. Ils en firent un paquet qu'ils dirent qu'ils enverraient au Tribunal révolutionnaire, où il serait ouvert devant elle. Ils ne lui laissèrent qu'un mouchoir et un flacon, dans la crainte qu'elle ne se trouvât mal. Ma mère, après m'avoir tendrement embrassée, me recommanda de prendre courage, d'avoir bien soin de ma tante et de lui obéir comme à une seconde mère, me renouvela les mêmes instructions que mon père ; puis, se jetant dans les bras de ma tante, elle lui recommanda ses enfants. Je ne lui répondis rien, tant j'étais effrayée de l'idée de la voir pour la dernière fois ; ma tante lui dit quelques mots bien bas. Alors ma mère partit, sans jeter les yeux sur nous, de peur sans doute que sa fermeté ne l'abandonnât. Elle s'arrêta encore au bas de la tour parce que les municipaux y firent un procès-verbal pour décharger le concierge de sa personne. En sortant, elle se frappa la tête à un guichet, ne pensant pas à se baisser ; on lui demanda si elle s'était fait du mal : "Oh non ! dit-elle, rien à présent ne peut me faire du mal"[1]. »

1. Marie-Thérèse de France.

Une autre Marie-Antoinette
(3 août - 12 octobre 1793)

Le 3 août 1793, Marie-Antoinette arrive à la Conciergerie. Elle est transférée directement dans une cellule, sans passer par le greffe. De cette cellule, on trouve une description dans le *Journal* de Fersen qui recueille tous les renseignements qu'il peut sur la captivité de son amie :

« Sa chambre était la troisième porte en entrant à droite, vis-à-vis de celle de Custine ; elle était au rez-de-chaussée, la fenêtre donnait sur la cour, [...]. La chambre était petite, humide et fétide, [...]. Le lit de la reine était, comme celui des autres, de bois ; une paillasse, un matelas et une couverture de laine sale et trouée, qui servait depuis longtemps aux prisonniers ; les draps étaient de toile grosse et grise comme ceux des autres, [...]. »

Les formalités d'écrou accomplies, officiers et administrateurs se retirent. Marie-Antoinette se retrouve avec deux femmes, Mme Richard, femme de Richard, le concierge, autrement dit, le directeur de la prison, et une servante, Rosalie Lamorlière. Native de Breteuil en Picardie, Rosalie est jeune, elle est belle, elle est bonne. Sa jeunesse, sa beauté, sa bonté sont autant de preuves pour Marie-Antoinette que le genre humain existe encore et n'a pas été complètement détruit par la guillotine.

De Rosalie Lamorlière, de cette fille du peuple, la reine recevra les dernières attentions, les dernières consolations. Le témoignage de Rosalie a l'irremplaçable accent des choses vues et entendues. Voici donc l'arrivée de Marie-Antoinette dans sa cellule :

« Il faisait chaud. Je remarquai des gouttes de sueur qui découlaient sur le visage de la princesse. Elle s'essuya deux ou trois fois avec son mouchoir. Ses yeux contemplèrent avec étonnement l'horrible nudité de cette chambre ; ils se portèrent aussi avec un peu d'attention sur la concierge et sur moi. Après quoi, la reine montant sur un tabouret d'étoffe que je lui avais apporté de ma chambre, suspendit sa montre à un clou qu'elle aperçut dans la muraille, et commença à se déshabiller pour se mettre au lit. Je m'approchai respectueusement et j'offris mes soins à la reine. — *Je vous remercie, ma fille,* me répondit-elle sans aucune humeur ni fierté, *depuis que je n'ai plus personne, je me sers moi-même.* »

Le jour se lève. Mme Richard et Rosalie Lamorlière s'en vont, bientôt remplacées par deux gendarmes chargés de garder la prisonnière. Ils jouent aux cartes, ils fument, ils boivent. La promiscuité, la saleté, l'humidité, voilà ce qu'offre cette cellule de la Conciergerie à Marie-Antoinette, voilà sa Cour dérisoire et nauséabonde...

Dès le matin du 3 août, on suffoque dans cette cellule, comme on suffoquait dans la berline de Varennes ou dans la loge du logographe. Marie-Antoinette continue à essuyer son front en sueur. Elle a été si brusquement arrachée du Temple qu'elle n'a pas de quoi se changer. Elle réclame du linge qu'elle va attendre pendant dix jours. On peut imaginer le tourment supplémentaire que représente pour cette femme, tellement soucieuse de propreté, de ne pouvoir se changer, en plein mois d'août, dans la chaleur poisseuse de Paris ! Et sa joie, au bout de ces dix jours, de recevoir un paquet venu du Temple contenant une robe, une jupe, deux paires de bas de filoselle, quelques rubans, des aiguilles à tricoter avec de la laine.

— D'après le soin qui a été pris de tout ceci, je reconnais la main et les attentions de ma pauvre sœur Élisabeth, dit Marie-Antoinette à Mme Richard et à Rosalie.

Les mains de Marie-Antoinette n'ont plus de quoi s'occuper. Les aiguilles à tricoter sont confisquées de peur que la prisonnière ne s'en serve pour attenter à ses jours ! Témoignage de Rosalie Lamorlière :

« La reine éprouvait une grande privation. On lui avait refusé toutes sortes d'aiguilles, et elle aimait beaucoup l'occupation et le travail. Je m'aperçus qu'elle arrachait de temps en temps les gros fils d'une toile de tenture de papier, clouée sur des châssis le long des murailles ; et avec ces fils, que sa main polissait, elle faisait du lacet très uni. »

Marie-Antoinette en est réduite, pour passer le temps, à regarder ses geôliers jouer aux cartes. Se souvient-elle des sommes effarantes qu'elle a perdues au pharaon, des parties qui duraient des nuits entières ? Pour mettre fin au défilé des souvenirs, elle lit, elle qui n'a jamais beaucoup aimé la lecture. Elle lit les voyages de Cook, et quand on lui demande quels autres livres elle souhaiterait avoir, elle répond préférer ceux qui relatent les « aventures les plus épouvantables », ce sont ses propres termes. Mais quelle aventure peut surpasser, en épouvante, la sienne ? Quels cannibales peuvent être comparés à ceux qui ont dépecé le corps de la princesse de Lamballe ? Et cette eau croupie que boivent les égarés dans les jungles n'est-elle pas aussi infecte que cette eau de la Seine que Marie-Antoinette ne peut boire sans être malade ? Cette buveuse d'eau ne supporte que l'eau de Ville-d'Avray. Le 5 août, à force de supplications d'Élisabeth qui, vraiment, pense à tout, on apporte à la reine, chaque jour, deux bouteilles d'eau de Ville-d'Avray.

De leur côté, M. et Mme Richard font ce qu'ils

peuvent pour adoucir le sort de leur prisonnière. Désire-t-elle manger du melon ? Mme Richard court en acheter un.

— Il me faut un excellent melon, dit-elle à une marchande qu'elle connaît.

— Je devine pour qui, c'est pour notre malheureuse reine, prends ce qu'il y a de plus beau.

— Combien ?

— Garde ton argent, et dis à la reine qu'il y en a parmi nous qui gémissent.

Mme Richard, la marchande de melons, Rosalie Lamorlière ne sont pas les seules personnes à manifester leur sympathie à Marie-Antoinette que l'on plaint d'être traitée comme une condamnée de droit commun. Son sort apitoie des révolutionnaires comme un Manuel, ou un Camille Desmoulins, qui rêvent de sauver la reine. Des gendarmes connaissant son goût pour les fleurs lui apportent des œillets et des tubéreuses.

« Beaucoup de monde s'intéressa à ma mère, racontera Marie-Thérèse. J'ai appris, depuis sa mort, qu'on avait voulu la sauver de la Conciergerie et que, par malheur le projet n'avait pas réussi. On m'a assurée que les gendarmes qui la gardaient et la femme du concierge avaient été gagnés par quelqu'un de nos amis, qu'elle avait vu plusieurs personnes bien dévouées dans sa prison, entre autres un prêtre qui lui avait administré les sacrements qu'elle avait reçus avec une grande piété. L'occasion de se sauver manqua une fois parce qu'on lui avait recommandé de parler à la seconde garde et que par erreur elle parla à la première. Une autre fois, elle était hors de sa chambre et avait passé le corridor, quand un gendarme s'opposa à son départ, quoiqu'il fût gagné, et l'obligea de rentrer chez elle, ce qui fit échouer l'entreprise. »

Ce dernier échec semble être celui que l'on connaît sous le nom de l'« affaire de l'œillet ». Y participe, entre autres, Michonis, qui a déjà essayé de faire évader la reine du Temple. Michonis est toujours là, qui veille sur la reine, et qui, nommé administrateur de la police, sert d'intermédiaire entre le Temple et la Conciergerie.

Le 28 août, il se présente devant Marie-Antoinette qui dit :

— Ah ! c'est vous, monsieur Michonis !

Il est suivi de M. de Rougeville, un chevalier de Saint-Louis que connaît, et reconnaît, la reine qui en est « extrêmement saisie, au point de tomber dans son fauteuil ». Rougeville apporte un, ou des œillets — les témoins ne sont pas d'accord sur le nombre de ces fleurs — où est caché un billet. Ce qui est certain, c'est que Rougeville offre à la reine de s'évader dans la nuit du 2 au 3 septembre. Richard et sa femme sont gagnés à ce projet, et deux administrateurs aussi. Le plan semble relativement facile à exécuter : Michonis doit faire sortir la reine de la Conciergerie pour la reconduire au Temple, par ordre de la municipalité. Rougeville emmènera aussitôt l'évadée en lieu sûr. Moyennant cinquante louis, les gendarmes ont promis de ne rien voir et de ne rien dire. Au dernier moment, l'un d'entre eux se ravise et refuse de laisser partir Marie-Antoinette. Le coup est manqué et le gendarme dénonce le complot, le 3 septembre. Michonis est arrêté, Richard et sa femme sont incarcérés, Rougeville réussit à s'échapper. Ce 3 septembre Marie-Antoinette, interrogée par deux fois, s'efforce d'effacer les charges pesant sur ses complices. Les enquêteurs ne découvrent rien d'autre que le souvenir d'un parfum d'œillet fané.

Après l'affaire de l'œillet, ou des œillets, la Convention comprend qu'elle a risqué de perdre sa proie.

Le 10 septembre 1793, des administrateurs de police enlèvent à Marie-Antoinette les trois anneaux qui ornaient ses mains et qu'elle tournait sans arrêt. La reine s'approche peu à peu du dépouillement complet puisque, selon Rosalie Lamorlière, dès le « quatrième ou cinquième jour de son arrivée à la Conciergerie, les administrateurs lui prirent sa montre qu'elle avait apportée d'Allemagne quand elle vint chez nous pour être dauphine. Je n'étais pas auprès d'elle quand on lui fit ce chagrin, mais Mme Richard en parla dans notre chambre et dit qu'elle avait beaucoup pleuré en livrant cette montre d'or ».

Richard est remplacé par Bault, le 11 septembre. Bault qui a été « concierge de la prison de la Force », par crainte de subir le sort de Richard exerce sur Marie-Antoinette une surveillance qui s'attachera aux moindres détails. Le soir de son arrivée, comme Marie-Antoinette demande à Rosalie Lamorlière, « Rosalie, vous allez faire aujourd'hui mon chignon », Bault intervient :

— Laissez, laissez, c'est à moi de le faire.

La reine toise le nouveau concierge avec une telle froideur qu'il n'insiste pas. Dès qu'ils ont quitté la cellule, Bault dit à Rosalie :

— Je suis bien fâché d'avoir contrarié cette pauvre femme, mais ma position est si difficile qu'un rien doit me faire trembler. Je ne saurai oublier que Richard, mon camarade, est, ainsi que sa femme, dans un cachot. Au nom de Dieu, Rosalie, ne commettez aucune imprudence, je serais perdu !

Ce 11 septembre, les administrateurs de police reviennent à la Conciergerie « à l'effet d'y choisir un local pour la détention de la veuve Capet, autre que celui où elle est maintenant détenue ». La cellule — d'où la reine aurait pu s'évader — ne leur paraît plus sûre. La « pauvre femme » sera enfermée dans une pièce qui sert de pharmacie et que l'on transforme en cachot en bouchant les croisées avec des tôles et des planches, en augmentant le nombre de verrous, en supprimant la gargouille qui sert à l'écoulement des eaux. On ne dit pas si l'on a bouché les trous à rats par lesquels l'Autrichienne pourrait s'échapper. Elle s'y étiole. Rosalie Lamorlière en témoigne : « Le chagrin, le mauvais air, le défaut d'exercice altérèrent la santé de la reine. Son sang s'échauffa, elle éprouva de grandes hémorragies. Je m'en étais aperçue ; elle me demanda secrètement des linges, et aussitôt je coupai mes chemises et je mis ces linges sous son traversin. » Mais ce qui affecte le plus Marie-Antoinette, c'est d'être sans nouvelles des siens, et surtout de son fils. Depuis l'arrestation de Michonis, elle ne sait plus rien de ce fils qui est resté au Temple, livré au cordonnier Simon qui le « travaille » à sa façon... Comme toutes les mères, Marie-Antoinette a une préférence pour l'un de ses enfants et cette préférence va à son dernier-né, à ce Chou d'Amour, capable d'élans, de tendresses, de fantaisies que ne manifeste pas Mousseline la trop sérieuse. Que devient Louis-Charles ? Insupportable incertitude.

Un jour, avant son arrestation, Mme Richard « amena dans son cachot son plus jeune enfant qui était blond, qui avait des yeux bleus fort agréables, et dont la figure charmante était bien au-dessus de son état. On le nommait *Fanfan*. La reine, en voyant ce beau petit garçon, tressaillit visiblement ; elle le prit dans ses bras, le couvrit de baisers et de caresses et se mit à pleurer en nous parlant de M. le Dauphin qui était à peu près du même âge, elle y pensait nuit et jour [1] ».

Marie-Antoinette souffre de telles insomnies qu'elle demande une potion calmante « composée avec les eaux de tilleul, de fleur d'oranger, de sirop de capillaire et de la liqueur d'Hofman ». Elle ne dort plus et mange de moins en moins. Rosalie Lamorlière, qui n'a pas été compromise dans l'affaire de l'œillet, continue à apporter ses repas à la reine, et à s'occuper de ses vêtements.

Marie-Antoinette, l'arbitre des élégances, la muse de Rose Bertin, ne possède plus que deux robes : une blanche et une noire. Elle qui commandait ses meubles à l'ébéniste Riesener ne dispose que d'un carton, offert par Rosalie Lamorlière, pour y ranger ses hardes. Elle qui, glorieuse, se contemplait dans l'infini des glaces de la Galerie, n'a plus qu'un petit miroir, également offert par Rosalie ; « ce miroir, acheté sur les quais, ne m'avait coûté que vingt-cinq sous d'assignats. Je crois le voir encore : sa bordure était rouge et des manières de Chinois étaient peints sur les deux

1. Rosalie Lamorlière.

côtés. La reine agréa ce petit miroir comme une chose d'importance, et Sa Majesté s'en servit jusqu'à son dernier jour ».

Aux canicules d'août et de septembre, succèdent les pluies d'octobre et un froid précoce. Marie-Antoinette ne suffoque plus de chaleur, elle grelotte. Elle n'a qu'une couverture, elle en réclame une seconde à Bault qui, pour avoir osé transmettre sa demande, s'attire cette réponse de Fouquier-Tinville :

— Tu mériterais d'être envoyé à la guillotine.

Moins dure que Fouquier-Tinville, plus habile que Bault, Rosalie Lamorlière essaie, de son mieux, d'adoucir les rigueurs du temps et des hommes :

« Le soir, je ne manquais pas de prendre sa camisole de nuit sous son traversin. Je montais vite chez nous pour bien la réchauffer, et puis, toute brûlante, je la replaçais sous le traversin de la reine, ainsi que son grand fichu de nuit. Elle remarquait ces petites attentions de ma fidélité respectueuse, et son regard plein d'affabilité me remerciait comme si j'avais fait autre chose que mon devoir. On ne lui avait jamais accordé ni lampe ni flambeau, et je prolongeais autant que possible le petit ménage du soir, afin que ma respectable maîtresse fût un peu plus tard dans la solitude et l'obscurité. »

Ultime consolation : un prêtre, l'abbé Charles Magnin qui deviendra à la Restauration curé de Saint-Germain-l'Auxerrois, peut pénétrer dans le cachot de la reine, y dire la messe et donner la communion à celle qui n'a plus d'espoir qu'en Dieu. Les hommes pourtant n'abandonnent pas complètement Marie-Antoinette. Fin septembre, une nouvelle tentative d'évasion est organisée, sans que la reine en soit informée, et échoue, comme les autres.

Le 14 septembre 1793, La Marck écrivait à Mercy :

« Il faut qu'on comprenne à Vienne ce qu'il y aurait de pénible, j'oserai dire de fâcheux pour le gouvernement impérial, si l'histoire pouvait dire un jour qu'à quarante lieues d'armées autrichiennes formidables et victorieuses, l'auguste fille de Marie-Thérèse a péri sur l'échafaud, sans qu'on ait fait aucune tentative pour la sauver. Ce serait une tâche ineffaçable pour notre empereur. »

Ce *sera* une tâche ineffaçable pour l'empereur d'Autriche. Son armée prendra ses quartiers d'hiver et n'interviendra pas pour sauver Marie-Antoinette. Les puissants de ce monde n'aiment pas les causes perdues d'avance. Celle de Marie-Antoinette ne l'était que depuis trop longtemps. Et sa mort ne servait que trop d'intérêts... Mercy estime aussi que son ancienne protégée est perdue « sans qu'on puisse rien faire pour elle ». Seul, Fersen luttera jusqu'à la fin comme le rapporte Gérard Walter :

« Le 14 octobre, Fersen a une conversation avec un certain Aubré, avocat à Bruxelles, qui fait le trafic des devises entre la Belgique et la France. Il arrive de Paris, donne des détails sur l'état de la reine à la Conciergerie et affirme qu'il aurait pu sauver Marie-Antoinette moyennant 200 000 livres. Le baron de Breteuil, chez qui Fersen amène Aubré, lui propose aussitôt deux millions. Qu'il se mette en route sans perdre un instant ! Trop tard. Ce même jour, à huit heures du matin, la reine paraissait devant le Tribunal révolutionnaire[1]. »

On retrouve une fois de plus ce « trop tard » qui a scandé le destin de Marie-Antoinette. Du 3 août au 12 octobre 1792, pendant 41 jours, Marie-Antoinette a été ensevelie à la Conciergerie. On considère la reine comme déjà morte. On se trompe. Elle va émer-

---

1. *Actes du tribunal révolutionnaire*, recueillis et commentés par Gérard Walter, Mercure de France, p. 60.

ger de sa prison comme Lazare de son tombeau. Elle
ressuscite. Ses réponses, pendant son procès, prouvent
qu'elle est bien vivante, et plus que vivante, immortelle. Contre cela, ses juges, les enragés, ne peuvent
rien, et cela les enrage davantage. On ne peut rien
contre une immortelle. On ne peut qu'abolir son
apparence. Brisé le miroir, l'image n'en demeure pas
moins dans le cœur des humains, et au cœur du
temps.

En 41 jours, une autre Marie-Antoinette est née. Ce
n'est plus l'archiduchesse de Schönbrunn, la Dauphine de Versailles, la reine de Trianon, la prisonnière
du Temple, c'est quelqu'un d'autre qui, dans les ténèbres de la Conciergerie, a trouvé sa lumière. Maintenant, sans risque de se tromper, ou d'être démentie,
elle peut répéter : « Rien à présent ne peut me faire
du mal. »

La fête de Sainte-Thérèse
(15 octobre 1793)

> *Ô vous, femmes de tous les pays, de toutes les classes de la société, écoutez-moi avec l'émotion que j'éprouve. La destinée de Marie-Antoinette renferme tout ce qui peut toucher votre cœur. Si vous êtes heureuse, elle l'a été ; si vous souffrez depuis un an, depuis plus long-temps encore, toutes les peines de la vie ont déchiré son cœur, [...]. Regardez-la, cruels, [...], regardez-la pour contempler les traces d'une année de désespoir. Que vous faudrait-il de plus si elle était coupable et que doivent donc éprouver les cœurs certains de son innocence ?*

Mme de STAËL.
(Réflexions sur le procès de la reine.)

En cet automne 1793, la Terreur bat son plein. Chaque jour, ou chaque nuit, des hommes, des femmes arrivent à la Conciergerie et ne tardent pas à repartir pour l'échafaud. Dans ce va-et-vient, Marie-Antoinette se sent comme épargnée, préservée. Après ses deux interrogatoires du 3 septembre et son ensevelissement le 11 dans le cachot-pharmacie, elle est tenue dans une totale ignorance de ce qui se passe à l'extérieur et elle peut espérer, en effet, que ses ennemis l'ont oubliée. Ils ne l'oublient pas. Au contraire. Un paroxysme d'invectives escorte l'obsession de « raccourcir la louve autrichienne ».

Hébert, dans *le Père Duchesne,* écrit :

« On cherche midi à quatorze heures pour juger la tigresse d'Autriche, et l'on demande des preuves pour la condamner, tandis que si on lui rendait justice elle devrait être hachée comme chair à pâté. [...] Depuis qu'elle a régné, elle n'a rêvé que meurtre et carnage ; *plus d'un million d'hommes ont été ses victimes.* Les crimes qu'elle a commis ne sont encore que de l'eau de rose en comparaison de ceux qu'elle méditait. »

Dans un autre journal, le *Rougyff* :

« Je sonne mon tocsin à toutes les oreilles françaises sur l'infâme Antoinette. Gardez Marie-Antoinette pour faire la paix, vous dit-on sourdement, et moi je vous dis : faites-lui faire le saut de carpe les mains derrière le dos. »

Dans ce concert d'imprécations, la Convention n'est pas en reste et donne le ton de l'hystérie collective. L'un de ses représentants, Billaud-Varennes, déclare qu'il est inconcevable de laisser sans jugement une femme qui est la honte de son siècle et de l'humanité.

« La femme Capet n'est pas punie ; il est temps enfin que la Convention fasse appesantir le glaive de la loi sur cette tête coupable. Déjà la malveillance, abusant de votre silence, fait courir le bruit que Marie-Antoinette, jugée secrètement par le Tribunal révolutionnaire et innocentée, a été reconduite au Temple ; comme s'il était possible qu'une femme couverte du sang du peuple français pût être blanchie par un tribunal populaire. Je demande que la Convention décrète expressément que le Tribunal révolutionnaire s'occupe immédiatement du procès et du jugement de la veuve Capet »,

s'écrie Billaud-Varennes, le 3 octobre. Son appel est entendu. Le procès et le jugement de la veuve Capet sont immédiatement votés. Le 5 octobre, l'accusateur public, Fouquier-Tinville s'impatiente, et se plaint du manque de preuves nécessaires pour condamner Marie-Antoinette. Il se fait communiquer le dossier du procès du roi : il n'y trouve rien contre la reine.

Le 7 octobre, le maire et le procureur de la Commune, assistés de trois officiers municipaux, accompagnés d'un membre du Comité de sûreté générale, le peintre David, vont au Temple interroger longuement la fille et la belle-sœur de Marie-Antoinette. Ils n'en obtiendront rien. Ils auront plus de chance avec son fils qui, dûment « travaillé » par Simon, accuse sa mère et sa tante d'attouchements indécents. Confrontée avec son neveu, Élisabeth déclare qu'« une pareille infamie est trop au-dessus et trop loin d'elle pour pouvoir y répondre ; que d'ailleurs l'enfant avait cette habitude depuis longtemps ; et qu'il doit se rappeler qu'elle et sa mère l'en ont grondé plusieurs fois ». Louis-Charles précise que « cela » se passait le matin.

— Oh ! le monstre ! ne peut s'empêcher de s'exclamer Élisabeth.

Cette calomnie dépasse toutes celles dont on a accablé la reine depuis le fameux « lever de l'aurore » de l'été 1774... Mais Marie-Antoinette a pour son fils l'amour fou que Louis-Auguste avait pour elle. Quand elle apprendra l'accusation de Louis-Charles, elle ne croira pas un seul instant qu'il en est l'auteur. Seul, Simon est capable d'inventer une « pareille infamie ».

La machine infernale destinée à abattre la veuve Capet est prête. Il n'y a plus qu'à la mettre en marche. Le 12 octobre, à six heures du soir, Marie-Antoinette est convoquée au Palais de Justice, dans la grande salle d'audience. Elle y paraît, vêtue de sa robe noire et coiffée d'un bonnet de linon blanc auquel elle a ajouté deux bandes de crêpe noir. Sur une estrade un fauteuil l'attend où elle s'installe. C'est, une fois de plus, la mise au pilori, avant la mise à mort.

Le président du Tribunal révolutionnaire, Armand-Martial-Joseph Hermann, commence l'interrogatoire selon les règles : « Avons fait amener de la maison de la Conciergerie Marie-Antoinette, veuve Capet, à laquelle avons demandé ses noms, âge, profession, pays et demeure. A répondu se nommer Marie-Antoinette Lorraine d'Autriche, âgée de trente-huit[1] ans, veuve du roi de France. »

L'interrogatoire se poursuit et porte sur les relations de l'accusée avec les rois étrangers, les millions donnés à son frère, l'empereur d'Autriche, ses interventions pour pousser son mari à exercer son droit de veto, et à protéger les ennemis de la République.

— C'est vous qui avez appris à Louis Capet cet art d'une profonde dissimulation avec laquelle il a trompé trop longtemps le peuple français, qui ne se doutait pas qu'on pût porter à un tel point la scélératesse et la perfidie ?

— Oui, le peuple a été trompé ; il l'a été cruellement ; mais ce n'est ni par mon mari ni par moi.

[...]

— Vous avez été l'instigatrice principale de la trahison de Louis Capet ; c'est par vos conseils, et peut-être par vos persécutions, qu'il a voulu fuir la France, pour se mettre à la tête des furieux qui voulaient déchirer leur patrie ?

— Mon époux n'a jamais voulu fuir la France ; je l'ai suivi partout ; mais, s'il avait voulu sortir de son pays, j'aurais employé tous les moyens pour l'en dissuader ; mais ce n'était pas son intention.

— Quel était donc le but du voyage connu sous le nom de Varennes ?

— De se donner la liberté qu'il ne pouvait avoir ici aux yeux de personne, et de se concilier de là tous les partis pour le bonheur et la tranquillité de la France.

[...]

— Vous n'avez jamais cessé un moment de vouloir détruire la liberté ; vous vouliez régner à quelque prix que ce fût et remonter au trône sur les cadavres des patriotes ?

---

1. Elle aurait eu trente-huit ans le 2 novembre 1793.

476

— Nous n'avions pas besoin de remonter sur le trône, puisque nous y étions ; nous n'avons jamais désiré que le bonheur de la France, qu'elle fût heureuse ; mais qu'elle le soit, nous serons toujours contents.

[...]

— Quel intérêt mettez-vous aux armes de la République ?

— Le bonheur de la France est celui que je désire par-dessus tout.

— Pensez-vous que les rois soient nécessaires au bonheur du peuple ?

— Un individu ne peut pas décider de cette chose.

— Vous regrettez sans doute que votre fils ait perdu un trône sur lequel il eût pu monter, si le peuple, enfin éclairé sur ses droits, n'eût pas brisé le trône ?

— Je ne regretterai rien pour mon fils, quand mon pays sera heureux.

Ceux qui ont plongé la France dans la Terreur n'ont que le mot « bonheur » à la bouche ! Ce mot, dans la bouche de Marie-Antoinette, doit avoir une amère saveur...

— Quelle est votre opinion sur la journée du 10 août, où les Suisses, par l'ordre du maître du château, ont tiré sur le peuple ?

— J'étais hors du château quand on a commencé à tirer ; je ne sais pas comment cela s'est passé ; je sais seulement que jamais l'ordre n'a été donné de tirer.

Jamais non plus, le président du Tribunal révolutionnaire ne parviendra à prendre la reine en défaut. Le procès-verbal de la séance est là qui en témoigne. Face à ces fous furieux qui veulent faire tomber sa tête pour le bonheur des peuples, Marie-Antoinette oppose sa raison, son bon sens, sa dignité. Le rapport officiel précise que « pendant son interrogatoire, Marie-Antoinette conserva presque toujours une contenance calme et assurée, remuant ses doigts sur les accoudoirs de son fauteuil d'un air absent, comme si elle jouait du clavecin ».

Exaspéré par tant de hauteur qu'il est incapable de comprendre, renonçant à obtenir l'aveu accablant, Hermann met fin à l'interrogatoire et commet d'office à cette accusée, qui se défend si bien toute seule, deux avocats, Chauveau-Lagarde et Tronçon-Ducoudray.

Marie-Antoinette retourne dans son cachot. Elle y sera gardée à vue par un gendarme, jusqu'au 16 octobre au matin.

Le 13 au soir, Chauveau-Lagarde et Tronçon-Ducoudray se rendent à la Conciergerie. Ils prient la reine de solliciter un délai afin qu'ils puissent examiner les innombrables pièces du procès.

— À qui faut-il s'adresser ? demande la reine.
— À la Convention nationale.
— Non, non, jamais.

La reine refuse de solliciter ceux qu'elle considère comme les assassins de son mari. Les avocats insistent, arguant que *pour ses enfants,* Marie-Antoinette ne peut perdre l'occasion de se justifier pleinement. La mère l'emporte sur l'épouse. Marie-Antoinette écrit à Hermann le billet suivant :

« Citoyen président, les citoyens Tronçon et Chauveau, que le tribunal m'a donnés pour défenseurs, m'observent qu'ils n'ont été instruits qu'aujourd'hui de leur mission ; je dois être jugée demain et il leur est impossible de s'instruire, dans un si court délai, des pièces du procès et même d'en prendre lecture. Je dois à mes enfants de n'omettre aucun moyen nécessaire pour l'entière justification de leur mère. Mes défenseurs demandent trois jours de délai ; j'espère que la Convention leur accordera. »

Billet qui reste sans réponse. Le procès doit commencer le lendemain, lundi 14 octobre, aucun délai ne sera admis, et il commence devant une salle comble. Ce n'est pas tous les jours que l'on peut voir une reine de France accusée de crimes « inconnus aux enfers ».

Comme toutes les personnes d'exception, Marie-Antoinette est partout à son aise, que ce soit dans un palais ou dans un tribunal, puisqu'elle est partout elle-même. Elle écoute l'accusateur public, Fouquier-Tinville, comme on écoute tomber la pluie, une pluie d'insanités pompeuses :

« Il en résulte qu'à l'instar des Messaline, Brunehaut, Frédégonde et Médicis, que l'on qualifiait autrefois de reines de France, et dont les noms, à jamais odieux, ne s'effaceront pas des fastes de l'histoire, Marie-Antoinette, veuve de Louis Capet, a été, depuis son séjour en France, le fléau et la sangsue des Français. »

Fouquier-Tinville reprend les griefs énumérés par Hermann pendant l'interrogatoire, rend Marie-Antoinette responsable de l'« orgie » du 1er octobre 1789, de l'« horrible massacre » du 17 juillet 1791, et de l'« horrible conspiration » du 10 août. Marie-Antoinette est accusée, en outre, d'avoir dilapidé le trésor national, d'avoir donné des sommes « incalculables » à son frère l'empereur d'Autriche, d'avoir entretenu des intelligences et des correspondances avec les ennemis de la République, d'avoir attenté à la sûreté intérieure et extérieure de la France, et d'y avoir allumé la guerre civile. Où sont les preuves de tout cela ? Il n'y en a aucune. Marie-Antoinette le sait bien. Elle peut donc écouter le réquisitoire de Fouquier-Tinville, en continuant à jouer d'un clavecin imaginaire sur les accoudoirs du fauteuil où elle est assise et dont les « furies de la guillotine », les tricoteuses, les poissardes, exigent parfois qu'elle se lève pour répondre, debout, aux questions.

— Le peuple sera-t-il bientôt las de mes fatigues ? murmure la reine que lassent aussi d'incessantes hémorragies.

Le réquisitoire de Fouquier-Tinville terminé, le défilé des témoins commence. Car s'il n'y a pas de preuves, il y a des témoins. Et quels témoins ! Un Lecointre qui donne des détails grotesques sur les journées d'octobre 1789. Un Lapierre qui a remarqué, dans la nuit du 20 au 21 juin 1791, de nombreux inconnus allant et venant aux Tuileries. Un Roussillon qui, lui, a trouvé, toujours aux Tuileries, sous le lit de la reine des bouteilles de vin pour griser les Suisses. Avec le quatrième témoin, Jacques-René Hébert, cela devient plus sérieux. Il rapporte que le « jeune Capet, dont la constitution physique dépérissait chaque jour, fut surpris par Simon dans des pollutions indécentes et funestes pour son tempérament ; que celui-ci lui ayant demandé qui lui avait appris ce manège criminel, il répondit que c'était à sa mère et à sa tante qu'il était redevable de la connaissance de cette habitude funeste. [...] il résulte que ces deux femmes le faisaient souvent coucher entre elles deux ; que là, il se commettait des traits de la débauche la plus effrénée : qu'il n'y avait même pas à douter, par ce qu'a dit le fils de Capet, qu'il n'y ait eu un acte incestueux entre la mère et le fils ».

Hébert lance cette accusation sans que personne ne réagisse. Le président interroge alors la reine sur Michonis et le « particulier porteur d'œillet ». Un juré interrompt cet interrogatoire :

— Citoyen président, je vous invite à vouloir bien faire observer à l'accusée qu'elle n'a pas répondu sur le fait dont a parlé le citoyen Hébert, à l'égard de ce qui s'est passé entre elle et son fils.

Le président s'exécute et Marie-Antoinette prononce ces mots que l'on croit encore entendre aujourd'hui :

— Si je n'ai pas répondu, c'est que la nature se refuse à répondre à une pareille inculpation faite à une mère. J'en appelle à toutes celles qui peuvent se trouver ici.

Le greffier note que « ici l'accusée paraît vivement émue ». Le public l'est aussi. Il manifeste un tumulte d'approbation qui condamne Hébert et innocente Marie-Antoinette. Quand il apprendra « ce triomphe d'intérêt public », Robespierre ne cachera pas son mécontentement contre cet « imbécile d'Hébert ».

Le cinquième témoin, Silly, qui était de service aux Tuileries dans la nuit du 20 au 21 juin 1791, provoque de nouvelles demandes d'éclaircissements sur la fuite à Varennes. Le président demande à l'accusée :

— Qui vous a fourni ou fait fournir la fameuse voiture dans laquelle vous êtes partie avec votre famille ?

— C'est un étranger.

— De quelle nation ?

— Suédoise.

— N'est-ce point Fersen, qui demeurait à Paris, rue du Bac ?

— Oui.

Après avoir accusé d'inceste Marie-Antoinette, c'était le moment, ou jamais, de l'accuser d'adultère et de demander si Fersen était son amant. Cela aurait suffi à déchaîner l'indignation des mères vertueuses qui se trouvaient là et qui avaient répondu, avec tant d'enthousiasme, à l'appel de la reine. Mais non, le nom de Fersen tombe dans l'indifférence générale, et le greffier ne note pas que, à l'audition de ce nom, l'accusée « paraisse ici vivement émue ». Le président enchaîne avec une autre question :

— Pourquoi avez-vous voyagé sous le nom d'une baronne russe ?

— Parce que ce n'était pas possible de sortir de Paris autrement.

— Qui vous a procuré le passeport ?

— C'est un ministre étranger qui l'avait demandé.

— Pourquoi avez-vous quitté Paris ?

— Parce que le roi voulait s'en aller.

Le nom de Fersen ne sera plus prononcé. A trois heures, l'audience est suspendue. En quittant la salle, Marie-Antoinette entend une femme dire à une autre : « Vois-tu comme elle est fière ? » et s'en inquiète. Ses avocats la rassurent. Elle a été parfaite, elle n'a qu'à continuer ainsi.

À cinq heures, l'audience reprend. Les témoins — il y en a une quarantaine — poursuivent leur défilé. Marie-Antoinette n'en craint plus qu'un, Manuel, député à la Convention. Septième témoin, Manuel se contente d'affirmer qu'il « n'a jamais eu d'entretien particulier avec la femme du ci-devant roi ».

À onze heures du soir, la séance est levée. Voilà quinze heures que la reine est sur la sellette. Elle est épuisée. Elle a soif. L'officier de gendarmerie qui est à ses côtés, M. de Busne, lui donne à boire.

— Je n'y vois plus, je n'en peux plus, je ne saurais marcher, dit la reine en retournant à son cachot.

M. de Busne offre son bras à la reine qui l'accepte. Pour ces deux gestes de simple humanité, M. de Busne est accusé de pitié contre-révolutionnaire et jeté en prison.

Le 15, à neuf heures du matin, l'audience reprend avec, pour premiers témoins, M. d'Estaing, qui se présente comme « matelot et soldat »[1], et deux de ses anciens compagnons d'armes, les La Tour du Pin. Ils n'apportent aucune charge contre la reine. Hermann en est réduit à exhumer de vieux comptes, comme ceux de Trianon, ou de vieilles affaires, comme celle du Collier :

— Où avez-vous pris l'argent avec lequel vous avez fait construire et meubler le petit Trianon, dans lequel vous donniez des fêtes dont vous étiez toujours la déesse ?

— C'était un fonds que l'on avait destiné à cet effet.

— Il fallait que ce fonds fût conséquent ; car le petit Trianon a coûté des sommes énormes.

— Il est possible que le petit Trianon ait coûté des sommes immenses, peut-être plus que je ne l'aurais désiré ; on a été entraîné dans les dépenses peu à peu.

1. Le comte Jean-Baptiste d'Estaing, amiral de France, commanda la flotte française qui prit part à la guerre d'Indépendance américaine ; il fut gouverneur de Saint-Domingue. Il ne fut pas hostile à la Révolution, ce qui ne l'empêcha pas d'être guillotiné en avril 1794. (N.D.E.)

Du reste, je désire plus que personne que l'on soit instruit de ce qui s'y est passé.

— N'est-ce pas au petit Trianon que vous avez connu pour la première fois la femme La Motte ?

— Je ne l'ai jamais vue.

— N'a-t-elle pas été votre victime, dans l'affaire du fameux Collier ?

— Elle n'a pu l'être, puisque je ne la connaissais pas.

— Vous persistez donc à nier que vous l'avez connue ?

— Mon plan n'est pas la dénégation ; c'est la vérité que j'ai dite et que je continuerai à dire.

Elle continue et dans ce qu'elle dit, impossible de trouver le moindre indice de culpabilité. On va jusqu'à en chercher dans le paquet composé des objets que l'on a pris à Marie-Antoinette quand elle est arrivée, le 2 août, à la Conciergerie. Il y a un carnet de moire verte contenant quelques adresses, un portefeuille de maroquin rouge, trois portraits, celui de la princesse de Lamballe et ceux de deux amies d'enfance de la reine, les « dames de Mecklembourg et de Hesse », et des cheveux, ceux de l'époux et des enfants de l'accusée. Des adresses de médecin et de lingères, des portraits, des cheveux, rien qui constitue la moindre preuve d'une quelconque culpabilité de Marie-Antoinette. Il faut chercher ailleurs. Le défilé des témoins continue, et se termine enfin, le 15 à minuit, sans fournir aucune charge que l'on puisse retenir. Hermann demande à Marie-Antoinette :

— Ne vous reste-t-il plus rien à ajouter pour votre défense ?

— Hier, je ne connaissais pas les témoins. J'ignorais ce qu'ils allaient déposer. Eh bien, personne n'a articulé contre moi aucun fait positif ! Je finis en observant que je n'étais que la femme de Louis XVI, et qu'il fallait bien que je me conformasse à ses volontés, répond tranquillement Mme Capet.

Après quoi, Hermann annonce que les débats sont terminés et donne la parole à l'accusateur public,

Fouquier-Tinville, qui se lance dans un interminable réquisitoire contre celle qu'il présente comme l'« ennemie déclarée de la Nation française, comme une des principales instigatrices des troubles qui ont eu lieu en France depuis quatre ans et dont des milliers de Français ont été les victimes ». Ce réquisitoire est réduit à néant par Chauveau-Lagarde et Tronçon-Ducoudray qui défendent Marie-Antoinette, « avec autant de zèle que d'éloquence », reconnaîtra le *Bulletin du Tribunal révolutionnaire*.

— Comme vous devez être fatigué, monsieur Chauveau-Lagarde, je suis bien sensible à toutes vos peines ! murmure la reine à l'oreille de son avocat.

Entendus, ces mots valent à Chauveau-Lagarde, puis à Tronçon-Ducoudray, d'être mis en état d'arrestation. On fait sortir l'accusée. Le président du tribunal s'adresse ensuite aux citoyens jurés, énumérant les « machinations infernales de cette moderne Médicis » et terminant par :

« C'est le peuple français qui accuse Antoinette, tous les événements politiques qui ont eu lieu depuis quatre ans plaident contre elle.

« Voici les questions que le tribunal a arrêté de vous soumettre :

« 1° Est-il constant qu'il ait existé des manœuvres et intelligences avec les puissances étrangères et autres ennemis extérieurs de la République, lesdites manœuvres et intelligences tendant à leur fournir des secours en argent, à leur donner l'entrée du territoire français et à y faciliter les progrès de leurs armes ?

« 2° Marie-Antoinette d'Autriche, veuve de Louis Capet, est-elle convaincue d'avoir coopéré à ces manœuvres et d'avoir entretenu ces intelligences ?

« 3° Est-il constant qu'il a existé un complot et conspiration tendant à allumer la guerre civile dans l'intérieur de la République ?

« 4° Marie-Antoinette d'Autriche, veuve de Louis Capet, est-elle convaincue d'avoir participé à ce complot et conspiration ? »

Pendant une heure, les jurés débattent de ces quatre questions.

Pendant une heure, dans une pièce voisine de la salle d'audience, Marie-Antoinette attend. N'est-elle pas en droit d'espérer un miracle puisque le 15 octobre, qui vient de se terminer, est le jour de Sainte-Thérèse, fête de sa mère ? Pareille coïncidence ne peut être qu'heureuse. Dans cette nuit du 15 au 16 octobre, la reine attend, et, certainement, prie puisque, selon sa fille, « sa prison lui avait donné beaucoup de religion ».

Un huissier ramène Marie-Antoinette à la salle d'audience où elle apprend que les jurés ont répondu par l'affirmative aux quatre questions. Sans aucune preuve, évidemment. Fouquier-Tinville requiert que l'accusée soit condamnée à la peine de mort, « conformément à l'article premier de la première section du titre premier de la deuxième partie du Code pénal ». Hermann demande à l'accusée si elle a « quelques réclamations à faire sur l'application des lois invoquées par l'accusateur public ». Marie-Antoinette « secoue la tête en signe de négative ». Ni le président, ni l'accusateur public, ni le juré, ni le public n'entendront plus le son de sa voix.

Le président prononce le jugement :

« Le tribunal, d'après la déclaration unanime du jury, faisant droit sur le réquisitoire de l'accusateur public, d'après les lois par lui citées, condamne ladite Marie-Antoinette, dite Lorraine d'Autriche, veuve de Louis Capet, à la peine de mort. »

Le Moniteur universel et le *Bulletin du Tribunal révolutionnaire* s'accordent à dire que, en entendant sa condamnation à mort, le visage de Marie-Antoinette ne montra aucune altération. Ce que confirme Chauveau-Lagarde :

« Elle ne donna pas le moindre signe de crainte, ni d'indignation ni de faiblesse. [...] Elle descendit les gradins sans proférer une parole, ni faire aucun geste, traversa la salle comme sans rien voir ni rien entendre ; et lorsqu'elle fut arrivée devant la barrière où était le peuple, elle releva la tête, avec majesté. »

Il est quatre heures du matin et Marie-Antoinette est reconduite à la Conciergerie.

La dernière promenade
(16 octobre 1793)

En arrivant à la Conciergerie, dans son cachot, Marie-Antoinette demande un peu de lumière, du papier, de l'encre, une plume. On lui apporte deux bougies, des feuilles, un encrier et une plume. Elle se met à écrire à sa belle-sœur. Elle laisse parler son cœur qui va cesser de battre dans quelques heures et qui bat encore, puissamment, dans ces lignes qu'il est impossible de lire sans émotion :

« Ce 16 octobre 1793, à 4 heures et demie du matin.

« C'est à vous, ma sœur, que j'écris pour la dernière fois ; je viens d'être condamnée, non pas à une mort honteuse, elle ne l'est que pour les criminels, mais à aller rejoindre votre frère. Comme lui innocente, j'espère montrer la même fermeté que lui dans ses derniers moments ; je suis calme comme on l'est quand la conscience ne reproche rien[1].

« J'ai un profond regret d'abandonner mes pauvres enfants ; vous savez que je n'existais que pour eux ; et vous, ma bonne et tendre sœur, vous qui avez, par votre amitié, tout sacrifié pour être avec nous, dans quelle position je vous laisse !

1. L'ultime preuve de l'innocence de Marie-Antoinette, la voilà contenue dans ce « je suis calme comme on l'est quand la conscience ne reproche rien ». Celle à qui l'on prêtait le goût des hommes et des femmes, si elle avait été la maîtresse des Lamballe et des Coigny, des Polignac et des Fersen, ne montrerait pas une telle sérénité !

« J'ai appris par le plaidoyer même du procès, que ma fille était séparée de vous. Hélas ! la pauvre enfant, je n'ose pas lui écrire, elle ne recevrait pas ma lettre ; je ne sais même pas si celle-ci vous parviendra : recevez pour vous deux ici ma bénédiction. J'espère qu'un jour, lorsqu'ils seront plus grands, ils pourront se réunir avec vous, et jouir en entier de vos tendres soins ; qu'ils pensent tous deux à ce que je n'ai cessé de leur inspirer, que les principes et l'exécution exacte de ses devoirs sont la première base de la vie ; que leur amitié et leur confiance mutuelle en feront le bonheur ; que ma fille sente à l'âge qu'elle a, elle doit toujours aider son frère par les conseils que l'expérience qu'elle aura de plus que lui et son amitié pourront lui inspirer ; que mon fils, à son tour, rende à sa sœur tous les soins, les services que l'amitié peut inspirer ; qu'ils sentent enfin tous deux que, dans quelque position qu'ils puissent se trouver, ils ne seront vraiment heureux que dans leur union ; qu'ils prennent exemple de nous ! Combien, dans nos malheurs, notre amitié nous a donné de consolations ; et dans le bonheur, on jouit doublement quand on peut le partager avec un ami ; et où en trouver de plus tendre que dans sa propre famille ?

« Que mon fils n'oublie jamais les derniers mots de son père, que je lui répète expressément : "Qu'il ne cherche jamais à venger notre mort."

« J'ai à vous parler d'une chose bien pénible à mon cœur. Je sais combien cet enfant doit vous avoir fait de la peine ; pardonnez-lui, ma chère sœur ; pensez à l'âge qu'il a, et combien il est facile de faire dire à un enfant ce qu'on veut et même ce qu'il ne comprend pas ; un jour viendra, j'espère, où il n'en connaîtra que mieux tout le prix de votre bonté et de votre tendresse pour tous deux. Il me reste à vous confier mes dernières pensées : j'aurais voulu les écrire dès le commencement du procès ; mais, outre qu'on ne me laissait pas écrire, la marche en a été si rapide, que je n'en aurais réellement pas eu le temps.

« Je meurs dans la religion catholique, apostolique et romaine, dans celle de mes pères, dans celle où j'ai

488

été élevée et que j'ai toujours professée. N'ayant aucune consolation spirituelle à attendre ; ne sachant pas s'il existe encore ici des prêtres de cette religion, et même le lieu où je suis les exposerait trop s'ils y entraient une fois ; je demande sincèrement pardon à Dieu de toutes les fautes que j'ai pu commettre depuis que j'existe ; j'espère que, dans sa bonté, il voudra bien recevoir mes derniers vœux, ainsi que ceux que je fais depuis longtemps, pour qu'il veuille bien recevoir mon âme dans sa miséricorde et sa bonté.

« Je demande pardon à tous ceux que je connais, et à vous, ma sœur, en particulier, de toutes les peines que, sans le vouloir, j'aurais pu vous causer ; je pardonne à tous mes ennemis le mal qu'ils m'ont fait.

« Je dis adieu à mes tantes et à tous mes frères et sœurs. J'avais des amis ; l'idée d'en être séparée pour jamais et leurs peines sont un des plus grands regrets que j'emporte en mourant ; qu'ils sachent du moins que, jusqu'à mon dernier moment, j'ai toujours pensé à eux.

« Adieu ma bonne et tendre sœur ! puisse cette lettre vous arriver ! pensez toujours à moi ; je vous embrasse de tout mon cœur, ainsi que ces bons et chers enfants ; mon Dieu, qu'il est déchirant de les quitter pour toujours ! Adieu ! Adieu ! Je ne vais plus m'occuper que de mes devoirs spirituels. Comme je ne suis pas libre dans mes actions, on m'amènera peut-être un prêtre ; mais je proteste ici que je ne lui dirai pas un mot, et que je le traiterai comme un être absolument étranger. »

Marie-Antoinette donne sa lettre-testament à Bault qui la remettra à Fouquier-Tinville qui la gardera. Élisabeth ne lira pas ces lignes que sa belle-sœur avait tracées à son intention. Prévoyant peut-être que cette lettre ne parviendrait pas à destination, Marie-Antoinette écrit, à l'intention de ses enfants, dans son livre de prières, « 16 octobre à quatre heures et demie du matin. Mon Dieu ayez pitié de moi ! Mes yeux n'ont plus de larmes pour pleurer pour vous, mes pauvres enfants ! Adieu ! Adieu ! »

Ces adieux terminés, Marie-Antoinette s'étend sur

son lit. Dehors, dans Paris, dès cinq heures, le tambour bat le rappel et la foule se répand dans les rues pour ne rien perdre du spectacle qui se prépare. À sept heures, toute la force armée est sur pied, des patrouilles circulent, des canons sont rangés sur les places, les ponts et les carrefours, depuis la Conciergerie jusqu'à la place de la Révolution où la guillotine est dressée. C'est également à sept heures du matin que Rosalie Lamorlière pénètre dans le cachot de la reine et nous rapporte ce qu'elle y a vu et entendu en un témoignage qui se passe de commentaire :

« Vers les sept heures du matin, il (Bault) me commanda de descendre chez la reine et de lui demander si elle avait besoin de quelque aliment. En entrant dans le cachot, où brûlaient deux lumières, j'aperçus un officier de gendarmerie assis dans l'angle de gauche, et, m'étant approchée de Madame, je la vis tout habillée de noir, étendue sur son lit.

« Le visage tourné vers la fenêtre, elle appuyait sa tête sur sa main. ''Madame, lui dis-je en tremblant, vous n'avez rien pris hier au soir, et presque rien dans la journée. Que désirez-vous prendre ce matin ?'' La reine [...] me répondit : ''Ma fille, je n'ai plus besoin de rien, tout est fini pour moi.'' Je pris la liberté d'ajouter : ''Madame, j'ai conservé sur mes fourneaux un bouillon et un vermicelle ; vous avez besoin de vous soutenir, permettez-moi de vous apporter quelque chose.'' [...] Elle me dit : ''Rosalie, apportez-moi un bouillon.'' J'allai le chercher ; elle se mit sur son séant et ne put en avaler que quelques cuillerées ; j'atteste devant Dieu que son corps n'a pas reçu d'autre nourriture, et j'eus lieu de me convaincre qu'elle perdait tout son sang.

« Un peu avant le jour, un ecclésiastique, autorisé par le gouvernement, se présenta chez la reine et lui offrit de l'entendre en confession. Sa Majesté, apprenant de lui-même qu'il était l'un des curés de Paris en exercice, comprit qu'il avait prêté serment, et elle refusa son ministère. On parla de cette circonstance dans la maison.

« Lorsque le jour fut venu, c'est-à-dire à peu près vers les huit heures du matin, je retournai chez Madame pour lui aider à s'habiller, ainsi qu'elle me l'avait indiqué lorsqu'elle prit le peu de bouillon sur son lit. Sa Majesté passa dans la petite ruelle que je laissais ordinairement entre son lit de sangle et la muraille. Elle déploya elle-même une chemise qu'on avait apportée, probablement en mon absence, et, m'ayant fait signe de me tenir devant son lit pour ôter la vue de son corps au gendarme, elle se baissa dans la ruelle et abattit sa robe, afin de changer de linge pour la dernière fois. L'officier de gendarmerie s'approcha de nous à l'instant, et, se tenant auprès du traversin, regarda changer la princesse. Sa Majesté aussitôt remit son fichu sur ses épaules, et, avec une grande douceur, elle dit à ce jeune homme : "Au nom de l'honnêteté, monsieur, permettez que je change de linge sans témoin. — Je ne saurais y consentir, répondit brusquement le gendarme ; mes ordres portent que je dois avoir l'œil sur tous vos mouvements."

« La reine soupira, passa sa dernière chemise avec toutes les précautions et toute la modestie possibles, prit, pour vêtement, non pas sa longue robe de deuil qu'elle avait encore devant ses juges, mais le déshabillé blanc qui lui servait ordinairement de robe du matin, et déployant son grand fichu de mousseline, elle le croisa sous le menton. [...] il me fut aise de voir qu'elle roulait soigneusement sa pauvre chemise ensanglantée ; elle la renferma dans une de ses manches comme dans un fourreau, et puis serra ce linge dans un espace qu'elle aperçut entre l'ancienne toile à papier et la muraille. »

Marie-Antoinette est prête. Elle attend ses bourreaux, en priant, agenouillée au pied de son lit. Ce sont d'abord les juges qui arrivent vers dix heures et lisent à la reine la sentence qu'elle connaît déjà, en présence de Louis Larivière, « porte-clefs à la Conciergerie », qui succède ainsi à Rosalie Lamorlière, partie sans oser prendre congé, ni dire adieu, et dont voici le témoignage :

491

« "Cette lecture est inutile, leur dit la princesse à haute voix, je ne connais que trop cette sentence." L'un d'eux répliqua : "Il n'importe, il faut qu'elle vous soit lue une seconde fois." Sa Majesté ne répliqua point et le greffier se mit à lire. Comme il finissait, je vis entrer Henri Sanson [1], l'exécuteur en chef, jeune homme alors, et d'une taille immense. Il s'approcha de la reine et lui dit : "Présentez vos mains." Sa Majesté recula deux pas, et, toute troublée lui répondit : "Est-ce qu'on va me lier les mains ? On ne les a point liées à Louis XVI." Les juges dirent à Sanson : "Fais ton devoir."

« "Oh ! mon Dieu !" s'écria la reine, tout éperdue.

« À ces paroles, Henri saisit brutalement les pauvres mains de la reine, et les lui lia trop fort, derrière le dos. [...] Quand ses mains furent liées, Sanson lui enleva sa coiffe, et lui coupa les cheveux.

« Sa Majesté croyant peut-être qu'on allait la tuer dans le cachot, se retourna avec beaucoup d'émotion, et elle put voir que l'exécuteur s'emparait de sa chevelure et la mettait dans sa poche pour l'emporter. »

Il est près de onze heures. Il est temps de partir. Témoignage du gendarme Léger :

« Ses mains augustes lui avaient déjà été attachées derrière le dos, lorsqu'elle se plaignit d'un besoin pressant qui obligea de les lui délier, et qu'elle satisfit dans un réduit obscur nommé la *Souricière,* dont l'entrée se trouve à l'angle gauche du greffe, après quoi ses mains, qu'elle tendit encore une fois, furent liées à nouveau. »

1. Fils de Charles-Henri Sanson qui exécuta Louis XVI.

Sanson tient un bout de la corde qui lie les poignets de la reine. Marie-Antoinette semble ainsi tenue en laisse, comme une chienne, une « chienne d'Autrichienne ».

« À onze heures ou douze ou quinze minutes, elle sortit de la prison de la Conciergerie et monta dans la même charrette que les autres condamnés que l'on traîne à l'échafaud ; elle était vêtue d'un déshabillé blanc et coiffée d'une bonnette très commune[1] [...]. »

Le roi avait eu droit à un fiacre. La reine n'a droit qu'à la charrette où elle sera exposée à la foule, sans protection aucune. Elle demande :

— Pensez-vous que le peuple me laissera arriver jusqu'à l'échafaud sans me mettre en pièces ?

On l'assure que des dispositions sont prises et qu'elle parviendra à l'échafaud. Rassurée, elle se dirige vers la charrette :

« Elle fait les quelques pas nécessaires pour rejoindre le marchepied auquel on a ajouté une petite échelle de quatre ou cinq échelons. L'exécuteur, qui indique à la reine où il faut mettre le pied, est suivi d'un aide. Sanson va, de la main, soutenir la patiente. La reine, c'est vraiment elle, se retourne gravement en voulant enjamber la banquette pour se placer en face du cheval, lorsque les deux bourreaux lui désignent la position opposée qu'il faut prendre, pendant que le prêtre monte en voiture[2]. »

Ce prêtre, l'abbé Girard, dont elle a déjà refusé les services, croit opportun de dire :

— Maintenant, madame, voici le moment de vous armer de courage.

Il s'attire cette réponse :

1. Relation de Rouy.
2. Récit du vicomte Charles Desfossés.

493

— Du courage, ah ! monsieur, il y a plusieurs années que j'en fais l'apprentissage, ce n'est pas au moment que mes maux vont finir qu'on m'en verra manquer !

L'abbé Girard n'entendra plus le son de la voix de la reine.

La charrette, traînée par un cheval blanc, quitte la Conciergerie, au milieu d'une multitude dont le désordre provoque des arrêts fréquents et imprévisibles. À un arrêt un peu brusque, Marie-Antoinette manque perdre l'équilibre et quelqu'un ose s'en moquer en lançant :

— Ah ! ce ne sont pas tes coussins de Trianon !

Intolérable, et abjecte, raillerie.

« Plus rien à présent ne peut me faire du mal. » Marie-Antoinette n'entend plus rien, ne voit plus rien. Pendant cette dernière promenade qui suit l'itinéraire de ses triomphes oubliés, elle n'est plus une reine déchue, elle est la Reine, la Seule, l'Unique, la Reine du malheur et de la désolation. Elle n'appartient plus à ce monde et à son néant, elle entre dans une légende où elle va, à jamais, resplendir. Alors, qu'importe que, devant l'église Saint-Roch, Grammont, un acteur qui fut à la solde du duc d'Orléans, caracole en brandissant son sabre et en hurlant :

— La voilà, l'infâme Antoinette, elle est foutue, mes amis !

« Le peuple sera-t-il bientôt las de mes fatigues ? » avait demandé Marie-Antoinette, pendant son procès. Au Palais-Royal, rue Saint-Honoré, rue Royale, le peuple ne se lasse pas de contempler les fatigues de la reine qui passe, les yeux mi-clos, telle que David l'a représentée en un croquis qu'il suffit de voir pour comprendre la détresse humaine, et son dépassement.

Place de la Révolution, *enfin*. À midi quinze, tout sera terminé. Marie-Antoinette n'a plus que quelques instants à vivre. Elle recevra la mort comme une sœur bien-aimée vers laquelle elle se précipite, avec « légèreté et promptitude »[1]. Dans sa hâte, elle marche sur les pieds du bourreau.

— Monsieur, je vous en demande pardon, dit-elle.

Pardon, ce sera le dernier mot qui sortira de la bouche de Marie-Antoinette et c'est l'un des plus beaux qui existent dans notre langue. Pardon...

À Paris, le 24 décembre 1987.

---

1. Relation de Rouy : « La charrette étant arrêtée, elle est descendue avec légèreté et promptitude, sans avoir besoin d'être soutenue, quoique ses mains fussent toujours liées ; elle est de même montée à la bravade, avec un air plus calme et plus tranquille encore qu'en sortant de prison. [...] Son exécution et ce qui en formait l'affreux prélude dura environ quatre minutes. À midi un quart précis, sa tête tomba sous le fer vengeur des lois et l'exécuteur la montra au peuple aux acclamations répétées de : *Vive la République ! Vive la liberté !* »

Postface

Pendant que j'écrivais *Chère Marie-Antoinette*, j'avais pour livres de chevet :

Marie-Antoinette, correspondance secrète entre Marie-Thérèse et le comte de Mercy-Argenteau, Firmin Didot, 1875.

Mémoires de Mme la Duchesse de Tourzel, Mercure de France.

Mémoires de Mme Campan, Ramsay.

Journal de ce qui s'est passé à la Tour du Temple par Cléry, Mercure de France.

Correspondance entre Marie-Thérèse et Marie-Antoinette, Grasset.

Correspondance secrète inédite sur Louis XVI, Marie-Antoinette, la Cour et la ville, de 1777 à 1792, publiée d'après les manuscrits de la Bibliothèque impériale de Saint-Pétersbourg, avec une préface, des notes et un index alphabétique par M. de Lescure, Plon, 1866.

Correspondance intime du comte de Vaudreuil et du comte d'Artois pendant l'émigration (1789-1815), Plon, 1889.

Mémoires de la baronne d'Oberkirch, Charpentier, 1883.

Histoire de Marie-Antoinette par Maxime de la Rocheterie, Perrin, 1890.

Marie-Antoinette d'André Castelot, Perrin.

Le Comte de Fersen et la cour de France par le baron R.M. de Klinckowström, Firmin Didot, 1877.

Fersen et Marie-Antoinette d'Alma Söderjhelm, Grasset, 1930.

Marie-Antoinette intime de Nesta Webster, La Table Ronde.

Marie-Antoinette en accusation par Sabine Flaissier, Julliard.

Marie-Antoinette par le marquis de Ségur, Calmann-Lévy, 1925.

Marie-Antoinette de Gérard Walter, Éditions du Bateau Ivre, 1948.

Journées mémorables de la Révolution française, Pierre Saurat éditeur.

Marie-Antoinette l'impossible bonheur de Philippe Huisman et Marguerite Jallut, Vilo.

Le Collier de la reine par Frances Mossiker, Julliard.

Marie-Antoinette par René Benjamin, Les livres merveilleux, Monaco, 1943.

Marie-Antoinette à Versailles de Pierre de Nolhac, Flammarion.

Autour de la reine de Pierre de Nolhac, Plon.

Marie-Antoinette de Pierre de Nolhac, Arthème Fayard.

Marie-Antoinette (La captivité et la mort) de G. Lenôtre, Perrin.

Le Drame de Varennes de G. Lenôtre, Perrin.

Les Derniers Jours de Marie-Antoinette de Funck-Brentano, Flammarion.

Le Rendez-Vous de Varennes d'André Castelot, Perrin.

La Marchande de modes de Marie-Antoinette, Rose Bertin d'Émile Langlade, Albin Michel.

Actes du Tribunal révolutionnaire, Mercure de France.

Fersen de Françoise Kermina, Perrin.

Madame Royale d'André Castelot, Perrin.

Necker de Ghislain de Diesbach, Perrin.

Madame de Staël de Ghislain de Diesbach, Perrin.

Marie-Antoinette d'Edmond et Jules de Goncourt, Olivier Orban.

Marie-Antoinette et les pamphlets royalistes et révolutionnaires d'Henri d'Almeras, Albin Michel.

Louis XVI de Jean-François Chiappe, tomes I et II, Perrin.

Louis XVI ou la fin d'un monde par Bernard Faÿ, Perrin.

La Princesse de Lamballe de Michel de Decker, Perrin.

La Vraie Marie-Antoinette par M. de Lescure, Plon, 1867.

Le Prince rouge, Philippe Égalité d'André Castelot, Perrin.

Le Cardinal collier et Marie-Antoinette de J. Munier-Jolain, Payot, 1927.

Marie-Antoinette et Barnave, correspondance secrète (juillet 1791 - janvier 1792), établie d'après les originaux par Alma Söderjhelm, Armand Colin.

Marie-Antoinette de Stefan Zweig, Grasset.

Le Barbier de Séville de Beaumarchais, Classiques Larousse.

Table des matières

Un petit perroquet viennois (1755-1770)   11
Un voyage enchanté (21 avril - 13 mai 1770)   27
Les monstres de la famille (14 mai - 30 mai 1770)   33
Des enfants, des chiens, des chevaux et un corset
   (juin - décembre 1770)   41
L'affaire du Barry (1771-1772)   53
La conquête de Paris (8 juin 1773)   69
L'amour fou de Louis-Auguste (22 mars 1774)   81
Marie-Antoinette (1774).   85
Une « petite reine de vingt ans » (1775) 103
Les dangers de la vertu (1776) 125
Les prédictions d'un frère (1777) 137
Une mère trop abusive et un jumeau idéal
   (1778) 147
Madame Scandale (1779) 157
Départ de Fersen, avènement de la duchesse
   Jules et mort de Marie-Thérèse (1780) 165
Une orpheline de vingt-cinq ans (1781) 175
Des enfants voués au blanc et à Trianon (1782) . 181
La chute d'un ange et le triomphe de l'angélisme
   (1783) 187
Un ballon nommé Marie-Antoinette (1784) 197
Le collier maléfique (août 1785 - mai 1786). 205
Un trop précoce automne (juin - décembre 1786) 227

Quand Marie-Antoinette se prend pour Marie-Thérèse (1787) 235

« Mon sort est de porter malheur » (1788) 243

La mort d'un fils (4 juin 1789) 249

Une interminable journée (17 juillet 1789) 255

Une nuit trop courte (4 août 1789) 263

La reine au couvent (1er septembre 1789) 269

Une drôle d'orgie (1er octobre 1789)........... 273

Quelques moments de bonheur (24 décembre 1789).. 287

« Il est si doux d'espérer... » (printemps 1790).. 295

Un été miraculeux (juin - novembre 1790)...... 301

Dieu abandonnerait-il les siens ? (18 avril 1791). 313

C'est la faute à Léonard (21 juin 1791) 319

La reine et l'épicière (nuit du 21 au 22 juin 1791)...................................... 337

Les cheveux blancs de la reine (25 juin 1791) ... 343

La « vie végétale » (25 juin - 14 septembre 1791) 355

La Sévigné des Tuileries (fin 1791) 365

Plus de théâtre pour la reine (20 février 1792)... 377

Une reine en guerre (printemps 1792)......... 383

« Des outrages le jour, des assassins la nuit... » (été 1792) 391

La reine en cage (9-13 août 1792) 409

Le massacre de Lamballe (3 septembre 1792) ... 421

Le trente-septième anniversaire de Madame Capet (2 novembre 1792) 431

Un anneau de mariage et des vêtements de deuil (21 janvier 1793) 439

« Rien à présent ne peut me faire du mal » (nuit du 2 au 3 août 1793) 451

Une autre Marie-Antoinette (3 août - 12 octobre 1793)..................................... 463

La fête de Sainte-Thérèse (15 octobre 1793) 473

La dernière promenade (16 octobre 1793) 487

Postface 497

Achevé d'imprimer en décembre 1997
sur les presses de l'Imprimerie Bussière
à Saint-Amand (Cher)

POCKET - 12, avenue d'Italie - 75627 Paris Cedex 13
Tél. : 01-44-16-05-00

— N° d'imp. 2470. —
Dépôt légal : septembre 1989.

Imprimé en France

JEAN CHALON

LE LUMINEUX DESTIN
D'ALEXANDRA DAVID-NEEL

Madame David-Néel ne s'est jamais arrêtée.

Comment en aurait-elle eu le temps ? Elle s'incarna, en une seule existence, en tant de personnages : anarchiste, bourgeoise, bouddhiste, cantatrice, orientaliste, exploratrice (elle fut la première Parisienne à pénétrer à L'hassa en 1924), journaliste, écrivain... Celle qui, centenaire, faisait, à l'étonnement de son entourage, renouveler son passeport, n'a consenti à se reposer qu'en consentant à mourir, en 1969.

Et encore, rien ne prouve que la mort, pour Alexandra, soit un repos éternel !

Jean Chalon

MICHEL DE GRÈCE

L'ENVERS DU SOLEIL

Le Roi Soleil, sous son impassibilité et sa sévérité ostentatoire, dissimulait la faiblesse d'un être toujours sur la défensive. Derrière l'aisance du monarque était la fragilité de l'homme soucieux d'être rassuré.

Michel de Grèce, descendant de Louis XIV, porte ici un regard révolutionnaire sur son illustre ancêtre sans craindre de révéler l'envers du mythe. Au fil de son pittoresque récit, il conte avec naturel les petits tracas du Grand Siècle et fait de son lecteur le confident ébahi de l'histoire.

KARLEEN KŒN

L'OBSCUR MIROIR
DES JOURS HEUREUX

L'inoubliable héroïne de ce roman que l'on compare déjà à " Autant en emporte le vent ", Barbara Alderley, appartient à la race des Scarlett O'Hara. Fière, volontaire, charmante, Barbara est mariée à l'âge de 15 ans avec Roger Montgeoffry, de trente ans son aîné et de réputation plus que douteuse.

Devenue comtesse Devane, Barbara se trouve propulsée dans le monde éblouissant mais cruel de la haute société parisienne du XVIIIe siècle : salons raffinés, alcôves compromettantes, duels et complots sans merci...

Mais la passion de Barbara est une passion absolue. Les sordides manigances des cours européennes ne parviendront pas à empêcher son amour adolescent de devenir adulte, trouvant dans l'obscur miroir des jours heureux l'énergie et le courage nécessaires à sa survie.